Ce livre
appartient à :
offert par :

RETROUVEZ Oui-Oui DANS

Oui-Oui et les ours en peluche

Oui-Oui et les lapins roses

Oui-Oui et le kangourou

Oui-Oui a perdu son bonnet

Oui-Oui tête en l'air

Oui-Oui et le magicien

Oui-Oui et les trois lutins

Oui-Oui et l'anniversaire des éléphants

Oui-Oui décroche la lune

Oui-Oui veut faire fortune

Oui-Oui voit du pays

Oui-Oui à la plage

Oui-Oui et le vélo-car

Oui-Oui et la voiture jaune

Oui-Oui marin

Oui-Oui champion

Les vacances de Oui-Oui

Une surprise pour Oui-Oui

MA PREMIÈRE BIBLIOTHÈQUE ROSE

Oui-Oui et son grelot

Oui-Oui et la farce de Pierrot

Oui-Oui et les belles pommes

Oui-Oui et M. Grosminou

Oui-Oui s'envole

Oui-Oui et son igloo

Oui-Oui et la gomme magique

Oui-Oui au pays des jouets

Oui-Oui va à l'école

Oui-Oui et le lapinzé

Oui-Oui à la ferme

Oui-Oui et le chien qui saute

Oui-Oui en avion

Oui-Oui et son âne

Une astuce de Oui-Oui

Oui-Oui à la fête

Oui-Oui part en voyage

Oui-Oui, chauffeur de taxi

Enid Blyton

Oui-Oui, chauffeur de taxi

Illustrations de Jeanne Bazin

HACHETTE

Hachette Livre, 43, quai de Grenelle, 75015 Paris.

1

Le joyeux réveil de Oui-Oui

Ce matin-là, Oui-Oui s'éveilla tout heureux. Il s'assit sur son lit et se demanda :

« Pourquoi suis-je si content ? C'est drôle, j'ai envie de chanter ! »

Tout à coup, il se souvint.

« Bien sûr ! Je suis content parce que j'ai une adorable petite auto jaune et rouge. Une petite auto à moi tout seul. Et je vais faire le métier de chauffeur de taxi ! »

Sa tête se mit à s'agiter comme une folle.

Elle faisait toujours cela quand il était content.

Les gens étaient surpris de le voir ainsi faire « oui » de la tête,

mais il n'y pouvait rien. (Il ne faut pas oublier que Oui-Oui était un pantin articulé et que sa tête de bois était montée sur un petit ressort.)

J'ai une jolie voiture
Elle ira loin j'en suis sûr
Tra-la-la-la-la-lure !

Voilà ce que Oui-Oui se mit à chanter en sautant du lit et en allant se débarbouiller.

« Ma parole, on dirait de la poésie ! Comme je suis intelligent ce matin ! »

Youpi ! Youpi !
Je suis bien content aujourd'hui,
Il est si gai mon beau taxi,
Trou-la-la-i-ti !

Voilà ce que Oui-Oui chanta ensuite en commençant de s'habiller. « Mais c'est merveilleux ! se dit-il. Je sais faire de petites chansons drôles. Je ne m'en serais jamais douté. »

Il mit la tête à la fenêtre et regarda dans son jardin. C'est là qu'était sa voiture, car il n'avait pas encore de garage. Oui-Oui la contempla longuement, ravi. Comme elle était jolie !

— Toute jaune et rouge, et toute brillante, dit-il en hochant de nouveau la tête. Je la tiendrai bien propre ! Quelle bonne chose qu'il n'ait pas plu cette nuit ! Elle aurait été toute mouillée !

Il mit ses chaussures, qu'il laça avec soin. Il prit son petit bonnet

à grelot. Celui-ci sonna joyeusement, tandis qu'il courait de-ci de-là pour préparer son petit déjeuner.

« Il faut que je construise un garage », se dit Oui-Oui, tendant l'oreille pour entendre si le laitier venait. Il arriva bientôt en criant : — Voilà le bon lait ! Voilà le lait frais !

Oui-Oui ouvrit la porte.

— Une carafe, s'il vous plaît ! demanda-t-il. Et il ajouta : Comment trouvez-vous ma voiture ?

— Merveilleuse ! Est-ce votre récompense pour avoir retrouvé les voitures volées une nuit dans le garage de M. Polichinelle ?

— Oui ! répondit Oui-Oui, hochant la tête de plaisir.

M. Polichinelle a été vraiment gentil de me donner une petite auto pour moi tout seul. Pensez donc, je vais être chauffeur de taxi, monsieur le laitier ! C'est que je veux gagner de l'argent pour construire un petit garage.

— Alors, je vais annoncer à tout le monde que vous êtes chauffeur de taxi, dit aimablement le laitier. Quels sont vos prix ?

— À vrai dire, je n'y ai pas encore pensé, répondit Oui-Oui, en prenant sa carafe de lait. Et vous, combien demanderiez-vous?

— Eh bien... dix sous aller et retour.

— Très bien, c'est ce que je demanderai. Merci de votre

conseil. Un instant, je vais chercher l'argent du lait.

— Non, je ne veux pas d'argent aujourd'hui, répondit le laitier. Laissez-moi seulement vous donner un petit coup sur la tête. Je trouve tellement drôle de la voir remuer que je serai assez payé comme cela.

Oui-Oui accepta. Alors le laitier donna une bonne tape sur la petite tête de bois, qui se mit à s'agiter d'avant en arrière, tandis que le grelot du bonnet faisait entendre son carillon.

— J'espère que je ne vous fais pas mal quand je vous tape aussi fort ? dit le laitier.

— Non, non, vous ne me faites pas mal du tout. Ma tête est solide. Au revoir, monsieur le lai-

tier. Et surtout, n'oubliez pas de faire savoir à tout le monde que je suis chauffeur de taxi et que j'attends des clients. Dites-leur bien que je ne prends que dix sous aller et retour.

— Au revoir, dit le laitier. Et il s'en alla en criant à pleins poumons :

— Voilà le bon lait ! Voilà le lait frais !

Oui-Oui se dit que c'était un très brave homme.

— J'espère que mon premier client viendra vite ! soupira-t-il. Oh ! comme je voudrais qu'il vienne !

2

Le premier client de Oui-Oui

Oui-Oui fit le ménage de sa petite maison, après quoi il se mit à astiquer sa voiture. Tout en frottant, il chantait :

Je suis un très heureux garçon,
Jaune et rouge est ma voiture,

Doucement ou à toute allure,
Toujours au but nous arrivons.

M. Bouboule, le gros ours qui habitait la maison voisine, mit la tête à la fenêtre.

— Quelle jolie chanson ! dit-il. Avez-vous trouvé un client ?

— Non, répondit Oui-Oui en faisant « oui » de la tête. (Il ne pouvait pas faire autrement, à cause du petit ressort qui ne fonctionnait que de bas en haut.) Non, pas encore. J'attends, vous voyez. Mais je suis sûr que j'aurai bientôt un client. Je vais sortir ma voiture du jardin, et l'avancer sur la route ; elle sera prête à partir.

Il ouvrit la barrière et mit le moteur en marche. Voilà ! Le taxi était maintenant sur la route, attendant son premier client.

Le croiriez-vous ? Il y en eut un. C'était un gros chat de peluche rose, à la queue longue et touffue et aux moustaches plutôt féroces. Il demanda à Oui-Oui s'il était le chauffeur du taxi.

— Je voudrais aller à la gare,

dit-il. Quel est le prix de la course ?

— Dix sous aller et retour, répondit Oui-Oui.

— C'est que je ne veux que l'aller, et pas le retour, dit le chat rose. Je vais prendre le train à la gare. Combien demandez-vous pour l'aller seulement ?

Le pauvre Oui-Oui ne savait pas. Il lui était impossible de résoudre un problème aussi difficile. Il regarda le chat d'un air embarrassé.

— Eh bien, parlez donc ! dit le chat impatient, balayant le sol de sa longue queue. Vous ne savez pas ?

Oui-Oui hocha la tête.

— Non, répondit-il.

— J'aimerais bien que vous ne

disiez pas « non » quand vous faites « oui » de la tête, dit le chat. Comment voulez-vous que je comprenne ? C'est déroutant !

— Mais je ne peux pas m'en empêcher ! C'est moi le petit bonhomme en bois qui dit toujours oui... Si nous demandions à M. Bouboule, mon voisin ? Peut-être sait-il combien il faut

prendre pour l'aller sans retour.

M. Bouboule se présenta à sa porte dès qu'on l'eut appelé.

— Quel est le prix d'un aller sans le retour ? demanda Oui-Oui.

M. Bouboule était un sage.

— C'est exactement comme pour le retour sans l'aller, répliqua-t-il. Et, sans leur laisser le temps de répondre, il rentra chez lui et ferma sa porte.

— Comment peut-on revenir de la gare sans y être allé ? dit le chat à Oui-Oui, qui parut plus embarrassé que jamais, et hocha la tête de plus belle.

— Avec tout cela, savez-vous ce qui va arriver ? reprit le chat. Je vais manquer mon train. Allons, venez, nous parlerons du prix quand nous serons à la gare.

Oui-Oui hocha la tête, de nouveau joyeux, et s'assit au volant. Oh ! comme il était heureux dans son adorable petite voiture à lui tout seul !

Le chat s'installa à son côté, laissant passer sa queue par-dessus la portière, ce que Oui-Oui

ne remarqua pas. Et la voiture démarra.

De sa fenêtre, M. Bouboule assistait au départ. Il vit tout de suite la queue du chat et cria :

— Hé ! le chat ! Attention à ta queue !

Oui-Oui sursauta si fort à ce cri soudain qu'il freina brusquement, projetant le chat par-dessus bord.

Oui-Oui faillit bien, lui aussi, avoir le même sort.

Le chat atterrit sur la chaussée.

— Alors, quoi ? s'écria-t-il en crachant de colère. C'est comme cela que vous conduisez ?

— Non. Pas habituellement, répondit Oui-Oui, effrayé. Mille pardons ! C'est quelqu'un qui a crié et j'ai eu peur.

— Eh bien, dit le chat, remontant dans la voiture, ne recommencez pas ce petit jeu-là, ou bien alors, prévenez-moi, si cela ne vous fait rien.

M. Bouboule cria encore, juste au moment où Oui-Oui allait repartir.

— Hé ! le chat ! Rentre ta queue ! Tu l'as encore laissée dehors !

Le chat rentra sa queue, paraissant très fâché.

— Je me demande de quoi se mêle cet ours en peluche, dit-il.

Oui-Oui repartit tout joyeux. Chacun se retournait sur son passage. « Tu ! Tu ! » faisait le klaxon avec orgueil. « Tu ! Tu ! »

— Regardez donc ! c'est Oui-Oui avec son premier client ! se répétait-on en le voyant passer. C'est bien lui ! C'est un vrai chauffeur de taxi maintenant ! Et c'est son premier client !... »

3

Le chat rose n'est pas content

Dans un cahot, la queue du chat passa par-dessus la portière. Cette fois, Oui-Oui s'en aperçut.

— Rentrez-la dans la voiture, s'il vous plaît, dit-il. Vraiment les chats devraient s'occuper un peu mieux de leur queue.

— Elle est à moi, cette queue, et j'ai le droit d'en faire ce qu'il me plaît, répliqua le chat. Et il refusa de la rentrer.

Mais savez-vous ce qui arriva ? Eh bien, la queue du chat se prit dans la roue de l'auto et s'arracha. C'est vrai, je vous le jure !

Le chat fit entendre un terrible miaulement, au moment précis où Oui-Oui faisait une arrivée triomphale à la gare.

— Ma queue ! Ma queue est partie ! Arrêtez, Oui-Oui ! Arrêtez !

Oui-Oui s'arrêta. Il le fallait bien d'ailleurs, sous peine d'aller jusque sur le quai. Il considéra le chat avec étonnement.

— Qu'est-ce que vous dites ?

Votre queue est partie ? Où cela ?

— Je n'en sais rien, petit imbécile ! cria le chat en colère. Et, d'un bond, il sauta sur la chaussée.

Oui-Oui le regardait avec stupeur. Ce chat sans queue avait vraiment une drôle d'allure.

Oui-Oui chercha la queue.

— Elle doit s'être prise dans la

roue, dit-il. Mon cher monsieur, je vous avais pourtant bien dit de ne pas la laisser pendre à l'extérieur !

On entendit un coup de sifflet strident, et le train entra en gare dans le fracas de sa machine et de ses wagons. C'était un adorable train, un train mécanique, aux couleurs éclatantes.

Les voyageurs descendirent : tous des jouets, sauf quelques lutins... Vous savez, ceux qui protègent les maisons et ceux qu'on rencontre dans les forêts.

— Vite ! Vite ! Vous allez manquer votre train, dit Oui-Oui au chat. Tant pis pour votre queue ! Vous pouvez bien vous en passer.

— Ne dites donc pas de bêtises ! gémit le chat. Oh ! quel

abominable chauffeur de taxi ! J'ai perdu ma queue, et voilà maintenant que je vais manquer mon train !

— Mais non, mais non ! dit Oui-Oui en le poussant dans le wagon le plus proche. Montez ! je vais chercher votre queue. Ah ! j'oubliais... Voudriez-vous me payer d'abord ma course ?

— Et puis quoi encore ? cria le chat, furieux. Croyez-vous qu'un chat qui se respecte va payer le chauffeur de taxi qui lui a coupé la queue avec la roue de sa voiture ? C'est vous qui me devez dix sous pour acheter une queue neuve !

Avant que Oui-Oui pût ajouter un mot, le train était parti. Le chat se montra à la portière et lui cria de toutes ses forces :

— Dix sous ! C'est vous qui me les devez ! Dix sous ! Et si vous ne me payez pas, j'irai chercher les gendarmes.

Oui-Oui secoua la tête d'un air désolé.

Il revint à sa petite voiture, s'assit et se mit à réfléchir.

« J'ai bien mal commencé ma journée, se dit-il. Au lieu d'avoir gagné de l'argent, voilà que je dois dix sous au chat rose pour qu'il s'achète une queue neuve. Il faut d'abord que je trouve ces dix sous-là avant de pouvoir mettre de l'argent de côté pour le garage. »

Il descendit de sa voiture et examina la roue. La queue avait pu se prendre dedans. Mais non, elle n'y était pas. Quelle vilaine histoire ! Ce chat aurait pu faire attention, tout de même !

Mais Oui-Oui ne pouvait pas perdre son temps à chercher. Il remonta en voiture, ne pensant plus qu'à trouver un autre client.

Et juste à ce moment-là, il s'en présenta un.

— Voudriez-vous me conduire chez M. Bouboule ? dit-il. Je suis son frère.

4

Le chapeau de l'ours en peluche

Oui-Oui fut très satisfait d'avoir un bel ours en peluche comme deuxième client.

Malheureusement, celui-ci était plus gros que M. Bouboule son frère, et Oui-Oui dut pousser de toutes ses forces pour le faire entrer dans la voiture.

Enfin les voilà partis. L'auto passait dans les rues comme une flèche, quand l'ours en peluche se mit à crier :

— Hé ! mon chapeau s'est envolé ! Arrêtez ! arrêtez !

« Sapristi ! se dit le pauvre Oui-Oui. Ils m'en font voir avec leurs queues et leurs chapeaux ! »

Il actionna le frein. La voiture

parcourut encore quelques mètres avant de s'arrêter.

— Descendez et allez ramasser mon chapeau, dit le frère de M. Bouboule. Moi, je ne peux pas bouger d'ici.

Oui-Oui ne réussit pas à retrouver le chapeau. Il avait bel et bien disparu !

Le gros ours en fut très fâché. Ils continuèrent leur route. Oui-Oui hochait la tête d'un air triste. L'ours en colère grognait à chaque instant, et semblait vouloir mordre l'oreille de Oui-Oui.

Ils arrivèrent enfin à la petite maison de M. Bouboule, juste à côté de chez Oui-Oui.

Oui-Oui klaxonna pour avertir M. Bouboule de l'arrivée de son

frère. Puis il sauta de la voiture afin d'aider son client à descendre. M. Bouboule et sa petite femme rondelette se précipitèrent à la barrière pour accueillir leur invité.

— Bonjour, Théodore ! criaient-ils. Venez vite, le déjeuner est prêt !

— Il faut d'abord que je descende ! répondit le gros ours qui se tortillait dans tous les sens pour se dégager de son siège. Hélas ! il avait beau faire, il n'y parvenait pas.

— Pourquoi donc avez-vous une voiture si petite ? dit-il à Oui-Oui sur un ton de reproche.

— Ma voiture n'est pas trop petite, répondit Oui-Oui en

remuant la tête, c'est vous qui êtes trop gros !

— Quoi ! Vous m'insultez ? gronda l'ours menaçant. Attendez un peu que je descende et vous verrez !

Mais M. Théodore fut incapable de descendre aussi vite qu'il l'aurait voulu. Oui-Oui fut obligé de démonter la portière.

Cela dura un long moment car il ne savait pas s'y prendre. Et il se demandait avec inquiétude comment il ferait ensuite pour la remettre en place.

Enfin l'ours put sortir. Le pauvre Oui-Oui lui dit timidement :

— S'il vous plaît, monsieur, voudriez-vous bien me payer ma course ?

— Tu plaisantes, mon petit bonhomme ! lança l'ours d'une voix terrible. Tu voudrais que je te donne de l'argent alors que par ta faute j'ai perdu mon beau chapeau neuf ? Un chapeau que j'ai depuis hier seulement ! C'est toi qui vas me donner dix sous pour m'en racheter un, voilà ! Et cesse de remuer bêtement la tête comme cela !

Oui-Oui en aurait pleuré ! Non seulement il n'avait rien gagné mais encore il devait dix sous à ce gros ours en colère ! Et il devait déjà dix sous au chat rose à cause de sa queue !

— Combien font deux fois dix sous ? demanda-t-il à Mme Bouboule, qui paraissait très ennuyée pour lui.

— Cela fait vingt sous tout juste, répondit Mme Bouboule. Pauvre Oui-Oui ! C'est une somme ! Mais ne vous inquiétez pas, vous retrouverez peut-être le chapeau de Théodore.

Il fallut à Oui-Oui un certain temps pour remettre la portière de sa voiture. Il avait une faim de loup quand il eut fini. Et pas un

sou en poche pour s'acheter de quoi manger !

« Je me suis réveillé si heureux ce matin, et maintenant me voilà tout triste ! se dit-il. Je croyais que j'allais avoir beaucoup de chance, et c'est tout le contraire qui est arrivé. Mais je ne désespère pas ; peut-être le prochain client me donnera-t-il beaucoup d'argent. »

Il remonta dans son taxi, et doucement se mit en route, à la recherche d'un autre client. Il fallait en trouver un riche, qui le paierait généreusement. Alors, il pourrait donner dix sous au chat pour sa queue, et dix sous à l'ours pour son chapeau.

Bientôt il aperçut une belle poupée blonde, richement habillée,

BUS

qui semblait attendre l'autobus. Mais quand elle vit le taxi jaune et rouge, elle lui fit signe.

— Taxi ! Taxi ! Pouvez-vous me conduire à la gare, s'il vous plaît ?

Elle portait un sac de voyage. Oui-Oui s'arrêta et secoua gaiement la tête. Il descendit de voiture et ouvrit la portière.

— Montez, madame, dit-il. Vous serez bientôt à la gare.

5

Pauvre petit Oui-Oui

— Où vais-je mettre mon sac ? demanda la jolie poupée blonde. Pouvez-vous l'attacher quelque part à l'arrière ?

« Hélas ! pensa Oui-Oui, je n'ai pas de courroie, mais ça ne fait rien. Je vais caler le sac

contre la roue de secours, et j'y donnerai un coup d'œil de temps à autre, pour voir s'il ne tombe pas. Je conduirai très doucement. »

Mais la poupée aimait la vitesse.

— Quelle belle petite voiture ! dit-elle. Mais pourquoi roulez-vous si lentement ? Vite, je vous en prie !

Oui-Oui était si fier de montrer comme sa voiture était rapide qu'il en oublia complètement le sac placé en équilibre derrière lui. Aussi, quand ils arrivèrent à la gare, il n'y avait plus de sac !

— Horreur ! dit Oui-Oui en descendant. Votre sac a disparu !

— Quel maladroit vous êtes !

dit la poupée, très fâchée. Je n'ai même plus le temps de retourner le chercher : voici mon train qui entre en gare. Il faut retrouver mon sac et me l'envoyer par le prochain train.

— Et si je ne le retrouve pas ? Il y a des choses qui disparaissent, vous savez !

— Alors, vous me devrez dix sous, dit la poupée en descendant de voiture. Et ne comptez pas que je vous paie la course, vous avez été vraiment trop étourdi.

C'était une catastrophe ! Le pauvre Oui-Oui resta là, tout ahuri, ses grands yeux bleus noyés de larmes.

Qu'allait-il faire maintenant ? Il observa un instant la poupée

qui s'installait dans le train, puis il remonta dans sa petite voiture. Il refit le même trajet en sens inverse, à la recherche du sac, mais il ne put le trouver nulle part. Il avait disparu.

« Je ne suis bon à rien comme chauffeur de taxi, pensa le pauvre petit Oui-Oui. Bon à rien du tout. Chaque fois que j'ai un client, je perds quelque chose :

d'abord une queue, puis un chapeau, et enfin un sac. Cela m'effraie de prendre de nouveaux clients. »

Il se demandait ce qu'il devait faire, quand, soudain, il parut tout joyeux.

« Je vais aller trouver mon vieil ami Potiron, se dit-il. Il me donnera sûrement un bon conseil. Allons-y ! »

C'est ainsi qu'il se rendit chez le nain Potiron qui avait élu domicile au milieu des bois, dans un gros champignon. En y arrivant, Oui-Oui klaxonna le plus fort possible et Potiron accourut.

— Je suis content de te voir, mon petit Oui-Oui. Comment vas-tu ? Je suppose que tu as gagné beaucoup d'argent.

— Non, répondit Oui-Oui d'un ton attristé. J'ai eu trois clients qui ne m'ont rien donné du tout, et c'est moi qui leur dois à chacun dix sous.

Potiron fut très étonné.

— Pourquoi ? demanda-t-il. Qu'as-tu fait ?

— Rien de mal, mais j'ai perdu leurs affaires, dit Oui-Oui. Et il

raconta l'histoire de la queue du chat, du chapeau de l'ours et du sac de la poupée.

— J'ai une faim de loup ! gémit-il, et je suis bien malheureux ! Pourtant j'étais tout content ce matin en m'éveillant, si content que je chantais des petites chansons que j'avais inventées comme ça, dans ma petite tête en bois.

— Tu es très intelligent, dit Potiron en faisant entrer Oui-Oui dans sa maison. Moi, je ne suis pas si malin que cela. Maintenant, regarde : voici une tranche de pâté en croûte, de la salade de laitue et des framboises à la crème. Cela te fera du bien. Et pendant que tu mangeras, je réfléchirai à ce qu'il faut faire.

Oui-Oui était si triste que même la vue de ce bon déjeuner ne lui fit pas secouer la tête comme il aurait dû. Aussi Potiron lui donna-t-il une petite tape, et cette fois-ci, elle s'agita comme une folle.

— Voilà qui va mieux, mon petit bonhomme, dit Potiron. J'aime entendre sonner le grelot de ton bonnet. Maintenant, mange, et moi je réfléchis.

Oui-Oui mangea donc, tandis que Potiron réfléchissait. Lui viendrait-il une bonne idée ? Oui-Oui en était sûr.

6

Potiron a une bonne idée

— Je me sens mieux ! dit enfin Oui-Oui. As-tu une idée, Potiron ?

— Oui. Ces objets perdus doivent avoir été trouvés. Nous allons donc aller en ville et nous parcourrons les rues très lentement, en regardant s'il y a quel-

qu'un qui se promène avec un chapeau neuf, ou une queue rose, ou un sac comme celui qui a été perdu.

— C'est cela ! approuva Oui-Oui. Allons-y ! Veux-tu que nous fassions la vaisselle avant ?

— Non, partons tout de suite, décida Potiron. J'ai hâte de faire une grande promenade dans ta jolie petite voiture, Oui-Oui. Je serai ton quatrième client et je te porterai bonheur !

Et les voilà partis, à toute vitesse, à travers la forêt. Les lapins, effrayés par le klaxon, s'enfuyaient de tous côtés.

— Désolés de vous faire peur, mes petits lapins, criait Potiron, mais nous sommes pressés ! Tu ! tu !

Ils arrivèrent bientôt en ville.

— Ah ! ah ! dit Potiron, c'est la fête aujourd'hui. Je suis certain que tout le monde y sera, et peut-être trouverons-nous ce que nous cherchons.

Ils descendirent de voiture et se mêlèrent aux promeneurs. Ils regardaient autour d'eux quand

soudain Potiron tira Oui-Oui par la manche.

— Vois-tu ce pierrot qui porte un chapeau ? Il a l'air tout neuf, et beaucoup trop grand pour lui. Ce n'est sûrement pas le sien. Ressemble-t-il à celui de l'ours en peluche ?

— Oh ! oui ! dit Oui-Oui, c'est le sien, j'en suis sûr ! Quel malhonnête ! Mettre un chapeau neuf qu'il a trouvé, comme s'il était à lui !

— Très malhonnête ! dit Potiron. Et il marcha d'un air décidé vers le pierrot. Avant que celui-ci ait eu le temps de faire un geste, Potiron lui avait arraché le chapeau de la tête et regardait dedans.

— En voilà des manières ! cria

le pierrot en colère. Voulez-vous bien me rendre mon chapeau !

— Et vous, dites-moi donc un peu si vous vous appelez Théodore ! répliqua Potiron sur un ton féroce. Vous voyez, le nom du propriétaire est écrit dans le chapeau. Où l'avez-vous pris ?

Le pierrot, apeuré, jeta un coup d'œil au fond du chapeau. Puis il prit ses jambes à son cou et traversa la foule à toute allure, bousculant trois jolies poupées sur son passage.

— Eh bien, nous avons déjà le chapeau, dit Potiron.

Et Oui-Oui de remuer la tête comme un fou.

— Tu es vraiment très intelligent, Potiron, dit-il. Très intelli-

gent et très malin. Je suis content de t'avoir pour ami.

Ils retournèrent dans la foule et, une fois de plus, Potiron tira Oui-Oui par la manche. Il lui montra du doigt une souris mécanique. Oui-Oui la regarda de ses grands yeux bleus.

La souris avait le sac sur le dos et faisait l'importante.

— Oui, disait-elle à un petit

cheval de bois, je m'en vais en vacances. Regardez mon beau sac ! Je l'ai trouvé aujourd'hui et comme on va en vacances avec ces sacs-là, j'ai pensé que je pourrais bien y aller aussi. La seule chose qui m'ennuie, c'est que je ne sais pas l'ouvrir.

— Voulez-vous que j'essaie ? proposa Potiron en s'avançant vers la souris. Il s'empara du sac et l'ouvrit. À l'intérieur était cousu un nom : Suzy Blondinette.

— Veux-tu m'expliquer ce que tu fais avec le sac de Suzy Blondinette ? demanda Potiron. J'aimerais bien le savoir, vilaine petite souris ! Pourquoi n'es-tu pas allée porter ce sac au poste

de police, comme tu aurais dû...

Mais la souris était déjà partie, en poussant des cris de frayeur. Et elle filait de toute la vitesse de sa mécanique ! Le cheval de bois jeta un regard grave à Potiron et à Oui-Oui.

— Cette souris est une petite peste ! dit-il. C'est une bonne fessée qu'il lui faudrait !

— Elle l'aura la prochaine fois que je la rencontrerai, promit Potiron. Eh bien, Oui-Oui, nous y arrivons ! Maintenant, cherchons la queue du chat.

Ils continuèrent à se promener dans les rues, observant avec attention tous les animaux qu'ils rencontraient. Mais aucun d'entre eux n'avait plus d'une queue, et Potiron était sûr que celle qu'ils portaient était bien à eux. Comment trouver la queue perdue ? Potiron était très embarrassé.

7

Objets perdus et retrouvés

Ce fut Oui-Oui qui vit le premier la queue du chat. Il pouvait à peine en croire ses yeux : quelqu'un la portait autour du cou !

Oui ! Devant eux marchait la petite Babette. Elle était servante à la ferme, et c'était une poupée

toujours prête à jouer de méchants tours. Affublée de ce qui ressemblait à une fourrure rose, elle était toute fière.

Stupéfait, Oui-Oui la montra à Potiron.

— C'est la queue du chat qu'elle porte autour du cou ! murmura-t-il. Oh ! elle en a, de l'audace !

— C'est vrai ! approuva Potiron. Babette, dit-il en s'avançant vers la poupée, sais-tu bien ce que tu portes à ton cou ? C'est la queue du chat rose ! Je te conseille de la lui rendre tout de suite. Sinon, il viendra te cracher à la figure et te griffer les yeux !

— Oh ! non, pas cela ! s'écria la poupée, effrayée. (Elle se

débarrassa aussitôt de sa fourrure.) Je ne pouvais pas savoir que c'était la queue d'un chat ! Les chats ne devraient pas laisser traîner leur queue dans la rue, je vous assure.

— Et toi, tu ne devrais pas prendre ce qui n'est pas à toi, dit Potiron d'une voix sévère. Maintenant, où est le chat ? Il

faut que nous le trouvions sans tarder.

La petite Babette s'enfuit à toutes jambes. « Mon Dieu ! pleurnichait-elle, quand je pense que je me suis fait une fourrure avec la queue du chat ! Que lui dirai-je si je le rencontre ? »

— Eh bien, n'est-ce pas merveilleux ? dit Potiron à Oui-Oui. Nous avons tout retrouvé, tout. Maintenant, nous allons rendre ces objets à leurs propriétaires et ils te paieront ce qu'ils te doivent pour le taxi.

Ils remontèrent en voiture. Potiron tenait le sac sur ses genoux et il avait mis le chapeau de l'ours en peluche sur sa tête, par-dessus son bonnet.

Oui-Oui s'était attaché la

queue du chat autour du cou. Il ne s'agissait pas de perdre ces trois choses encore une fois !

Soudain, au coin d'une rue, Potiron cria à Oui-Oui de s'arrêter. L'arrêt fut si brusque que le sac tomba sur la chaussée, et Potiron fut obligé de descendre pour le ramasser.

— Regarde, Oui-Oui ! s'ex-

clama Potiron, très agité, en montrant une énorme affiche sur le mur. Je vais te lire ce qu'il y a d'écrit là-dessus. Écoute !

Oui-Oui écouta tandis que Potiron lisait tout haut :

« Récompense offerte à qui trouvera ma queue. S'adresser au chat rose.

« Récompense offerte à qui trouvera mon chapeau. S'adresser à M. Théodore, chez M. Bouboule.

« Récompense offerte à qui trouvera mon sac. S'adresser à Suzy Blondinette. »

— Bravo ! s'écria Oui-Oui. Nous avons tout cela !... Dis-moi, Potiron, qu'est-ce que c'est, une récompense ?

— C'est ce que les gens donnent pour avoir retrouvé ce qu'ils avaient perdu. J'espère que tu recevras la récompense promise pour chacun de ces trois objets.

— Oooh ! dit Oui-Oui. Mais il était très calme quand ils se remirent en route.

— Qu'y a-t-il ? demanda

Potiron. Tu es bien calme, c'est à peine si ta tête remue. Je n'entends même pas le grelot de ton bonnet.

— Eh bien, dit Oui-Oui, je ne veux pas de récompense. Vois-tu, Potiron, c'est à cause de mon étourderie que le sac a été perdu. Et si le chapeau de l'ours en peluche s'est envolé, c'est que j'allais trop vite. Enfin j'aurais dû obliger le chat à ne pas laisser dépasser sa queue de la portière. Alors, tu vois, Potiron...

— Je vois que tu es un gentil petit bonhomme, dit Potiron. En tout cas, puisque nous allons rendre leur bien à tes clients, il faudra tout au moins qu'ils te paient le prix de ta course. J'y veillerai.

Ils arrivèrent à la petite maison du chat. Potiron descendit et frappa à la porte. Oui-Oui n'était pas très rassuré. Comment le chat allait-il les accueillir ?

8

Oui-Oui est tout content

Le chat ouvrit la porte. Il poussa un miaulement de joie quand il aperçut sa queue.

— Ma queue ! s'écria-t-il. Attendez, je vais vous donner la récompense !

— Je n'en veux pas, dit Oui-Oui. J'aurais dû faire attention.

Donnez seulement à Potiron ce que vous me devez pour la course, et c'est tout.

— Je vais vous donner deux pièces de dix sous, dit le chat. Et je prendrai toujours votre taxi quand je voudrai aller à la gare.

Voilà qui était magnifique ! Deux pièces de dix sous ! Oui-Oui pouvait à peine le croire. Il reprit sa voiture pour aller, toujours en compagnie de Potiron, chez Suzy Blondinette.

Elle était de retour chez elle et fut si heureuse de revoir son sac qu'elle en pleura presque de joie.

— Oh ! je pensais ne jamais le retrouver ! dit-elle. Jamais ! Attendez que je vous donne la récompense.

— Je n'en veux pas ! dit Oui-Oui. C'est ma faute s'il s'est perdu. Si vous voulez bien me donner le prix de ma course, c'est tout ce que je demande.

— Vous en aurez le double, dit Suzy. Et elle lui donna deux pièces de dix sous. Il ne pouvait en croire ses yeux.

— Cela me fait quatre pièces de dix sous ! Bien ! Bien !

— Et je prendrai toujours votre taxi pour aller à la gare, promit la jolie poupée. Vous êtes si prévenant et si honnête !

La tête de Oui-Oui s'agita tant que le grelot de son bonnet fit entendre un vrai carillon.

— Les gens sont très gentils avec moi, dit-il à Potiron.

— Eh bien, tu l'es aussi avec eux, répondit Potiron qui tenait à deux mains le chapeau de l'ours en peluche, car Oui-Oui conduisait à toute allure. Fais attention, Oui-Oui, ma barbe va s'envoler si tu conduis aussi vite !

Oui-Oui ralentit aussitôt et regarda Potiron d'un air effaré. Ce serait terrible s'il perdait

quelque chose, lui aussi ! Potiron lui sourit.

— Ne crains rien, lui dit-il, c'était une plaisanterie ! Ma barbe est bien plantée. Je ne la perdrai pas.

Ils arrivèrent à la petite maison de Oui-Oui, juste à côté de celle de M. Bouboule où son frère, l'ours en peluche, était descendu le matin. Oui-Oui se sentait très brave maintenant. Il alla lui-même à la porte, d'un pas décidé, et frappa : pan ! pan ! pan !

Ce fut Mme Bouboule qui ouvrit. Oui-Oui lui tendit le chapeau.

— Voulez-vous le donner à votre beau-frère ? dit-il. C'est Potiron et moi qui l'avons retrouvé.

L'ours Théodore apparut à son tour.

Il grogna de joie quand il reconnut son chapeau.

— J'ai offert une récompense, dit-il. Vous l'aurez, je vous le promets.

— Je n'en veux pas, dit Oui-Oui. C'est parce que j'ai conduit trop vite que votre chapeau s'est

envolé. Tout ce que je demande, c'est le prix de la course, monsieur Théodore.

— Eh bien, je ne sais plus combien c'était, dit l'ours, mais voici deux pièces de dix sous. Elles sont à vous. De plus, mon frère m'a dit tant de bien de vous que je regrette de m'être fâché.

Quand je partirai d'ici, aurez-vous la gentillesse de me conduire jusque chez moi avec votre taxi ? Je vous paierai bien.

— Je vous conduirai où vous voudrez ! s'écria Oui-Oui tout content en secouant la tête à se la décrocher. Ce sera un immense plaisir, monsieur l'ours ! Oh ! comme vous êtes bon ! Regarde, Potiron, encore deux pièces de dix sous ! N'ai-je pas de la chance ?

— Tu le mérites, mon petit bonhomme, dit Potiron. Maintenant, viens ! Il est tard et nous n'avons pas goûté. Allons acheter quelque chose à manger, et nous dînerons dans ta jolie petite maison. Je coucherai chez toi cette nuit.

— Bravo ! s'écria Oui-Oui.

— Et demain, Oui-Oui, demain nous achèterons de belles briques avec une partie de cet argent, et je t'aiderai à construire un petit garage pour ta voiture, dit Potiron.

Oui-Oui était trop heureux pour pouvoir parler.

— En route ! dit-il enfin. Monte dans la voiture, nous allons acheter de quoi dîner. Quelle belle soirée, Potiron ! Il ne pleuvra pas cette nuit. Ma petite voiture ne se mouillera pas.

Et les voilà partis acheter leur dîner. Potiron était heureux d'avoir arrangé les affaires de son ami, et Oui-Oui aussi était heureux, puisque tout s'était bien terminé, qu'il avait gagné de l'argent et qu'il n'avait plus de dettes.

Et surtout, il avait Potiron auprès de lui, pour le dîner, et jusqu'au lendemain. C'était merveilleux !

— Je suis tout aussi heureux maintenant que ce matin quand je me suis éveillé, dit Oui-Oui.

Et il se mit à chanter, au son du grelot de son bonnet :

J'ai une maison
Et une voiture !
J'ai un compagnon
De bonne figure !
Je chante une chanson,
Tire-lire-lure !
Et si je continue ainsi
Je chanterai toute la nuit !

— Oh ! non, tu ne chanteras pas toute la nuit ! dit Potiron en serrant le bras de Oui-Oui, car j'ai besoin de dormir. Comme tu es intelligent, Oui-Oui ! Tu chantes des chansons de ton invention. Je ne savais pas que tu étais si intelligent.

— Moi non plus, dit Oui-Oui.

Potiron, crois-tu qu'il m'arrivera un jour d'autres aventures ?

— Oui, dit Potiron, j'en suis sûr.

— Moi aussi, j'en suis sûr. Et je te raconterai la prochaine aussitôt qu'elle m'arrivera.

Table

Imprimé en France par ***Partenaires-Livres®***
n° dépôt légal : 52696 - février 2005
20.24.0217.8/01 ISBN : 2.01.200217.X
Loi n° 49-956 du 16 juillet 1949
sur les publications destinées à la jeunesse

ARGRAFFIAD DIWYGIEDIG

CBAC

Lefel 3 Tystysgrif a Diploma Cymhwysol

TROSEDDEG

Carole A Henderson

CBAC Lefel 3 Tystysgrif a Diploma Cymhwysol Troseddeg

Addasiad Cymraeg o *WJEC Level 3 Applied Certificate & Diploma: Criminology* a gyhoeddwyd yn 2021 gan Illuminate Publishing Limited, argraffnod Hodder Education, cwmni Hachette UK, Carmelite House, 50 Victoria Embankment, London EC4Y 0DZ

Archebion: Ewch i www.illuminatepublishing.com
neu anfonwch e-bost at sales@illuminatepublishing.com

Cyhoeddwyd dan nawdd Cynllun Adnoddau Addysgu a Dysgu CBAC

Data Catalogio Cyhoeddiadau y Llyfrgell Brydeinig

Mae cofnod catalog ar gyfer y llyfr hwn ar gael gan y Llyfrgell Brydeinig

ISBN 978-1-913963-13-2

Argraffwyd gan Severn, Caerloyw

10.21

Polisi'r cyhoeddwr yw defnyddio papurau sy'n gynhyrchion naturiol, adnewyddadwy ac ailgylchadwy o goed a dyfwyd mewn coedwigoedd cynaliadwy. Disgwylir i'r prosesau torri coed a gweithgynhyrchu gydymffurfio â rheoliadau amgylcheddol y wlad y mae'r cynnyrch yn tarddu ohoni.

Gosodiad y llyfr Cymraeg: Kamae Design
Dyluniad a gosodiad gwreiddiol: Kamae Design
Dyluniad y clawr: Kamae Design
Llun y Clawr: domnitsky / Shutterstock

Cydnabyddiaeth ffotograffau

t1 domnitsky/Shutterstock; t10 michaeljung; t12 victorfusionart; t17 Bogdan Viga; t18 US Department of Justice/Ar gael i'r cyhoedd; t19 Nomad_Soul; t20 Everett Historical; t21 Andrey_Popov; t22 (b) chrisdorney; t22 (g) ZUMA Press, Inc./Alamy Stock Photo; t23 WENN Rights Ltd/Alamy Stock Photo; t24 Diego Cervo; t26 IQoncept; t28 (b) SpeedKings; t28 (g) FaysalFarhan; t29 (ch) Photographee.eu; t29 (d) Mehaniq; t30 Nomad_Soul; t31 Alex Staroseltsev; t32 (b) ambronzinio; t32 (g) Gavin Rodgers/REX/Shutterstock; t33 Creative Commons Attribution-Share Alike 3.0 Unported; t34 Aleksandra Duda; t35 chrisdorney/Shutterstock.com; t37 (y ddau) News UK/News Licensing; t38 (b) Kathy Hutchins; t38 (g) Robsonphoto; t39 (b) rvisoft/Shutterstock.com; t39 (g) Pictorial Press Ltd/Alamy Stock Photo; t41 (g) lonndubh/Shutterstock.com; t42 M-SUR; t44 Ken Tannenbaum/Shutterstock.com; t46 TierneyMJ; t50 James Boardman/Alamy; t51 (b) Nigel Bowles/Alamy Stock Photo; t51 (g) Sashkin; t52 Lenscap Photography/Shutterstock.com; t53 Shutterstock; t54 Steve Maisey/ Shutterstock; t58 (b) VLADGRIN; t58 (g) mrwebhoney; t59 (b) Jack the Giant Slayer; t59 (g) Drwy garedigrwydd WaterAid; t60 Featureflash Photo Agency/ Shutterstock.com; t61 (b) Nigel Bowles/Alamy Stock Photo; t61 (c) Defnyddiwyd dan Drwydded Llywodraeth Agored v3.0 ; t61 (g) chrisdorney/Shutterstock. com; t64 (b) sliplee; t64 (g) LuckyVector; t65 (b) aaelrahman89; t65 (g) quinky; t66 Mile Atanasov; t67 wutzkohphoto; t68 nasirkhan; t71 (b) Kraphix; t71 (g) Alex_Bond; t72 (b) Krafted; t72 (g) Plant mewn Angen; t73 Drwy garedigrwydd Declan Ballan, Ronan McDowell, Courtney Powell, Emily Anderson, Arisa Hudson; t75 eenevski; t78 Shishkin Dmitry; t79 happiness time; t80 (b) D.J.McGee; t80 (g) Inna Ogando; t81 airi; t84 Sinart Creative; t86 kirazihu2u; t87 (b) hafakot; t87 (g) Photographee.eu; t88 (b) Dmytro Zinkevych; t88 (c) Christopher Gardiner; t88 (g) thebigland/Shutterstock.com; t91 Alila Medical Media; t92 Sapann Design; t93 Atgynhyrchwyd yn 'Rassenkunde des jüdischen Volkes' gan Hans F. K. Günther 1929, J.F. Lehmanns Verlag, München. Sganiwyd gan MoritzB/ Ar gael i'r cyhoedd; t94 (b) 'Tipi di delinquenti italiani'/Creative Commons Attribution 2.0 Generic; t94 (g) robuart; t95 (b) Creative Commons; t95 (gd) Ffotograff gan Jack a Beverly Wilgus o daguerreotype yn wreiddiol o'u casgliad, ac yn awr yn y Warren Anatomical Museum, Center for the History of Medicine, Francis A. Countway Library of Medicine, Harvard Medical School – Own work, CC BY-SA 3.0, https://commons.wikimedia.org/w/index.php?curid=37613243; t95 (gch) Van Horn J.D., Irimia A., Torgerson C.M., Chambers M.C., Kikinis R., et al. (2012) Mapping Connectivity Damage in the Case of Phineas Gage. PLoS ONE 7(5): e37454. doi:10.1371/journal.pone.0037454/Creative Commons Attribution 2.5 Generic license; t96 (b) vitstudio; t96 (g) Magic Mushroom; t97 (b) ALMAGAMI; t97 (g) Albert Bandura/Creative Commons Attribution-Share Alike 4.0 International license; t98 © Semhur/Wikimedia Commons/CC-BY-SA-3.0, neu Free Art License; t99 (b) Roberto Herrett/Alamy Stock Photo; t99 (g) Pretty Vectors; t101 (b) Max Halberstadt (1882-1940)/Creative Commons; t101 (g) drawhunter; t102 Sirswindon yn English Wikipedia - Creative Commons; t104 ProStockStudio; t105 Everett Historical; t106 Paul Fearn/Alamy Stock Photo; t107 Thierry Caro/Creative Commons; t110 Shutterstock; t111 CBW/Alamy Stock Photo; t112 RichardBaker/Alamy Stock Photo; t113 Visual Generation; tt114–120 (pob mân-lun) Oberon; t116 Atgynhyrchwyd yn 'Rassenkunde des jüdischen Volkes' gan Hans F. K. Günther 1929, J.F. Lehmanns Verlag, München. Sganiwyd gan MoritzB/Ar gael i'r cyhoedd; t123 bilha gotan; t124 (b) browndogstudios; t124 (g) Paper Street Design; t125 Collection Christophel/Alamy Stock Photo; t126 Aleksandra Gigowska; t127 (b) Ar gael i'r cyhoedd; t127 (g) Okeksandr Lysenko; t129 Tribalium; t130 astudio; t131 (b) Blan-k; t131 (g) alice-photo; t132 (b) Jamie Bulger's killer to face child porn charges/YouTube; t132 (g) WENN Ltd/ Alamy Stock Photo; t134 (b) Granger Historical Picture Archive/Alamy Stock Photo; t134 (g) Zefrog/Alamy Stock Photo; t135 Everett Historical; t136 (b) Anton Havelaar; t136 (g) Darla Hallmark; t137 Ms Jane Campbell/Shutterstock.com; t138 Even Look/Shutterstock.com; t139 Brian A Jackson; t140 (b) World History Archive/Alamy Stock Photo; t140 (y ddau waelod) Telegraph & Argus; t142 (b) Picture North News; t142 (g) Police DVD; t143 (b) Clare's Law; t143 (g) Lillian's law; t144 Arfan Afzal; t148 Bonezboyz; t149 (b) WENN Ltd/Alamy Stock Photo; t149 (g) Kevin L Chesson; t150 Courtesy CPS; t151 (b) Shutterstock; t151 (c) science photo; t151 (g) Andrew Cowie/Alamy Stock Photo; t153 Art tools; t154 Shutterstock; t155 (b) Defnydd teg; t155 (g) researcher 97; t156 PA; t157 Richard Linnett Photography; t158 Atstock Productions; t159 (b) solar22; t159 (g) Chuck Burton/AP/Shutterstock; t160 (b) oiriontrail; t160 (g) Kaimen; t162 (b) BasPhoto; t162 (g) munalin; t163 (b) Alexandr III; t163 (g) Robsonphoto; t164 (b) WENN Ltd/Alamy Stock Photo; t164 (g) WENN Ltd/Alamy Stock Photo; t165 Alexander_P; t166 hafakot; t167 Victim Support; t168 Courtesy CPS; t169 (b) Prath; t169 (g) dnd_project; t171 Adam Murphy/Alamy Stock Photo; t172 Stuart Monk/ Shutterstock.com; t173 (b) Rainer Fuhrmann; t173 (g) Rex Wholster; t175 (b) kenny1; t175 (g) Veva_31; t178 deepstock; t180 Scott Maxwell LuMaxArt; t181 Arthimedes; t182 Yayayoya; t184 hafakot; t185 SpeedKingz; t186 Henry Olden; t188 Nemanja Cosovic; t189 Pavel Rumme; t190 solar22; t192 ibreakstock; t193 (b) Tomasz Guzowski; t193 (g) Geoff Pugh; t194 WENN Ltd/Alamy Stock Photo; t195 (b) Trinity Mirror/Mirrorpix/Alamy Stock Photo; t195 (g) kenny1/Shutterstock. com; t196 News UK/News Licensing; t198 James Boardman Archive/Alamy Stock Photo; t199 PA; t202 BCFC; t203 Richie Chan; t204 Jemastock; t205 Zolnierek; t206 Phil Holmes; t210 Graphic mooi; t211 Grasko; t212 hobbit; t213 Aquir; t215 hobbit; t216 (b) PeterSnow; t216 (g) jesadaphorn; t217 (b) kenny 1; t217 (g) hafakot; t218 StockCube; t221 Boris15; t222 pockygallery; t223 M-SUR; t225 (b) Darran Whittingham; t225 (g) nito; t228 karanik yimpat; t229 Alex Smith/ Alamy Stock Photo; t230 (b) Darryl Sleath; t230 (g) TotemArt; t234 Drop of Light/ Shutterstock.com; t235 F-Stop boy; t236 Gwasanaeth Erlyn y Goron/Trwydded Llywodraeth Agored fersiwn 1.0; t237 file404; t238 (b) Andrey_Popov; t238 (g) lazylama/Shutterstock.com; t239 Scott Maxwell LuMaxArt; t240 Paul J Martin; t241 (b) Mix3r; t241 (g) Aquir; t242 Drwy garedigrwydd Prison Reform Trust; t243 (b) Out of Trouble; t243 (g) Drwy garedigrwydd Howard League for Penal Reform; t244 christizimaging.com; t245 Addaswyd o Prison Reform Trust, Lewis; t246 The Works of Jeremy Bentham vol IV, 172–3/Ar gael i'r cyhoedd; t247 (b) HMP Berwyn, Wrexham's New Prison/wrexhamdotcom/YouTube; t247 (g) Grim23/ GNU Free Documentation License; t248 Michael J P; t249 pockygallery; t250 Ka_Li; t251 (b) Lolostock; t251 (g) Illustration Forest; t254 (b) cloki; t254 (g) Feng Yu; t255 (b) Mohamad Zaid/Alamy Stock Photo; t255 (g) TuckerBlade; t256 NACRO; t257 Maythaporn Plyaprichart; t258 Andrew Matthews/PA; t260 (ch) Nigel Bowles/REX/Shutterstock; t260 (d) David Cairns/REX/Shutterstock; t261 Howard Sayer/Alamy Stock Photo; t262 (b) Heddlu Surrey; t262 (g) Tanasut Chindasuthi; t263 Swyddfa Ystadegau Gwladol; t264 (b) REX/Shutterstock; t264 (g) IQoncept; t265 Prison Reform Trust; t266 Addaswyd o Wright, P. & Paumbo (2016) 'UK Prisons Crisis: Five Graphs Showing Why Officers are Striking as Chaos Erupts behind Bars', International Business Times, 15 Tachwedd; t267 Hawlfraint y Goron; t268 (b) Prison Reform Trust; t268 (g) Prince's Trust; t269 ActionFraud

Cyflwyniad

I Mam a Dad – bydden nhw wedi bod mor falch ohonof.

CYNNWYS

Pryd bydd yr asesiad dan reolaeth yn cael ei gynnal?

Eich athro fydd yn penderfynu ar ddyddiad yr asesiad dan reolaeth. Mae rhai canolfannau yn cynnal yr asesiad cyn dechrau'r addysgu ar gyfer yr arholiad allanol. Felly, fel arfer, mae'n cael ei addysgu rhwng mis Medi a mis Rhagfyr, ac yna bydd yr asesiad yn cael ei gynnal. Yna mae'r arholiad allanol yn cael ei addysgu o fis Ionawr tan yr haf (Mai/Mehefin).

Awgrym!

Dim ond ar ôl i'r holl addysgu ar gyfer yr uned benodol honno ddod i ben y gall ymgeisydd roi cynnig ar yr asesiad dan reolaeth.

Gwybodaeth bwysig arall am sefyll yr asesiad dan reolaeth

Cofiwch mai arholiad yw'r asesiad a rhaid cynhyrchu'r holl waith yn yr amser sy'n cael ei ganiatáu. Does dim gwaith cwrs. Allwch chi ddim ailsefyll yr asesiad oni bai bod briff gwahanol yn cael ei ddefnyddio.

Fydda i'n gallu ailsefyll asesiad dan reolaeth?

O 2019 ymlaen, byddwch chi'n cael ailsefyll yr asesiad dan reolaeth. Fodd bynnag, bydd rhaid defnyddio briff gwahanol ar gyfer eich ail ymgais. Chewch chi ddim gwella gwaith sydd eisoes wedi'i gyflwyno. Bydd gan eich canolfan fynediad at yr ail friff. Fydd eich athro ddim yn cael rhoi unrhyw adborth i chi rhwng pob ymgais. Rhaid anfon y ddau ymgais at y bwrdd arholi os bydd gwaith yr ymgeisydd yn cael ei ddewis i'w gymedroli.

Efallai bydd adran TG eich canolfan yn rhan o'r trefniadau ac yn agor cyfrif arholiad ar eich cyfer, sy'n debygol o gynnwys cyfyngiad amser er mwyn atal mynediad y tu allan i amseroedd yr arholiad.

Beth sy'n digwydd ar ôl yr asesiad dan reolaeth?

Ar ôl yr asesiad, bydd eich athrawon yn ei farcio. Bydd ganddyn nhw system i sicrhau bod yr holl asesiadau yn cael eu marcio'n gyson ac yn unol â'r meini prawf asesu a'r bandiau marciau. Gallan nhw ddweud wrthych chi beth yw eich marc crai a rhoi syniad i chi o'ch gradd. Fodd bynnag, bydd Bwrdd Arholi CBAC yn gofyn am sampl o waith wedi'i farcio. Enw'r broses hon yw cymedroli, a bydd cymedrolwyr profiadol yn sicrhau bod cysondeb yn y gwaith marcio ar draws y wlad. Sylwch y gallai eich marc newid ar y cam hwn, gan fynd i fyny neu i lawr. Mae bandiau marciau sy'n cynnwys marciau crai neu'r marc mae eich athro yn ei roi i chi yn gallu amrywio bob blwyddyn, gan ddibynnu ar safon y gwaith a gynhyrchwyd. Mae ffiniau graddau asesiadau dan reolaeth 2019 wedi'u dangos isod.

Uned 1

Gradd	A	B	C	D	E
Ffin gradd GMU	080	070	060	050	040
Ffin gradd marciau crai	081	071	061	052	043

Uned 3

Gradd	A	B	C	D	E
Ffin gradd GMU	080	070	060	050	040
Ffin gradd marciau crai	084	074	064	054	045

Marciau crai a GMU

Mae'r marciau crai yn cael eu trosi'n farc ar y raddfa marciau unffurf (GMU), sef y marc byddwch chi'n ei gael pan gewch chi eich canlyniadau ym mis Awst bob blwyddyn. Cyfrifir gradd gyffredinol y cymhwyster drwy adio'r marciau unffurf a enillwyd yn yr unedau unigol at ei gilydd. Mae hyn yn rhoi cyfanswm marc unffurf i chi sy'n trosi'n radd gyffredinol yn seiliedig ar ffin y radd.

GRADD	Uchafswm	A	B	C	D	E
Tystysgrif	200	160	140	120	100	80
Diploma	400	320	280	240	200	160

Yn achos cymwysterau i'w dyfarnu o 2020 ymlaen, rhaid i chi lwyddo ym mhob uned er mwyn cael gradd. Ar gyfer Diploma Cymhwysol Lefel 3, bydd Gradd A* yn cael ei dyfarnu i fyfyrwyr sydd wedi cyflawni Gradd A (320 o farciau unffurf) yn y cymhwyster cyffredinol ac o leiaf 90% o gyfanswm y marciau unffurf ar gyfer y ddwy uned diploma ychwanegol (Unedau 3 a 4).

Arholiadau allanol (Unedau 2 a 4)

Fformat yr arholiadau allanol

Mae'r ddau arholiad allanol yn para 1 awr a 30 munud ac yn cael eu cynnal ar ddyddiadau a bennwyd yn yr haf, ym mis Mai neu ym mis Mehefin bob blwyddyn. Mae'r rhain yn arholiadau mwy confensiynol ac yn cael eu trefnu a'u cynnal mewn ffordd draddodiadol. Mae'r papur arholiad yn cael ei osod gan y prif arholwr, sef athro profiadol sy'n gyfarwydd iawn â'r manylebau. Mae'r holl gwestiynau yn orfodol, hynny yw does dim cwestiynau dewisol. Mae'r arholiadau ar gael ar bapur neu ar ffurf e-asesiad. Eich canolfan fydd yn penderfynu pa ddull i'w ddefnyddio.

Mae pob papur arholiad yn cael ei farcio allan o 75 a'i rannu yn dri phrif gwestiwn. Mae pob cwestiwn yn werth 25 marc, felly dylech chi neilltuo 30 munud ar gyfer pob un. Bydd pob cwestiwn wedi'i rannu yn gyfres o rannau o'r cwestiwn a fydd yn werth marciau gwahanol hyd at gyfanswm o 25. Gall y marciau ar gyfer cwestiwn amrywio o 1–9. Dyma sut gallan nhw ymddangos ar bapur arholiad:

1 marc ar gael ar gyfer cwestiynau'n seiliedig ar bwyntiau. Er enghraifft, 'nodwch **un** nodwedd ...'

2 farc ar gael ar gyfer cwestiynau'n seiliedig ar bwyntiau. Er enghraifft, 'nodwch **ddwy** nodwedd ...'

3 marc ar gael ar gyfer cwestiynau'n seiliedig ar bwyntiau. Er enghraifft, 'nodwch **dair** nodwedd ...'

4 marc ar gael ar gyfer cwestiynau'n seiliedig ar bwyntiau. Er enghraifft, 'nodwch **bedair** nodwedd ...'

4 marc ar gael ar gyfer cwestiynau sy'n gofyn am atebion byr, gan gynnwys y rhai sydd â'r geiriad '**yn gryno**'.

6 marc ar gael ar gyfer cwestiynau sy'n gofyn am atebion canolig eu hyd.

9 marc ar gael ar gyfer cwestiynau sy'n gofyn am atebion estynedig.

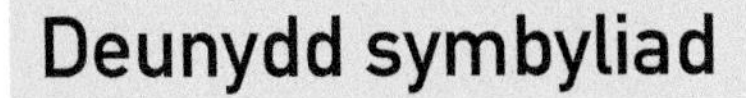

Deunydd symbyliad

Bydd pob un o'r tri phrif gwestiwn yn dechrau gyda deunydd ffynhonnell ymateb i symbyliad (*stimulus*) ynghyd â chyd-destun. Gallai hyn fod yn senario, yn ddyfyniad neu'n wybodaeth ffeithiol. Bydd hyn yn cynnig sbardun ar gyfer pob un o'r rhannau o gwestiwn sy'n dilyn. Bydd pob deilliant dysgu yn cael ei asesu ym mhob papur arholiad, ond efallai na fydd pob maen prawf asesu yn ymddangos.

Termau gorchymyn mewn cwestiynau

Mae'r tabl canlynol yn amlinellu'r termau gorchymyn a'r disgrifiadau fydd yn cael eu defnyddio mewn papurau arholiad Troseddeg o 2020 ymlaen. Nid yw'r rhestr yn gynhwysfawr, oherwydd efallai bydd angen defnyddio rhai termau eraill am resymau cystrawennol. Ar y cyfan, fodd bynnag, bydd cwestiynau'n cynnwys un o'r canlynol:

Dadansoddwch	Bydd angen i chi rannu'r mater dan sylw yn gydrannau cyfansoddol, gan bennu pa mor arwyddocaol yw pob cydran yn y cyd-destun ehangach.
Aseswch	Bydd angen i chi farnu sut, a pha mor effeithiol, y mae'r mater neu'r materion dan sylw yn cyflawni'r amcanion.
Cymharwch	Bydd angen i chi ddisgrifio'r hyn sy'n debyg ac yn wahanol rhwng dau fater neu ragor, gan gyfeirio at bob mater drwyddi draw.
Disgrifiwch	Bydd angen i chi roi disgrifiad sy'n mynd i'r afael â nodweddion y mater dan sylw, ac yn ystyried deunydd ategol priodol.
Trafodwch	Bydd angen i chi roi sylwadau sy'n cynnwys amrywiaeth o ddadleuon a/neu ffactorau.
Gwerthuswch	Bydd angen i chi lunio barn wedi'i chyfiawnhau, yn seiliedig ar gryfderau a chyfyngiadau'r dystiolaeth berthnasol.
Archwiliwch	Bydd angen i chi adolygu'r mater perthnasol ac ystyried y rhyngweithio rhwng sawl ffactor.
Esboniwch	Bydd angen i chi nodi, dehongli ac amlinellu nodweddion allweddol y mater dan sylw.

Ateb y cwestiynau

Mae'r papurau cwestiynau mewn llyfrynnau, lle byddwch chi hefyd yn ysgrifennu'r atebion mewn lle gwag penodol, ond bydd darnau o bapur ychwanegol ar gael hefyd, os bydd eu hangen. Mae nifer y marciau sydd ar gael mewn cromfachau ar ddiwedd pob rhan o'r cwestiwn. Mae'n bwysig bod yr ateb yn cael ei roi mewn Cymraeg cywir a'i gyflwyno mewn ffordd drefnus. Bydd ansawdd eich cyfathrebu ysgrifenedig yn cael ei ystyried wrth asesu eich atebion. Bydd hyn yn cynnwys y defnydd o derminoleg arbenigol.

Cynllun marcio

Hefyd, bydd gan bob papur arholiad gynllun marcio sy'n cael ei baratoi i helpu'r tîm arbenigol o arholwyr i farcio pob papur. Bydd cynllun marcio pob cwestiwn yn wahanol, ond bydd pob un yn dangos sut i gymhwyso pob band marciau at yr ateb. Bydd cyn-bapurau ar gael at ddibenion adolygu, ynghyd â'r cynlluniau marcio cysylltiedig.

O 2020 ymlaen, bydd bandiau marciau cyffredin yn cael eu cyflwyno. Mae'r tariffau marciau sefydlog hyn fel a ganlyn:

1 marc ar gael ar gyfer cwestiynau'n seiliedig ar bwyntiau. Er enghraifft, 'nodwch **un** nodwedd ...'

2 farc ar gael ar gyfer cwestiynau'n seiliedig ar bwyntiau. Er enghraifft, 'nodwch **ddwy** nodwedd ...'

3 marc ar gael ar gyfer cwestiynau'n seiliedig ar bwyntiau. Er enghraifft, 'nodwch **dair** nodwedd ...'

4 marc ar gael ar gyfer cwestiynau'n seiliedig ar bwyntiau. Er enghraifft, 'nodwch **bedair** nodwedd ...'

4 marc ar gael ar gyfer cwestiynau sy'n gofyn am atebion byr, gan gynnwys y rhai sydd â'r geiriad '**yn gryno**'.

6 marc ar gael ar gyfer cwestiynau sy'n gofyn am atebion canolig eu hyd.

9 marc ar gael ar gyfer cwestiynau sy'n gofyn am atebion estynedig.

Mae'r bandiau marciau wedi'u gosod fel a ganlyn:

AR GYFER CWESTIWN 1 MARC

0 marc: nid yw'r ymateb yn bodloni unrhyw feini prawf a nodir.
1 marc: dyfarnwch 1 marc am bwynt cywir.

AR GYFER CWESTIWN 2 FARC

0 marc: nid yw'r ymateb yn bodloni unrhyw feini prawf a nodir.
Hyd at 2 farc: dyfarnwch 1 marc am bwynt cywir.

AR GYFER CWESTIWN 3 MARC

0 marc: nid yw'r ymateb yn bodloni unrhyw feini prawf a nodir.
Hyd at 3 marc: dyfarnwch 1 marc am bwynt cywir.

AR GYFER CWESTIWN 4 MARC

0 marc: nid yw'r ymateb yn bodloni unrhyw feini prawf a nodir.
Hyd at 4 marc: dyfarnwch 1 marc am bwynt cywir.

AR GYFER ATEBION BYR

0 marc: nid yw'r ymateb yn bodloni unrhyw feini prawf a nodir.

1–2 marc: prin yw'r canolbwyntio ar y cwestiwn, gyda chefnogaeth amwys neu ddim cefnogaeth gywir o gwbl, a defnydd prin neu ddim defnydd o gwbl o eirfa arbenigol.

3–4 marc: mae canolbwyntio rhesymol ar y cwestiwn gyda rhywfaint o gefnogaeth gywir a rhywfaint o ddefnydd o eirfa arbenigol.

AR GYFER ATEBION CANOLIG EU HYD

0 marc: nid yw'r ymateb yn bodloni unrhyw feini prawf a nodir.

1–2 marc: prin yw'r canolbwyntio ar y cwestiwn, gyda chefnogaeth amwys neu ddim cefnogaeth gywir o gwbl, a defnydd prin neu ddim defnydd o gwbl o eirfa arbenigol.

3–4 marc: mae canolbwyntio rhesymol ar y cwestiwn gyda rhywfaint o gefnogaeth gywir a rhywfaint o ddefnydd o eirfa arbenigol. Efallai mai dim ond yn rhannol y mae'r ymgeisydd wedi ymdrin â gofynion y cwestiwn.

Awgrym !

Chwiliwch am yr adrannau Cwestiynau enghreifftiol ac Atebion enghreifftiol yn y llyfr hwn. Byddan nhw'n eich helpu i fireinio eich techneg arholiad.

SYLWER

Bydd y marc sydd ar gael ar gyfer pob cwestiwn yn cael ei nodi ar y papur arholiad.

Cyngor ✓

Mae syniad o'r hyn y gellir ei gynnwys mewn ateb yn dilyn pob un o'r bandiau marciau, ond bydd unrhyw ddeunydd perthnasol yn ennill marciau.

5–6 marc: mae canolbwyntio clir a manwl ar y cwestiwn gyda chefnogaeth gywir ar y cyfan, a defnydd effeithiol o eirfa arbenigol. Mae'r ymgeisydd yn ymdrin â gofynion y cwestiwn yn llawn.

AR GYFER ATEBION ESTYNEDIG

Cynllun marcio atebion estynedig (sylwch ei fod yr un fath â'r cynllun marcio ar gyfer atebion canolig eu hyd, ond gyda thariff uwch)

0 marc: nid yw'r ymateb yn bodloni unrhyw feini prawf a nodir.

1–3 marc: prin yw'r canolbwyntio ar y cwestiwn, gyda chefnogaeth amwys neu ddim cefnogaeth gywir o gwbl, a defnydd prin neu ddim defnydd o gwbl o eirfa arbenigol.

4–6 marc: mae canolbwyntio rhesymol ar y cwestiwn gyda rhywfaint o gefnogaeth gywir a rhywfaint o ddefnydd o eirfa arbenigol. Efallai mai dim ond yn rhannol y mae'r ymgeisydd wedi ymdrin â gofynion y cwestiwn.

7–9 marc: mae canolbwyntio clir a manwl ar y cwestiwn gyda chefnogaeth gywir ar y cyfan, a defnydd effeithiol o eirfa arbenigol. Mae'r ymgeisydd yn ymdrin â gofynion y cwestiwn yn llawn.

Cyswllt synoptig

Un peth pwysig iawn i'w gofio am yr arholiadau allanol yw eu bod yn synoptig. Mae asesiad synoptig yn golygu:

asesiad sy'n ei gwneud yn ofynnol i ymgeisydd nodi a defnyddio detholiad priodol o sgiliau, technegau, cysyniadau, damcaniaethau a gwybodaeth o bob rhan o gynnwys y cwrs yn effeithiol ac mewn ffordd gydlynol. (Yr Adran Addysg, dyfynnir yn CBAC, 2015)

Golyga hyn fod Uned 2 yn gofyn i chi ddefnyddio'r hyn a ddysgwyd yn Uned 1 er mwyn ateb pob cwestiwn yn llwyddiannus. Hefyd, ar gyfer Uned 4, efallai bydd gofyn i chi ddefnyddio'r hyn a ddysgwyd yn Unedau 1, 2 a 3 i gwblhau'r papur.

Gadewch i mi esbonio sut gallai hyn weithio. Mae MPA3.4 Uned 4 yn ymwneud â gwerthuso effeithiolrwydd asiantaethau o ran sicrhau rheolaeth gymdeithasol, ac mae asiantaethau o'r fath yn cynnwys yr heddlu. Felly, gallech chi gael cwestiwn tebyg i 'Gwerthuswch effeithiolrwydd yr heddlu'. Er mwyn ateb y cwestiwn hwn, gallech chi ddefnyddio'r wybodaeth a ddysgwyd yn MPA1.6 Uned 1, lle gwnaethoch chi 'werthuso dulliau o gasglu ystadegau am drosedd', a oedd yn cynnwys ystadegau a gofnodwyd gan yr heddlu. Byddwch wedi dysgu nad yw'r heddlu'n cofnodi'r holl droseddau a reportiwyd iddyn nhw, ac felly mae hyn yn effeithio ar ddilysrwydd ystadegau trosedd yr heddlu. Hefyd, yn MPA1.1. Uned 3, bydd 'gwerthuso effeithiolrwydd rolau personél sy'n cymryd rhan mewn ymchwiliadau troseddol' hefyd wedi cynnwys cryfderau a chyfyngiadau yr heddlu. Felly, gall gwybodaeth o'r meini prawf asesu hyn gyfrannu at yr ateb ym mhapur Uned 4 sy'n canolbwyntio ar MPA3.4. Pan fyddwch chi'n adolygu ar gyfer Uned 2 neu Uned 4, mae'n bwysig iawn felly eich bod yn cofio cynnwys Uned 1 ac Uned 3 yn eich gwaith adolygu.

Graddio unedau allanol

Fel yn achos yr unedau asesiad dan reolaeth, mae'r arholiadau allanol yn cael eu graddio A, B, C, D ac E. Mae'r ffiniau graddau GMU hefyd yr un peth ag ar gyfer yr asesiadau dan reolaeth. Yn ogystal, mae'r arholiadau allanol yn werth yr un ganran o'r cymhwyster cyffredinol â'r uned asesiad dan reolaeth. Bob blwyddyn, ar ôl i bob papur arholiad gael ei farcio, bydd marciau crai yn cael eu trosi'n farciau GMU. Ar gyfer 2019, roedd ffiniau'r graddau wedi'u gosod fel a ganlyn.

Uned 2

Gradd	A	B	C	D	E	N
Ffin gradd GMU	080	070	060	050	040	030
Ffin gradd marciau crai	061	053	045	037	030	

Uned 4

Gradd	A	B	C	D	E	N
Ffin gradd GMU	080	070	060	050	040	030
Ffin gradd marciau crai	061	053	045	032	029	

Cyfle i ailsefyll yr arholiad

Os na fyddwch chi'n pasio'r arholiad Uned 2 neu os ydych am geisio ennill marc uwch, bydd cyfle i chi ailsefyll yr arholiad. Bydd y radd uwch yn cyfrannu at y radd gyffredinol ar gyfer y cymhwyster. O ran y cymwysterau sydd i'w dyfarnu o 2020 ymlaen, sylwch y bydd rhaid i chi lwyddo ym mhob uned er mwyn cael gradd ar gyfer y cymhwyster. Fel arall, dim ond ardystiad yr uned byddwch chi'n ei ennill, yn hytrach na'r cymhwyster llawn. Os hoffech gael esboniad pellach, gallech chi neu eich athro gysylltu â'r bwrdd arholi.

Llwyddiant agos

Mae rheol 'llwyddiant agos' wedi'i chyflwyno ar gyfer pob uned allanol. Mae hyn yn golygu ei bod yn bosibl cael gradd llwyddiant ar gyfer y cymhwyster hyd yn oed os nad yw'r lleiafswm arferol o farciau sydd eu hangen ar gyfer yr uned allanol wedi'u hennill. Mae'n bosibl cael 'llwyddiant agos' neu radd N os ydych chi'n bodloni'r ddau ofyniad canlynol:

1. Cyflawni cyfanswm y GMU sy'n ofynnol ar y radd berthnasol ar gyfer y cymhwyster.
   Er enghraifft, 100 marc ar gyfer y Tystysgrif ar radd D.
2. Cyrraedd lleiafswm y GMU o leiaf ar gyfer yr unedau allanol perthnasol.
   Er enghraifft, mae angen o leiaf 30 GMU i gael gradd N yn Uned 2.

UNED 1

NEWID YMWYBYDDIAETH O DROSEDD

Mae'r uned hon yn gofyn i chi gynllunio ymgyrch dros newid sy'n ymwneud â throsedd.

Byddwch chi'n dysgu am amryw o droseddau a danreportiwyd ac nad yw'r cyhoedd yn ymwybodol iawn ohonyn nhw. Mae llawer o resymau pam nad yw pobl yn reportio troseddau a byddwch chi'n ystyried y rhain a'u heffaith.

Byddwch chi'n dysgu sut rydyn ni'n cofnodi troseddau ac a yw'r system yn un gywir. Mae llawer o ymgyrchoedd wedi arwain at newid y gyfraith a bydd cyfle i chi eu hastudio nhw a'r newidiadau maen nhw wedi eu cyflwyno.

Bydd y dysgu yn yr uned hon yn arwain at gyfle i chi gynllunio ymgyrch i godi ymwybyddiaeth o drosedd a danreportiwyd. Byddwch chi'n dylunio deunyddiau yn gysylltiedig â'r ymgyrch fel posteri, taflenni a nwyddau marchnata. Byddwch chi hefyd yn cyfiawnhau'r holl ymgyrch.

Asesiad: asesiad dan reolaeth 8 awr

…DYSGU 1

…SUT MAE REPORTIO TROSEDDAU YN EFFEITHIO AR GANFYDDIAD Y CYHOEDD O DROSEDDOLDEB

MPA1.1 DADANSODDI MATHAU GWAHANOL O DROSEDDAU

MEINI PRAWF ASESU	BAND MARCIAU 1	BAND MARCIAU 2
MPA1.1 Dylech chi allu ... Dadansoddi mathau gwahanol o droseddau	Yn disgrifio dau fath o drosedd sydd i'w gweld ym mriff yr aseiniad **(1–2)**	Yn dadansoddi dau fath o drosedd sydd i'w gweld ym mriff yr aseiniad **(3–4)**

CYNNWYS	YMHELAETHU

Mathau o droseddau
• trosedd coler wen, gan gynnwys rhai:
  • trefnedig
  • corfforaethol
  • proffesiynol
• moesol
• gwladol, gan gynnwys:
  • hawliau dynol
• technolegol, gan gynnwys:
  • e-drosedd
• unigol, gan gynnwys:
  • troseddau casineb
  • troseddau ar sail anrhydedd
  • cam-drin domestig
	Dylech chi feddu ar wybodaeth am enghreifftiau penodol o fathau gwahanol o droseddau a gallu eu dadansoddi yn ôl:
	• troseddau
	• mathau o ddioddefwyr
	• mathau o droseddwyr
	• lefel ymwybyddiaeth y cyhoedd
	Dylech chi wybod y gall y gweithredoedd hyn fod yn wyrdroëdig a/neu'n droseddol

Termau allweddol

Troseddau: Gweithredoedd a fydd yn cael eu hystyried yn rhai sy'n torri'r gyfraith o dan gyfraith Cymru a Lloegr ac sy'n cael eu cosbi gan y wladwriaeth.

Gwyrdroëdig: Unrhyw ymddygiad sy'n torri normau cymdeithasol/diwylliannol neu safonau arferol. Ni fydd cymdeithas fel arfer yn cymeradwyo ymddygiad gwyrdroëdig.

Awgrym !

Ar gyfer y MPA hwn, gwyliwch nad ydych chi'n gorddisgrifio, oherwydd y sgil sy'n ofynnol yw dadansoddi. Yn yr asesiad dan reolaeth, bydd angen i chi ddewis dwy drosedd. Ond, rhaid iddyn nhw ymddangos yng nghynnwys y briff. Felly, gwnewch yn siŵr eich bod chi wedi dadansoddi'r ystod gyfan o droseddau yn ystod eich astudiaethau. Byddwch chi wedyn yn gallu mynd i'r afael â'r dasg.

Trosedd coler wen

Troseddau

Yn gyffredinol, mae troseddau coler wen yn droseddau di-drais sy'n cael eu cyflawni fel arfer mewn sefyllfaoedd masnachol er budd ariannol. Gallai enghreifftiau gynnwys:

- twyll cyfrifiaduron a'r rhyngrwyd
- twyll cardiau credyd
- osgoi talu trethi.

Gall troseddau coler wen trefnedig ganolbwyntio ar racedi amddiffyn ond mae hefyd yn cynnwys gamblo anghyfreithlon a phuteindra.

Pobl fusnes sy'n gwisgo crys a thei sy'n cyflawni troseddau coler wen fel arfer.

Mathau o ddioddefwyr

Y bobl sy'n cael eu targedu gan droseddwyr coler wen fel arfer yw'r rhai sydd ag arian i'w fuddsoddi mewn cynllun ariannol, er enghraifft gweithwyr sydd newydd ymddeol. Yn aml, bydd pobl yn cael eu recriwtio gan ffrindiau neu gan bobl maen nhw'n eu hadnabod. Mae hyn yn arbennig o wir yn achos cynlluniau Ponzi, sef sgamiau buddsoddi twyllodrus sy'n addo cyfraddau elw uchel heb lawer o risg i'r buddsoddwyr. Fodd bynnag, mae'r elw yn cael ei ariannu gan arian buddsoddwyr newydd gan fod y troseddwr yn cadw'r buddsoddiad cychwynnol iddo'i hun.

Mathau o droseddwyr

Mae troseddwyr coler wen fel arfer yn bobl barchus â statws uchel mewn cymdeithas, ac mae eu dioddefwyr yn ymddiried ynddyn nhw. Yn aml, maen nhw'n gweithio mewn swyddi masnachol, sy'n esbonio'r cyfeiriad at wisgo coler wen a thei. Gall troseddwyr hefyd gynnwys grwpiau trefnedig fel y Maffia (yr Eidal, UDA), y Triadau (China), Yakuza (Japan), yn ogystal â gangiau troseddu trefnedig yn Nwyrain Ewrop a'r DU.

Lefel ymwybyddiaeth y cyhoedd

Mae'n anodd erlyn llawer o droseddau coler wen gan fod y cyflawnwyr yn defnyddio dulliau soffistigedig o guddio eu gweithgareddau drwy gyfres o drafodion cymhleth. Mae'r troseddwr yn aml yn ymddangos yn unigolyn parchus ac felly nid yw'n cael ei amau. O ganlyniad, mae lefel ymwybyddiaeth y cyhoedd yn aml yn isel, yn enwedig gan fod troseddau sy'n cael eu cysylltu â thrais fel arfer yn cael mwy o gyhoeddusrwydd.

Gwyrdroëdig neu droseddol?

Fel rhan o'r dadansoddiad, mae manylebau'r arholiad yn gofyn i chi ddweud a yw'r drosedd yn wyrdroëdig, yn droseddol neu'r ddau. O ran troseddau coler wen, maen nhw'n rhai troseddol ac yn rhai gwyrdroëdig. Maen nhw'n droseddol gan fod gweithredoedd o'r fath yn erbyn y gyfraith ac maen nhw'n wyrdroëdig gan fod y gweithredoedd yn mynd yn groes i normau'r gymdeithas.

ASTUDIAETH ACHOS

BERNIE MADOFF

Roedd Bernie Madoff yn ddyn busnes o Unol Daleithiau America a dwyllodd fuddsoddwyr gan ddwyn dros $50 biliwn, drwy gynllun Ponzi. Roedd buddsoddwyr yn credu bod eu harian yn cael ei dalu i wahanol gronfeydd i wneud arian. Fodd bynnag, doedd y taliadau llog ddim yn dod o'r buddsoddiadau, nad oedd erioed wedi cael eu gwneud, ond yn hytrach o'r taliadau roedd buddsoddwyr newydd wedi'u gwneud. Roedd Madoff yn bwrw dedfryd o 150 mlynedd yn y carchar, tan ei farwolaeth ym mis Ebrill 2021.

Bernie Madoff

Gweithgaredd

Gwyliwch y ffilm *Wall Street* (1987).

Dyma hanes brocer stoc ifanc sy'n fodlon gwneud unrhyw beth i gyrraedd y brig, gan gynnwys masnachu ar wybodaeth fewnol anghyfreithlon.

Awgrym!

Bydd y briff a gewch chi yn yr asesiad dan reolaeth yn stori lle bydd nifer o droseddau'n cael eu cyflawni. Fodd bynnag, ni fydd yn cynnwys pob trosedd a danreportiwyd. Bydd y briff yn newid bob blwyddyn academaidd.

Troseddau moesol

Troseddau

Troseddau moesol yw troseddau sy'n mynd yn groes i safon moesoldeb arferol cymdeithas. Mae'r canlynol yn enghreifftiau o'r hyn sy'n gallu cael ei ystyried yn drosedd foesol:

- puteindra
- crwydraeth
- yfed dan oed
- hunanladdiad cynorthwyedig
- gamblo anghyfreithlon
- defnydd anghyfreithlon o gyffuriau.

Mathau o ddioddefwyr

Mae troseddau moesol yn aml yn cael eu hystyried yn rhai heb ddioddefwr. Fodd bynnag, gellir dadlau mai'r troseddwr yw'r dioddefwr yn aml iawn. Er enghraifft, y troseddwr yw'r dioddefwr yn achos puteindra, crwydraeth ac yfed dan oed.

Gall troseddau moesol olygu mai'r troseddwr yw'r dioddefwr hefyd.

Mathau o droseddwyr

Gall hyn amrywio o drosedd i drosedd neu, fel sydd wedi'i ddisgrifio uchod, gall y troseddwr fod yn ddioddefwr hefyd. Fodd bynnag, mae'r troseddwr yn aml mewn sefyllfa anodd, efallai yn ariannol neu'n bersonol, er enghraifft crwydryn digartref neu rywun sy'n cael ei orfodi i weithio fel putain, am resymau ariannol efallai.

Lefel ymwybyddiaeth y cyhoedd

Mae'n aml yn isel gan fod nifer o'r troseddau wedi'u cuddio oddi wrth deuluoedd y troseddwyr. Ar y llaw arall, mae'n aml yn drosedd sy'n cael ei hanwybyddu gan aelodau o'r cyhoedd oherwydd bod pobl yn cydymdeimlo â'r dioddefwyr, yn hytrach na theimlo awydd i'w reportio i'r heddlu. Er enghraifft, mae crwydraeth yn aml yn gwneud i bobl gydymdeimlo â'r dioddefwr am ei fod yn gorfod cysgu ar y stryd.

Gweithgaredd

Gall y drosedd o hunanladdiad cynorthwyedig gael ei chyflawni am reswm caredig neu ddiniwed. Efallai i leddfu dioddefaint neu boen rhywun.

Ymchwiliwch i'r achosion a ganlyn gan ystyried:

1. Pwy yw'r dioddefwr nodweddiadol.
2. Pwy yw'r troseddwr nodweddiadol.
3. Beth yw lefel ymwybyddiaeth y cyhoedd am y drosedd.
4. O dan ba gyfraith y byddai rhywun yn cael ei gyhuddo.
5. A yw'n wyrdroëdig neu'n droseddol.

- Diane Pretty
- Debbie Purdy
- Daniel James

Gwyrdroëdig neu droseddol?

Mae gweithredoedd o'r fath yn debygol o fod yn rhai troseddol ac yn rhai gwyrdroëdig. Yn gyffredinol, mae cymdeithas yn anghytuno â'r gweithgareddau sydd i gyd yn erbyn y gyfraith.

Troseddau gwladol

Troseddau

Mae troseddau gwladol yn weithgareddau sy'n cael eu cyflawni gan asiantaethau gwladol, neu drwy orchymyn asiantaethau gwladol, fel llywodraethau sy'n cyflawni troseddau er mwyn hyrwyddo eu polisïau. Er enghraifft:

- hil-laddiad
- troseddau rhyfel
- arteithio
- carcharu heb dreial.

Yn aml mae troseddau o'r fath yn torri erthyglau'r Confensiwn Ewropeaidd ar Hawliau Dynol (CEHD), fel Erthygl 2, sef hawl i fywyd, neu Erthygl 3, sef rhyddid rhag arteithio a thriniaeth annynol.

Termau allweddol

Hil-laddiad: Unrhyw weithred sy'n cael ei chyflawni â'r bwriad o ddinistrio, yn llwyr neu'n rhannol, grŵp cenedlaethol, ethnig neu grefyddol.

Confensiwn Ewropeaidd ar Hawliau Dynol (CEHD): Cytuniad neu gytundeb i amddiffyn hawliau dynol a rhyddid sylfaenol yn Ewrop.

Plant amddifad o Armenia yn cael eu hallgludo o Dwrci. Yn ystod y Rhyfel Byd Cyntaf, gorchmynnwyd i bobl Armenia gael eu hallgludo o Dwrci, ac mae pobl yn aml yn cyfeirio at hyn fel yr hil-laddiad Armenaidd. 'Gorymdaith Angau' yw'r enw mae pobl Armenia wedi'i roi arno, oherwydd roedd rhaid iddyn nhw ddianc ar draws Diffeithwch Syria, gan adael eu holl eiddo ar ôl. Cafodd llawer eu lladd gan filwyr y llywodraeth, a bu llawer farw oherwydd newyn a chlefyd.

Mathau o ddioddefwyr

Dioddefwyr troseddau gwladol yw dinasyddion y wlad neu o bosibl y rhai sy'n arddel crefydd neu safbwynt gwleidyddol gwahanol i'r llywodraeth.

Mathau o droseddwyr

Mae troseddwyr gwladol fel arfer yn swyddogion uchel eu statws yn y llywodraeth sy'n dilyn gorchmynion trefn y wlad. Mae enghreifftiau o hil-laddiad yn cynnwys:

- Yr Almaen Natsïaidd yn ystod yr Holocost
- Uganda o dan Idi Amin yn yr 1970au
- Bosnia yn yr 1990au.

Lefel ymwybyddiaeth y cyhoedd

O ystyried pa mor gyflym mae'r cyfryngau'n gallu adrodd am faterion mewn cymdeithas, mae lefel ymwybyddiaeth y cyhoedd fel arfer yn uchel, gan fod y troseddau mor eithafol. Er enghraifft, mae pawb wedi clywed am yr erchyllterau yn Iraq a gafodd eu cyflawni ar orchymyn Saddam Hussein.

Gwyrdroëdig neu droseddol?

Mae gweithredoedd o'r fath yn debygol o fod yn rhai troseddol ac yn rhai gwyrdroëdig. Maen nhw'n mynd yn groes i gyfraith naturiol a ffiniau moesol cymdeithas.

Datblygu ymhellach

Ymchwiliwch i unrhyw un o'r enghreifftiau o hil-laddiad, gan nodi'r gwahaniaethau rhwng y troseddwyr a'r dioddefwyr.

Term allweddol

Erchyllterau: Gweithredoedd erchyll a threisgar fel arfer.

Troseddau technolegol

Troseddau

Troseddau technolegol, neu e-drosedd/seiberdroseddu, yw troseddau sy'n cael eu cyflawni gan ddefnyddio'r rhyngrwyd neu dechnolegau eraill. Gall y troseddau arferol gynnwys:

- twyll sy'n cael ei alluogi gan y rhyngrwyd
- lawrlwytho deunyddiau anghyfreithlon fel caneuon a delweddau
- defnyddio'r cyfryngau cymdeithasol i hyrwyddo troseddau casineb.

Mae seiberdroseddu wedi cynyddu'n sylweddol dros y blynyddoedd diwethaf.

Mathau o ddioddefwyr

Gall unrhyw un sy'n defnyddio'r rhyngrwyd ddioddef trosedd dechnolegol, gan fod amrediad eang o droseddau yn y categori hwn a all effeithio ar lawer o bobl wahanol. Gall gynnwys unigolion neu sefydliadau mawr. Yn aml, bydd pobl sy'n agored i niwed yn dioddef oherwydd sgamiau gwe-rwydo (*phishing*).

Term allweddol

Gwe-rwydo: Sgam neu ymgais i berswadio rhywun i rannu gwybodaeth bersonol, fel rhifau cyfrifon banc, cyfrineiriau a manylion cerdyn credyd.

Mathau o droseddwyr

Gall y math hwn o droseddwr fod yn unrhyw un sydd â mynediad at y rhyngrwyd ac sydd â gwybodaeth sylfaenol amdano. Mae llawer o'r troseddwyr yn gweithio dramor ac mae ganddyn nhw'r gallu technolegol i gael mynediad at gyfrifon banc a chardiau credyd. Fodd bynnag, mae gwaith a gafodd ei wneud gan yr Asiantaeth Troseddu Cenedlaethol yn awgrymu bod cynnydd yn nifer y bobl ifanc sy'n cyflawni troseddau o'r fath gyda'r bwriad o wneud argraff ar eu ffrindiau.

Lefel ymwybyddiaeth y cyhoedd

I ddechrau, roedd lefel ymwybyddiaeth y cyhoedd yn isel oherwydd yr elfen dechnolegol newydd. Fodd bynnag, mae troseddau o'r fath wedi cael eu hyrwyddo yn sgil mwy o gyhoeddusrwydd a chynnydd yn nifer y troseddau hyn. Yn aml nid yw'r dioddefwyr yn gwybod dim am y drosedd nes iddyn nhw wirio eu cyfrifon banc, ac ati.

Gweithgaredd

Cynhaliwch drafodaeth dosbarth ar y testun canlynol:

'Mae technoleg yn gwneud mwy i gynyddu troseddu na'i ddatrys.'

Gwyrdroëdig neu droseddol?

Mae rhai o'r troseddau hyn, fel twyll ar y rhyngrwyd, yn cael eu hystyried yn droseddol ac yn wyrdroëdig gan eu bod yn torri'r gyfraith ac yn mynd yn erbyn normau a gwerthoedd cymdeithas. Fodd bynnag, mae troseddau fel lawrlwytho caneuon yn gyffredin iawn ac efallai nad ydyn nhw'n cael eu hystyried yn 'droseddau go iawn' gan lawer o bobl. Dydy lawrlwytho cerddoriaeth ac ati yn anghyfreithlon, heb ganiatâd deiliad yr hawlfraint, ddim wir yn droseddol – yn hytrach, mae'n berthnasol i gyfraith sifil.

Troseddau unigol – troseddau casineb

Troseddau

TROSEDDAU CASINEB

Mae cynnydd wedi bod yn nifer y troseddau casineb.

Trosedd gasineb yw unrhyw drosedd sydd, yn nhyb y dioddefwr neu unrhyw un arall, yn cael ei chymell gan ragfarn neu gasineb sy'n seiliedig ar hil, cred grefyddol, cyfeiriadedd rhywiol neu anabledd person, neu oherwydd bod rhywun yn drawsryweddol. Gall unrhyw drosedd arferol gael ei dwysáu os bydd elfen o gasineb yn rhan ohoni. Er enghraifft, pe bai rhywun yn ymosod arnoch chi, byddai'r troseddwr yn cael ei gyhuddo o ymosod a byddai'r llys yn clywed am y cymhelliad casineb y tu ôl i'r drosedd. Byddai'r elfen o gasineb yn ffactor waethygol ac mae'r gosb yn debygol o fod yn fwy.

Mathau o ddioddefwyr

Adam Pearson

Gall dioddefwyr troseddau casineb fod yn unrhyw un sy'n perthyn i'r pum categori a nodwyd uchod, neu sydd â chysylltiad ag unrhyw un sy'n perthyn i'r categorïau hyn. Er enghraifft, mae Adam Pearson wedi dioddef troseddau casineb ar sail anabledd o ganlyniad i niwroffibromatosis, sy'n achosi i diwmorau dyfu ar derfynau nerfau ar ei wyneb. Mae wedi codi ymwybyddiaeth o'r drosedd hon mewn ymgais i addysgu pobl a chael ei dderbyn mewn cymdeithas.

Mathau o droseddwyr

Y math arferol o droseddwr yw unrhyw un sydd â rhyw fath o safbwynt rhagfarnllyd yn erbyn rhywun sy'n perthyn i'r pum categori uchod, ac mae'r bobl hyn yn tueddu i fod â safbwyntiau traddodiadol sy'n wahanol i rai y dioddefwr. Un enghraifft o drosedd gasineb sy'n cael ei hysgogi gan hil yw'r achos o saethu yn Eglwys Charleston yn Ne Carolina, UDA, yn 2015. Yn ystod cyfarfod gweddi yn un o'r eglwysi du hynaf yn UDA, cafodd naw o bobl eu lladd gan Dylann Roof, goruchafwr gwyn.

Lefel ymwybyddiaeth y cyhoedd

Mae lefel ymwybyddiaeth y cyhoedd wedi tyfu'n ddiweddar yn sgil sylw mawr yn y cyfryngau, yn enwedig yn achos troseddau casineb ar sail hil, cred grefyddol a chyfeiriadedd rhywiol. Ychwanegodd Deddf Gwrthderfysgaeth Troseddu a Diogelwch 2001 at y ddeddfwriaeth flaenorol, gan sicrhau bod troseddau gyda chymhelliad crefyddol yn arwain at ddedfryd fwy llym. Er enghraifft, y gosb am ymosod yw uchafswm o chwe mis yn y carchar. Fodd bynnag, mae hyn yn cynyddu i ddwy flynedd os yw'r ymosodiad yn cynnwys cymhelliad crefyddol. At hyn, gorchmynnodd Gwasanaeth Erlyn y Goron ymgyrch yn erbyn troseddau casineb ar y cyfryngau cymdeithasol ym mis Awst 2017. Mae hyn wedi arwain at godi ymwybyddiaeth y cyhoedd o'r troseddau hyn.

Term allweddol

Gwasanaeth Erlyn y Goron: Y prif awdurdod erlyn yng Nghymru a Lloegr, sy'n gweithredu'n annibynnol mewn achosion troseddol y mae'r heddlu'n ymchwilio iddyn nhw.

Gwyrdroëdig neu droseddol?

Mae troseddau casineb yn cael eu hystyried yn rhai troseddol ac yn rhai gwyrdroëdig oherwydd bod erlid rhywun ar sail ei hunaniaeth yn mynd yn groes i normau cymdeithasol.

Datblygu ymhellach

Ymchwiliwch i lofruddiaeth yr Americanwr Matthew Shephard yn 1998, sy'n enghraifft o drosedd gasineb. Cofiwch fod y meini prawf asesu yn gofyn am enghreifftiau perthnasol.

Troseddau unigol – troseddau ar sail anrhydedd

Troseddau

Mae troseddau ar sail anrhydedd yn cael eu defnyddio i gosbi pobl sy'n dwyn gwarth ar y teulu, ym marn y teulu. Mae enghreifftiau o droseddau ar sail anrhydedd yn cynnwys:

- ymosodiadau asid
- cipio (*abduction*)
- anffurfio
- curo
- llofruddiaeth.

Mathau o ddioddefwyr

Fel arfer, merched ifanc yn y teulu sy'n ddioddefwyr troseddau ar sail anrhydedd, a merched o'r gymuned Asiaidd gan amlaf.

ASTUDIAETH ACHOS

SHAFILEA AHMED

Mae achos Shafilea Amhed yn enghraifft o drosedd ar sail anrhydedd. Lladdwyd hi gan ei rhieni, a ddefnyddiodd fag plastig i'w mygu, ar ôl iddi wrthod dilyn eu ffordd o fyw Bacistanaidd a oedd yn llym iawn.

Cafwyd Iftikhar a Farazana Ahmed yn euog o ladd eu merch Shafilea. Maen nhw i'w gweld yn y llun yma gyda'u merch arall, Mevish.

Mathau o droseddwyr

Mae'r sawl sy'n cyflawni trosedd ar sail anrhydedd fel arfer yn aelod gwrywaidd o'r teulu, sef tad, brawd neu ewythr y person sy'n cael ei dargedu gan amlaf. Yn amlach na pheidio, mae'r unigolion hyn yn perthyn i gymunedau Asiaidd.

Lefel ymwybyddiaeth y cyhoedd

Fel arfer, mae lefel ymwybyddiaeth y cyhoedd o'r math hwn o drosedd yn isel oherwydd gwahaniaethau mewn diwylliant. Yn y cymunedau lle mae troseddau ar sail anrhydedd yn digwydd, maen nhw'n cael eu hystyried yn ffordd o ddial am ymddygiad 'sy'n dwyn gwarth'. O ganlyniad, nid yw pobl yn reportio'r troseddau hyn i'r awdurdodau, felly nid yw'r gymuned ehangach yn ymwybodol o droseddau ar sail anrhydedd.

Gwyrdroëdig neu droseddol?

Mae unrhyw weithred sy'n ceisio cosbi unigolyn am ymddygiad sy'n dwyn gwarth neu'n achosi cywilydd yn cael ei gweld gan y gymdeithas ehangach yn weithred droseddol ac yn un wyrdroëdig. Mae hyn oherwydd bod achosi niwed i unigolion ar sail eu dewisiadau bywyd yn cael ei ystyried yn rhywbeth annerbyniol gan gymdeithas yn y DU.

Datblygu ymhellach

Darllenwch yr erthygl ganlynol ac ystyriwch a yw lefel ymwybyddiaeth y cyhoedd am droseddau ar sail anrhydedd wedi newid:

'Ending the Silence on "Honour Killing"', www.theguardian.com/society/2009/oct/25/honour-killings-victims-domestic-violence.

Troseddau unigol – cam-drin domestig

Troseddau

Cam-drin domestig yw unrhyw weithred dreisgar/bygythiol neu reolaethol sy'n cael ei thargedu yn erbyn partner/aelod o'r teulu, yn aml yn gyfrinachol. Gall cam-drin domestig gynnwys trais corfforol fel:

- ymosod
- arteithio
- llofruddio
- cam-drin geiriol.

Gall hefyd gynnwys cam-drin y dioddefwr yn emosiynol, fel galw enwau neu reoli ymddygiad.

Mathau o ddioddefwyr

Fel arfer, gall menywod sy'n gariadon neu'n wragedd, neu unrhyw fenyw sydd mewn perthynas agos, fod yn ddioddefwyr. Fodd bynnag, gall dynion fod yn ddioddefwyr hefyd, er nad yw hynny mor gyffredin â menywod. Nid yw oedran nac amgylchiadau pobl yn golygu nad ydyn nhw'n gallu dioddef camdriniaeth ddomestig. Un enghraifft o drais domestig oedd achos Clare Wood, mam o Fanceinion, a gafodd ei cham-drin gan George Appleton ar ôl iddi gyfarfod ag ef ar safle chwilio am gariad ar y rhyngrwyd. Heb wybod dim am ei hanes o gam-drin menywod yn y gorffennol, dechreuodd berthynas ag ef. Yn y pen draw, cafodd ei threisio, ei thagu a'i rhoi ar dân yn ei chartref ei hun.

Mae cam-drin domestig hefyd yn drosedd a danreportiwyd.

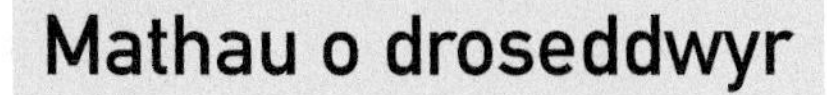

Mathau o droseddwyr

Fel arfer, ond nid bob amser, mae'r troseddwyr yn ddynion, er enghraifft yn gariad neu'n ŵr, sydd mewn perthynas â'r dioddefwr. Mae troseddwyr fel arfer yn cadw eu troseddau yn gudd yn y cartref gan lwyddo i'w cadw'n gyfrinach. Maen nhw hefyd yn cymryd camau i sicrhau nad yw'r troseddau hyn yn cael eu reportio ac nad yw eu dioddefwyr yn siarad am y gamdriniaeth yn gyhoeddus.

Lefel ymwybyddiaeth y cyhoedd

Mae lefel ymwybyddiaeth y cyhoedd yn isel, er gwaethaf cyhoeddusrwydd yr achosion drwg-enwog. Yn aml, dydy'r cyhoedd ddim yn reportio gweithredoedd o'r fath, gan ddewis anwybyddu'r hyn sy'n digwydd, ac mae dioddefwyr yn aml yn ofni canlyniadau reportio'r gamdriniaeth. Mae'r heddlu yn cael eu hyfforddi i gymryd troseddau o'r fath o ddifrif.

Gwyrdroëdig neu droseddol?

Mae cam-drin domestig yn wyrdroëdig ac yn droseddol, gan ei fod yn weithred sy'n cael ei hystyried fel rhywbeth sydd yn erbyn y gyfraith a hefyd yn erbyn normau'r gymdeithas.

Gweithgaredd

Ymchwiliwch i gam-drin domestig yn erbyn dynion. Ystyriwch y pwyntiau canlynol:

(i) Ydy'r math hwn o gam-drin yn wahanol i gamdriniaeth yn erbyn merched?

(ii) Ceisiwch gofnodi rhai ystadegau am gam-drin dynion.

(iii) Dewch o hyd i achos i'w gynnwys yn eich nodiadau.

Gweithgaredd

Cwblhewch dabl fel yr un isod, yn dangos y **nodweddion tebyg a'r gwahaniaethau** rhwng lladd ar sail anrhydedd a throseddau cam-drin domestig.

Nodweddion tebyg	Gwahaniaethau

Awgrym

Yn yr asesiad dan reolaeth, bydd y briff yn cynnwys manylion troseddau. Mae'r manylebau yn cynnwys nifer mwy o droseddau na fydd yn y briff.

Os bydd gennych chi werthfawrogiad o'r holl droseddau sy'n cael eu crybwyll yn y manylebau, byddwch chi'n bendant yn gwybod am y ddwy drosedd y mae angen i chi eu dewis o'r briff.

MPA1.2 ESBONIO'R RHESYMAU PAM NAD YW RHAI TROSEDDAU PENODOL YN CAEL EU REPORTIO

MEINI PRAWF ASESU	BAND MARCIAU 1	BAND MARCIAU 2
MPA1.2 Dylech chi allu ... Esbonio'r rhesymau pam nad yw rhai troseddau penodol yn cael eu reportio	Ceir esboniad cyfyngedig o'r ddwy drosedd sydd ddim yn cael eu reportio **(1–2)**	Esboniad clir a manwl o'r rhesymau pam na reportiwyd y ddwy drosedd **(3–4)**

CYNNWYS	YMHELAETHU

Rhesymau
• personol, er enghraifft:
  • ofn
  • cywilydd
  • diffyg diddordeb
  • ddim yn effeithio ar yr unigolyn
• cymdeithasol a diwylliannol, er enghraifft:
  • diffyg gwybodaeth
  • natur gymhleth
  • diffyg diddordeb ar ran y cyfryngau
  • diffyg pryder cyhoeddus ar hyn o bryd
  • troseddau sy'n rhwym wrth ddiwylliant (e.e. lladd ar sail anrhydedd, dewiniaeth)
	Dylech chi feddu ar ddealltwriaeth o'r rhesymau pam nad yw rhai troseddau penodol yn cael eu reportio.
	Dylech chi ystyried troseddau fel y rhain:
	• ymosod cyffredin
	• cam-drin domestig
	• fandaliaeth
	• treisio
	• troseddau sy'n cael eu hystyried yn rhai heb ddioddefwr (e.e. trosedd coler wen, crwydraeth, puteindra, hunanladdiad cynorthwyedig)

Troseddau sydd ddim yn cael eu reportio

Ydych chi bob amser yn reportio trosedd rydych chi'n dyst iddi? Ydy hynny'n dibynnu ar y math o drosedd? Os nad ydych chi bob amser eisiau reportio trosedd, beth yw'r rheswm dros hynny?

Er mwyn i drosedd gael ei chofnodi, rhaid iddi fod yn erbyn y gyfraith a rhaid i rywun wybod ei bod wedi digwydd; rhaid i'r drosedd gael ei reportio a rhaid i'r heddlu gofnodi'r digwyddiad fel trosedd. Os na fydd un o'r ffactorau hyn yn digwydd, bydd y weithred yn cael ei hystyried yn rhan o ffigur tywyll trosedd.

Mae llawer o resymau dros beidio â reportio troseddu.

Term allweddol

Ffigur tywyll trosedd: Cyfanswm y troseddau sydd ddim yn cael eu reportio neu sy'n anhysbys.

Awgrym

I gyrraedd band marciau 2, bydd angen i chi esbonio rhesymau posibl pam na fyddai'r ddwy drosedd sy'n cael eu diffinio yn MPA1.1 yn cael eu reportio. Gallai atebion fod yn gryno am 4 marc, ond rhaid cynnwys o leiaf un rheswm personol ac un rheswm cymdeithasol/diwylliannol.

Rhesymau personol

Ofn

Gall bod ag ofn canlyniadau posibl gan y troseddwr, i'r dioddefwr neu i'w deulu, fod yn rheswm dros beidio â reportio troseddu. Mae enghreifftiau o droseddau sydd ddim yn cael eu reportio yn cynnwys:

- cam-drin domestig
- troseddau ar sail anrhydedd
- troseddau casineb.

Cywilydd

Gall teimlo cywilydd neu hyd yn oed embaras, yn enwedig os yw'n ymwneud â gweithred rywiol, fel treisio neu ymosodiad anweddus, atal rhywun rhag reportio trosedd. Efallai nad yw'r person eisiau i eraill wybod ei fod wedi bod yn agored i niwed, ac wedi methu amddiffyn ei hun.

Diffyg diddordeb

Nid yw pobl bob amser yn poeni am beth sydd wedi digwydd nac yn gofidio am y drosedd a gafodd ei chyflawni. Er enghraifft, gallai rhywun gerdded heibio i berson digartref sy'n yfed ac wedi cymryd cyffuriau ond ni fydd yn ei reportio gan nad oes ganddo ddiddordeb.

Gweithgaredd

Ymchwil pellach am gam-drin domestig yn erbyn dynion

Ystyriwch pam nad yw dynion yn reportio y drosedd hon yn aml iawn.

Mae cymorth ar gael yn yr erthygl hon:

'Male Victims of Domestic Violence are Being Failed by the System', www.independent.co.uk/voices/domestic-violence-male-victims-shelters-government-funding-stigma-a7626741.html

Gweithgaredd

Ewch i'r erthygl o *The Guardian* sydd â'r teitl 'Only 5% of "Honour" Crimes Reported to Police are Referred to CPS', www.theguardian.com/society/2017/nov/07/only-5-of-honour-crimes-reported-to-police-arereferred-to-cps.

Darllenwch yr erthygl cyn cynhyrchu crynodeb o'r pwyntiau allweddol, gan gynnwys y rhesymau dros beidio â reportio'r drosedd i'r heddlu, a rhai o'r ystadegau perthnasol.

Ddim yn effeithio ar yr unigolyn

Os na fydd digwyddiad yn ymwneud yn uniongyrchol â'r unigolyn, efallai y bydd yn teimlo nad yw'n ddim i'w wneud ag ef ac y dylai adael i rywun arall ei reportio. Er enghraifft, efallai na fydd difrod troseddol/fandaliaeth yn poeni pobl os nad yw'n digwydd ar eu heiddo nhw. Enghraifft arall yw crwydraeth. Gall pobl ddigartref gael eu hanwybyddu gan aelodau o'r gymdeithas gan nad yw'r mater yn effeithio arnyn nhw mewn gwirionedd.

Rhesymau cymdeithasol a diwylliannol

Diffyg gwybodaeth

Gallai diffyg gwybodaeth fod yn rheswm dros beidio â reportio troseddau. Efallai nad yw pobl yn ymwybodol bod y weithred yn droseddol nac yn gwybod am y gweithdrefnau cysylltiedig. Er enghraifft, seiberfwlio dros rwydweithiau cymdeithasol a gorfod blocio pobl a allai eich cam-drin.

Dydy pobl ddim bob amser yn ymwybodol o seiberfwlio.

Term allweddol

Seiberfwlio: Math o fwlio sy'n defnyddio dyfeisiau electronig, er enghraifft ffonau symudol, tabledi neu gyfrifiaduron. Mae'n dod yn fwyfwy cyffredin, yn enwedig ymhlith plant yn eu harddegau.

Gweithgaredd

Mewn parau, ceisiwch lunio rhestr o'r ffyrdd y gallai trosedd gael ei reportio.

Natur gymhleth

Efallai nad yw'r cyhoedd yn deall bod trosedd wedi'i chyflawni gan ei bod yn rhy anodd deall neu ddilyn y mater. Er enghraifft, mae troseddau coler wen yn droseddau cymhleth lle mae trafodion twyllodrus yn gudd neu'n cael eu cynnal yn breifat, ac mae'n anodd eu holrhain.

Diffyg diddordeb ar ran y cyfryngau

Nid yw'r cyfryngau yn rhoi llawer o sylw i rai troseddau gan eu bod yn credu na fydd gan y cyhoedd lawer o ddiddordeb. Er enghraifft, bydd llofruddiaeth yn cael blaenoriaeth dros adroddiadau am lawer o droseddau moesol fel yfed dan oed neu buteindra.

Diffyg pryder cyhoeddus ar hyn o bryd

Gall diffyg pryder cyhoeddus ar hyn o bryd fod yn ffactor os na fydd trosedd yn cael ei hystyried yn drosedd wirioneddol. Er enghraifft, mae llawer o bobl yn lawrlwytho cerddoriaeth yn anghyfreithlon er mwyn gwrando am ddim. Does dim pryder mawr bod hon yn weithred anghyfreithlon. Yn yr un modd, nid yw ysmygu canabis o ddiddordeb i lawer o bobl ac efallai y byddan nhw'n amharod i reportio hyn i'r heddlu gan gredu y dylai'r troseddwr allu ysmygu canabis os yw'n dymuno gwneud hynny.

Does dim llawer o bobl yn poeni am lawrlwytho cerddoriaeth yn anghyfreithlon.

Troseddau sy'n rhwym wrth ddiwylliant

Gall troseddau sy'n rhwym wrth ddiwylliant fod yn dderbyniol mewn rhai rhannau o gymdeithas. Er enghraifft, mae lladd ar sail anrhydedd yn cael ei dderbyn mewn rhai diwylliannau neu grefyddau gan fod hyn yn dilyn traddodiad penodol ym mywyd y teulu. Gall pobl sy'n ystyried diwylliannau gwahanol yn rhywbeth annealladwy anwybyddu'r math hwn o drosedd a pheidio â'i reportio gan nad ydyn nhw eisiau ymyrryd.

Datblygu ymhellach

Mae'r llywodraeth yn annog pobl i reportio fandaliaeth. Ewch i www.gov.uk/report-vandalism, ac edrychwch ar y dulliau electronig o reportio y drosedd.

Os byddai gwobr ariannol ar gael i bobl sy'n reportio trosedd, a fyddai hynny yn eich annog chi i wneud hynny?

Enghreifftiau o resymau pam nad yw troseddau gwahanol yn cael eu reportio

Ymosod cyffredin

Mae ymosod cyffredin yn golygu lefel isel iawn o gyswllt corfforol a dim llawer o anafiadau. Gall rhywun gyflawni'r weithred heb gyffwrdd os bydd rhywun yn rhagweld trais. Er enghraifft, gall gweiddi 'dw i'n mynd i dy gael di', heb wneud dim byd arall, arwain at ymosodiad. Mewn sefyllfa o'r fath, gall rhywun deimlo nad yw'n werth y drafferth ei reportio i'r heddlu neu gall deimlo na fydd yr heddlu yn cymryd y mater o ddifrif.

Cam-drin domestig

Efallai na fydd dioddefwr cam-drin domestig yn reportio'r gamdriniaeth, gan ei fod yn aml yn poeni am y troseddwr oherwydd y berthynas rhyngddynt. Rheswm arall dros beidio â reportio yw bod y dioddefwr yn ofni camdriniaeth yn y dyfodol neu'n ofni bod heb le i fyw, a all olygu bod y dioddefwr yn fodlon goddef y sefyllfa. Efallai bod dynion sy'n dioddef camdriniaeth yn teimlo gormod o gywilydd i reportio hyn i'r heddlu.

Fandaliaeth

Yr enw swyddogol am hyn yw difrod troseddol. Yn aml, mae fandaliaeth yn cael ei hystyried yn broblem i rywun arall ac, oni bai bod y difrod ar eu heiddo nhw, byddai'r rhan fwyaf o bobl yn ei hanwybyddu. Os yw'r difrod ar ffurf graffiti, gallai pobl deimlo nad yw'n werth y drafferth ei reportio i'r heddlu.

Gall ymosod cyffredin ddigwydd heb unrhyw gyswllt corfforol.

Mae llawer o bobl yn anwybyddu fandaliaeth.

Treisio

Gall person fod yn amharod i reportio achos o dreisio oherwydd embaras neu gywilydd. Oherwydd natur bersonol y drosedd hon, efallai na fydd llawer o bobl eisiau ail-fyw'r profiad a siarad amdano gyda'r heddlu. Gall dynion yn benodol deimlo y dylen nhw fod wedi gallu atal gweithred o'r fath rhag digwydd, a gall eu balchder eu hatal rhag reportio'r drosedd.

Troseddau sy'n cael eu hystyried yn rhai heb ddioddefwr

Efallai na fydd troseddau sy'n cael eu hystyried yn rhai heb ddioddefwr, er enghraifft troseddau coler wen, yn cael eu reportio gan nad yw pobl yn gwybod eu bod yn digwydd. Maen nhw fel arfer yn digwydd yn gyfrinachol, wedi'u cuddio y tu ôl i drafodion cymhleth sydd ddim yn hawdd i bobl sylwi arnyn nhw. Mae troseddwyr fel arfer yn gallu cuddio y tu ôl i drafodion cudd.

Mae troseddau sy'n cael eu hystyried yn rhai heb ddioddefwr yn cynnwys crwydraeth, sydd ddim yn cael ei reportio fel arfer gan nad yw llawer o bobl yn sylweddoli bod cysgu ar y stryd yn drosedd mewn gwirionedd. Mae deddfwriaeth yn ymwneud â'r drosedd hon yn dyddio'n ôl i 1824 ac efallai fod cydymdeimlad â rhywun digartref yn atal pobl rhag ei reportio.

Dydy llawer o bobl ddim yn sylweddoli bod crwydraeth yn drosedd.

Mae troseddau sy'n cael eu hystyried yn rhai heb ddioddefwr yn cynnwys puteindra. Efallai na fydd puteindra yn cael ei reportio gan fod pobl yn deall bod gweithgareddau o'r fath yn digwydd a'u bod nhw'n fodlon iddyn nhw barhau, os nad ydyn nhw'n effeithio arnyn nhw. Mae'n cael ei gydnabod hefyd fod menywod yn ennill bywoliaeth drwy weithgarwch o'r fath a bod dynion yn derbyn 'gwasanaeth'. Gan ei fod wedi'i gyfreithloni mewn gwledydd eraill, mewn rhai sefyllfaoedd gall pobl deimlo na ddylai fod yn anghyfreithlon, gan fod y ddau barti yn cydsynio iddo.

Troseddau eraill sy'n cael eu hystyried yn rhai heb ddioddefwr

Mae troseddau eraill sy'n cael eu hystyried yn rhai heb ddioddefwr yn cynnwys hunanladdiad cynorthwyedig. Mewn achosion o hunanladdiad cynorthwyedig, mae'r dioddefwr eisiau i'r weithred ddigwydd. Mae'n aml yn drosedd sy'n cael ei chyflawni am resymau yn ymwneud â thrugaredd a chariad yn hytrach na budd ariannol neu er mwyn dial. Mae'r llywodraeth wedi llunio canllawiau i nodi pryd na fydd erlyniadau yn debygol o ddigwydd, gan ddangos ei bod yn cydnabod na fydd camau yn cael eu cymryd mewn rhai amgylchiadau.

Datblygu ymhellach

Ymchwiliwch i Ganllawiau Gwasanaeth Erlyn y Goron, sydd ar gael ar-lein.

Sgiliau llythrennedd

Ewch ati i lunio pum brawddeg wahanol sy'n ymwneud â throseddau sydd ddim yn cael eu reportio – pob un yn defnyddio un o'r geiriau/ymadroddion canlynol:

- natur gymhleth
- diffyg diddordeb
- dadleuol
- dad-droseddoli
- cyfreithloni.

Yna, ceisiwch wella pob brawddeg drwy ychwanegu enghraifft i ategu eich sylw.

MPA1.3 ESBONIO CANLYNIADAU TROSEDDAU SYDD DDIM YN CAEL EU REPORTIO

MEINI PRAWF ASESU	BAND MARCIAU 1	BAND MARCIAU 2
MPA1.3 Dylech chi allu ... Esbonio canlyniadau troseddau sydd ddim yn cael eu reportio	Esboniad cyfyngedig (gan restru enghreifftiau yn unig, o bosibl) o ganlyniadau troseddau sydd ddim yn cael eu reportio **(1–2)**	Esboniad clir a manwl (gan gynnwys enghreifftiau perthnasol) o ganlyniadau troseddau sydd ddim yn cael eu reportio **(3–4)**

CYNNWYS	YMHELAETHU
Canlyniadau • effaith donnog • diwylliannol • dad-droseddoli • blaenoriaethau'r heddlu • troseddau heb eu cofnodi • newid diwylliannol • newid cyfreithiol • newid gweithdrefnol	Dylech chi feddu ar ddealltwriaeth o effeithiau cadarnhaol a negyddol troseddau sydd ddim yn cael eu reportio ar yr unigolyn ac ar y gymdeithas

Awgrym !

I gyrraedd band marciau 2, rhaid ymdrin â'r holl ganlyniadau, ond mae disgwyl i'r ymdriniaeth fod yn gryno. Gallai hyn fod yn ddim byd mwy na diffiniad o'r canlyniad ac enghraifft.

Effaith donnog

Mae 'effaith donnog' (*ripple effect*) yn disgrifio sut mae effaith troseddu yn gallu lledaenu y tu hwnt i'r dioddefwr uniongyrchol, i'w deulu, ei ffrindiau a'r gymuned i gyd. Mewn geiriau eraill, mae'r effaith i'w theimlo'n llawer ehangach nag ar y dioddefwr cyntaf yn unig.

Mae'r effaith donnog yn golygu bod y drosedd yn effeithio ar fwy o bobl na'r dioddefwr cyntaf yn unig.

Ystyriwch nifer y bobl y gallai cam-drin domestig gael effaith arnyn nhw. Mae pobl sy'n cam-drin yn aml wedi cael eu cam-drin pan oedden nhw'n blant, neu maen nhw wedi gweld eu rhieni yn cael eu cam-drin. Os na fydd hyn yn cael ei reportio, gall ymddangos yn dderbyniol, neu gall plant gael eu cymdeithasoli i'r ymddygiad hwn sydd ddim yn cael ei gosbi ac yna ailadrodd y weithred pan fyddan nhw'n oedolion, gan achosi effaith donnog. Gall hefyd effeithio ar aelodau eraill o'r teulu a chymdogion sy'n gweld neu'n clywed digwyddiadau, ar ffrindiau a all gael eu hypsetio gan y trais, neu ar gyd-weithwyr hyd yn oed, os bydd y dioddefwr i ffwrdd o'r gwaith.

Mae plant sy'n cael eu cam-drin yn llawer mwy tebygol o dyfu'n oedolion sy'n cam-drin.

Gweithgaredd

Ystyriwch effaith bwrgleriaeth tŷ. Mae'r canlyniadau yn ymestyn y tu hwnt i'r bobl sy'n byw yn y tŷ yn unig. Ar bwy arall y gallai gael effaith?

Diwylliannol

Weithiau, mae gwahaniaethau diwylliannol yn bodoli sy'n gwneud gweithredoedd yn droseddau mewn un wlad ond nid mewn un arall. Weithiau, gall gwahaniaethau diwylliannol olygu bod troseddau'n rhai a danreportiwyd, neu sydd ddim yn cael eu cydnabod. Gall fod yn anodd deall diwylliannau sy'n wahanol iawn i'n diwylliant ein hunain. Bydd pobl yn aml yn anwybyddu neu'n cau llygad ar weithredoedd neu arferion sy'n ddieithr i ni. Gallan nhw deimlo nad eu lle nhw yw ymyrryd ac felly gall troseddwyr a darpar-droseddwyr deimlo y gallan nhw ddal i droseddu heb ganlyniadau.

Mae anffurfio organau cenhedlu benywod (*FGM: female genital mutilation*) yn anghyfreithlon yn y DU, ond yn ddiwylliannol mae rhai cymunedau'n credu bod hyn yn dderbyniol. Yn yr un modd, yn achos lladd ar sail anrhydedd, er bod hyn yn gwbl estron i gymdeithas y Gorllewin, mae llawer o ddiwylliannau yn credu ei fod yn briodol gweithredu mewn ffordd mor eithafol.

ASTUDIAETH ACHOS

KRISTY BAMU

Roedd achos Kristy Bamu yn ymwneud â bachgen 15 oed a gafodd ei gyhuddo o gymryd rhan mewn dewiniaeth ac yna ei ladd gan aelodau o'i deulu. Roedd y teulu yn dod o Weriniaeth Ddemocrataidd y Congo yn wreiddiol, lle mae dewiniaeth neu Kindoki yn cael ei arfer a lle mae ysbrydion yn cael eu bwrw allan mewn rhai eglwysi. Cafodd Kristy ei arteithio am sawl diwrnod cyn cael ei foddi mewn bath yn ystod seremoni bwrw allan ysbrydion.

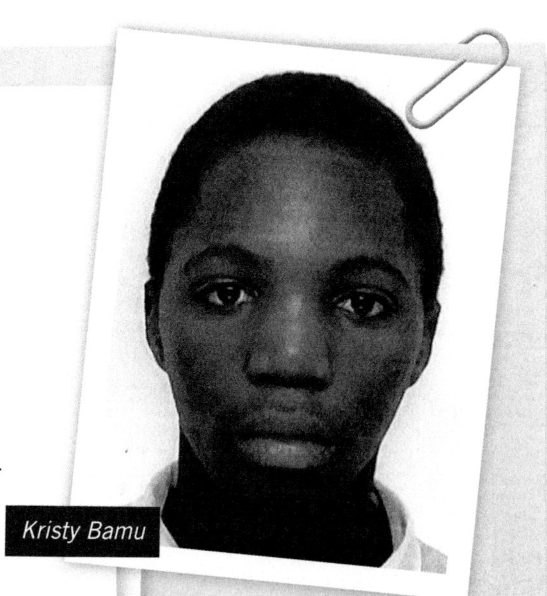

Kristy Bamu

Dad-droseddoli

Mae cyfreithiau'n aml yn cael eu newid gan nad yw'n bosibl eu gorfodi. Er enghraifft, mae pobl yn defnyddio canabis yn agored mewn rhai mannau yn y DU, am nad yw'r heddlu'n dewis gweithredu. Yn y pen draw, does gan y llywodraeth fawr o ddewis ond dad-droseddoli'r drosedd am fod rhaid iddi dderbyn nad yw hi'n bosibl rheoli'r drosedd gan nad yw pobl bellach yn talu sylw i'r gyfraith.

Pan na fydd troseddau'n cael eu reportio, yn aml y rheswm dros hyn yw diffyg pryder neu ddiddordeb gan y cyhoedd, neu oherwydd bod y drosedd yn cael ei hystyried yn un heb ddioddefwr. Mae'r rhain yn cynnwys:

- cyffuriau
- puteindra
- lawrlwytho anghyfreithlon.

Mae gweithredoedd o'r fath yn droseddau cyffredin, eang nad yw pobl yn eu hystyried yn droseddau 'go iawn', felly yng ngolwg y cyhoedd maen nhw'n cael eu dad-droseddoli. Er bod cyfreithiau yn eu herbyn o hyd, mae'r cosbau wedi cael eu lleihau ac mae llai o amser yn cael ei dreulio a llai o arian yn cael ei wario yn ceisio dod o hyd i gyflawnwyr y troseddau hyn. Mewn rhai achosion mae'r troseddau hyn hyd yn oed yn cael eu cyfreithloni. Yn y pen draw, does gan y llywodraeth ddim llawer o ddewis o ran beth sy'n gallu, a beth na all gael ei reoli. Does dim dewis ond dad-droseddoli rhai gweithredoedd gan fod rhaid derbyn nad yw pobl yn cymryd sylw o'r gyfraith bellach.

Termau allweddol

Dad-droseddoli: Stopio rhywbeth rhag bod yn anghyfreithlon.

Cyflawnwyr: Pobl sy'n cyflawni gweithredoedd troseddol (troseddwyr).

Cyfreithloni: Gwneud gweithred yn gyfreithlon o fewn y gyfraith.

Blaenoriaethau'r heddlu

Mae'r heddlu'n aml yn blaenoriaethu rhai troseddau penodol, gan sicrhau eu bod yn mynd i'r afael â phroblemau mewn ardal leol. Mae hyn yn golygu nad yw rhai troseddau yn cael eu blaenoriaethu neu nad oes neb yn ymchwilio iddyn nhw. Er enghraifft, dros y blynyddoedd diwethaf mae cynnydd wedi bod yn nifer yr achosion o gam-drin rhywiol, troseddau hanesyddol a cham-drin domestig a reportiwyd. Mae'r heddlu wedi ymateb drwy ymchwilio i'r troseddau hyn, sef yr hyn mae'r cyhoedd yn disgwyl ganddyn nhw. Fodd bynnag, o ystyried cost ymchwiliadau o'r fath, o ran arian ac amser, ni all yr heddlu ddelio â phob trosedd. O ganlyniad, mae rhai troseddau sydd ddim yn cael eu reportio gan fod y cyhoedd yn teimlo naill ai nad oes gan yr heddlu yr amser i ymateb i'r mater neu nad yw'r heddlu yn ystyried y troseddau a reportiwyd yn flaenoriaeth. Dewis arall fyddai cosbi pobl yn gynt drwy roi rhybudd iddyn nhw yn hytrach na dwyn achos gerbron y llys.

Mae'r heddlu yn Swydd Durham wedi dweud na fyddan nhw'n mynd ar ôl pobl sy'n ysmygu canabis neu'n ei dyfu ar raddfa fach er mwyn blaenoriaethu eu hadnoddau a rhoi sylw i droseddau mwy difrifol. Y nod yw lleihau costau a chadw defnyddwyr allan o'r system cyfiawnder troseddol. Roedd hynny'n eu galluogi i ganolbwyntio ar droseddu trefnedig a throseddu gan gangiau.

Mae troseddau casineb, yn enwedig os yw'n digwydd ar y cyfryngau cymdeithasol, yn fath o drosedd sy'n flaenoriaeth i'r heddlu ar hyn o bryd. Mae blaenoriaethau'r heddlu yn Ne Cymru yn cynnwys gostwng ac atal troseddu ac ymddygiad gwrthgymdeithasol, a gweithio i sicrhau bod y system cyfiawnder troseddol leol yn effeithiol ac yn effeithlon. Mae'r blaenoriaethau hyn wedi'u nodi yng Nghynllun Heddlu a Throseddu De Cymru 2019–2023.

Term allweddol

Troseddau hanesyddol: Troseddau a gafodd eu cyflawni flynyddoedd lawer yn ôl ond sy'n cael eu herlyn nawr, yn aml oherwydd oedi wrth eu reportio i'r heddlu.

Y Gwir Anrhydeddus Alun Michael, Comisiynydd yr Heddlu a Throseddu De Cymru.

Troseddau casineb ar y cyfryngau cymdeithasol

Mae troseddau casineb wedi bod yn flaenoriaeth i'r heddlu yn ddiweddar. Yn 2016 sefydlodd Heddlu Metropolitan Llundain uned newydd i ymchwilio i droseddau casineb ar-lein. Fel rhan o broject sydd wedi'i ariannu am ddwy flynedd, bydd yr uned yn gyfrifol am ddarganfod a nodi troseddau casineb ar-lein, cyn rhoi gwybod i heddluoedd rhanbarthol a fydd yn gweithredu yn erbyn troseddau a gyflawnwyd ar-lein.

Troseddau heb eu cofnodi

Ystyr troseddau heb eu cofnodi yw troseddau a reportiwyd i'r heddlu ond nad yw'r heddlu yn eu cofnodi fel troseddau. Golyga hyn nad yw ymchwiliad yn debygol o gael ei gynnal i'r drosedd honedig ac na fydd y troseddwr yn cael ei gosbi na throseddau eraill yn cael eu hatal. Yn amlwg, y mwyaf difrifol yw'r troseddau hyn, y mwyaf difrifol gallai'r canlyniadau fod.

Gweithgaredd

Gwyliwch 'Police Efforts Hampered by Unreported Crimes', ar www.youtube.com/watch?v=78c6lXOKGpE a chofnodwch yr effaith mae pobl sy'n gwrthod reportio troseddau yn ei chael ar yr heddlu yn UDA.

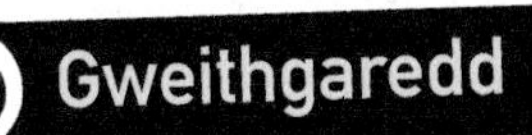

Gweithgaredd

Er mwyn cefnogi eich sylwadau ar yr uchod, ymchwiliwch i droseddau heb eu cofnodi a defnyddiwch ystadegau am ardaloedd heddluoedd gwahanol yn eich asesiad dan reolaeth. Bydd hyn yn eich helpu i ddatblygu eich gwaith ac ychwanegu manylion.

Newid diwylliannol

Yn ein cymunedau ein hunain, gall cyflawni troseddau ddod yn rhan o'r diwylliant. Daw troseddu yn ganlyniad naturiol newid diwylliannol, yn rhan o fywyd, bron iawn. Er enghraifft, mae ffrydio fideos yn anghyfreithlon o sianeli chwaraeon a ffilmiau yn digwydd yn rheolaidd. Yn y gymuned, efallai na fydd llawer o bobl yn ystyried hyn yn drosedd, felly ni fydd pobl yn ei reportio ac felly daw'n dderbyniol.

Pan fydd ardal yn dirywio, er enghraifft eiddo yn cael ei fandaleiddio neu bobl yn cyflawni mân droseddau fel defnyddio cyffuriau neu buteindra oherwydd tlodi, gall diwylliant ardal ddirywio ac mae mwy o droseddau yn cael eu cyflawni am nad oes unrhyw un yn eu reportio a neb yn cael ei gosbi. Gall hyn arwain at droseddau gwaeth, er enghraifft delio mewn cyffuriau, treisio a llofruddiaeth. Os bydd yr ardal yn cael ei thacluso a phobl yn reportio troseddau llai, a'r heddlu yn eu tro yn delio â nhw yn iawn, bydd cyfraddau troseddu yn yr ardal yn gostwng.

Datblygu ymhellach

Cynigiodd Kelling a Wilson (1982) y 'ddamcaniaeth ffenestri wedi'u torri' sy'n dweud bod mân droseddau nad ydyn nhw'n cael eu reportio na'u hatal yn arwain at ragor o droseddu, ac at droseddau mwy difrifol. Er enghraifft gall ardal flêr o'r dref ddechrau denu ymddygiad tramgwyddus (*delinquent*). Felly, roedden nhw'n honni bod angen mynd i'r afael â phob trosedd er mwyn atal rhagor o droseddu rhag lledaenu.

Gweithgaredd

Lluniwch boster yn esbonio'r ddamcaniaeth ffenestri wedi'u torri.

Mae'r ddamcaniaeth ffenestri wedi'u torri yn esbonio canlyniadau peidio â reportio troseddau.

Newid cyfreithiol

Weithiau fydd neb yn reportio troseddau am amser hir gan fod y troseddau'n cael eu hystyried yn hawl dynol. Er enghraifft, roedd cyfunrywioldeb yn anghyfreithlon yn y DU am nifer o flynyddoedd. Wrth i'r stigma leihau, mae newidiadau cyfreithiol wedi cael eu gwneud i'r deddfau sy'n ymwneud â chyfunrywioldeb. Ym mis Hydref 2015, daeth priodasau rhwng pobl o'r un rhyw yn gyfreithlon. Yn y ffordd hon, gall peidio â reportio trosedd arwain at ganlyniad cadarnhaol.

Yn yr un modd, mae newidiadau cyfreithiol mawr iawn wedi bod o ran ysmygu sigaréts. Ar un adeg, roedd ysmygu sigaréts yn cael ei bortreadu yn y ffilmiau yn rhywbeth ffasiynol ac roedd y proffesiwn meddygol hyd yn oed yn ei annog. Fodd bynnag, wrth i wybodaeth feddygol yn y maes ddatblygu, arweiniodd y peryglon sy'n gysylltiedig ag ysmygu at newid. Yn 2007 daeth yn anghyfreithlon ysmygu mewn mannau cyhoeddus caeëdig ac yn 2015 daeth yn anghyfreithlon ysmygu mewn car sy'n cario unrhyw un o dan 18 oed. Dyma ganlyniadau cadarnhaol newid cyfreithiol.

Term allweddol

Stigma: Arwydd o warth sy'n gysylltiedig â rhywbeth drwg.

Newid gweithdrefnol

Mae gweithdrefn reportio troseddau wedi datblygu dros y blynyddoedd i annog pobl i reportio. Yn draddodiadol y dulliau cyffredin o reportio trosedd oedd ymweld â'r orsaf heddlu neu ffonio 999 mewn argyfwng. Bellach mae gweithdrefnau eraill wedi cael eu cyflwyno i reportio troseddau i'r heddlu. Mae rhai grwpiau, fel cymorth i droseddwyr, yn gallu helpu pobl i reportio troseddau. Mae hyd yn oed yn bosibl reportio trosedd yn ddienw, er enghraifft drwy CrimeStoppers. Mae gan yr heddlu dimau arbenigol sy'n delio â mathau penodol o droseddau fel troseddau casineb, terfysgaeth, twyll neu ymddygiad gwrthgymdeithasol ac yn annog pobl i reportio troseddau o'r fath. Hefyd, mae sawl ap y mae modd ei lawrlwytho i ffôn symudol er mwyn cysylltu'n gyflym â'r heddlu. Yn ogystal, mae rhai mathau o ffonau symudol yn gallu cysylltu â'r heddlu drwy eu hysgwyd neu wasgu'r botwm ymlaen/i ffwrdd yn gyflym. Mae'r rhain yn ganlyniadau cadarnhaol newid gweithdrefnol.

Gweithgaredd

Ewch i www.police.uk/pu/contact-the-police/what-and-how-to-report/how-to-report/ i ddarganfod sut i reportio troseddau sydd wedi'u cyflawni mewn amgylchiadau gwahanol, er enghraifft:

- argyfwng
- sefyllfa sydd ddim yn argyfwng
- terfysgaeth
- reportio yn ddienw
- twyll a seiberdroseddu.

Gallwch reportio trosedd yn ddienw drwy CrimeStoppers.

Sgiliau llythrennedd

Allwch chi ysgrifennu brawddegau sy'n cynnwys pob un o'r geiriau canlynol yn gywir?

- Diwylliant
- Effaith donnog
- Dad-droseddoli
- Troseddau casineb
- Blaenoriaethu

MPA1.4 DISGRIFIO CYNRYCHIOLIAD Y CYFRYNGAU O DROSEDD

MEINI PRAWF ASESU	BAND MARCIAU 1	BAND MARCIAU 2
MPA1.4 Dylech chi allu ... Disgrifio cynrychioliad y cyfryngau o drosedd	Disgrifiad cyfyngedig o gynrychioliad y cyfryngau o drosedd (1–3)	Disgrifiad manwl o gynrychioliad y cyfryngau o drosedd, gan gynnwys enghreifftiau perthnasol (4–6)

CYNNWYS	YMHELAETHU
Y cyfryngau • papurau newydd • teledu • ffilm • gemau electronig • y cyfryngau cymdeithasol (blogiau, rhwydweithio cymdeithasol) • cerddoriaeth	Dylech chi feddu ar wybodaeth am enghreifftiau penodol o'r ffordd y defnyddir gwahanol fathau o gyfryngau i gyflwyno portreadau ffuglennol a ffeithiol o droseddau

Awgrym

Er mwyn cyrraedd band marciau 2, rhaid i chi gynnwys enghreifftiau perthnasol o'r ffordd mae trosedd yn cael ei bortreadu yn y gwahanol fathau o gyfryngau. Does dim rhaid i chi ystyried effaith y portread hwn.

Awgrym

Gwnewch yn siŵr eich bod chi'n defnyddio'r holl gynnwys yn eich ateb:

- papurau newydd
- teledu
- ffilm
- gemau electronig
- cyfryngau cymdeithasol
- cerddoriaeth.

Papurau newydd

Mae'r papurau newydd yn rhoi llawer o sylw i straeon am droseddau fel trywanu, saethu, llofruddiaethau ac ymosodiadau terfysgol. Ar ddiwrnod arferol, bydd erthyglau mewn amrywiaeth o bapurau newydd yn adrodd am droseddau cyfredol neu'n sôn am effaith troseddu. Mae hyn yn wir am bapurau newydd lleol a rhai cenedlaethol.

Pan fydd digwyddiad mawr, bydd tudalennau blaen pob papur newydd a sawl adran y tu mewn yn cynnwys y lluniau diweddaraf ac adroddiadau am y digwyddiad. Cafodd yr ymosodiadau terfysgol yn Barcelona ym mis Awst 2017 eu hadrodd ar dudalennau blaen pob un o'r papurau newydd Prydeinig. Roedd y penawdau dramatig yn defnyddio geiriau fel 'massacre', 'bloodbath', 'evil', 'terror', 'Barcelona Bastards' a 'slaughtered on the streets'. Mae'n ddiddorol bod y papurau newydd poblogaidd a'r rhai safonol wedi adrodd am hyn mewn ffordd debyg. Er bod ymosodiadau terfysgol yn ddigwyddiadau erchyll na ddylen nhw gael eu hesgusodi fyth, mae'n ddiddorol nodi y bydd y cyfryngau yn aml yn rhoi llawer iawn o sylw i droseddu neu'n gorliwio'r digwyddiad. Mae'r adroddiadau'n aml yn cynnwys termau dramatig ac yn canolbwyntio ar yr agweddau negyddol, fel pe bai'n ceisio codi bwganod.

Termau allweddol

Papur poblogaidd: Math o bapur newydd â thudalennau bach, llawer o luniau a straeon byr.

Papur safonol: Math o bapur newydd lle mae'r iaith yn fwy ffurfiol a'r lluniau'n llai amlwg na phapur poblogaidd.

Codi bwganod: Lledaenu straeon sy'n codi ofn ar y cyhoedd.

Darllenwch yr un stori sy'n ymwneud â throsedd mewn dau bapur newydd gwahanol iawn i weld sut mae'r straeon yn wahanol a sut maen nhw'n debyg.

THE TIMES

Friday August 18 2017 | thetimes.co.uk | No 72305 Only £1 to subscribers £1.60

Evil strikes again

- Islamist mows down innocents in Barcelona
- Many dead and more than 100 people injured
- Children hit as driver targets tourists with van

Victims were treated on the pavements of Las Ramblas, which was packed with tourists when the rented van drove into crowds shortly after 4pm

IN THE NEWS

New migration plea | Boys' A-level success | Summer of film flops | US-China 'trade war' | Currency surge fears | England light up Test

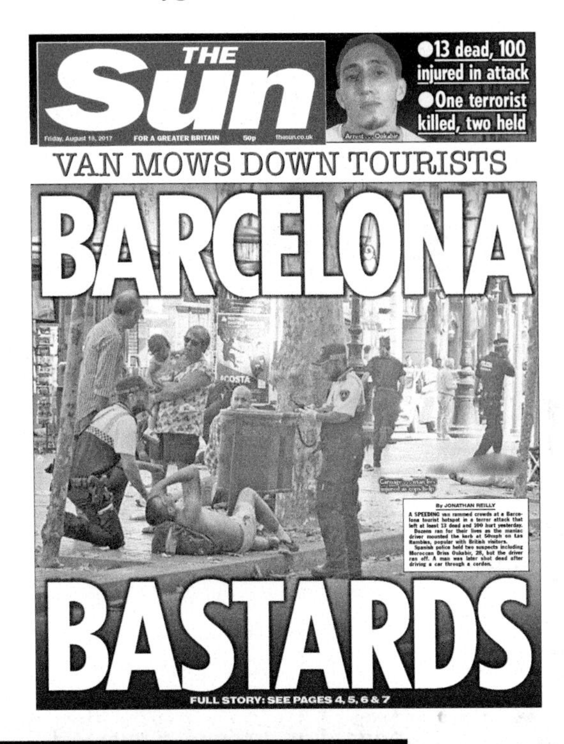

THE Sun

- 13 dead, 100 injured in attack
- One terrorist killed, two held

VAN MOWS DOWN TOURISTS

BARCELONA BASTARDS

FULL STORY: SEE PAGES 4, 5, 6 & 7

Tudalennau blaen dau bapur newydd Prydeinig ar ôl ymosodiad terfysgol Barcelona yn 2017.

Teledu

Mae teledu'n chwarae rhan bwysig yn y ffordd mae'r cyfryngau'n cynrychioli troseddu. Mae teledu yn cael ei ddefnyddio i bortreadu cynrychioliadau ffuglennol a ffeithiol o drosedd. Mae *Crimewatch* a *Police Camera Action* yn enghreifftiau o raglenni ffeithiol.

Mae llawer o ddramâu wedi cael eu seilio ar droseddau adnabyddus fel *Little Boy Blue* sy'n seiliedig ar lofruddiaeth Rhys Jones yn 2007, a *The Moorside* sy'n seiliedig ar herwgipio Shannon Matthews yn 2008. Hefyd, mae llawer o raglenni trosedd ffuglennol ar y teledu fel *The Bay* a *Line of Duty*, neu *Y Gwyll, Bang* a *Craith* yn Gymraeg. Yn ôl Tim Newburn (2007), ers yr 1950au mae tua 1 o bob 10 rhaglen deledu oriau brig yn ymwneud â throsedd a gorfodi'r gyfraith. Mae hyn wedi cynyddu ers hynny, a bellach mae tua 1 o bob 4 rhaglen yn ymdrin â throsedd.

Gweithgaredd

Edrychwch ar restr o raglenni teledu i ganfod canran y rhaglenni sy'n ymwneud â throsedd.

The Wolf of Wall Street, un o nifer o ffilmiau sy'n sôn am drosedd.

Ffilmiau

Mae ffilmiau yn cael effaith enfawr ar y ffordd mae pobl yn gweld troseddau a'r ffeithiau a'r agweddau ffuglennol sydd ynghlwm wrthyn nhw. Mae ffilmiau fel: *Suicide Squad*, *Die Hard*, *The Godfather* a *The Wolf of Wall Street* i gyd yn ffilmiau sy'n canolbwyntio'n bennaf ar drosedd a llygredd (*corruption*).

Gemau electronig

Cyfrwng arall sy'n cael ei ddefnyddio i gynrychioli ochr ffuglennol trosedd yw gemau electronig. Mae'r rhan fwyaf o gemau trosedd wedi'u hanelu at bobl dros 18 oed. Fodd bynnag, mae gemau yn aml yn bychanu trosedd, gan awgrymu bod trais yn dderbyniol neu bod troseddu yn iawn. Mae *Grand Theft Auto* yn enghraifft dda o gêm drosedd, mae'n annog y chwaraewyr i ddwyn ceir, ymweld â phuteiniaid a lladd pobl am bwyntiau gêm.

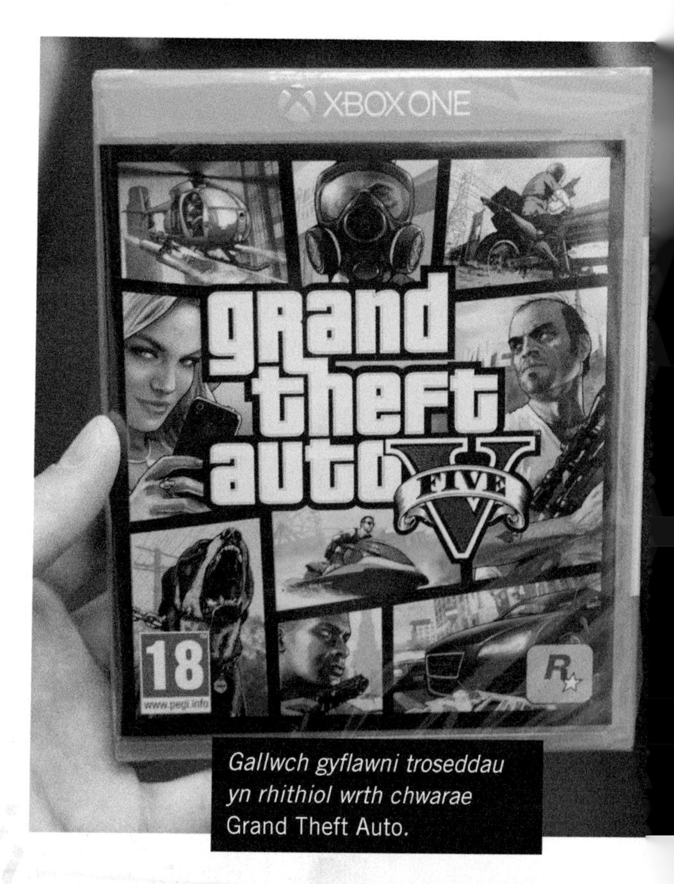

Gallwch gyflawni troseddau yn rhithiol wrth chwarae Grand Theft Auto.

Sgiliau llythrennedd

Faint o eiriau gallwch chi ddod o hyd iddyn nhw sy'n cynrychioli'r ffordd gall y cyfryngau orliwio trosedd. Er enghraifft, codi bwganod, mawrygu, ac ati.

Y cyfryngau cymdeithasol (blogiau, rhwydweithio cymdeithasol)

Gall y cyhoedd ddefnyddio safleoedd cyfryngau cymdeithasol i reportio troseddau.

Mae pobl yn aml yn reportio troseddau ar y cyfryngau cymdeithasol.Gall aelodau'r cyhoedd godi ymwybyddiaeth o droseddau drwy bostio negeseuon. Mae gan ardaloedd heddluoedd dudalennau Facebook a Twitter sy'n codi ymwybyddiaeth y cyhoedd o droseddau penodol. Gellir eu defnyddio hefyd i ddangos i'r cyhoedd beth mae troseddwyr yn ei wneud yn eu hardal neu i apelio am wybodaeth gan dystion posibl.

Cerddoriaeth

Mae llawer o ganeuon ar hyd y degawdau wedi sôn am droseddau neu droseddwyr. Mae enghreifftiau'n cynnwys 'I Fought the Law' gan The Clash a 'Bonnie and Clyde' gan Georgie Fame. Mae gan Eminem lawer o ganeuon sy'n cyfeirio at drosedd, rhyw a chyffuriau ac mae 'Polly' gan Nirvana hefyd yn seiliedig ar drosedd. Mae hyn yn digwydd ar draws y byd, er enghraifft mae B.A.P., grŵp pop o Korea, yn defnyddio'r cysyniad o lofruddiaeth, dwyn a herwgipio yn rheolaidd yn eu fideos cerddoriaeth i ddangos diwylliant gangiau.

'I Fought the Law' oedd enw un o ganeuon poblogaidd The Clash.

MPA1.5 ESBONIO EFFAITH CYNRYCHIOLIADAU'R CYFRYNGAU AR GANFYDDIAD Y CYHOEDD O DROSEDD

MEINI PRAWF ASESU	BAND MARCIAU 1	BAND MARCIAU 2
MPA1.5 Dylech chi allu ... Esbonio effaith cynrychioliadau'r cyfryngau ar ganfyddiad y cyhoedd o drosedd	Esboniad cyfyngedig o effaith cynrychioliadau'r cyfryngau ar ganfyddiad y cyhoedd o drosedd **(1–3)**	Esboniad clir a manwl o effaith amrywiaeth o gynrychioliadau'r cyfryngau ar ganfyddiad y cyhoedd o drosedd **(4–6)**

CYNNWYS	YMHELAETHU
Effaith • panig moesol • pryderon ac agweddau'r cyhoedd yn newid • canfyddiadau o dueddiadau o ran trosedd • stereoteipio troseddwyr • lefelau o ymateb i droseddu a mathau o gosbau • blaenoriaethau a phwyslais yn newid	Dylech chi fod yn gyfarwydd ag enghreifftiau penodol o'r ffordd mae troseddoldeb (*criminality*) yn cael ei gynrychioli yn y cyfryngau a'r amrywiaeth o effeithiau a nodir Dylai dealltwriaeth o'r effeithiau hyn fod yn seiliedig ar ddamcaniaethau

Awgrym !

Yn yr asesiad dan reolaeth, gwnewch yn siŵr eich bod nid yn unig yn esbonio'r materion o dan bob pennawd ond hefyd **effaith** pob un o'r rhain ar ganfyddiad y cyhoedd o drosedd.

Panig moesol

Mae ymchwil yn dangos bod y cyfryngau yn gorliwio lefelau troseddu difrifol a'r risg o ddod yn ddioddefwr, a'r enw am hyn yw panig moesol. Mae astudiaethau wedi dangos bod hyn yn wir yn achos papurau newydd (March, 1991, dyfynnwyd yn Hale et al., 2013), teledu (Gunter et al., 2003, dyfynnwyd yn Hale et al., 2013) a radio (Cumberbatch et al., 1995, dyfynnwyd yn Hale et al., 2013).

Yn ei lyfr *Folk Devils and Moral Panics* (1973), awgrymodd y cymdeithasegydd Stanley Cohen fod panig moesol yn digwydd pan fydd 'cyflwr, digwyddiad, person neu grŵp o bobl yn dod i'r amlwg ac yn cael ei ddiffinio fel bygythiad i werthoedd a buddiannau cymdeithas' (tudalen 9).

Digwyddodd y panig moesol cyntaf yn yr 1960au, wrth i'r cyfryngau gynrychioli'r gwrthdaro rhwng y Mods a'r Rocers. Cafodd y digwyddiad ei orliwio gan y cyfryngau, ac roedd sôn am gangiau afreolus yn ymladd.

Term allweddol

Panig moesol: Defnyddir y term i ddisgrifio canlyniad cynrychioliad y cyfryngau o rywbeth sydd wedi digwydd lle mae'r cyhoedd yn ymateb mewn panig. Mae'r adroddiadau fel arfer yn gorliwio'r digwyddiad ac felly mae'r cyhoedd yn gorymateb.

Un o'r penawdau oedd 'Wild Ones Invade Seaside – 97 Arrests'. Mewn gwirionedd, 24 yn unig a gafodd eu harestio.

Mae enghreifftiau eraill o banig moesol yn amrywio o'r risg o ddal HIV yn yr 1980au i'r panig moesol cyfoes sy'n gysylltiedig â'r dull o adrodd am derfysgaeth gan arwain at Islamoffobia.

Effaith panig moesol yw gwneud i bobl feddwl bod y broblem yn llawer gwaeth nag ydyw mewn gwirionedd. Gall hyd yn oed arwain at ymateb mwy difrifol i'r broblem ac i'r bobl sy'n gysylltiedig, ac awydd afresymol i gael cyfiawnder. Er enghraifft, y cynnydd yn y cosbau am droseddau a ddigwyddodd yn ystod terfysgoedd Llundain yn 2011.

Datblygu ymhellach

Gwyliwch y clip byr ar YouTube o'r enw 'Mods, Rockers and Moral Panics' i ddysgu mwy am banig moesol.

Pryderon ac agweddau'r cyhoedd yn newid

Dros amser, mae'r cyhoedd wedi poeni am fathau gwahanol o droseddau. Fel y gwelwyd yn yr adran flaenorol, ar un adeg roedd y cyhoedd yn poeni am drais oherwydd y gwrthdaro rhwng y Mods a'r Rocers. Fodd bynnag, yn ddiweddar mae bygythiad terfysgaeth wedi arwain at lefel uchel o bryder yn achos y cyhoedd. Ychwanegwyd at hyn yn sgil ymosodiadau fel y rhai yn Llundain, Manceinion a Barcelona yn 2017. Hefyd, mae'r cyfryngau wedi adrodd am gynnydd mewn troseddau yn gysylltiedig ag ymosodiadau â chyllyll ac mae hyn yn codi ofn ar y cyhoedd.

Mae effaith pryderon ac agweddau sy'n newid yn cael eu hadlewyrchu ym mlaenoriaethau'r heddlu a'r llywodraeth. Er enghraifft, mewn ymateb i ymosodiadau terfysgol, gall y llywodraeth godi'r lefel bygythiad, er enghraifft o ddifrifol i gritigol yn dilyn pryderon ar ôl ymosodiad Manceinion ym mis Mai 2017. Mae Islamoffobia hefyd wedi effeithio ar agwedd y cyhoedd at derfysgaeth. Mae hyn yn golygu bod Mwslimiaid yn dioddef ymosodiadau ar sail eu crefydd yn unig. Ar y llaw arall, gall y pryder am droseddau cyllyll arwain at amnest cyllyll, sy'n rhoi cyfle i bobl gael gwared ar eu cyllyll anghyfreithlon heb wynebu achos troseddol.

Termau allweddol

Islamoffobia: Atgasedd neu ragfarn yn erbyn Islam neu Fwslimiaid.

Amnest: Rhoi pardwn swyddogol neu gadarnhad swyddogol na fydd achos troseddol yn cael ei ddwyn.

Cofeb yn Sgwâr y Santes Ann i ddioddefwyr ymosodiad Manceinion.

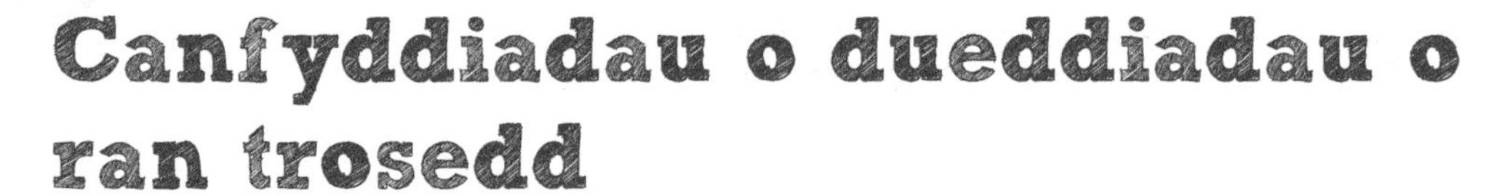

Canfyddiadau o dueddiadau o ran trosedd

Yn gyffredinol, canfyddiad y cyhoedd yw bod trosedd ar gynnydd. Pan fydd y cyfryngau yn rhoi sylw i nifer mawr o straeon trosedd, mae'n cael effaith ar y cyhoedd gan roi camargraff iddyn nhw o ran faint o droseddu sy'n digwydd mewn gwirionedd. Yn wir, mae ymchwil yn awgrymu bod trosedd yn gostwng. Yn ôl Arolwg Troseddu Cymru a Lloegr 2017:

- *Gwnaeth cyfanswm y troseddu a gofnodwyd gan yr heddlu ostwng 4% yng Nghymru a Lloegr i tua 5.8 miliwn o droseddau yn y 12 mis hyd at fis Mehefin 2020.*
- *Gwelwyd gostyngiad hefyd yn y troseddau yn gysylltiedig ag arfau tanio (gostyngiad o 4%) a chyllyll neu offerynnau miniog (gostyngiad o 1%) ar draws Cymru a Lloegr.*
- *Gwelwyd gostyngiad o 19% yn nifer y dioddefwyr o ran holl droseddau ATCLI, gan gynnwys twyll a chamddefnyddio cyfrifiaduron, rhwng mis Ebrill a mis Mehefin 2020.*

Mae'n bwysig nodi bod y cyfnod clo o ganlyniad i'r coronafeirws, a ddechreuodd ym mis Mawrth 2020, wedi cael effaith bosibl ar rywfaint o'r data hyn.

Fodd bynnag, mae ystadegau troseddu Cymru a Lloegr yn y flwyddyn a ddaeth i ben fis Medi 2019, yn awgrymu bod y lefelau yn sefydlog.

Yn dilyn gostyngiad hirdymor, mae lefelau troseddu wedi aros yn eithaf sefydlog dros y blynyddoedd diwethaf. Er nad oes newid wedi bod yn y lefelau cyffredinol o drosedd dros y flwyddyn ddiwethaf, mae hyn yn cuddio'r amrywiad sydd i'w weld o ran mathau unigol o droseddau:

- *gostyngiad o 6% yng nghyfanswm nifer y lladdiadau yn dilyn cyfnod o gynnydd*
- *dim newid yn y ganran o droseddau a gofnodwyd gan yr heddlu sy'n gysylltiedig ag arfau tanio.* **(ONS, 2020)**

Datblygu ymhellach

Chwiliwch am 'The Good Childhood Report' ar y rhyngrwyd i gael rhagor o wybodaeth am yr arolwg.

Mae canfyddiad y cyhoedd o gyfradd troseddu sy'n codi yn arwain at bryder a straen am ddioddef trosedd a'r canlyniadau dilynol. Yn ôl 'The Good Childhood Report' (Cymdeithas y Plant, 2020) mae pryderon am drosedd yn eu hardal leol yn effeithio ar les a hapusrwydd miliynau o blant. Datgelodd yr adroddiad hwn, sy'n seiliedig ar arolwg o 3,000 o blant rhwng 10 ac 17 oed a'u rhieni, fod dau o bob pump o bobl ifanc yn eu harddegau yn y DU yn poeni am ymddygiad gwrthgymdeithasol a throseddau eraill.

Stereoteipio troseddwyr

O ganlyniad i adroddiadau yn y cyfryngau, mae'r cyhoedd yn stereoteipio troseddwyr. Yn aml maen nhw'n cael eu gweld fel aelodau tlawd o'r gymdeithas sydd heb gael addysg. Yn UDA, mae nifer o bobl yn y gymdeithas yn ystyried mai dynion ifanc du yw troseddwyr. Yn y DU, mae pobl ifanc yn cael eu gweld gan lawer, yn enwedig aelodau hŷn o'r gymdeithas, fel 'hwdis' a hwliganiaid. Maen nhw'n cael eu labelu'n droseddwyr ifanc sy'n mynd o gwmpas mewn gangiau gan achosi trafferth.

Mae dull y cyfryngau o adrodd am drosedd yn gallu stereoteipio troseddwyr.

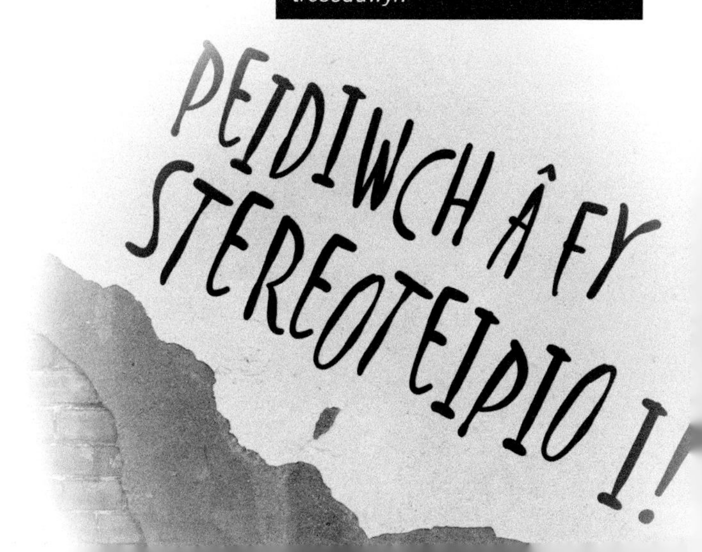
PEIDIWCH Â FY STEREOTEIPIO I!

Mae stereoteipio troseddwyr fel hyn yn golygu bod y cyhoedd yn amau pobl sy'n ffitio'r stereoteip hwn. Gall y cyhoedd hefyd fynd yn flin/grac a bod ag ofn trosedd, gan gefnogi dedfrydau mwy llym.

Lefelau o ymateb i droseddu a mathau o gosbau

Mae'r cyfryngau wedi cael effaith ar y lefelau o ymateb i droseddau penodol a'r cosbau sy'n gysylltiedig â nhw.

ASTUDIAETH ACHOS

Mae terfysgoedd Llundain yn 2011 yn enghraifft o sut mae dull ymfflamychol y cyfryngau o adrodd am droseddau yn gallu effeithio ar gosbau. Yn ôl papur newydd *The Guardian*, rhoddodd y llys ddedfrydau carchar i'r terfysgwyr a oedd, ar gyfartaledd, 25% yn hirach nag arfer. Hefyd, yn ôl data papur newydd *The Guardian*,

mae 56 o'r 80 diffynnydd sydd wedi cael eu dedfrydu gan yr ynadon wedi cael eu hanfon i'r carchar yn barod. Mae'r gyfradd carcharu 70% hon yn cymharu â chyfradd 'arferol' o 2% yn unig mewn llysoedd ynadon. **(Cyfieithiad o eiriau Travis a Rogers, 2011)**

Mae enghreifftiau eraill yn cynnwys dyn a gafodd ei ddedfrydu i chwe mis o garchar am ddwyn cas o ddŵr gwerth £3.50 a dau ddyn a ddedfrydwyd i bedair blynedd am ddefnyddio Facebook i annog terfysg na ddigwyddodd. Ni fyddai dedfrydau o'r fath wedi cael eu rhoi oni bai eu bod wedi digwydd yn ystod y terfysgoedd. Roedd cynrychioliad y cyfryngau o'r digwyddiadau wedi annog y llysoedd i drin y troseddwyr yn llym.

Effaith yr ymateb hwn i drosedd yw dedfrydau anghymesur sydd ddim yn adlewyrchu difrifoldeb y drosedd. Nod yr ymateb yw dangos na fydd trosedd o'r fath yn cael ei oddef a gosod cosb ataliol a fydd yn atal ymddygiad tebyg.

Datblygu ymhellach

Cynhaliwch drafodaeth ddosbarth ynglŷn â sut i gael cydbwysedd rhwng rhoi gwybod i bobl am droseddau, a sicrhau eu bod yn ymwybodol ohonynt heb orliwio a dychryn pobl. Fel enghraifft i gefnogi'r drafodaeth, defnyddiwch adroddiadau'r cyfryngau am sgamiau Covid.

Sgiliau llythrennedd

Cywirwch sillafu y geiriau canlynol:

- camdrin
- diwilliant
- diwyllianol
- trosedau
- Islamofobia
- portraed.

Blaenoriaethau a phwyslais yn newid

Mae rhai digwyddiadau troseddol mawr yn creu newid byd-eang, gan arwain at flaenoriaethau a pholisïau newydd. Er enghraifft, mae ymosodiadau 9/11 ar y Ddau Dŵr yn Efrog Newydd, yn 2001, wedi cael effaith barhaus, a lluniwyd polisïau newydd sy'n effeithio ar bawb:

- Mae Deddf Gwrthderfysgaeth, Trosedd a Diogelwch 2001 yn golygu y gall cyfrifon banc ac asedau terfysgwyr dan amheuaeth gael eu rhewi.
- Mae Deddf Gwrthderfysgaeth 2008 yn rhoi mwy o bwerau i'r heddlu gymryd olion bysedd a samplau DNA.
- Mae mwy o fesurau diogelwch mewn meysydd awyr, gorsafoedd trenau tanddaearol a gorsafoedd trenau.
- Mae'r llywodraeth wedi llunio strategaeth gwrthderfysgaeth neu strategaeth atal i herio eithafiaeth ym mhob agwedd ar ein bywyd.

Gall effaith blaenoriaethau sy'n newid fod yn bellgyrhaeddol, gan effeithio ar deithio ac addysg, a chyfyngu ar ryddid sifil.

Awgrym !

Gwnewch yn siŵr eich bod chi'n cynnwys popeth sydd wedi'i nodi i gyrraedd y band marciau uchaf:

- panig moesol
- pryderon ac agweddau'r cyhoedd yn newid
- canfyddiadau o dueddiadau o ran trosedd
- stereoteipio troseddwyr
- lefelau o ymateb i droseddu a mathau o gosbau
- blaenoriaethau a phwyslais yn newid.

Term allweddol

Rhyddid sifil: Hawliau a rhyddid sylfaenol sy'n cael eu rhoi i ddinasyddion gwlad drwy'r gyfraith.

Cofeb 9/11 Canolfan Fasnach y Byd, er cof am y sawl a fu farw yn yr ymosodiadau yn Efrog Newydd ar 11 Medi.

MPA1.6 GWERTHUSO DULLIAU O GASGLU YSTADEGAU AM DROSEDD

MEINI PRAWF ASESU	BAND MARCIAU 1	BAND MARCIAU 2
MPA1.6 Dylech chi allu ... Gwerthuso dulliau o gasglu ystadegau am drosedd	Gwerthusiad cyfyngedig (gan restru dulliau/ffynonellau gwybodaeth yn unig o bosibl) o ddau ddull o gasglu gwybodaeth am droseddu **(1–3)**	Gwerthusiad clir a manwl o ddau ddull/dwy ffynhonnell gwybodaeth a ddefnyddir i gasglu gwybodaeth am droseddu gyda thystiolaeth glir o resymeg Cyfeiriadau manwl a pherthnasol at ffynonellau penodol **(4–6)**

CYNNWYS	YMHELAETHU
Meini prawf gwerthuso • dibynadwyedd • dilysrwydd • moeseg ymchwil • cryfderau a chyfyngiadau • diben gwaith ymchwil **Gwybodaeth am droseddu** • Ystadegau'r Swyddfa Gartref • Arolwg Troseddu Cymru a Lloegr (ATCLl)	Dylech chi werthuso'r dulliau a ddefnyddiwyd i gasglu a chyflwyno'r ddwy ffynhonnell wybodaeth am drosedd a nodir yn y cynnwys. Dylai'r gwerthusiad ddefnyddio'r meini prawf a nodir yn y cynnwys

Mesur a dilyn tueddiadau mewn troseddu

Yn draddodiadol, roedd dau brif ddull o fesur a dilyn tueddiadau mewn troseddu:

1. Ystadegau am droseddau a gofnodwyd wedi'u casglu gan yr heddlu (Y Swyddfa Gartref).
2. Gwybodaeth a gasglwyd yn Arolwg Troseddu Cymru a Lloegr (Arolwg Troseddu Prydain cyn hynny).

Awgrym

Yn yr asesiad dan reolaeth, pan fyddwch yn ysgrifennu am y MPA hwn, gwnewch yn siŵr eich bod yn rhoi sylwadau am y ddau ddull o fesur trosedd drwy gydol y gwerthusiad.

Troseddau a gofnodwyd gan yr heddlu

Mae'r Swyddfa Gartref yn darparu data ar droseddau a gofnodwyd gan yr heddlu ar ffurf tablau sy'n cynnwys ffigurau troseddau a gofnodwyd yn ôl y math o drosedd, yr ardal ddaearyddol a'r cyfnod amser. Mae'r wybodaeth hon ar gael i'r cyhoedd. Dylid nodi bod newidiadau mewn polisïau ac arferion cofnodi yn gallu effeithio ar y ffigurau hyn.

Gweithgaredd

Ewch i wefan Police UK (www.police.uk/), teipiwch eich cod post ac edrychwch ar y troseddau yn eich ardal chi. Ystyriwch pa droseddau y dylai'r heddlu ganolbwyntio eu hadnoddau arnyn nhw. Er enghraifft:

- A oes unrhyw droseddau cyffredin?
- A ddylai adnoddau gael eu defnyddio i ddelio â nhw?
- A oes troseddau difrifol sy'n gofyn am adnoddau?
- A ddylai patrolau gael eu dargyfeirio i ardaloedd penodol? A yw lladron yn targedu strydoedd penodol?

Efallai bydd yr atebion yn wahanol mewn gwahanol rannau o'r wlad.

Arolwg Troseddu Cymru a Lloegr (ATCLl)

Arolwg dioddefwyr yw hwn ac mae'n holi sampl o'r boblogaeth yng Nghymru a Lloegr am eu profiadau o drosedd. Mae'n cynnwys troseddau yn erbyn aelwydydd ac oedolion, a hefyd data am droseddau sy'n effeithio ar blant yn ogystal â throseddau yn erbyn cymdeithas a busnesau. Un nodwedd bwysig o'r arolwg yw'r ffaith ei fod yn cynnwys troseddau sydd ddim wedi cael eu reportio i'r heddlu. Golyga hyn fod yr arolwg o bosibl yn fesur mwy cywir na'r arolygon sy'n holi am droseddau a reportiwyd i'r heddlu yn unig. Yn ogystal â gwybodaeth am y math o drosedd, mae'n cynnwys ei lleoliad a'r amser, nodweddion y troseddwr a'r berthynas rhwng y troseddwr a'r dioddefwr.

Gweithgaredd

Ewch i wefan y Swyddfa Ystadegau Gwladol (ONS) i weld yr ATCLl sydd â'r dyddiad diweddaraf, a chofnodwch rai o'r ystadegau. Gallwch ddefnyddio data tebyg i hyn yn eich asesiad dan reolaeth i ddangos y mathau o droseddau sy'n cael eu cyflawni. Hefyd, gall ystadegau o'r fath gael eu cymharu â throseddau a gofnodwyd gan yr heddlu. Ystyriwch y ddwy set o fesuriadau cofnodi troseddau a gofynnwch a ydyn nhw'n cynhyrchu'r un canlyniadau neu rai gwahanol.

Term allweddol

Arolygon dioddefwyr: Yn cael eu cynnal gyda'r bwriad o gyfweld â sampl cynrychiadol o boblogaeth benodol a gofyn cyfres o gwestiynau am eu profiad o fod yn ddioddefwyr. Dechreuodd yr arolygon hyn yn UDA; roedd yr arolwg cyntaf o'i fath yn y DU yn 1972. Datblygodd yn Arolwg Troseddu Prydain yn ddiweddarach ac ers 2012 mae'n cael ei alw'n Arolwg Troseddu Cymru a Lloegr.

Mae Arolwg Troseddu Cymru a Lloegr yn arolwg dioddefwyr.

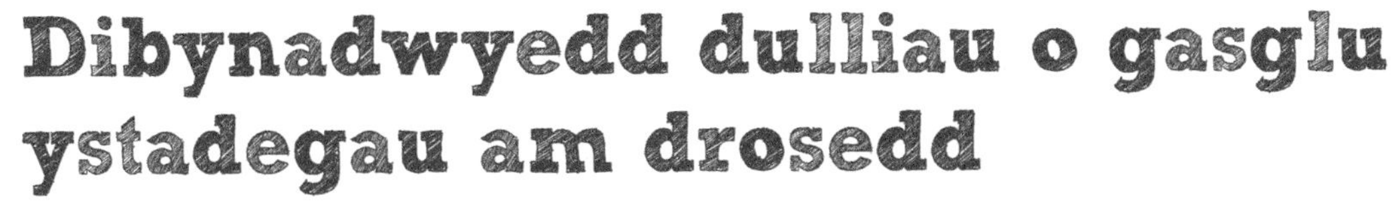

Dibynadwyedd dulliau o gasglu ystadegau am drosedd

Ystyr dibynadwyedd yw cysondeb canlyniadau pan fydd yr arbrawf yn cael ei ailadrodd o dan yr un amodau. Mae cyfyngiadau i unrhyw ystadegau, ac ni all yr un ffynhonnell ddweud wrthon ni yn fanwl gywir beth sy'n digwydd yn achos trosedd. Fodd bynnag, gan fod ATCLI hefyd yn ystyried troseddau sydd ddim wedi cael eu reportio i'r heddlu, efallai ei fod yn fwy dibynadwy. Mae dulliau'r heddlu o gofnodi troseddau wedi newid dros y blynyddoedd ac mae'r heddlu'n cydnabod bod hyn wedi effeithio ar ddata, ac felly dibynadwyedd; mae cyfyngiadau ynghlwm wrth gymharu ystadegau blynyddol.

Dilysrwydd dulliau o gasglu ystadegau am drosedd

Mae dilysrwydd yn cael ei ddisgrifio fel y graddau mae astudiaeth ymchwil yn mesur yr hyn mae'n bwriadu ei fesur. Os bydd canlyniadau astudiaeth yn cael eu hystyried yn rhai annilys, yna maen nhw'n ddiystyr. Os bwriad arolwg trosedd yw cofnodi faint o drosedd sydd wedi digwydd, mae'n bosibl na fydd wir yn ddilys. Er enghraifft, efallai nad yw'r dioddefwr yn ymwybodol o'r drosedd, neu efallai nad oes dioddefwr hyd yn oed. Hefyd, nid yw pob trosedd yn cael ei reportio, ac nid yw reportio trosedd i'r heddlu bob amser yn golygu y byddan nhw'n ei chofnodi.

Moeseg dulliau o gasglu ystadegau am drosedd

Mae moeseg dulliau o gasglu ystadegau am drosedd yn ymwneud â rheolau a chodau ymddygiad moesol wrth gasglu, dadansoddi, adrodd yn ôl a chyhoeddi gwybodaeth ar sail yr ymchwil. Yn benodol, mae'n golygu derbyn yn weithredol yr hawl i breifatrwydd, cyfrinachedd a chydsyniad gwybodus. Mae ATCLI yn gwbl gyfrinachol a defnyddir y manylion at bwrpas ymchwil yn unig. Dydyn nhw ddim yn cael eu rhoi i unrhyw sefydliad arall.

Cryfderau a chyfyngiadau dulliau o gasglu ystadegau am drosedd

CRYFDERAU	CYFYNGIADAU
• Mae ATCLI yn cofnodi troseddau heb eu reportio • Mae ATCLI yn dibynnu ar wybodaeth a roddwyd gan y dioddefwr a gall fod yn fwy cywir na gwybodaeth a ddehonglwyd gan yr heddlu • Mae ATCLI yn nodi'r rhai sydd fwyaf agored i niwed, felly gall fod yn sail i gynlluniau atal trosedd • Mae ATCLI yn edrych ar brofiadau pobl o ymddygiad gwrthgymdeithasol a sut mae'n effeithio ar eu bywyd • Gall yr heddlu ddefnyddio'r wybodaeth a roddwyd i ganfod troseddau • Mae ATCLI yn edrych ar sampl mawr o gyfranogwyr	• Nid yw'r heddlu'n cofnodi pob trosedd a reportiwyd • Nid yw troseddau a gofnodwyd gan yr heddlu yn cynnwys manylion am droseddau heb eu reportio • Mae amrywiadau mewn arferion cofnodi yn golygu bod cymariaethau blynyddol yn llai effeithiol • Nid yw ATCLI yn cofnodi troseddau heb ddioddefwr, fel gwerthu cyffuriau a throseddau cudd fel cam-drin domestig • Mae ATCLI yn dibynnu ar pa mor gywir yw cof y dioddefwr • Nid yw ATCLI yn holi pob aelod o'r cyhoedd • Gall dioddefwyr fod yn amharod i siarad am drosedd oherwydd eu bod yn ofnus, yn teimlo embaras, ac ati • Oherwydd nad yw'r ddau ddull cofnodi yn gydradd, cofnododd yr heddlu gynnydd o 10% mewn troseddu a dywedodd ATCLI fod lleihad mewn troseddu o 7% yn 2017

Diben gwaith ymchwil i ddulliau o gasglu ystadegau am drosedd

- Yn dangos tueddiadau o ran troseddu, yn enwedig lle mae'r ddau ddull yn dangos canlyniadau tebyg.
- Yn ei gwneud yn bosibl gwerthuso a datblygu polisïau lleihau troseddu.
- Yn sail i ddulliau o reoli adnoddau gan y llywodraeth a'r heddlu.
- Yn rhoi gwybodaeth ar sail ddaearyddol.
- Yn ei gwneud hi'n bosibl amddiffyn dioddefwyr posibl.
- Yn galluogi'r cyhoedd i leisio eu barn.
- Yn dangos llwyth gwaith yr heddlu.
- Yn amlygu troseddau 'newydd', er enghraifft y defnydd o'r cyfryngau cymdeithasol i hyrwyddo troseddau casineb.

Syniadau posibl, dibynadwyedd a dilysrwydd

Dibynadwyedd

Ystyr dibynadwyedd yw cysondeb y canlyniadau pan fydd arbrawf yn cael ei ailadrodd o dan yr un amodau. Mae cyfyngiadau yn achos pob ystadegyn ac ni all unrhyw ffynhonnell fod yn gwbl gywir. Fodd bynnag, mae Arolwg Troseddu Cymru a Lloegr bellach yn seiliedig ar lawer o ffynonellau gwahanol, sy'n awgrymu bod data'r heddlu ar eu pen eu hunain yn gyfyngedig ac o bosibl yn annibynadwy hyd yn oed.

Dilysrwydd

Os nad yw arolygon yn mesur yr hyn sydd ei angen, yna nid yw'n bosibl eu defnyddio i ateb cwestiynau am drosedd ac maen nhw'n ddiystyr ac yn anghywir. Mae sawl rheswm pam nad yw arolwg trosedd o bosibl yn cofnodi faint o droseddu sy'n digwydd:

- efallai nad yw'r dioddefwr yn ymwybodol o'r drosedd
- efallai nad oes dioddefwr
- mae pobl yn penderfynu peidio â reportio trosedd
- mae agweddau cymdeithasol at droseddau gwahanol yn newid
- nid yw reportio trosedd yn golygu y bydd y drosedd yn cael ei chofnodi gan yr heddlu.

Awgrym

Wrth roi sylw i'r MPA hwn yn yr asesiad dan reolaeth, bydd angen i chi wneud yn siŵr eich bod yn ychwanegu llawer o fanylion er mwyn cyrraedd y band marciau uchaf. Gwerthuswch y dulliau, yn hytrach na'u disgrifio yn unig, a gwnewch yn siŵr eich bod yn esbonio sut neu pam mae'r dulliau'n effeithio ar yr ystadegau. Yn ogystal, defnyddiwch benawdau fel 'dibynadwyedd, 'dilysrwydd', 'cryfderau a chyfyngiadau' a 'diben yr ymchwil'. Bydd y rhain yn gwella eich ateb drwy sicrhau ei bod yn haws ei ddarllen a'i farcio. Bydd hefyd yn sicrhau bod yr holl bwyntiau perthnasol yn cael sylw.

DEILLIANT DYSGU 2
DEALL SUT Y DEFNYDDIR YMGYRCHOEDD I SICRHAU NEWID

MPA2.1 CYMHARU YMGYRCHOEDD DROS NEWID

MEINI PRAWF ASESU	BAND MARCIAU 1	BAND MARCIAU 2	BAND MARCIAU 3
MPA2.1 Dylech chi allu ... Cymharu ymgyrchoedd dros newid	Ymwybyddiaeth gyfyngedig o ymgyrchoedd dros newid Mae'r dystiolaeth yn ddisgrifiadol ar y cyfan **(1–3)**	Caiff amrywiaeth o ymgyrchoedd dros newid eu cymharu Ceir rhai cysylltiadau at ymgyrchoedd arfaethedig i ategu'r penderfyniadau sy'n cael eu gwneud **(4–7)**	Cymhariaeth glir a manwl o amrywiaeth o ymgyrchoedd perthansol dros newid Cysylltiadau amlwg at ymgyrch arfaethedig, gan gyfeirio at ffynonellau penodol a phriodol i ategu'r casgliadau **(8–10)**

CYNNWYS	YMHELAETHU
Ymgyrchoedd dros newid, er enghraifft: • newid polisi • newid y gyfraith • newid blaenoriaethau asiantaethau • newid trefniadau cyllido • newid mewn ymwybyddiaeth • newid agwedd	Dylech chi fod yn ymwybodol o'r gwahanol ddibenion sydd gan ymgyrchoedd dros newid Dylech chi gymharu enghreifftiau o ymgyrchoedd dros newid ac ystyried eu heffeithiolrwydd wrth gyflawni eu hamcanion Gallai ymgyrchoedd gynnwys dosbarthiad cyffuriau, ewthanasia, erthylu, ysmygu, ac ati

Term allweddol

Ymgyrchoedd dros newid: Yn ymwneud â set o weithgareddau wedi'u cynllunio y bydd pobl yn eu gwneud dros gyfnod o amser er mwyn cyflawni rhywbeth fel newid cymdeithasol neu gyfreithiol.

Dibenion ymgyrchoedd dros newid

Mae llawer o ymgyrchoedd dros newid yn bodoli, sy'n cwmpasu amrywiaeth o bynciau, nodau a dibenion gwahanol. Mae llawer yn ymwneud â newid y gyfraith neu newid polisi. Yn ôl gofynion y MPA hwn, rhaid i chi gymharu amrywiaeth o ymgyrchoedd ac mae hyn yn golygu bod rhaid ystyried nodweddion tebyg a gwahaniaethau. Dewiswch ymgyrchoedd sydd o ddiddordeb i chi neu sy'n hawdd eu deall. Er mwyn sicrhau eich bod yn dewis amrywiaeth o ymgyrchoedd addas, byddai'n syniad da i chi astudio o leiaf pedwar neu bump. Fodd bynnag, mae hyn yn dibynnu ar y manylion sy'n cael eu rhoi. Y mwyaf o ymgyrchoedd byddwch chi'n eu cynnwys, y mwyaf o gyfle fydd gennych i gynnwys cymariaethau.

Mae rhai awgrymiadau ar gyfer ymgyrchoedd wedi'u rhestru isod, ond cofiwch mai awgrymiadau yn unig yw'r rhain gan eich bod yn cael dewis unrhyw ymgyrch addas i'w chymharu yn yr asesiad dan reolaeth. Does dim rhaid sôn am drosedd wrth gymharu ymgyrchoedd; fodd bynnag, rhaid sôn am ddulliau a nodweddion eraill yr ymgyrchoedd:

- Deddf Sarah (cynllun datgelu troseddau rhyw yn erbyn plant)
- Deddf Clare (datgelu cam-drin domestig)
- Deddf Helen (cadw'r llofrudd yn y carchar os na fydd yn dweud lle mae'r corff)
- Ymgyrch i ddiddymu'r rheol yn erbyn erlyniad dwbl am lofruddiaeth
- Ymgyrch Bobby Turnbull ynghylch trwyddedu gynnau
- Ymgyrchoedd gwrthysmygu
- Ymgyrchoedd erthylu
- Brexit
- Deddf Lillian (cyfreithiau cymryd cyffuriau a gyrru)
- Ymgyrch i gyflwyno Gweinidog dros Atal Hunanladdiad

Gadewch i ni edrych ar rai o'r ymgyrchoedd i gael syniadau ar sut gallwch chi eu cymharu nhw.

Awgrym

Does dim angen rhoi sylw i bob math o ymgyrch. Mae'n dderbyniol i'r holl ymgyrchoedd fod yn gysylltiedig ag un math, er enghraifft newid yn y gyfraith.

Dylech chi gymharu o leiaf pedair neu bump ymgyrch. Gallai hyn olygu tair ymgyrch, yn ogystal â'ch ymgyrch chi eich hun.

Ond, RHAID i chi gynnwys eich ymgyrch chi, sydd wedi ei chynllunio a'i chyfiawnhau, gyda deunyddiau sampl wedi eu dylunio yn yr asesiad dan reolaeth.

Rhaid i'r drosedd sydd wrth wraidd eich ymgyrch chi fod yn drosedd sy'n cael ei nodi yn y briff hefyd.

Ymgyrch deddf Sarah

Yn 2000, pan oedd Sarah Payne a'i theulu yn ymweld â'i thaid a'i nain, cafodd Sarah, a oedd yn wyth oed ar y pryd, ei herwgipio a'i llofruddio gan ddyn o'r enw Roy Whiting. Roedd Whiting wedi'i gael yn euog o herwgipio ac ymosod yn rhywiol ar ferch ifanc o'r blaen. Mynnodd ei mam, Sara Payne, na fyddai hi erioed wedi caniatáu i'w merch chwarae yn y caeau lleol heb gwmni oedolyn pe bai hi'n gwybod bod gan rywun yn yr ardal euogfarn flaenorol o'r fath. Mewn geiriau eraill, roedd hi'n teimlo nad oedd hi wedi gallu dod i benderfyniad priodol am ofal ei merch gan nad oedd gwybodaeth berthnasol ar gael. Felly, dechreuodd Sara ymgyrch, yn seiliedig ar ddeddf Megan yn America, gyda'r nod o'i gwneud yn ofynnol i'r heddlu roi gwybodaeth am droseddwyr rhyw yn yr ardal i riant neu ofalwr plentyn mewn perygl.

Dulliau ymgyrchu a materion perthnasol i'w cymharu ag ymgyrchoedd eraill:

- Nod yr ymgyrch oedd sicrhau newid yn y gyfraith i roi hawl cyfreithiol i rieni neu ofalwyr ofyn yn ffurfiol i'r heddlu a oedd gan rywun sy'n agos at blant gofnod troseddol am droseddau rhyw yn erbyn plant.
- Defnyddio'r cyfryngau: cafodd yr ymgyrch gefnogaeth *News of the World*, sef papur Sul ar y pryd, ac aeth y papur ati i lansio deiseb yn cefnogi deddf Sarah. Dangosodd 700,000 o bobl eu cefnogaeth gan lofnodi'r ddeiseb.

Cafodd Sarah Payne ei herwgipio a'i cham-drin yn rhywiol.

Term allweddol

Deiseb: Cais ysgrifenedig ffurfiol o blaid achos penodol, fel arfer wedi'i lofnodi gan nifer o bobl, sy'n cael ei gyflwyno i rai mewn awdurdod.

Roedd hon yn ymgyrch ddadleuol ac roedd rhai asiantaethau gofal plant yn ei gwrthwynebu. Ychwanegodd tactegau *News of the World* at y gwrthwynebiad hwnnw drwy enwi a chodi cywilydd ar droseddwyr rhyw honedig ac argraffu lluniau 100 ohonyn nhw. Arweiniodd hyn at ymosodiadau vigilante, er enghraifft yn Portsmouth, lle ymosododd 300 o bobl ar gartref gyrrwr tacsi lleol oedd wedi cael ei enwi yn y papur. Hefyd, ymosodwyd ar bobl ddiniwed gan eu bod yn edrych yn debyg i'r bobl yn y ffotograffau a gyhoeddwyd, ac ymosodwyd ar gartref paediatregydd oherwydd dryswch ynghylch y gair paedoffilydd.

Roedd yr ymgyrch hon yn deillio o ddigwyddiad trasig yn ymwneud â marwolaeth Sarah Payne, merch fach wyth oed. Ei rhieni, Sara a Michael, oedd prif gefnogwyr yr ymgyrch dros newid, a chwaraeodd y ddau ran allweddol yn ei hyrwyddo. Yn benodol, siaradodd Sara mewn nifer o ddigwyddiadau fel Cynhadledd Ffederasiwn yr Heddlu a sawl digwyddiad codi arian oedd yn rhoi cyhoeddusrwydd i'r ymgyrch. Derbyniodd Sara yr MBE yn 2008.

Termau allweddol

Vigilante: Person sy'n ceisio atal trosedd rhag digwydd neu sy'n dal troseddwr ac yn ei gosbi mewn ffordd answyddogol, fel arfer gan ei fod yn credu nad yw'r heddlu yn gallu gwneud hynny.

Paedoffilydd: Rhywun sy'n cael ei ddenu'n rhywiol at blant.

Roedd Sara a Michael Payne yn ymgyrchwyr allweddol.

Gallai'r ymgyrch hon gael ei hystyried yn llwyddiant, gan i'r Cynllun Datgelu Troseddau Rhyw yn erbyn Plant (*CSODS: Child Sex Offender Disclosure Scheme*) gael ei roi ar brawf yn 2008 a'i gyflwyno ar draws Cymru a Lloegr yn 2011. Yn ôl gwefan BBC News (2013), yn 2013 roedd bron 5,000 o geisiadau yn gofyn am ddatgelu troseddwyr rhyw a oedd yn byw yn lleol, ac roedd dros 700 o baedoffiliaid wedi'u hadnabod ers dechrau'r Cynllun yn 2011.

Datblygu ymhellach

Darllenwch y Papur Briffio Ymchwil Seneddol 'Sarah's Law: The Child Sex Offender Disclosure Scheme', sydd ar gael ar-lein yn https://commonslibrary.parliament.uk/research-briefings/sn01692/. Bydd yn rhoi rhagor o fanylion i chi am y cynllun hwn.

Ymgyrch Brexit

Ymunodd y DU â'r Gymuned Economaidd Ewropeaidd (sef hen enw'r Undeb Ewropeaidd) ar 1 Ionawr 1973. Digwyddodd hyn ar ôl i ddwy ymgais flaenorol i ymuno gael eu gwrthod. Mae Brexit yn dalfyriad o 'British exit', sy'n cyfeirio at y refferendwm a gynhaliwyd ar 23 Mehefin 2016, pan bleidleisiodd dinasyddion Prydain dros adael yr Undeb Ewropeaidd.

Brexit

Brexit a'r cyfryngau.

Mae dulliau ymgyrchu Brexit, a materion perthnasol i'w cymharu ag ymgyrchoedd eraill, yn cynnwys:

- **Ymgyrch Brexit:** roedd yr ymgyrch o blaid newid cyfansoddiadol yn aelodaeth Prydain o'r Undeb Ewropeaidd, yn wahanol i ddeddf Sarah a oedd yn ceisio newid rhyddid gwybodaeth.
- **Defnyddio refferendwm:** er mwyn caniatáu democratiaeth. Defnyddiwyd y dechneg anghyffredin hon i alluogi'r cyhoedd i fynegi eu barn a dod i benderfyniad a fyddai'n cael effaith fawr ar y Deyrnas Unedig a'r Undeb Ewropeaidd.
- **Prif gymeriadau:** Boris Johnson a Michael Gove, dau wleidydd blaenllaw yn ymgyrch Brexit. Ar y llaw arall, roedd ymgyrch deddf Sarah yn cael ei harwain gan ei rhieni, yn enwedig ei mam Sara Payne.
- **Canlyniad llwyddiannus y bleidlais:** ar 23 Mehefin 2016 pleidleisiodd y DU o fwyafrif o 52% i 48% i adael yr UE.
- **Defnyddio enwogion:** roedd yr actorion Elizabeth Hurley, Michael Caine, Joan Collins a'r Arlywydd Donald Trump oll yn llafar iawn o blaid Brexit.
- **Defnyddio'r cyfryngau:** roedd hyn yn cynnwys trafodaethau ar y teledu yn ystod oriau brig ac yn y papurau newydd, fel *The Sun*, *The Daily Telegraph* a *The Sunday Times* a oedd yn barod iawn i gyhoeddi penawdau o blaid Brexit. Fodd bynnag, cafodd ymgyrch deddf Sarah ei harwain gan yr hen bapur Sul, *News of the World*.

Term allweddol

Refferendwm: Pleidlais gyffredinol gan yr etholwyr ar un cwestiwn gwleidyddol sy'n cael ei gyfeirio atyn nhw i gael penderfyniad uniongyrchol.

Ymgyrch cymorth i farw

Mae rhoi cymorth i rywun i farw neu roi help i rywun ei ladd ei hun yn drosedd o dan adran 2 Deddf Hunanladdiad 1961. Byddai hyn yn cynnwys gweithred a fyddai'n gallu cynorthwyo hunanladdiad neu ymgais at hunanladdiad rhywun arall, er enghraifft rhoi dos marwol o feddyginiaeth i rywun. Y gosb yw hyd at 14 blynedd yn y carchar. Fodd bynnag, mae cyfres o ymdrechion wedi bod i newid y gyfraith drwy gyflwyno apeliadau i'r llysoedd ac i'r Senedd.

Debbie Purdy a'i gŵr Omar.

Mae dulliau'r ymgyrch cymorth i farw a'r materion perthnasol i'w cymharu ag ymgyrchoedd eraill yn cynnwys:

- Ceisiodd yr ymgyrch newid cyfraith trosedd a dileu'r drosedd o dan adran 2 Deddf Hunanladdiad 1961. Mae hyn yn wahanol i Brexit oedd yn ceisio newid y gyfraith gyfansoddiadol.
- **Prif gymeriadau:** Diane Pretty, Tony Nicklinson a Debbie Purdy; mae pob un wedi apelio at yr Uchel Lys i geisio'r hawl i farw ar adeg a thrwy ddull o'u dewis. Roedd pob un ohonyn nhw'n dioddef o afiechyd marwol. Fodd bynnag, roedd pob un yn aflwyddiannus.
- Roedd hwn yn fater hynod o ddadleuol lle roedd dwy ochr a dim man canol. Yn hyn o beth, mae'n debyg i ymgyrch Brexit.
- O ganlyniad i achos Debbie Purdy, llwyddodd yr ymgyrch yn rhannol pan gyhoeddodd y Cyfarwyddwr Erlyniadau Cyhoeddus ganllawiau a rhestr o ffactorau yn esbonio pryd na fyddai rhywun yn debygol o gael ei erlyn am hunanladdiad cynorthwyedig. Fodd bynnag, ni chafodd y gyfraith ei newid. Ar y llaw arall, roedd ymgyrch deddf Sarah yn gwbl lwyddiannus.
- **Defnyddio enwogion:** mae Syr Patrick Stewart (actor, gan gynnwys *Star Trek*), Zoë Wannamaker (actor) a Syr Michael Holroyd (awdur) i gyd yn noddwyr Dignity in Dying. Roedd y diweddar Syr Terry Pratchett (awdur) yn noddwr hefyd, a wnaeth ymgyrchu dros hunanladdiad cynorthwyedig ar ôl cael diagnosis o glefyd Alzheimer.
- Arweiniodd yr ymgyrchu at gyflwyno bil (cyfraith arfaethedig) gerbron Senedd y DU i geisio cyfreithloni cymorth i farw. Cafodd 'Bil Cymorth i Farw' yr Arglwydd Falconer ei wrthod gan y Senedd ym mis Medi 2015, felly ni chafodd y gyfraith ei newid.

Termau allweddol

Cyfraith gyfansoddiadol: Yr egwyddorion sylfaenol sy'n sail i'r ffordd mae'r wladwriaeth yn cael ei llywodraethu.

Dignity in Dying: Grŵp ymgyrchu sy'n credu y dylid cyfreithloni cymorth i farw ar gyfer oedolion yn y DU sydd ag afiechyd marwol ac sy'n gymwys yn feddyliol.

Bil: Darn arfaethedig o ddeddfwriaeth sy'n ceisio mynd drwy'r camau deddfu seneddol.

Ymgyrch i newid y gyfraith ar erlyniad dwbl

Mae'r gyfraith sy'n ymwneud ag erlyniad dwbl yn nodi na all troseddwr gael ei erlyn ddwywaith am yr un drosedd. Y nod yw amddiffyn unigolion rhag sawl erlyniad neu sawl ymdrech i gael euogfarn am yr un digwyddiad.

Mae dulliau'r ymgyrch i newid y gyfraith ar erlyniad dwbl a materion perthnasol i'w cymharu ag ymgyrchoedd eraill yn cynnwys:

- Ceisiodd yr ymgyrch newid cyfraith trosedd a dileu'r rheol ar erlyniad dwbl am droseddau difrifol fel llofruddiaeth a dynladdiad. Mae'r newid hwn yng nghyfraith trosedd yn cymharu â'r newid yn y gyfraith trosedd roedd yr ymgyrch cymorth i farw yn gofyn amdano.
- Cafodd yr ymgyrch ei harwain gan fam i ferch oedd wedi cael ei lladd mewn amgylchiadau trasig: yn debyg i ymgyrch Sarah Payne. Llofruddiwyd merch Ann Ming, Julie Hogg, gan ei phartner Billy Dunlop. Cafodd Dunlop ei gyhuddo o'i llofruddiaeth ac ymddangosodd mewn dau dreial lle methodd y rheithgor ddod i benderfyniad. Fodd bynnag, cyfaddefodd yn ddiweddarach mai ef oedd yn gyfrifol am ei lladd ond roedd yn meddwl ei fod wedi'i amddiffyn gan y gyfraith ar erlyniad dwbl. Pan gafodd y gyfraith ei newid, ef oedd y cyntaf i gael ei gyhuddo o dan y rheolau newydd. Fe'i cafwyd yn euog o lofruddiaeth ac mae'n bwrw ei ddedfryd am oes o hyd.

Ann Ming a'i gŵr Charlie.

- Roedd y cyfryngau'n cefnogi ymgyrch Ann Ming, yn benodol papur newydd *The Northern Echo*, a gyhoeddodd straeon o gefnogaeth gan gadw'r mater yn fyw yn llygad y cyhoedd.
- Roedd ymgyrch Ann Ming yn llwyddiannus a daeth Deddf Cyfiawnder Troseddol 2003 â newidiadau i'r maes hwn o'r gyfraith. Mae hyn yn debyg i ymgyrch deddf Sarah ond mae'n wahanol i'r ymgyrch cymorth i farw na lwyddodd i newid y gyfraith.

Syniadau ar gyfer cymariaethau:

- Pobl y tu ôl i'r ymgyrchoedd, er enghraifft teulu neu grwpiau.
- Prif sylw'r ymgyrch, er enghraifft newid cyfraith trosedd neu'r gyfraith gyfansoddiadol.
- Cenedlaethol/ar draws y wlad.
- Yn deillio o ddigwyddiad trasig.
- Y cymorth a roddwyd, er enghraifft enwogion neu wleidyddion.
- Defnyddio'r cyfryngau.
- A oedd yn llwyddiannus? A arweiniodd yr ymgyrch at unrhyw newidiadau? Os do, dywedwch beth oedd y newidiadau hyn.

Ateb enghreifftiol

Gallai ateb ar gyfer MPA2.1 yn yr asesiad dan reolaeth fod yn debyg i hwn:

Mae nifer o ymgyrchoedd a fyddai'n gallu cael eu hystyried yn rhai llwyddiannus. Arweiniodd deddf Sarah, ymgyrch a sefydlwyd yn dilyn llofruddiaeth Sarah Payne, at greu cynllun datgelu er mwyn caniatáu i rieni ddarganfod a oes unrhyw baedoffiliaid yn byw yn yr ardal. Yn yr un modd, roedd yr ymgyrch a gafodd ei chefnogi gan Ann Ming (i ddileu'r gyfraith ar erlyniad dwbl am lofruddiaeth) hefyd yn llwyddiannus pan gafodd y gyfraith ei newid. Fodd bynnag, roedd yr ymgyrch dros annibyniaeth i'r Alban yn aflwyddiannus ac mae'r Alban yn dal i fod yn rhan o'r DU.

Mae llawer o ymgyrchoedd wedi cael eu sefydlu yn dilyn digwyddiad trasig. Mae'r rhain yn cynnwys deddf Sarah, deddf Lillian a deddf Clare, ac roedd pob un ohonyn nhw'n ymwneud â llofruddiaeth merch ifanc. Hefyd, cafodd yr ymgyrchoedd eu harwain gan aelodau o'r teulu. Fodd bynnag, roedd ymgyrch Brexit yn deillio o ddymuniad y bobl i adael yr UE. Cafodd ei harwain gan wleidyddion.

Roedd llawer o ymgyrchoedd eisiau newid cyfraith trosedd. Roedd y rhain yn cynnwys deddf Sarah, deddf Lillian a deddf Clare. Roedd pob un o'r rhain yn ymgyrchoedd cenedlaethol.

Mae llawer o ymgyrchoedd yn defnyddio'r cyfryngau i'w helpu i hyrwyddo eu hachos. Er enghraifft, cafodd ymgyrch deddf Sarah gymorth y papur newydd *News of the World*. Trefnodd yr ymgyrch ddeiseb hefyd, fel yn achos yr Ymgyrch dros Annibyniaeth yn yr Alban a deddf Lillian.

Awgrym

- ✓ Peidiwch ag ysgrifennu gormod am y stori y tu ôl i'r ymgyrch. Yr hyn sy'n bwysig yw'r materion yn ymwneud â sut dechreuodd yr ymgyrch, sut cafodd ei rhedeg a sut gellir ei chymharu ag ymgyrchoedd eraill.
- ✓ Ceisiwch enwi'r newid yn y gyfraith neu'r polisi a ddaeth yn sgil yr ymgyrch.
- ✓ Gall 'cymharwch' olygu edrych ar wahaniaethau yn ogystal â nodweddion tebyg.
- ✓ Cofiwch gynnwys ystadegau, lle maen nhw ar gael, i gefnogi eich casgliadau.

Asesiad

Band marciau 2 (4–7 marc)

Byddai'r ateb yn cyrraedd band marciau 2 am ei fod yn cynnwys amrywiaeth o ymgyrchoedd a nifer o gymariaethau. Un elfen gadarnhaol yw'r ffaith bod cyfeiriad at wahaniaethau yn ogystal ag at nodweddion tebyg. Mae'n cyfeirio at newidiadau ond mae diffyg manylion penodol, er enghraifft enw'r ddeddf a newidiodd y gyfraith ar erlyniad dwbl neu enw'r cynllun a gyflwynwyd o ganlyniad i ymgyrch deddf Sarah. Hefyd, mae diffyg manylion cyffredinol a allai gael eu hychwanegu, fel y defnydd o ystadegau ar ganlyniad ymgyrch annibyniaeth yr Alban, manylion am arweinwyr y gwahanol ymgyrchoedd a gwybodaeth am y newidiadau roedd pobl yn ceisio eu sicrhau. Yn olaf, er mwyn cyrraedd y band marciau uchaf, rhaid cynnwys cysylltiadau amlwg â'ch ymgyrch arfaethedig (gweler yr Awgrym isod).

Awgrym !

Mae'n bwysig talu sylw i'r meini prawf ym mand marciau 3, sef *'cysylltiadau amlwg ag ymgyrch arfaethedig, gan gyfeirio at ffynonellau penodol a phriodol i ategu'r casgliadau'*. I gael y marciau uchaf, rhaid cyfeirio at eich ymgyrch chi. Er bod yr ymgyrch yn cael ei chreu yn DD3, dylech chi wneud yn siŵr eich bod yn cysylltu eich ymgyrch â rhai o'r ymgyrchoedd a gymharwyd. Ystyriwch faterion fel:

- Pa fath o newid mae eich ymgyrch yn ceisio ei sicrhau? Ai newid y gyfraith neu newid polisi? Os nad yw'n ymwneud â'r rhain, dywedwch fod gan eich ymgyrch nod gwahanol i'r ymgyrchoedd y gwnaethoch chi ymchwilio iddyn nhw ac mai'r diben yw codi ymwybyddiaeth o drosedd.
- Ystyriwch ddulliau ymgyrchu. Ydyn nhw'n debyg i'ch ymgyrch chi, er enghraifft deiseb, tudalen ar y cyfryngau cymdeithasol neu nwyddau marchnata? Neu a ydyn nhw'n wahanol a chithau wedi ysgrifennu cân neu drefnu cyngerdd. A oes papur newydd lleol neu genedlaethol wedi cytuno i gefnogi'r ymgyrch?
- Cyfeiriwch at ffynonellau'r ymgyrch rydych wedi ymchwilio iddi neu ffynonellau eich ymgyrch chi i'ch helpu i wneud cymariaethau.
- Mae'n bwysig iawn bod y drosedd heb ei reportio sydd wrth wraidd eich ymgyrch yn drosedd sydd hefyd yn cael ei nodi yn y briff.

Datblygu ymhellach »

Ymchwiliwch i rai o'r ymgyrchoedd diweddar hyn:

- ymgyrch teulu'r plismon Andrew Harper (deddf Andrew)
- ymgyrch teulu Helen McCourt (deddf Helen)
- Assisted Dying Coalition a sefydlwyd yn 2019 i gefnogi newid yn y gyfraith
- ymgyrch Covid 19 – aros adref, amddiffyn y GIG ac achub bywydau
- ymgyrch Marcus Rashford i sicrhau prydau ysgol am ddim.

MPA2.2 GWERTHUSO EFFEITHIOLRWYDD Y CYFRYNGAU A DDEFNYDDIR FEL RHAN O YMGYRCHOEDD DROS NEWID

MEINI PRAWF ASESU	BAND MARCIAU 1	BAND MARCIAU 2	BAND MARCIAU 3
MPA2.2 Dylech chi allu … Gwerthuso effeithiolrwydd y cyfryngau a ddefnyddir fel rhan o ymgyrchoedd dros newid	Gwerthusiad cyfyngedig o effeithiolrwydd y cyfryngau a ddefnyddir fel rhan o ymgyrchoedd dros newid Mae'r dystiolaeth yn ddisgrifiadol ar y cyfan a cheir ystod gyfyngedig **(1–5)**	Rhywfaint o werthusiad o effeithiolrwydd amrywiaeth o gyfryngau a ddefnyddir fel rhan o ymgyrchoedd dros newid perthnasol Mae'r ymateb yn ddisgrifiadol ar y cyfan ond yn llunio barn briodol i ryw raddau **(6–10)**	Gwerthusiad clir a manwl o effeithiolrwydd amrywiaeth o gyfryngau a ddefnyddir fel rhan o ymgyrchoedd perthnasol dros newid Tystiolaeth glir o farn resymegol i ategu casgliadau **(11–15)**

Awgrym

Sylwch nad oes rhaid cysylltu â'r ymgyrchoedd sy'n cael eu defnyddio yn MPA 2.1.

Awgrym

I gyrraedd y band marciau hwn, rhaid i'r gwerthusiad gynnwys elfennau cadarnhaol a negyddol, gan roi enghreifftiau o effeithiolrwydd amrywiaeth o gyfryngau, er enghraifft nifer yr ymatebion 'hoffi' neu 'rhannu' ar y cyfryngau cymdeithasol.

Awgrym

Sylwch fod angen i chi gynnwys amrywiaeth o gyfryngau. Gallai'r asesiad dan reolaeth ofyn i chi gyfeirio at nifer penodol, felly i sicrhau eich bod yn cael marciau uchel, gwnewch yn siŵr eich bod yn ystyried pump neu chwech o ymgyrchoedd yn y dosbarth. Yn ogystal, mae'n bwysig bod pob un yn cael ei werthuso ar wahân, yn hytrach na chynnwys sylwadau cyffredinol yn unig am ba mor effeithiol yw'r cyfryngau.

CYNNWYS	YMHELAETHU
Cyfryngau • blogiau • negeseuon firol • rhwydweithio cymdeithasol • hysbysebu • radio • teledu • ffilm • rhaglenni dogfen • ar lafar • digwyddiadau • deunydd print Gwnewch yn siŵr eich bod chi'n dewis cyfryngau oddi ar y rhestr hon.	Dylech chi feddu ar wybodaeth am y cyfryngau a'r deunyddiau penodol a ddefnyddir fel rhan o ymgyrchoedd dros newid, a gallu gwerthuso eu heffeithiolrwydd wrth hyrwyddo ymgyrch dros newid

Awgrym

Rhaid i chi gysylltu'r gwahanol fathau o gyfryngau ag amrediad o ymgyrchoedd go iawn er mwyn eu rhoi yn eu cyd-destun ac ystyried a ydyn nhw wedi cael eu defnyddio'n effeithiol ai peidio. I wneud hyn, dylech chi roi gwybodaeth fanwl am amrediad o ymgyrchoedd gwahanol ac o leiaf pedwar cyfrwng gwahanol.

O dan bob math o gyfrwng, dylech chi wneud yn siŵr eich bod yn cynnwys y wybodaeth ganlynol:

- diffiniad o'r dull
- effeithiolrwydd y dull
- cyfyngiadau'r dull
- enghreifftiau o'r defnydd o'r cyfrwng ac esboniad yn nodi a gafodd pob un ei ddefnyddio'n effeithiol. Gallai hyn gynnwys ystadegau yn dangos ymwybyddiaeth, er enghraifft sawl gwaith y cafodd yr ymgyrch ei rhannu neu ei hoffi ar y cyfryngau cymdeithasol neu faint o arian a godwyd ganddi.

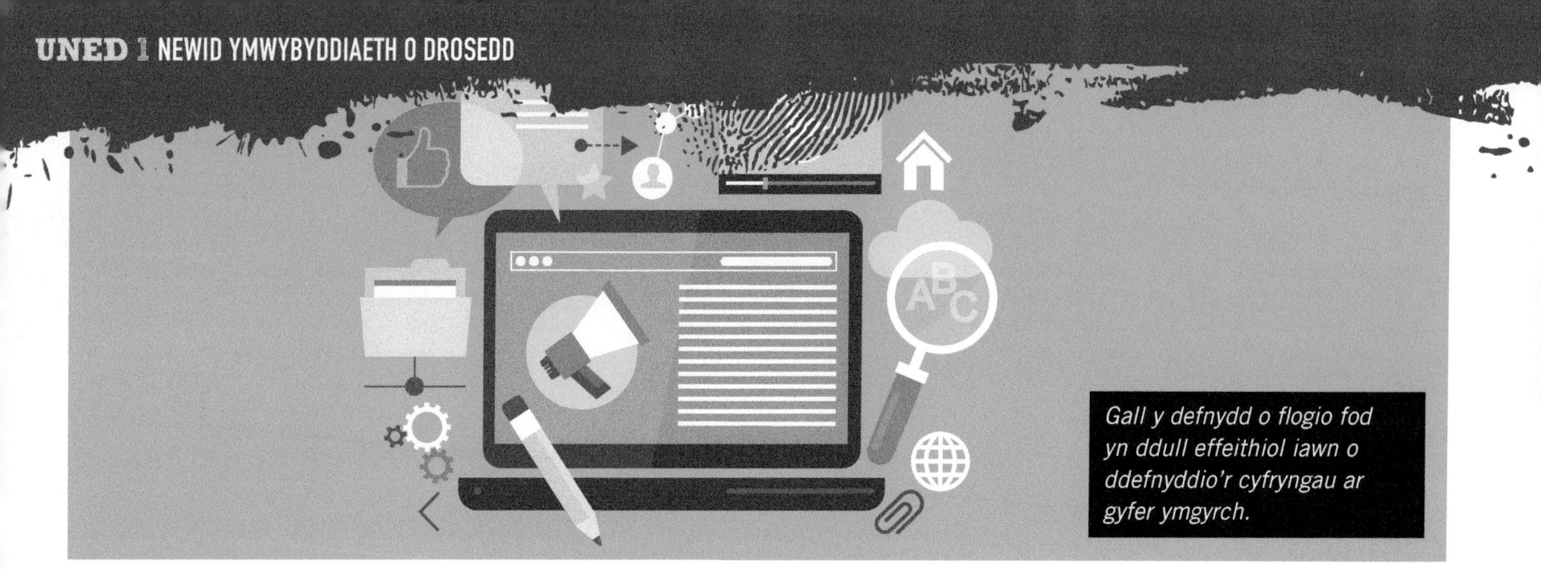

Gall y defnydd o flogio fod yn ddull effeithiol iawn o ddefnyddio'r cyfryngau ar gyfer ymgyrch.

Blogiau

Gwefan neu dudalen we sy'n cael ei diweddaru'n gyson yw blog. Fel arfer, mae blog yn cael ei gynnal gan unigolyn neu grŵp bach, a'i ysgrifennu mewn arddull anffurfiol neu sgyrsiol.

Mantais defnyddio blog mewn ymgyrch yw y gall unrhyw un sefydlu blog a bod blogiau am ddim. Yn ogystal â hynny, maen nhw'n caniatáu i bobl fynegi eu safbwyntiau a'u barn am destunau penodol. Mae blogiau'n cynnwys y wybodaeth a'r ystadegau diweddaraf i gadw'r cynnwys yn ffres ac yn ddiddorol. Fel arfer, bydd cysylltau â thudalennau yn y cyfryngau cymdeithasol ac mae hyn yn caniatáu i ddarllenwyr gael gwybod mwy am yr ymgyrch a chyfrannu ati. Hefyd, maen nhw'n cynnwys mwy na dim ond darnau ysgrifenedig; maen nhw'n cynnwys cysylltau fideo, lluniau a chysylltau â gwefannau eraill a fydd hefyd o ddiddordeb, efallai, i'r darllenydd.

Fodd bynnag, mae'n anodd iawn cadw blogiau yn gyfoes drwy'r amser a rhaid i'r awdur dreulio llawer iawn o amser arnyn nhw. Yn ogystal â hynny, mae'n dechrau dod yn ddull hen ffasiwn gan fod llawer o bobl yn dewis defnyddio'r cyfryngau cymdeithasol gan eu bod yn apelio fwy at bobl ifanc. Rhaid chwilio am y blog i ganfod gwybodaeth, felly yn gyffredinol cynulleidfa gyfyngedig o bobl fydd â gwir ddiddordeb yn yr achos neu'r ymgyrch.

Mae blog y grŵp ymgyrchu amgylcheddol Greenpeace yn defnyddio fideos, delweddau ac erthyglau, ac mae'r rhan fwyaf o'r postiadau wedi'u rhannu drwy lwyfannau cyfryngau cymdeithasol, gan eu helpu i ehangu eu cynulleidfa. Mae rhai o'r pethau wedi cael eu rhannu bron 1,000 o weithiau, sy'n dangos bod y blog yn effeithiol o ran codi ymwybyddiaeth y cyhoedd.

Awgrym!

Gwnewch yn siŵr eich bod yn rhoi barn resymegol i ategu casgliadau.
Mae ystadegau neu ddata yn helpu gyda chyfiawnhad o'r fath.

Rhwydweithio cymdeithasol

Rhwydweithiau cymdeithasol yw gwefannau fel Facebook a Twitter sy'n galluogi pobl i gyfathrebu â'i gilydd.

Pan fyddan nhw'n cael eu defnyddio at ddibenion ymgyrchu, gall rhwydweithiau cymdeithasol olygu bod modd i fideos, gwybodaeth a mathau eraill o gyfathrebu ledaenu'n gyflym a chyrraedd cynulleidfa eang. Mae tua 2.3 biliwn o bobl yn defnyddio'r cyfryngau cymdeithasol, felly bydd ymgyrch ar un o'r llwyfannau hyn yn codi llawer iawn o ymwybyddiaeth mewn amser byr iawn ac mewn ffordd gost effeithiol iawn.

Mae tua 500 miliwn Trydariad yn cael eu hanfon bob dydd.

Fodd bynnag, gall hacwyr fynd ar dudalennau'r rhwydwaith a newid gwybodaeth. Hefyd, gall trolwyr y rhyngrwyd, sy'n anfon negeseuon cas, atal pobl rhag defnyddio'r safleoedd.

Defnyddiwyd her y bwced iâ i godi arian ac i godi ymwybyddiaeth o glefyd ALS (*amyotrophic lateral sclerosis* neu sglerosis ochrol amyotroffig). Cafodd yr ymgyrch ei rhannu ar Facebook a gwefannau eraill y cyfryngau cymdeithasol, lle roedd rhaid i bobl arllwys bwced o ddŵr rhewllyd dros eu pen ac enwebu eraill i wneud yr un peth. Yn eu tro, roedd pobl yn cyfrannu arian i weld hyn yn digwydd. Erbyn diwedd yr ymgyrch, daeth yn amlwg ei fod yn ddull effeithiol iawn o ddefnyddio'r cyfryngau oherwydd codwyd $115 miliwn.

Term allweddol

Troliwr y rhyngrwyd: Rhywun sy'n ypsetio pobl ar y rhyngrwyd drwy ddechrau ffrae neu anfon negeseuon ymfflamychol.

Roedd her y bwced iâ yn enghraifft effeithiol iawn o ymgyrch a ddefnyddiodd y rhwydweithiau cymdeithasol.

Hysbysebu ar y teledu

Slot rhaglennu ar gyfer y teledu sy'n cael ei gynhyrchu a'i ariannu gan sefydliad yw hysbysebion teledu. Maen nhw'n cyfleu neges neu'n marchnata cynnyrch neu wasanaeth.

Fel arfer, maen nhw'n ffordd effeithiol iawn o ddefnyddio delweddau symudol ac weithiau maen nhw'n defnyddio cerddoriaeth sy'n addas i'r cynnyrch neu'r ymgyrch. Hefyd, maen nhw'n gallu bod yn gofiadwy iawn a dal sylw'r gynulleidfa drwy ddefnyddio pobl enwog. At hyn, maen nhw'n cyrraedd cynulleidfa eang oherwydd nifer y gwylwyr, yn enwedig yn ystod yr oriau brig.

Fodd bynnag, gall hysbysebion fod yn ddrud iawn i'w cynhyrchu, gan gostio miloedd o bunnoedd. Mae cost yr hysbyseb yn cynyddu, yn enwedig os bydd yn cael ei dangos yn ystod yr oriau brig. Fodd bynnag, gall llawer o bobl osgoi'r hysbysebion drwy recordio rhaglen neu gallan nhw eu hanwybyddu os nad oes ganddyn nhw ddiddordeb yn y cynnwys. Weithiau, gall yr hysbysebion fod yn eithaf cignoeth a dangos golygfeydd o rywun yn marw mewn ffordd erchyll, a gall hyn ypsetio gwylwyr iau a mwy agored i niwed a all fod yn poeni am y testun neu â chysylltiad ag ef. Gallai hyn gael effaith negyddol ar yr ymgyrch.

ASTUDIAETH ACHOS

WATERAID

Defnyddiodd ymgyrch WaterAid yn 2014–2015 hysbysebion teledu mewn ffordd effeithiol iawn. Yn sgil yr ymgyrch, roedd dwy filiwn o bobl yn gallu derbyn dŵr diogel, a darparwyd system dŵr glân i 3.1 miliwn o bobl yn eu pentrefi yn India. Cafodd yr ymgyrch hon ei chefnogi gan actorion o'r ddrama deledu gyfnod, *Downton Abbey*. Tynnwyd llun o'r sêr yn gafael mewn poteli dŵr i godi arian at yr elusen, gan fod llun cyhoeddusrwydd blaenorol ar gyfer *Downton Abbey* wedi dangos potel blastig yn y cefndir mewn camgymeriad. Gan fod *Downton Abbey* yn ddrama gyfnod, roedd potel ddŵr blastig yn yr olygfa yn amlwg yn gamgymeriad. Defnyddiwyd y llun i godi ymwybyddiaeth o'r mater hwn a hefyd cafodd pobl eu gwahodd i gyfrannu at WaterAid.

Digwyddiad

Un o fanteision digwyddiadau cyhoeddus yw bod modd eu dangos ar raglen newyddion, gan greu rhagor o gyhoeddusrwydd, sy'n golygu bod mwy o bobl yn dod yn ymwybodol o'r ymgyrch. Yn aml, bydd rhywun enwog yn bresennol yn y digwyddiad, gan helpu i godi ymwybyddiaeth o'r ymgyrch. Gall pobl gyfrannu at yr ymgyrch heb orfod dod i'r digwyddiad ei hun. Er enghraifft, mae'n bosibl cyfrannu dros y ffôn neu'r rhyngrwyd.

Mae rhai o anfanteision digwyddiadau cyhoeddus yn cynnwys rhywbeth yn mynd o'i le, er enghraifft efallai bydd llai o bobl na'r disgwyl yn dod i'r digwyddiad ac yn ei wylio. Efallai hefyd bydd angen cyllid cyn cynnal y digwyddiad. Un o'r digwyddiadau elusennol mwyaf oedd cyngerdd Live Aid, a gafodd ei drefnu gan Syr Bob Geldof yn 1985, i roi cymorth i'r newynog yn Affrica.

Termau allweddol

Digwyddiad: Achlysur, yn enwedig un o bwys, sy'n cael ei gynnal i hyrwyddo achos ymgyrch.

Cyllid: Arian sy'n cael ei roi at ddiben penodol.

ASTUDIAETH ACHOS

PLANT MEWN ANGEN

Mae'r noson flynyddol i godi arian at ymgyrch 'Plant mewn Angen' yn effeithiol iawn. Drwy gynnig noson o adloniant ar y teledu, ynghyd â chodi ymwybyddiaeth o'r materion, mae llawer iawn o arian wedi cael ei godi. Yn 2020, codwyd cyfanswm o £37 miliwn.

Mae llawer o bobl yn adnabod Pudsey yr arth fel cymeriad sy'n gysylltiedig ag ymgyrch 'Plant mewn Angen'.

Ymddangosiadau cyhoeddus

Mae ymddangosiadau cyhoeddus yn aml yn cael eu defnyddio i gefnogi ymgyrch; bydd yr hyrwyddwyr yn mynd i ddigwyddiad i siarad yn gyhoeddus er mwyn codi ymwybyddiaeth o nodau'r ymgyrch.

Mae'r dull hwn yn gwneud yr ymgyrch yn un bersonol a real. Mae hyn yn ei dro yn creu mwy o ddiddordeb a chefnogaeth gan y cyhoedd. Bydd y wybodaeth sy'n cael ei rhoi yn cynnwys manylion a ffeithiau.

Mae'r gwendidau'n cynnwys anfodlonrwydd ar ran rhai pobl i ymddangos a siarad yn gyhoeddus. Os nad ydyn nhw'n gallu creu diddordeb a dilyniant, yna mae'r ymgyrch yn annhebygol o lwyddo. Hefyd, efallai na fydd y bobl sy'n bresennol yn gefnogol a gallan nhw hyd yn oed darfu ar y digwyddiad.

ASTUDIAETH ACHOS

DEDDF SARAH

Un ymgyrch a ddefnyddiodd ymddangosiadau cyhoeddus oedd ymgyrch deddf Sarah. Gwnaeth rhieni Sarah, Sara a Michael Payne, sawl ymddangosiad cyhoeddus er mwyn ceisio dod o hyd i'w merch a oedd ar goll. Hefyd, ar ôl i ymgyrch deddf Sarah gael ei lansio, aeth ei mam i sawl digwyddiad, fel Cynhadledd Ffederasiwn yr Heddlu, i godi ymwybyddiaeth o'r ymgyrch a'r angen am gynllun i ddatgelu troseddwyr rhyw yn erbyn plant. Roedd hyn yn effeithiol, oherwydd cyflwynwyd y cynllun ar draws Cymru a Lloegr yn 2011.

Defnyddiodd Sara Payne ymddangosiadau cyhoeddus i hyrwyddo ei hymgyrch.

Taflenni print

Deunyddiau print yw taflenni, sy'n cynnwys gwybodaeth am ymgyrch. Dyma rai o fanteision defnyddio taflenni fel rhan o ymgyrch:

- rhifau cyswllt neu gysylltau â'r cyfryngau cymdeithasol sy'n galluogi darllenwyr i gysylltu â nhw neu gyfrannu
- llawer iawn o wybodaeth, gan gynnwys lluniau a delweddau, er mwyn i ddarllenwyr gael gwybod popeth am yr ymgyrch
- dydyn nhw ddim yn dibynnu ar dechnoleg fel y rhyngrwyd, nad yw pawb yn gallu ei ddefnyddio o bosibl.

Fodd bynnag, un o gyfyngiadau taflenni yw eu bod yn cynnwys gormod o wybodaeth, felly efallai bydd y darllenydd yn amharod i dreulio llawer o amser yn darllen taflen ac yn oedi cyn cyfrannu arian. Hefyd, gallan nhw fod yn ddrud i'w hargraffu ac mae'n hawdd eu hanwybyddu a'u taflu.

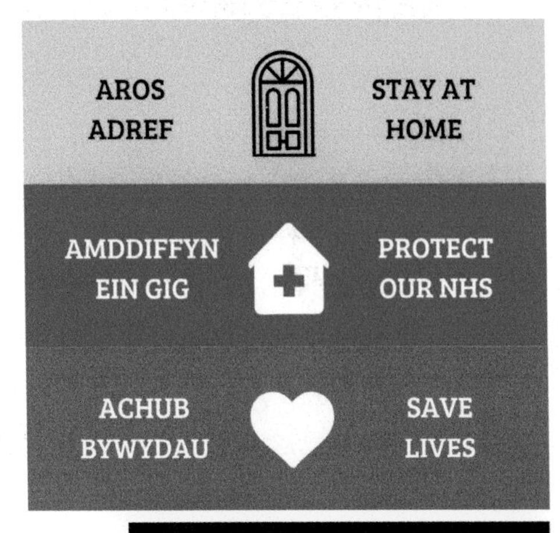

AROS ADREF
STAY AT HOME
AMDDIFFYN EIN GIG
PROTECT OUR NHS
ACHUB BYWYDAU
SAVE LIVES

Enghraifft o ddeunydd o ymgyrch Covid 19 Llywodraeth Cymru.

ASTUDIAETH ACHOS

YMCHWIL CANSER

Mae elusen fel Ymchwil Canser y DU yn defnyddio taflenni ar gyfer ei hymgyrchoedd i godi ymwybyddiaeth, ac maen nhw weithiau'n cael eu dosbarthu mewn meddygfeydd. Mae hwn yn ddull effeithiol gan fod yr elusen wedi codi £634 miliwn yn 2017-2018.

Ateb enghreifftiol

Gallai ateb ar gyfer MPA2.2 yn yr asesiad dan reolaeth fod yn debyg i hwn:

Mae hysbysebu ar y teledu yn ddull poblogaidd o hyrwyddo ymgyrch. Hysbyseb deledu yw clip ar y teledu sy'n hyrwyddo ymgyrch mewn rhyw ffordd. Gall hysbysebion teledu helpu i gyfleu'r neges wrth fod yn fanwl iawn. Mae llawer o hysbysebion yn mynd yn syth at y pwynt; mae'n debyg bod hyn oherwydd cost amser teledu. Mae biliynau o bobl yn gwylio'r teledu bob dydd, sy'n golygu bod y gynulleidfa bron yn ddiddiwedd, ac mae hyn yn golygu bod yr hysbyseb yn gallu cyrraedd amrywiaeth eang o bobl a hyrwyddo'r ymgyrch ymhellach. Un o anfanteision hysbysebu ar y teledu yw'r ffaith ei fod yn ddrud iawn yn ystod oriau brig. Mae'n costio tua £300,000 am hysbyseb dwy funud o hyd yn ystod y dydd. Un anfantais arall yw y gallai rhai hysbysebion fod yn anaddas ar gyfer gwylwyr iau a gallai'r hysbyseb eu hypsetio: mae hyn yn beth gwael i'r ymgyrch gan y bydd llawer o deuluoedd yn troi at sianel arall yn hytrach na gwylio'r hysbyseb. Hefyd, un anfantais yw bod pobl yn gallu recordio rhaglenni a neidio dros yr hysbysebion. Mae gan y rhan fwyaf o bobl raglennydd teledu sy'n eu galluogi i neidio dros hysbysebion a'r toriad rhwng rhaglenni, gan olygu na fydd yr hysbyseb yn cael ei gweld yn aml. Mae rhai o hysbysebion yr ymgyrch THINK! weithiau'n cael eu hystyried yn anaddas ar gyfer gwylwyr iau oherwydd lefel y trais. Mae'r ymgyrch THINK! yn ymwneud â diogelwch ffyrdd a gall gynnwys delweddau eithaf cignoeth o rywun yn marw mewn damwain ffordd.

Mae rhwydweithio cymdeithasol yn ddull poblogaidd o hyrwyddo ymgyrch. Defnyddir y cyfryngau cymdeithasol i ddarlledu llawer o ymgyrchoedd ar draws y byd. Mae miliynau o bobl yn defnyddio'r cyfryngau cymdeithasol bob dydd, gan olygu bydd eich neges yn cyrraedd miliynau o bobl. Gallwch roi neges ar Facebook neu Twitter am ddim, felly nid yw'n costio dim i gyhoeddi postiad am ymgyrch, ond mae'n debygol bydd angen i rywun ei ddiweddaru'n rheolaidd. Er bod llawer o bobl yn defnyddio'r cyfryngau cymdeithasol, dydy pawb ddim yn eu defnyddio. Does dim llawer o bobl dros 40 oed yn defnyddio'r cyfryngau cymdeithasol sy'n golygu bod cyfran fawr o bobl byth yn gweld y neges. Mae llawer o bobl yn neidio heibio i'r hysbysebion a'r negeseuon i edrych ar y pethau mae eu ffrindiau yn eu gwneud, ac ati. Unwaith eto, mae hyn yn golygu nad yw llawer o bobl yn eu gweld nac yn eu darllen. Un ymgyrch a ddefnyddiodd y cyfryngau cymdeithasol oedd ymgyrch 'le' yr Alban.

Asesiad

Band marciau 2 (6–10 marc)

Mae yma ymgais amlwg i werthuso effeithiolrwydd dwy ffordd o ddefnyddio'r cyfryngau fel rhan o ymgyrchoedd dros newid. Mae'r gwerthusiad ar ei orau pan fydd enghreifftiau yn cynnwys manylion fel costau'r hysbyseb teledu. Fodd bynnag, mae'r ateb yn ddisgrifiadol ar y cyfan ac mae angen datblygu'r farn a luniwyd. Mae hyn yn arbennig o wir yn yr enghreifftiau o ymgyrchoedd, gan fod diffyg manylder ynglŷn â'u heffeithiolrwydd. Hefyd, ar adegau gallai ansawdd y cyfathrebu fod yn well. Ond, y broblem fwyaf yw mai dim ond dwy ffordd o ddefnyddio'r cyfryngau sy'n cael eu hystyried.

Gweithgaredd

Ewch ati i wella'r ateb uchod drwy ei ailysgrifennu, gan ddatblygu'r gwerthusiad a gwella'r derminoleg a ddefnyddir, ac yna ychwanegu dwy ffordd arall o ddefnyddio'r cyfryngau.

DEILLIANT DYSGU 3
CYNLLUNIO YMGYRCHOEDD DROS NEWID SY'N YMWNEUD Â THROSEDDU

MPA3.1 CYNLLUNIO YMGYRCH DROS NEWID SY'N YMWNEUD Â THROSEDDU

MEINI PRAWF ASESU	BAND MARCIAU 1	BAND MARCIAU 2	BAND MARCIAU 3
MPA3.1 Dylech chi allu ... Cynllunio ymgyrch dros newid sy'n ymwneud â throseddu	Mae'r cynllun ar gyfer yr ymgyrch, sy'n berthnasol i'r briff aseiniad penodol, yn cynnwys manylion cyfyngedig Caiff camau gweithredu, dilyniannau a therfynau amser priodol eu hamlinellu'n gryno **(1–3)**	Mae cynllun yr ymgyrch, sy'n berthnasol i'r briff aseiniad penodol, yn cynnwys tystiolaeth o rai camau gweithredu priodol a nodir mewn trefn briodol o ran amser ac yn gymharol fanwl **(4–7)**	Cynllun manwl a phriodol ar gyfer ymgyrch, sy'n berthnasol i'r briff aseiniad penodol, yn cynnwys camau gweithredu wedi'u disgrifio'n glir mewn trefn briodol o ran amser **(8–10)**

CYNNWYS	YMHELAETHU
Cynllun • nodau ac amcanion • cyfiawnhau'r dewis o ymgyrch • cynulleidfa darged • dulliau i'w defnyddio • deunyddiau i'w defnyddio • cyllid • terfynau amser • adnoddau sydd eu hangen	Dylech chi nodi ymgyrch briodol dros newid a llunio cynllun gweithredu cynhwysfawr

Lle i ddechrau

Ar gyfer y MPA hwn, byddwch yn cynllunio ymgyrch i ymarfer eich sgiliau (sef sgiliau a ddefnyddir yn yr asesiad dan reolaeth i gynllunio ymgyrch sy'n gysylltiedig â'r briff. Bydd eich athro yn awgrymu pa drosedd i'w dewis – gallai hyd yn oed fynnu eich bod yn dewis y drosedd sy'n cael ei hastudio yn y dosbarth. Yna, byddwch yn dilyn pennawd y MPA hwn ac yn dysgu'r ffordd orau o gynllunio ymgyrch. Efallai y byddwch yn dod o hyd i wybodaeth fydd yn eich helpu ac yn arwain eich cynlluniau a'ch dewisiadau. Yna, byddwch yn llunio cynllun, fydd yn wahanol i'r cynllun a gynhyrchir yn yr asesiad dan reolaeth (lle bydd briff aseiniad gyda stori neu senario yn ymwneud â throseddau gwahanol). Rhaid i'r ymgyrch a'r cynllun perthnasol ymwneud ag un o'r troseddau wedi'u nodi yn y briff, felly fyddwch chi ddim yn gwybod beth yw natur y cynllun tan ddiwrnod yr asesiad. Ond gallwch chi ymarfer ymlaen llaw, ac edrych ar wefannau defnyddiol ar gyfer agweddau fel cyllid ac ati.

Dylai eich cynllun gynnwys:

- nodau ac amcanion
- cyfiawnhau'r dewis o ymgyrch
- cynulleidfa darged
- dulliau i'w defnyddio
- deunyddiau i'w defnyddio
- cyllid
- terfynau amser
- adnoddau sydd eu hangen.

Mae'n ofynnol i chi lunio cynllun manwl ar gyfer eich ymgyrch.

Nodau

Targedau tymor hir neu gyffredinol yw nodau, er enghraifft:

- annog dioddefwyr i reportio cam-drin domestig
- codi ymwybyddiaeth o'r arwyddion o drais yn y teulu neu mewn perthynas
- addysgu a rhoi gwybodaeth i'r cyhoedd am droseddau casineb
- codi ymwybyddiaeth ac annog pobl i chwilio am gymorth pan fydd dynion yn profi cam-drin domestig.

Dylech chi esbonio yn gryno pam rydych chi wedi dewis nodau eich ymgyrch. Bydd cyfiawnhad llawn yn cael ei roi yn MPA3.3 (gweler tudalen 74).

Amcanion

Cynlluniau tymor byr sy'n eich galluogi i gyrraedd y nodau rydych wedi penderfynu arnyn nhw yw amcanion. Dylai eich amcanion fod yn rhai CAMPUS:

C – Cyraeddadwy (lluniwch amcanion y byddwch chi'n gallu eu cyflawni)

A – Amserol (dylech chi wybod faint o amser bydd y gwaith yn ei gymryd. Dylech gynnwys amserlen yn eich amcan)

M – Mesuradwy (rhowch ganran neu darged y gallwch chi roi tystiolaeth ar ei chyfer os byddwch yn ei chyrraedd)

P – Penodol (dylech nodi'n fanwl beth rydych am ei wneud)

U – Uchelgeisiol (gwthiwch eich hun i ddangos y gorau o'ch gallu)

S – Synhwyrol (byddwch yn realistig ynglŷn â beth fydd yn bosibl ei gyflawni yn yr ychydig oriau fydd gennych chi).

Gallai enghreifftiau o amcanion gynnwys:

- Llunio 150 o daflenni i'w dosbarthu i ganolfannau cymunedol yn y dref.
- Codi £1,500 ar gyfer cynhyrchu nwyddau marchnata/cynnal digwyddiad.
- Creu cyfrif cyfryngau cymdeithasol ar Twitter/Facebook a llwyddo i gael o leiaf 500 o bobl i aildrydar neu hoffi/rhannu eich neges.

Gweithgaredd

Ystyriwch ymgyrch Cymorth i Fenywod (Women's Aid) 'Change that Lasts', yn www.womensaid.org.uk/our-approach-change-that-lasts/.

Atebwch y cwestiynau canlynol:

- Ar beth mae'r ymgyrch yn canolbwyntio?
- Beth yw nodau'r ymgyrch hon?
- Beth gallai amcanion yr ymgyrch fod?

Cyfiawnhau'r dewis o ymgyrch

Cofiwch fod rhaid i chi gyfiawnhau'n llawn bob agwedd ar yr ymgyrch yn MPA3.3.

Yma dylech chi esbonio pam rydych wedi dewis y drosedd hon ar gyfer eich ymgyrch. Gallwch gynnwys rhesymau personol a mwy gwrthrychol. Gwnewch yn siŵr eich bod yn rhoi sylwadau am faterion fel:

- Eich cysylltiad personol â'r drosedd hon, os yw'n berthnasol.
- Manylion am ddiffyg ymwybyddiaeth.
- Ystadegau ar droseddau a reportiwyd a throseddau gwirioneddol.
- Pam ei bod yn drosedd a danreportiwyd.
- Enghreifftiau go iawn o'r drosedd yn digwydd.
- A yw troseddau o'r fath ar gynnydd? Os ydyn nhw, rhowch ystadegau i ategu eich casgliadau.

Cynulleidfa darged

Cynulleidfa darged yw grŵp penodol o bobl y mae'r ymgyrch wedi'i hanelu atyn nhw.

Gweithgaredd

Ystyriwch yr ymgyrchoedd canlynol a nodwch y gynulleidfa darged ar gyfer pob un. Gallwch chi ddod o hyd iddyn nhw drwy chwilio ar y rhyngrwyd:

- Cymorth i Fenywod (Women's Aid): 'Nowhere to Turn'
- Heddlu Essex: Troseddau casineb
- Centers for Disease Control and Prevention: 'Tips From Former Smokers'
- ManKind Initiative.

Dylech chi ystyried y cwestiynau canlynol:

- Pwy yw eich cynulleidfa darged?
- Pam rydych chi wedi dewis y grŵp hwn o bobl fel eich cynulleidfa darged? Meddyliwch efallai am y drosedd rydych wedi dewis canolbwyntio arni. A yw'n ymwneud â rhyw, grŵp oedran penodol ac ati?
- Sut mae dulliau a deunyddiau eich ymgyrch yn berthnasol i'r grŵp hwn?

Dulliau a deunyddiau

Mae'r rhan nesaf o gynllun yr ymgyrch hon yn gofyn i chi feddwl am ddulliau a deunyddiau yr hoffech chi eu cynllunio a'u cynhyrchu.

Gweithgaredd

Cyn i chi ddechrau dewis dulliau, dylech chi ymchwilio i rai ymgyrchoedd a'r dulliau maen nhw wedi'u defnyddio. Edrychwch ar y canlynol i gael rhai syniadau ar gyfer eich ymchwil:

- 'White and Gold Dress: Salvation Army Launches Powerful Campaign against Domestic Violence Using "that Dress"', *Daily Mirror*: www.mirror.co.uk/news/uk-news/white-gold-dress-salvation-army-5284119.
- 'Drug Drive TV ad "Eyes"': www.youtube.com/watch?v=dytCWrf92zc.
- 'THINK! Drink Drive: in the Doghouse #butalive': www.youtube.com/watch?v=-VCAwsWIi5g.
- York LGBT Forum: www.yorklgbtforum.org.uk/hate-crime/.
- Help for Heroes: www.helpforheroes.org.uk/.
- Ymgyrch Dignity in Dying: www.dignityindying.org.uk/.

Gan ddefnyddio gwybodaeth o'r gwefannau uchod, dewiswch y dulliau rydych chi am eu defnyddio yn eich ymgyrch chi, er enghraifft:

DULL [NODWCH Y DULL]	PAM RYDYCH CHI WEDI EI DDEWIS [DYLECH GYFIAWNHAU EICH DEWIS, MEDDYLIWCH AM Y GYNULLEIDFA DARGED, Y GYNULLEIDFA YN GYFFREDINOL, Y GOST AC ATI]	SUT BYDDWCH CHI'N EI DDEFNYDDIO [SUT BYDD Y DULL HWN YN CAEL EI DDEFNYDDIO YN EICH YMGYRCH?]	DEUNYDDIAU I'W DEFNYDDIO [PA DDEUNYDDIAU BYDD EU HANGEN ER MWYN GWEITHREDU'R DULLIAU?]
Poster	I ddenu sylw pobl a helpu pobl iau i ddeall y drosedd	Gosod y poster mewn mannau lle bydd pobl ifanc yn sylwi arno, er enghraifft ysgolion, colegau, toiledau	Cyfrifiadur, argraffydd a phapur

Cofiwch y bydd rhaid i chi gynhyrchu sawl enghraifft, felly ceisiwch fod yn ymarferol a pheidio â bod yn rhy uchelgeisiol.

Cyllid

Ar ôl i chi benderfynu ar eich dulliau, mae angen i chi ymchwilio i'r costau. Bydd hyn yn eich helpu i gyfiawnhau'r dulliau yn MPA3.3. Er enghraifft, gall y cyfryngau cymdeithasol fod yn gost effeithiol, felly gall eich arian gael ei wario ar ddulliau eraill.

Meddyliwch am y canlynol:

✓ O ble byddwch chi'n cael eich deunyddiau?
✓ Costau deunyddiau?
✓ Faint o ddeunyddiau byddwch chi'n eu cynhyrchu?
✓ Cyfanswm y gost?
✓ Pris gwerthu?
✓ Elw posibl?
✓ Dyraniad yr elw?
✓ Sut i godi'r arian sydd ei angen yn y lle cyntaf?

Dyma enghraifft o gynllun ariannol:

Mae cynllun ariannol yn hanfodol i'r ymgyrch.

Bydd angen i mi brynu:

- 500 o bosteri am £9 o cheapestprintonline.com. Rwy'n mynd i ddosbarthu'r rhain am ddim.
- 40 hwdi am £8 yr un o Mypersonalisedclothing.com. Rwy'n mynd i werthu'r rhain am £11.95 yr un.
- 36 bathodyn am £8 o mine4sure.com. Rwy'n mynd i werthu'r rhain am £1.50 yr un.
- 40 crys T am £1.88 yr un o Mypersonalisedclothing.com. Rwy'n mynd i werthu'r rhain am £6 yr un.
- 100 band arddwrn am 13c yr un o adband.com. Rwy'n mynd i werthu'r rhain am £1.50 yr un.

Mae'n bosibl defnyddio'r cyfryngau cymdeithasol am ddim.

Rwyf wedi gwario cyfanswm o £425.20. Er mwyn helpu i ariannu hyn, rwyf am fynd at fusnesau lleol i ofyn am gyfraniad. Os bydd angen mwy o gyfalaf arnaf, byddaf yn cynnal bore coffi ac yn trefnu tombola i godi arian.

Mae'n bosibl y gallaf wneud elw o £226.80. Bydd unrhyw elw yn mynd at brynu mwy o ddeunyddiau i hyrwyddo'r ymgyrch ymhellach.

Terfynau amser

Wrth gynllunio ymgyrch, mae angen i chi ystyried y canlynol:

- amser ymchwil
- dyluniad y deunyddiau i'w defnyddio yn yr ymgyrch
- cynhyrchu'r deunyddiau
- gweithredu'r ymgyrch, er enghraifft cyflwyno a hyfforddi.

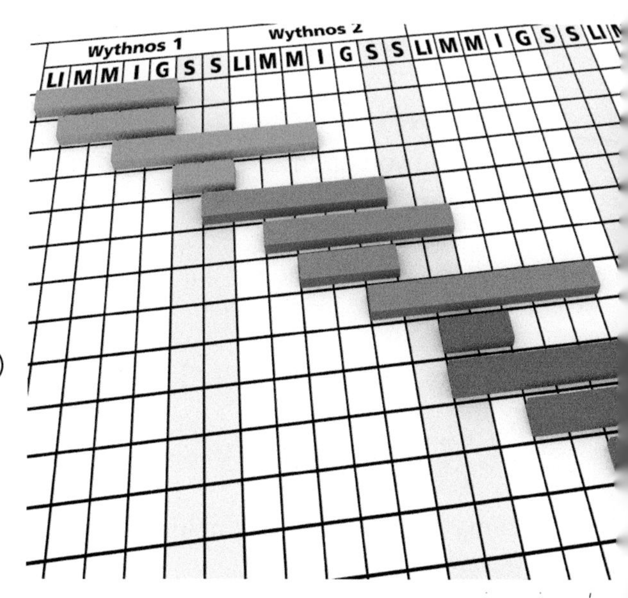

Cam 1 – Ymchwil

Meddyliwch am y math o waith ymchwil mae angen i chi ei wneud:

- ymchwil i'r troseddau sy'n cael eu cyflawni
- ymchwil i effaith y troseddau hyn
- ymchwil i'r ystadegau yn ymwneud â'r drosedd (dioddefwyr, ac ati)
- ymchwil i'r cymorth sydd ar gael i ddioddefwyr ar hyn o bryd
- ymchwil i achosion go iawn
- yr amser sydd ei angen – tua mis.

Cam 2 – Dylunio

Meddyliwch sut byddwch chi'n dylunio eich deunyddiau:

- Pa ddeunyddiau byddwch chi'n eu dylunio?
- Sut byddwch chi'n dylunio/brasfodelu eich deunyddiau?
- Defnyddio gwefannau. Hefyd, mae gwahanol dempledi o safleoedd y cyfryngau cymdeithasol ar gael ar y rhyngrwyd, a gallwch ychwanegu manylion eich ymgyrch at y rhain ('simitator'?).
- Defnyddio rhaglenni ar y cyfrifiadur (Publisher?).
- A fyddwch chi'n cynnwys cysylltiadau ag ymgyrchoedd eraill i'w cefnogi?
- A fyddwch chi'n defnyddio delweddau/gwybodaeth i'w rhoi ar eich deunyddiau dylunio o'r cam ymchwil?
- Yr amser sydd ei angen – tua mis.

Term allweddol

'Simitator': Gwefan sy'n eich galluogi i greu cyfrif Facebook neu Twitter ffug.

Cam 3 – Cynhyrchu deunyddiau

Meddyliwch sut byddwch chi'n cynhyrchu eich deunyddiau:

- A fyddwch chi'n mynd at fusnes lleol i ofyn am gyfraniad er mwyn sefydlu eich ymgyrch? (Gallech chi sôn am hyn yn y cynllun ariannol.)
- Pa ddeunyddiau fydd yn cael eu cynhyrchu?
- Pa gwmni fydd yn cynhyrchu eich deunyddiau? Cysylltu â'r ymchwil o'r cynllun ariannol.
- A fydd yr elw o'r nwyddau marchnata yn eich galluogi i barhau i brynu mwy o daflenni ac ati?
- Faint o amser byddwch chi'n ei neilltuo ar gyfer cynhyrchu a chyflenwi?
- Yr amser sydd ei angen – tua dau fis.

Cam 4 – Gweithredu

Meddyliwch sut byddwch chi'n sefydlu eich ymgyrch:

- Faint o amser bydd hi'n ei gymryd i lansio eich ymgyrch?
- Sut byddwch chi'n lansio'r ymgyrch?
- Sut byddwch chi'n dosbarthu taflenni/posteri (ble, cynulleidfa darged, pryd)?
- Faint o amser bydd hi'n ei gymryd i sefydlu'r cyfrif ar y cyfryngau cymdeithasol?
- Sut byddwch chi'n hyrwyddo a gwerthu'r nwyddau marchnata?
- A fyddwch chi'n lansio holl ddeunyddiau'r ymgyrch ar yr un pryd neu fesul tipyn? Pam?
- Amser sydd ei angen – tua tair wythnos.

Lluniwch linell amser cyffredinol ar gyfer eich ymgyrch. Gallwch ddefnyddio'r manylion uchod i'ch helpu. Gwnewch yn siŵr eich bod chi'n datblygu'r llinell amser ar gyfer eich ymgyrch a'r deunyddiau rydych chi'n eu defnyddio.

Adnoddau sydd eu hangen

- A oes angen unrhyw adnoddau arnoch chi wrth gynllunio eich ymgyrch yn gyffredinol?
- Meddyliwch am y terfynau amser gyferbyn. Er enghraifft: dylech chi gynnwys ymchwil, deunyddiau, amser, hyfforddiant, cyllid ac ati.

Gweithgaredd

Mewn grwpiau bach, trafodwch yr ymgyrchoedd sydd wedi aros yn eich cof. Beth sy'n eu gwneud nhw mor gofiadwy?

- Ydy'r enw yn un sy'n dal sylw, efallai gyda chyflythreniad, fel 'Jusice for Julie'?
- A oes masgot del a diniwed, fel Pudsey yn achos Plant mewn Angen?
- A yw'r ymgyrch yn cael ei chefnogi gan bobl enwog?
- A yw'r ymgyrch yn cael llawer o sylw yn y cyfryngau?
- A yw'r ymgyrch ynglŷn â rhywbeth sy'n effeithio mewn rhyw ffordd ar gyfran fawr o'r gymdeithas?

Sgiliau llythrennedd

Ewch ati i wella'r brawddegau isod drwy ychwanegu iaith sy'n herio.

Er enghraifft:
Gallai 'Helpwch i gefnogi eraill' droi yn 'Gweithredwch nawr i atal niwed difrifol a miliynau o farwolaethau bob blwyddyn.'

Ewch ati i wella'r brawddegau canlynol:

- 'Helpu plant sâl.'
- 'Mae'r anifeiliaid angen ein cefnogaeth.'
- 'Maen nhw'n haeddu gwell.'
- 'Fyddech chi'n gallu rhoi rhywfaint o arian?'

MPA3.2 DYLUNIO DEUNYDDIAU I'W DEFNYDDIO WRTH YMGYRCHU DROS NEWID

MEINI PRAWF ASESU	BAND MARCIAU 1	BAND MARCIAU 2	BAND MARCIAU 3	BAND MARCIAU 4
MPA3.2 Dylech chi allu … Dylunio deunyddiau i'w defnyddio wrth ymgyrchu dros newid	Mae'r deunyddiau yn sylfaenol/syml o ran eu dyluniad Eglurder diben cyfyngedig ar gyfer y deunyddiau **(1–5)**	Rhywfaint o dystiolaeth o ddeunyddiau a ddyluniwyd gan ddefnyddio cynnwys perthnasol ac sy'n ennyn rhywfaint o ddiddordeb Rhywfaint o dystiolaeth o iaith berswadiol ac eglurder diben **(6–10)**	Caiff deunyddiau deniadol eu dylunio gan ddefnyddio cynnwys perthnasol sy'n ennyn diddordeb Tystiolaeth o iaith berswadiol ac eglurder diben Rhywfaint o dystiolaeth o sgiliau technegol **(11–15)**	Mae'r deunyddiau sy'n cael eu cyflwyno yn ddeniadol ac wedi'u dylunio'n dda Mae'r cynnwys yn briodol o ran newid ymddygiad Mae'r deunyddiau yn ysgogol yn weledol ac o ran geiriau, ac yn dechnegol gywir **(16–20)**

CYNNWYS	YMHELAETHU
Dylunio • strwythur y wybodaeth • defnyddio delweddau neu nodweddion pwysleisio eraill i ddal sylw • defnyddio iaith berswadiol • hyrwyddo camau gweithredu • ystyried y gynulleidfa darged • sicrhau cysondeb â'r ymgyrch	Dylech chi ystyried dyluniad deunyddiau fel: • taflenni • hysbysebion • posteri • blogiau • tudalennu ar rwydweithiau cymdeithasol

Awgrym!

Chewch chi ddim mynd â deunyddiau wedi eu dylunio ymlaen llaw gyda chi i'r asesiad dan reolaeth, ond bydd mynediad at y rhyngrwyd gennych chi.

Awgrym!

Mae angen i chi ddylunio deunyddiau ar gyfer yr ymgyrch rydych chi'n ei chynllunio yn yr asesiad dan reolaeth. Awgrymir eich bod yn dylunio o leiaf tri deunydd gwahanol er mwyn cyrraedd band marciau 4. Er enghraifft:

- poster yn cynnwys delwedd sy'n denu sylw
- safle'r cyfryngau cymdeithasol ynghyd â phostiadau a sylwadau
- un enghraifft o nwyddau marchnata fel crys T yn dangos y delweddau ar y blaen a'r cefn.

Ceisiwch sicrhau cysondeb drwy ddefnyddio logo'r ymgyrch, enw'r ymgyrch, lliw yr ymgyrch, ac ati.

Strwythur y wybodaeth

Meddyliwch beth fydd yn gweithio orau i wneud yn siŵr eich bod yn dal sylw eich cynulleidfa heb eu drysu na rhoi gormod o wybodaeth. Mae hyn yn hynod o bwysig yn achos posteri a thaflenni. Hefyd, mae angen i chi wneud yn siŵr bod eich gwybodaeth yn dilyn confensiynau arferol yr hyn rydych yn bwriadu ei gynhyrchu, felly edrychwch ar osodiad/strwythur eitemau tebyg i gael syniadau. Er enghraifft, o ran poster, faint o wybodaeth sydd ar boster arferol? Pa wybodaeth sydd arno? Pa mor fach neu fawr yw'r delweddau?

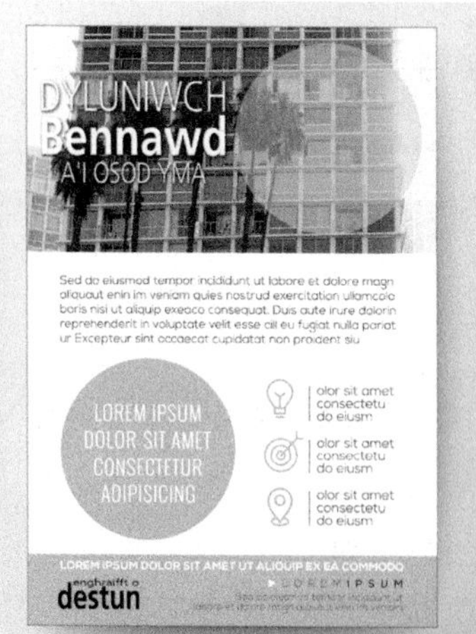

Ystyriwch ddyluniad eich poster/taflen yn ofalus.

Defnyddio delweddau neu nodweddion pwysleisio eraill i ddal sylw

Gallech chi ddefnyddio eich delwedd/nodwedd eich hun, neu rywbeth y byddwch chi'n dod o hyd iddo sy'n crynhoi prif neges eich ymgyrch. Er enghraifft, gallech chi ddefnyddio delwedd o unigolyn, ond does dim rhaid i chi wneud hynny. Ystyriwch sut mae'r ddelwedd neu'r nodwedd yn cysylltu â'ch ymgyrch a sut bydd yn denu sylw.

Datblygu ymhellach

Ymchwiliwch i ymgyrchoedd gwrth-ysmygu. Sut roedden nhw'n gignoeth, ac wedi'u dylunio i syfrdanu pobl? A pham? Ystyriwch y delweddau a'r derminoleg a ddefnyddiwyd, yn ogystal â'r defnydd o blant i hyrwyddo eu neges.

Defnyddio iaith berswadiol

Y bwriad yw hyrwyddo ymwybyddiaeth o ymgyrch a chreu newid, felly mae angen i chi annog eich cynulleidfa i weithredu neu helpu i greu newid. Mae iaith berswadiol yn hanfodol, er enghraifft, 'Dylech chi', 'Byddech chi'n well eich byd ...', 'Edrychwch ar ôl eich ...', 'Dydych chi ddim yn haeddu ...'. Ceisiwch chwarae ar emosiynau pobl lle bo hynny'n briodol a defnyddiwch iaith uniongyrchol, h.y. 'chi', 'eich'.

Defnyddiwch iaith berswadiol i annog cynulleidfa i weithredu.

Mae'n bwysig penderfynu pwy yw eich cynulleidfa darged.

Hyrwyddo camau gweithredu

Ceisiwch gynnwys berfau sy'n dweud wrth bobl am weithredu. Er enghraifft:

- stopiwch
- ewch i gael help nawr
- gwnewch rywbeth am hyn
- ymunwch.

Ystyried y gynulleidfa darged

Mae eich cynulleidfa darged yn allweddol, felly rhaid i chi ystyried at bwy rydych chi'n anelu'r deunyddiau a sut bydd eich dulliau, eich ymagwedd a'ch dylunio yn eu targedu. Defnyddiwch ddelwedd y byddan nhw'n gallu uniaethu â hi a geiriau y byddan nhw'n eu defnyddio a'u deall. Os bydd pethau'n edrych yn ddryslyd, ni fydd y gynulleidfa yn ymateb.

Sicrhau cysondeb â'r ymgyrch

Dylai fod cysondeb rhwng eich deunyddiau a rhaid iddyn nhw hefyd gysylltu â rhannau eraill o'r gwaith rydych wedi'i gynllunio. Mae hyn yn briodol hyd yn oed os ydych chi'n cynllunio ymgyrch ond ddim yn dylunio nac yn bwrw ymlaen ag agweddau eraill arni. Ystyriwch ddefnyddio'r un delweddau, logo'r ymgyrch a'r un lliwiau ar gyfer eich dyluniadau fel bod y cyhoedd yn gallu adnabod eich ymgyrch ar unwaith. Er enghraifft, mae delwedd Pudsey yr arth â'i glwtyn llygad smotiog yn dweud wrth bawb ar unwaith ei fod yn ymwneud ag ymgyrch 'Plant mewn Angen'.

Mae'r ddelwedd hon yn amlwg yn perthyn i ymgyrch 'Plant mewn Angen'.

Gweithgaredd

Edrychwch ar yr enghreifftiau canlynol o ddeunyddiau. Penderfynwch pa bethau rydych chi'n eu hoffi, beth sy'n gweithio'n dda, beth byddech chi'n ei newid neu sut byddech chi'n gwella pethau.

Hysbyseb ar y radio

Menyw ar y ffôn gyda'i ffrind, gallwch chi glywed y fenyw yn siarad:

*Helo? Mae e wedi'i wneud e eto ... mae e ...*gan snwffian ac anadlu'n ddwfn* ... taflodd e'r remôt ata i y tro 'ma, fe darodd fi yn fy llygad ... mae gen i ddwy lygad ddu nawr. *Saib* Beth wna i?! *Yn crio wrth siarad* Alla i ddim dianc! *Mae cloch y drws y canu* Dyna fe nawr ...*Mae'r ffôn yn mynd yn farw.**

Mae llais menyw arall yn siarad.

Ydych chi'n adnabod rhywun sy'n dioddef cam-drin domestig? Helpwch nhw, gweithredwch nawr! Rhowch wybod i ni drwy ffonio 0808 2000 247, eto 0808 2000 247. **(Myfyriwr)**

Bydd yr hysbyseb radio ar y dudalen flaenorol yn creu un o'r sefyllfaoedd hynny lle na fydd gwrandawyr eisiau newid i orsaf radio arall efallai. Mae'n dywyll ac yn llawn ystyr ac felly bydd yn denu sylw'r gwrandawyr, efallai pan fyddan nhw mewn car. Mae'n rhoi rhif ffôn Cymorth i Fenywod (Women's Aid) er mwyn helpu i hyrwyddo nodau'r ymgyrch ac yn rhoi cymorth i hyrwyddo gweithredu i greu newid.

Mae'r deunyddiau canlynol i gyd yn eitemau a gafodd eu dylunio gan fyfyrwyr Troseddeg ac maen nhw'n nodweddiadol o'r delweddau a ddylai gael eu cynhyrchu yn ystod yr asesiadau dan reolaeth. Dylech chi sylwi ar y defnydd o ddelweddau, lliwiau, yr iaith a ddefnyddir, ac ati.

Gan Declan Ballan.

Gan Ronan McDowell.

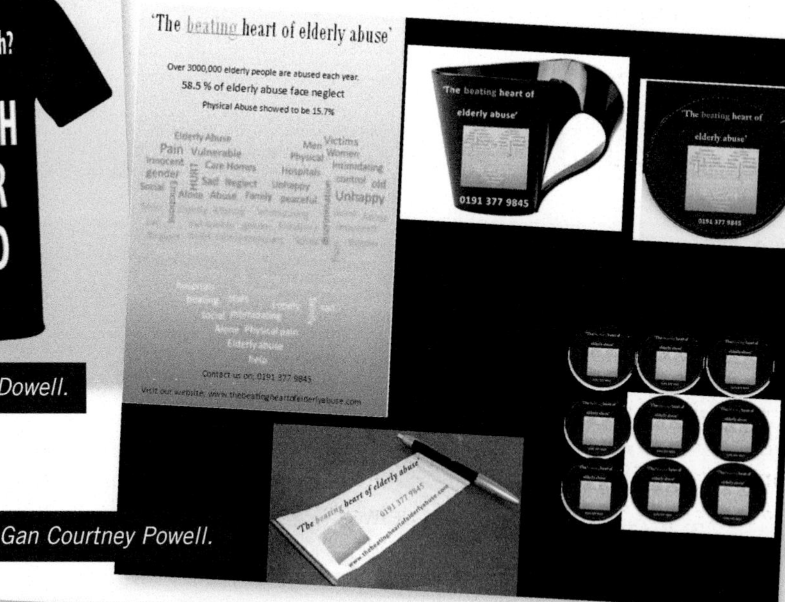

Gan Courtney Powell.

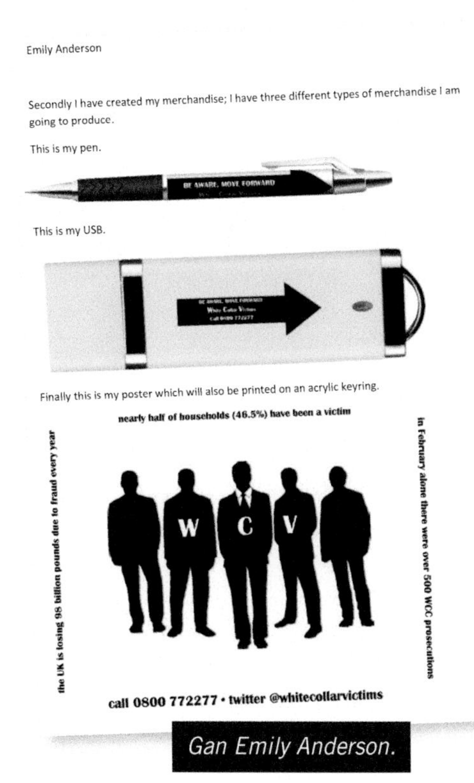
Emily Anderson

Secondly I have created my merchandise; I have three different types of merchandise I am going to produce.

This is my pen.

This is my USB.

Finally this is my poster which will also be printed on an acrylic keyring.

Gan Emily Anderson.

Gan Arisa Hudson.

Awgrym

Cewch chi fynd ar y rhyngrwyd i ymchwilio i ddelweddau i'ch helpu chi i gyflawni'r dasg hon. Ond, rhaid i chi sicrhau mai eich gwaith chi eich hun yw eich dyluniad terfynol.

MPA3.3 CYFIAWNHAU YMGYRCH DROS NEWID

MEINI PRAWF ASESU	BAND MARCIAU 1	BAND MARCIAU 2	BAND MARCIAU 3
MPA3.3 Dylech chi allu ... Cyfiawnhau ymgyrch dros newid	Cyfiawnhad cyfyngedig o ymgyrch dros newid Mae'r dystiolaeth yn ddisgrifiadol ar y cyfan, a phrin yw'r farn a gyflwynir **(1–5)**	Mae rhywfaint o'r cyfiawnhad yn rhesymegol Mae'r ymateb yn ddisgrifiadol ar y cyfan ond yn llunio barn briodol i ryw raddau Defnyddir iaith berswadiol **(6–10)**	Cyfiawnhad clir a manwl, sy'n rhesymegol Caiff casgliadau eu hategu gan farn berthnasol, sy'n cynnwys y defnydd o iaith berswadiol **(11–15)**

CYNNWYS	YMHELAETHU
Cyfiawnhau • cyflwyno achos dros weithredu • defnyddio tystiolaeth i ategu achos • defnyddio iaith berswadiol	Dylech chi gyfiawnhau eich dull gweithredu a'r angen am ymgyrch dros newid

Awgrym!

Peidiwch â disgrifio eich ymgyrch yn unig; gwnewch yn siŵr eich bod chi'n cyfiawnhau eich holl gamau gweithredu.

Awgrym!

Gwnewch yn siŵr bod eich cyfiawnhad yn berthnasol i'r holl ymgyrch, ac nid i'r deunyddiau penodol rydych wedi'u cynhyrchu yn unig.

Cyflwyno achos dros weithredu

Mae cyflwyno achos dros weithredu yn golygu esbonio pam mae eich ymgyrch chi'n angenrheidiol a pha effaith mae'n gobeithio ei chael. Amlinellwch beth yw canolbwynt eich ymgyrch, rhowch resymau a chyflwynwch eich tystiolaeth ategol. Gwnewch yn siŵr eich bod yn gwneud cysylltiadau â'ch amcanion penodol a'ch cynulleidfa darged. Dylech chi gynnwys ystadegau ategol ac enghreifftiau o achosion bywyd go iawn. Defnyddiwch ddechrau brawddegau fel:

- Penderfynais ganolbwyntio ar .... oherwydd ...
- Mae hwn yn faes pwysig i'w ddatblygu oherwydd ...
- Heb ymgyrch fel hon, mae'n debyg bydd ...
- Fodd bynnag, gydag ymgyrch yn tynnu sylw at y mater, gallai arwain at ...

Defnyddio tystiolaeth i ategu achos

Defnyddiwch eich ystadegau ac ymchwil arall o MPA3.1 i roi tystiolaeth i ategu achos. Edrychwch eto ar gysyniad eich ymgyrch gan gyfiawnhau eich dewisiadau o ran yr enw, y logo, y gynulleidfa ac ati. Mae hyn yn cynnwys cyfiawnhau eich deunyddiau, gan esbonio'r dewis a'r dyluniad. Rhaid i chi gyfiawnhau'r delweddau, y lliwiau a'r manylion a ddefnyddiwyd. Gallwch gyfeirio at agweddau llwyddiannus ymgyrchoedd eraill. Gallech chi gyfeirio at bethau fel:

- Penderfynais ar ... fel enw i'r ymgyrch. Dewisais hyn oherwydd ... Hefyd, mae'n cyflawni fy nod o ... yn ogystal â thargedu fy nghynulleidfa oherwydd ...
- Dewisais ddefnyddio amrywiaeth o ddulliau gan gynnwys ... Dewisais y rhain gan fod fy nghynulleidfa ... Roeddwn hefyd yn teimlo y byddai'r rhain yn effeithiol i hyrwyddo fy nod oherwydd ... Pe bawn i wedi dewis ... neu ... efallai na fyddai wedi bod mor llwyddiannus.
- Byddai'r gynulleidfa darged yn fwy tebygol o ymateb i hyn oherwydd ... Mae hefyd yn cynnig cyswllt da â'r testun oherwydd ...
- Dewisais ddefnyddio delweddau o ... Mae hyn yn hynod o effeithiol oherwydd ...
- Mae'r lliwiau'n effeithiol oherwydd ...
- Defnyddiais nodweddion fel ... a ... i gyrraedd fy nodau oherwydd ...

Defnyddio iaith berswadiol

Trafodwch y deunyddiau a ddylunioch chi yn MPA3.2 a pha mor effeithiol ydyn nhw, gan gysylltu dewisiadau â'r iaith berswadiol rydych wedi'i defnyddio.

- Defnyddiais y term .... gan ei fod yn cyfleu ...
- Canolbwyntiais ar ... oherwydd ... Mae hyn yn argyhoeddi'r gynulleidfa oherwydd ...
- Dyluniais y gosodiad i gynnwys ... Mae hyn oherwydd ...
- Mae'r iaith yn berswadiol gan ei bod ...

Cofiwch gyfiawnhau pob agwedd ar eich ymgyrch.

CRYNODEB O'R UNED

Drwy weithio drwy'r uned hon:

- Byddwch wedi meithrin sgiliau i wahaniaethu rhwng myth a realiti mewn perthynas â throsedd ac wedi deall y gall sylwadau cyffredin fod yn gamarweiniol ac yn anghywir.
- Byddwch wedi meithrin y sgiliau i ddeall pwysigrwydd newid canfyddiadau'r cyhoedd o drosedd.
- Byddwch chi'n gallu defnyddio ac asesu amrywiaeth o ddulliau a ddefnyddir gan asiantaethau i godi ymwybyddiaeth o droseddu er mwyn mynd i'r afael ag ef yn effeithiol.
- Byddwch wedi meithrin y sgiliau i gynllunio ymgyrch dros newid mewn perthynas â throsedd; er enghraifft, i godi ymwybyddiaeth, newid agweddau neu newid ymddygiad o ran reportio troseddau.

UNED 2
DAMCANIAETHAU TROSEDDEGOL

Yn yr uned hon, byddwch chi'n cymhwyso eich dealltwriaeth o ganfyddiadau'r cyhoedd o drosedd ac ymgyrchoedd dros newid, a astudiwyd yn Uned 1, at ddamcaniaethau troseddegol ac yn ystyried sut mae'r ddau yn cael eu defnyddio i lunio polisi.

Byddwch chi'n ystyried pam mae pobl yn troseddu ac a yw'r damcaniaethau hyn yn gredadwy. Yna bydd rhai o'r damcaniaethau yn cael eu cymhwyso at sefyllfaoedd go iawn a bydd hyn yn eich galluogi chi i ddod o hyd i atebion i gwestiynau fel 'beth sy'n gwneud rhywun yn llofrudd cyfresol?'

Byddwch chi'n darganfod pryd mae gweithred yn drosedd a phryd mae'n wyrdroëdig, a'r nodweddion tebyg a'r gwahaniaethau rhyngddyn nhw.

Asesiad: arholiad allanol 1 awr 30 munud

Cyswllt synoptig: Uned 1

DEILLIANT DYSGU 1
DEALL LLUNIADAU CYMDEITHASOL O DROSEDDOLDEB

MPA1.1 CYMHARU YMDDYGIAD TROSEDDOL A GWYREDD

MEINI PRAWF ASESU	CYNNWYS	YMHELAETHU
MPA1.1 Dylech chi allu ... Cymharu ymddygiad troseddol a gwyredd	**Ymddygiad troseddol** • diffiniad cymdeithasol • diffiniad cyfreithiol • sancsiynau ffurfiol ar gyfer troseddwyr • amrywiaeth o weithredoedd troseddol **Gwyredd** • normau, codau moesol a gwerthoedd • sancsiynau anffurfiol a ffurfiol ar gyfer gwyredd • mathau o wyredd	Dylech chi feddu ar ddealltwriaeth o'r canlynol: • sut y caiff troseddoldeb a gwyredd eu diffinio • gweithredoedd sy'n droseddol • gweithredoedd sy'n wyrdroëdig • gweithredoedd sy'n rhai troseddol ac yn rhai gwyrdroëdig • goblygiadau cyflawni trosedd a/neu weithred wyrdroëdig

Cyswllt synoptig

Dylech chi hefyd ddeall effaith reportio troseddau ar ganfyddiadau'r cyhoedd o drosedd a gwyredd. Dylech chi ymgyfarwyddo â'r meysydd canlynol o Uned 1, DD1, MPA1.5:

- panig moesol
- pryderon ac agweddau'r cyhoedd yn newid
- canfyddiadau o dueddiadau o ran trosedd
- stereoteipio troseddwyr
- lefelau o ymateb i droseddu a mathau o gosbau
- blaenoriaethau a phwyslais yn newid.

Ymddygiad troseddol

Diffiniad cymdeithasol

Weithiau mae trosedd yn label sy'n ymwneud â 'rhyngweithio cymdeithasol' neu mae'n gamwedd yn erbyn y gymuned. Os yw cymdeithas wedi dweud bod gweithred yn drosedd, yna mae'n dod yn drosedd. Mae gan droseddau ganlyniadau sy'n niweidiol mewn rhyw ffordd i'r gymuned yn gyffredinol neu i un neu ragor o bobl yn y gymuned. Yn sicr, yn ein cymdeithas ni, mae rhai troseddau nad yw pobl yn eu cymeradwyo, er enghraifft troseddau rhyw, yn enwedig rhai sy'n ymwneud â phlant. Fodd bynnag, mae rhai gweithredoedd yn droseddau mewn rhai gwledydd ond nid mewn gwledydd eraill. Er enghraifft, byddai'r rhan fwyaf o bobl yn y DU yn credu ei bod yn anghywir cael rhyw gyda rhywun 14 oed. Fodd bynnag, mewn rhai gwledydd fel Bangladesh, mae merched sy'n dal yn blant yn cael eu gorfodi i briodi. Dyna pam mae'n anodd dod o hyd i ddiffiniad cymdeithasol o'r gair trosedd, oherwydd gall amrywio.

Cyngor

Os byddwch chi'n cael cwestiwn sy'n gofyn i chi esbonio ystyr y gair trosedd, dylech chi ddatblygu diffiniad cymdeithasol a diffiniad cyfreithiol. Dylech chi gyfleu'r syniad nad yw'n air syml ei ddiffinio.

Diffiniad cyfreithiol

Yn ein cymdeithas ni, y system gyfreithiol sy'n diffinio trosedd. Er enghraifft, 'ymddygiad sy'n torri'r gyfraith ac a fydd yn cael ei gosbi gan y system gyfreithiol'. Mae enghreifftiau o drosedd yn cynnwys y troseddau canlynol:

- dwyn
- twyll
- llofruddiaeth.

Yn ôl y gyfraith, rhaid i drosedd gael dwy elfen: actus reus, sef y weithred euog a mens rea, sef y meddwl euog. Os bydd A yn cymryd dryll ac yn saethu B yn fwriadol drwy'r galon ac yna bydd B yn marw, yr actus reus yw'r weithred o saethu a'r mens rea yw'r bwriad o ladd, fel mae'r saethu drwy'r galon yn ei ddangos. Fodd bynnag, yn achos troseddau atebolrwydd caeth, nid yw mens rea yn ofynnol, er enghraifft llawer o reoliadau bwyd a hylendid. Hyd yn oed os yw'r ddwy elfen yn bresennol, gall amddiffyniad fel hunanamddiffyniad olygu bod llys yn cael rhywun yn ddieuog. Dyna pam mae'n anodd dod o hyd i ddiffiniad cyfreithiol o'r gair trosedd, oherwydd gall amrywio.

Termau allweddol

Actus reus: Lladin am y weithred euog.

Mens rea: Lladin am y meddwl euog.

Sancsiynau ffurfiol ar gyfer troseddwyr

Sancsiynau y tu allan i'r llys:

- **Rhybuddion** – mae'r rhain yn cael eu rhoi gan yr heddlu ar gyfer mân droseddau, fel ysgrifennu graffiti ar loches fysiau. Rhaid i chi gyfaddef i'r drosedd a chytuno i gael eich rhybuddio; neu gallech gael eich arestio am y drosedd. Nid yw rhybudd yn euogfarn droseddol.
- **Rhybuddion amodol** – mae'r rhain yn cael eu rhoi gan yr heddlu ond rhaid i chi gytuno i rai rheolau a chyfyngiadau, fel derbyn triniaeth am gamddefnyddio cyffuriau neu drwsio difrod i eiddo.
- **Hysbysiadau cosb** am anhrefn – mae'r rhain yn cael eu rhoi am droseddau fel dwyn o siopau, bod ym meddiant canabis, neu fod yn feddw ac yn afreolus yn gyhoeddus. Rhaid i chi fod dros 18 oed i gael hysbysiad cosb.

Mae ysgrifennu graffiti yn fân drosedd.

Sancsiynau yn y llys:

- **Dedfrydau o garchar** – pan fyddwch chi'n cael eich anfon i'r carchar yn syth. Mae dedfrydau am oes gorfodol ac o ddewis a hefyd dedfrydau o garchar am gyfnod penodol neu amhenodol.
- **Dedfrydau cymunedol** – gall y rhain fod yn orchymyn cyfunol yn cynnwys gwaith di-dâl, cyfnod prawf, cyrffyw a gorchmynion, fel cael profion a thriniaeth am gyffuriau.
- **Dirwyon**, sef cosbau ariannol; mae'r swm yn dibynnu ar ddifrifoldeb y drosedd ac amgylchiadau ariannol y troseddwr.
- **Rhyddhad** – gall naill ai fod yn amodol, lle gall y llys roi dedfryd wahanol os bydd y diffynnydd yn aildroseddu yn ystod cyfnod amser penodol, neu'n ddiamod, lle na fydd cosb yn cael ei rhoi gan fod y diffynnydd yn euog yn dechnegol ond yn ddi-fai yn foesol.

Un enghraifft o sancsiwn gan lys yw carcharu.

Term allweddol

Gorchymyn cyfunol: Dedfryd gan y llys sy'n cyfuno gorchymyn prawf (*probation order*) a gorchymyn gwasanaeth cymunedol.

Amrywiaeth o weithredoedd troseddol

Mae'r tabl isod yn dangos gweithredoedd troseddol ac enghreifftiau cyffredin.

MATHAU O WEITHREDOEDD TROSEDDOL	ENGHREIFFTIAU
Troseddau corfforol angheuol	Llofruddiaeth, dynladdiad
Troseddau corfforol nad ydyn nhw'n angheuol	Ymosod, curo, gwir niwed corfforol a niwed corfforol difrifol
Troseddau yn erbyn eiddo	Dwyn, lladrata, bwrgleriaeth
Troseddau rhyw	Treisio, ymosodiad anweddus
Troseddau y drefn gyhoeddus	Terfysg, affräe, anhrefn dreisgar
Troseddau cyffuriau	Bod ym meddiant cyffur rheoledig neu fod ym meddiant gyda'r bwriad o gyflenwi

Gwyredd

Gwyredd yw ymddygiad sy'n mynd yn groes i brif normau cymdeithasol grŵp neu gymdeithas benodol, sy'n achosi rhyw fath o ymateb beirniadol neu anghymeradwyaeth.

Normau, codau moesol a gwerthoedd

Normau, codau moesol a gwerthoedd yw rheolau anysgrifenedig ymddygiad derbyniol. Yn aml mewn cymdeithas, maen nhw'n cael eu defnyddio i olygu'r un peth. Fodd bynnag, mae ganddyn nhw ystyron penodol:

- **Normau** yw disgwyliadau cymdeithasol sy'n llywio ymddygiad ac sy'n esbonio pam mae pobl yn ymddwyn fel y maen nhw. Mae normau yn atal ymddygiad gwyrdroëdig. Er bod ymddygiad o'r fath yn ddisgwyliedig, gallai amrywio o un diwylliant i'r llall. Er enghraifft, yn y DU rydyn ni'n gwisgo dillad tywyll a thrist mewn angladd, ond yn China gwyn yw lliw galaru.

- **Codau moesol** yw moesau neu ffyrdd da o ymddwyn. Byddai torri cod moesol fel arfer yn cael ei ystyried yn fater difrifol mewn cymdeithas; un enghraifft fyddai llofruddio.
- **Gwerthoedd** yw'r rheolau sylfaenol y mae'r rhan fwyaf o bobl mewn diwylliant yn eu rhannu. Ym marn pobl, dyma beth ddylai ddigwydd. Maen nhw'n ganllawiau mwy cyffredinol na normau. Felly, er enghraifft, mae'r rhan fwyaf o bobl yn credu y dylen ni barchu pobl hŷn.

Gweithgaredd

Ystyriwch sut mae normau, codau moesol a gwerthoedd wedi newid dros y blynyddoedd. Gallech chi ymchwilio i enghreifftiau fel ysmygu sigaréts, cyfunrywioldeb a hawliau menywod.

Mae parchu pobl hŷn yn cael ei ystyried yn un o werthoedd cymdeithas.

Sancsiynau anffurfiol a ffurfiol yn erbyn gwyredd

Gall sancsiynau anffurfiol gynnwys:

- gwgu ar ymddygiad
- galw enwau ac ati
- anwybyddu ymddygiad
- labelu ymddygiad
- rhieni yn atal plentyn rhag mynd allan.

Hefyd, mae sancsiynau mwy ffurfiol fel dirwyon; gall hyd yn oed cyfnod o garchar fod yn addas ar gyfer rhai gweithredoedd gwyrdroëdig.

Os na fydd myfyrwyr yn cyflwyno eu gwaith cartref ar amser, gall yr athro eu cadw yn yr ysgol ar ôl amser mynd adref fel cosb, a gall gweddill y dosbarth chwerthin ar y gosb hon. Yn yr achos hwn, y weithred wyrdroëdig yw methu cyflwyno'r gwaith cartref a'r sancsiwn yw cadw'r myfyrwyr ar ôl amser mynd adref. Hefyd, gallai ymateb gweddill y dosbarth, sef chwerthin, fod yn sancsiwn anuniongyrchol.

Mae'r ystafell ddosbarth yn cynnwys llawer o enghreifftiau o sancsiynau ffurfiol a rhai anffurfiol.

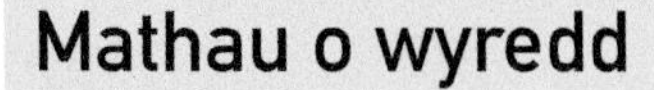

Mathau o wyredd

Mae'n bwysig nodi nad yw ymddygiad gwyrdroëdig bob amser yn rhywbeth negyddol, ac nad yw cymdeithas bob amser yn gwgu arno. Mae modd categoreiddio'r amrywiaeth o ymddygiadau torri rheolau yn fras yn un o dri math sylfaenol:

- **Ymddygiad sy'n cael ei edmygu:** gwyrdroëdig ond yn cael ei ystyried yn dda neu'n cael ei edmygu, er enghraifft achub bywyd rhywun gan roi eich bywyd eich hun mewn perygl, gan na fyddai'r rhan fwyaf o bobl yn gwneud hyn.
- **Ymddygiad od:** gwyrdroëdig drwy fod yn od neu'n wahanol i'r hyn sy'n cael ei ystyried yn normal, er enghraifft byw gyda gormod o gathod.
- **Ymddygiad drwg:** gwyrdroëdig gan ei fod yn ddrwg, er enghraifft ymosod ar bensiynwr.

Mae rhai o'r mathau hyn yn gorgyffwrdd, er enghraifft ymddygiad sy'n od ac yn ddrwg, fel eich dinoethi eich hun yn gyhoeddus. Felly, mae'n bwysig nodi'r canlynol:

- Gall rhai gweithredoedd fod yn wyrdroëdig ond ddim yn droseddol, er enghraifft gweiddi mewn llyfrgell.
- Mae rhai gweithredoedd yn cael eu hystyried yn droseddol ond efallai nad ydyn nhw'n wyrdroëdig, er enghraifft cadw newid arian sy'n cael ei roi i chi ar gam.
- Mae rhai gweithredoedd yn cael eu hystyried yn rhai troseddol ac yn rhai gwyrdroëdig, er enghraifft llofruddio.

Gweithgaredd

Tynnwch lun diagram Venn (dau gylch yn gorgyffwrdd fel yn y ffigur isod ar y dde). Rhowch y label 'Gwyrdroëdig' i un cylch a'r label 'Troseddol', i'r llall. Yna rhowch y gweithredoedd canlynol yn y cylch perthnasol. Gall rhai o'r gweithredoedd gael eu hystyried yn rhai gwyrdroëdig ac yn rhai troseddol, a dylech chi roi'r rhain yn yr ardal lle mae'r ddau gylch yn gorgyffwrdd:

- goryrru
- bwrgleriaeth
- torheulo'n noeth
- lladrata
- ysmygu
- dwyn
- dwyn oddi ar ffrind
- casglu llawer iawn o bapurau newydd
- golchi dwylo yn ormodol.

Cwestiynau enghreifftiol

Dyma gwestiynau arholiad enghreifftiol ar gyfer y MPA hwn:

Uned 2 – Arholiad 2017

Cymharwch droseddolrwydd a gwyredd gan gyfeirio at enghreifftiau perthnasol. **[5 marc]**

SYLWCH: o 2020 ymlaen, bydd y newidiadau yn y bandiau marciau yn golygu bod y cwestiwn hwn werth naill ai 4 neu 6 marc.

Uned 2 – Arholiad 2019

Disgrifiwch y gwahaniaeth rhwng llunio polisïau ffurfiol ac anffurfiol. **[2 farc]**

Uned 2 – Arholiad 2018

Disgrifiwch ystyr y term 'gwyredd/gwyriad' (*deviance*). **[3 marc]**

Gan ddefnyddio enghreifftiau o'r senario, esboniwch ymddygiad a allai gael ei ddisgrifio fel ymddygiad troseddol, ymddygiad gwyrdroëdig, neu'r ddau ohonynt. **[5 marc]**

SYLWCH: o 2020 ymlaen, bydd y newidiadau yn y bandiau marciau yn golygu bod y cwestiwn hwn werth naill ai 4 neu 6 marc.

Cyngor

Cofiwch ddarllen y cwestiwn yn ofalus. Mae pob rhan o'r senario yno am reswm. Chwiliwch am y gweithredoedd troseddol neu wyrdroëdig a nodwch y rhain yn eich ateb fel enghraifft o'r ddau fath.

Uned 2 – Arholiad 2017

Cymharwch droseddoldeb a gwyredd gan gyfeirio at enghreifftiau perthnasol. **[5 marc]**

Gweithred wyrdroëdig yw un sy'n mynd yn groes i'r normau a'r gwerthoedd sy'n cael eu rhannu gan gymdeithas. Fodd bynnag, nid yw o reidrwydd yn erbyn y gyfraith. Un enghraifft o weithred wyrdroëdig yw godinebu, gan fod bod yn anffyddlon i bartner yn annerbyniol mewn sawl cymdeithas; eto i gyd nid yw'n anghyfreithlon. Gellir dweud nad yw pob trosedd yn enghraifft o wyredd, fel bod ym meddiant canabis. Byddai modd dadlau bod canabis yn dod yn fwy derbyniol mewn cymdeithas a bod rhai taleithiau yn America wedi ei gyfreithloni hyd yn oed.

Sgiliau llythrennedd

Allwch chi wella'r ateb hwn drwy ychwanegu terminoleg sy'n cyfleu bod cymariaethau yn cael eu gwneud?

Asesiad

SYLWCH o 2020 ymlaen, bydd y newidiadau yn y bandiau marciau yn golygu bod y cwestiwn hwn werth 6 marc a byddai'n perthyn i fand marciau 3–4. Mae canolbwyntio rhesymol ar y cwestiwn gyda rhywfaint o gefnogaeth gywir a rhywfaint o ddefnydd o eirfa arbenigol.

Mae'r ateb yn cynnwys diffiniad o'r gair gwyredd ond nid o'r gair troseddoldeb. Fodd bynnag, mae'n rhoi enghraifft o weithred wyrdroëdig a gweithred droseddol ac yn ceisio cymharu'r ddau derm. Byddai modd gwella'r derminoleg drwy ddefnyddio geiriau fel 'gan fod', 'ar y llaw arall' a 'fodd bynnag' i gryfhau'r agwedd gymharu.

Cwestiwn ac ateb enghreifftiol

Esboniwch, gan roi enghreifftiau, y cysylltiad rhwng y termau trosedd a gwyredd. **[6 marc]**

Byddai'r ateb canlynol yn cyrraedd y band marciau uchaf 5–6. Mae'r ateb yn canolbwyntio'n glir ac yn fanwl ar y cwestiwn, gyda chefnogaeth gywir ar y cyfan a defnydd effeithiol o eirfa arbenigol. Mae sylw llawn yn cael ei roi i ofynion y cwestiwn.

Mae trosedd yn ymddygiad sy'n torri deddfau ffurfiol cymdeithas a gall arwain at sancsiynau neu gosbau ffurfiol. Er enghraifft, dedfryd am oes am lofruddiaeth. Gwyredd yw unrhyw weithred sy'n mynd yn groes i normau cymdeithas neu ymddygiad disgwyliedig; er enghraifft, gweiddi yn y llyfrgell. Mae'r rhan fwyaf o droseddau'n cael eu hystyried yn rhai gwyrdroëdig, er enghraifft dydy'r rhan fwyaf o bobl ddim yn dwyn nac yn mynd o gwmpas y lle yn taro pobl eraill. Fodd bynnag, dydy hi ddim yn dilyn bod pob gweithred wyrdroëdig, na'r rhan fwyaf ohonyn nhw hyd yn oed, yn droseddau. Er enghraifft, dydy gweiddi yn y llyfrgell na chadw pentyrrau o bapurau newydd ddim yn anghyfreithlon ond bydden nhw'n cael eu hystyried yn wyrdroëdig. Gall rhai gweithredoedd gwyrdroëdig ddod yn norm a chael eu derbyn, er enghraifft goryrru. Gall ymddygiad a oedd yn arfer bod yn dderbyniol gael ei ystyried yn wyrdroëdig dros amser, er enghraifft ysmygu sigaréts. Mewn rhai amgylchiadau, er enghraifft ysmygu yn y gweithle, gall hefyd gael ei ystyried yn anghyfreithlon erbyn hyn. Fodd bynnag, nid yw ysmygu sigaréts yn anghyfreithlon ym mhob man. Mae puteindra yn weithred wyrdroëdig a oedd yn ymddygiad annerbyniol ar un adeg (er nad oedd yn anghyfreithlon yn dechnegol). Fodd bynnag, mae galwadau wedi bod i'w ddad-droseddoli. Hefyd, mae galwadau wedi bod i ddad-droseddoli bod ym meddiant canabis, sydd yn weithred wyrdroëdig ac anghyfreithlon heddiw o hyd.

Gweithgaredd

Mewn parau, ceisiwch ysgrifennu senario byr sy'n cynnwys gweithredoedd gwyrdroëdig a throseddol. Yna, dylech chi gyfnewid eich gwaith chi â gwaith pâr arall, a gweld a ydych chi'n gallu nodi pa weithredoedd sy'n droseddol, pa rai sy'n wyrdroëdig, a pha weithredoedd sy'n droseddol ac yn wyrdroëdig ar yr un pryd.

MPA1.2 ESBONIO'R LLUNIAD CYMDEITHASOL O DROSEDDOLDEB

MEINI PRAWF ASESU	CYNNWYS
MPA1.2 Dylech chi allu ... Esbonio'r lluniad cymdeithasol o droseddoldeb	**Lluniad cymdeithasol** • sut mae deddfau yn newid o ddiwylliant i ddiwylliant • sut mae deddfau yn newid dros amser • sut y gweithredir deddfau yn wahanol yn ôl yr amgylchiadau lle bydd gweithredoedd yn digwydd • sut mae deddfau yn amrywio yn ôl lle, amser a diwylliant

Cyswllt synoptig

Dylech chi ddeall sut mae'r cyfryngau ac ymgyrchoedd dros newid yn cyfrannu at luniadau cymdeithasol o droseddoldeb a throseddau heb eu reportio. Mae gwybodaeth am hyn ar gael yn Uned 1, DD1, MPA1.5.

Awgrym

Mae angen i chi wybod sut a pham mae deddfau yn amrywio yn ôl diwylliant, lle ac amser. Efallai fod yr hyn a oedd yn arfer cael ei ystyried yn drosedd wedi newid dros amser neu gall yr un weithred fod yn drosedd mewn un ardal neu ddiwylliant ond ddim mewn un arall.

Sut mae deddfau yn newid o ddiwylliant i ddiwylliant

Dylech chi fynd ati i drafod unrhyw weithred droseddol drwy ystyried:

- Beth yw'r diffiniad o'r weithred?
- Beth yw'r sefyllfa o ran cyfreithlondeb yn y DU?
- Diwylliannau lle mae'n gyfreithlon.
- Diwylliannau lle mae'n anghyfreithlon.
- Pam mae'r gyfraith yn amrywio mewn diwylliannau gwahanol?

Term allweddol

Partneriaeth sifil: Cytundeb sy'n cael ei gydnabod yn gyfreithiol ar gyfer cyplau o'r un rhyw a chyplau heterorywiol.

Nid yw godineb yn drosedd yn y DU.

	Godineb	Troseddau ar sail anrhydedd	Cyfunrywioldeb
BETH YW'R DIFFINIAD O'R WEITHRED?	Perthynas rywiol rhwng rhywun priod a rhywun arall, ac eithrio ei briod/phriod	Troseddau lle mae'r sawl sy'n cael ei gyhuddo wedi dwyn gwarth ar ei deulu/theulu Gall gynnwys lladd rhywun am ymddygiad fel gwrthod cytuno i briodas wedi'i threfnu neu fod mewn perthynas nad yw wrth fodd y teulu	Nodweddir gan atyniad rhywiol rhwng pobl o'r un rhyw, neu'n ymwneud â hynny
BETH YW'R SEFYLLFA O RAN CYFREITHLONDEB YN Y DU?	Nid yw'n cael ei ystyried yn drosedd ond gall fod â goblygiadau cyfreithiol mewn achosion ysgariad	Mae gweithredoedd o'r fath yn droseddau ac os bydd rhywun yn cael ei ladd, mae hynny'n achos o lofruddiaeth	Ar un adeg, roedd yn anghyfreithlon ond cafodd ei ddad-droseddoli'n rhannol yn 1967 pan bennwyd mai 21 oed oedd yr oed cydsynio, h.y. yr oedran i gael perthynas rywiol yn gyfreithlon Cafodd oed cydsynio ei ostwng i 18 oed ac yna i 16 oed Ar y dechrau, roedd partneriaethau sifil yn cael eu caniatáu, ond bellach gall pobl o'r un rhyw briodi hefyd
DIWYLLIANNAU LLE MAE'N GYFREITHLON	Y DU a'r holl wledydd Ewropeaidd eraill	Mae'r rhan fwyaf o droseddau ar sail anrhydedd yn digwydd mewn teuluoedd o Dde Asia a'r Dwyrain Canol	Y DU, Ewrop, UDA a Chanada
DIWYLLIANNAU LLE MAE'N ANGHYFREITHLON	Mewn llawer o wledydd sy'n cael eu llywodraethu gan gyfraith Islamaidd fel Saudi Arabia a Pakistan Mae bron hanner taleithiau'r UDA yn ystyried godineb yn drosedd, ond yn y rhan fwyaf ohonyn nhw mae'n gamymddygiad (mân drosedd)	Y DU, Ewrop, UDA, Pakistan ac ati Y broblem fel arfer yw tystiolaeth	India, Saudi Arabia, Iran, Yemen a Nigeria
PAM MAE'R GYFRAITH YN AMRYWIO MEWN DIWYLLIANNAU GWAHANOL?	Un rheswm yw crefydd: yn ôl y Beibl, mae godineb yn drosedd Gall statws menywod hefyd fod yn ffactor, gan fod eu gwŷr yn berchen arnyn nhw ac yn eu trin fel eiddo Efallai na fydd rhai gwleidyddion am gael eu gweld yn gwrthwynebu deddfau moesol, felly maen nhw'n amharod i'w diddymu	Credir bod troseddau o'r fath yn tarddu o arferion llwythol, lle gall honiad yn erbyn menyw bardduo (niweidio) enw da'r teulu Does dim un o grefyddau mawr y byd yn esgusodi (maddau) troseddau ar sail anrhydedd, ond mae'r cyflawnwyr weithiau wedi ceisio cyfiawnhau eu gweithredoedd ar sail grefyddol	Crefydd yw un o'r prif resymau, oherwydd, er enghraifft yn ôl y Beibl mae cyfunrywioldeb yn bechod Mewn rhai diwylliannau mae'n fwy o dabŵ ac yn mynd yn groes i'r norm, gan arwain at anoddefgarwch neu ragfarn

Dros amser, ac er mwyn adlewyrchu cymdeithas sy'n newid, bydd barn a safbwyntiau moesol yn newid, ac felly mae newidiadau yn cael eu gwneud yn y gyfraith i adlewyrchu'r rhain.

DROS AMSER

Sut mae deddfau yn newid dros amser

Y gosb eithaf

Y gosb eithaf yw'r arfer o ddienyddio rhywun yn gosb am drosedd benodol ar ôl trefn briodol, mynd drwy'r achosion cyfreithiol cywir, neu dreial cyfreithiol. Yn y ddeunawfed ganrif, roedd hi'n bosibl defnyddio'r gosb eithaf ar gyfer dros 200 o droseddau. Roedd troseddau o'r fath yn cynnwys pigo pocedi a saethu cwningod. Roedd pobl gyfoethog yn llunio deddfau i'w hamddiffyn eu hunain a'u heiddo. Roedd y deddfau'n aml yn canolbwyntio ar y tlodion a oedd yn cael eu hystyried yn bobl ddiog a oedd wedi creu eu hanlwc eu hunain. Dechreuodd y safbwynt hwn ddiflannu wrth i bobl gael hawliau a rhyddid, a'r cyfle i ddod ymlaen mewn cymdeithas. Oherwydd hynny, diflannodd rhai o'r rhesymau dros y gosb eithaf hefyd. Yn y pen draw, byddai'r gosb eithaf yn cael ei defnyddio ar gyfer troseddau difrifol iawn yn unig, fel llofruddiaeth a brad.

Termau allweddol

Dienyddio: Lladd rhywun fel cosb gyfreithiol.

Statud: Deddf Seneddol neu ddeddfwriaeth.

ASTUDIAETH ACHOS

CAMWEINYDDU CYFIAWNDER

Yn yr 1950au, roedd achosion fel rhai Derek Bentley a Timothy Evans yn cael eu hystyried yn gamweinyddu cyfiawnder, gan arwain at newid yn y farn gyhoeddus am y gosb eithaf a hefyd at newid yn y gyfraith. Wrth i dystiolaeth DNA ddatblygu, daeth yn amlwg bod llawer o bobl yn cael eu dyfarnu'n euog ar gam. Wrth gwrs, ar ôl i rywun farw roedd yn amhosibl unioni hyn. Felly, roedd y gyfraith yn hen ffasiwn ac roedd angen ei diwygio. Cafodd y gosb eithaf, ar gyfer llofruddiaeth, ei diddymu dros dro yn y DU yn 1965 a'i diddymu'n llwyr yn 1969. Fodd bynnag, arhosodd ar y llyfrau statud ar gyfer brad, ond cafodd hynny hefyd ei ddiddymu yn 1998 yn y Ddeddf Trosedd ac Anhrefn.

Datblygu ymhellach

Ymchwiliwch i'r hyn ddigwyddodd yn y ddau achos hyn i ddysgu am gamweinyddu cyfiawnder.

Term allweddol

Camweinyddu cyfiawnder: Euogfarnu a chosbi person am drosedd nad oedd ef/hi wedi'i chyflawni.

Felly, fel y gwelwyd uchod, newidiodd y gyfraith dros amser oherwydd statws newidiol gwahanol grwpiau cymdeithasol mewn cymdeithas a'u hawliau cynyddol o dan y gyfraith. Hefyd, roedd achosion o gamweinyddu cyfiawnder yn dod i'r amlwg a doedd hi ddim yn bosibl unioni'r rhain os oedd yr unigolyn wedi marw.

Y gyfraith ar erlyniad dwbl

Mae'r gyfraith ar erlyniad dwbl wedi newid dros amser. O ganlyniad i ymgyrch Ann Ming, ymhlith nifer o resymau eraill, diddymwyd y ddeddf oedd yn atal erlyn rhywun eto am yr un drosedd yn achos troseddau difrifol. Daeth darpariaeth yn Neddf Cyfiawnder Troseddol 2003 i rym a oedd yn nodi lle bydd 'tystiolaeth newydd a grymus' yn awgrymu bod cyn-ddiffynnydd yn euog, y gall y Llys Apêl ddileu rhyddfarn a gorchymyn ail dreial.

Roedd y newid hwn yn angenrheidiol gan fod y gyfraith ar y pryd yn annigonol o ran gweinyddu cyfiawnder. Hefyd, roedd datblygiadau o ran technoleg a gwybodaeth feddygol yn golygu bod tystiolaeth yn fwy cadarn, gan gynnwys, er enghraifft, erlyniad llwyddiannus yn erbyn Gary Dobson a David Norris am lofruddio Stephen Lawrence.

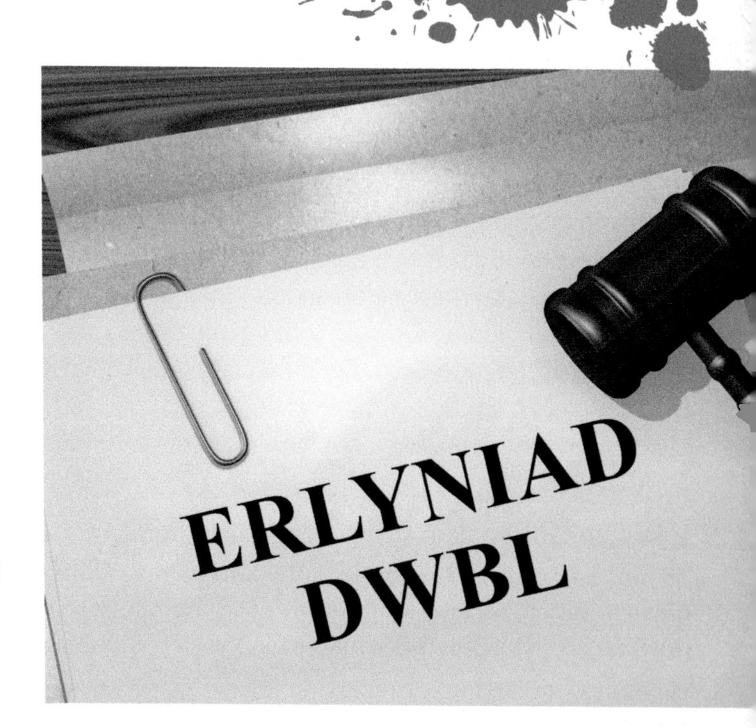

Deddfau yn ymwneud â phuteindra

Mae rhai yn credu bod puteindra, neu werthu gwasanaethau rhyw, yn un o'r galwedigaethau hynaf yn y byd. Mae puteindra ei hun yn gyfreithlon ond mae llawer o'r gweithgareddau cysylltiol yn anghyfreithlon. Mae'r rhain yn cynnwys llithio (*soliciting*) mewn man cyhoeddus, hel puteiniaid o gerbyd (*kerb crawling*) neu fod yn berchen ar buteindy. Ar un adeg, roedd stigma yn gysylltiedig â phuteindra ac roedd y menywod dan sylw yn cael eu hystyried yn anfoesol oherwydd y syniad o gael rhyw am arian. Daeth llawer o fenywod yn buteiniaid gan ei fod yn cynnig ffynhonnell incwm ar adeg pan nad oedd ganddyn nhw lawer o ddewisiadau eraill fel swyddi. Fodd bynnag, newidiodd safbwynt cymdeithas yn araf iawn. Erbyn hyn, mae galwadau i ddad-droseddoli puteindra a'i reoleiddio'n briodol. Mae pryder ynghylch diogelwch menywod a sut i amddiffyn pobl agored i niwed sy'n cymryd rhan mewn puteindra, weithiau yn erbyn eu hewyllys.

Newidiodd cymdeithas ei barn am buteindra oherwydd gostyngiad yn nifer y bobl sydd â chred grefyddol a chynnydd mewn goddefgarwch moesol. Hefyd, newidiodd statws menywod ac yn sgil mwy o gydraddoldeb, roedd mwy o swyddi a chyfleoedd hyfforddi ar gael.

Termau allweddol

Rhyddfarn: Rheithfarn llys pan fydd rhywun yn cael ei ddyfarnu'n ddieuog o drosedd y cafodd ei gyhuddo o'i chyflawni.

Llithio: Cynnig rhyw am arian, fel arfer mewn man cyhoeddus.

Hel puteiniaid o gerbyd: Gyrru'n araf ar hyd ffordd, yn agos at balmant neu lwybr, er mwyn gofyn i butain am ryw.

Puteindy: Rhywle lle bydd dynion yn mynd i dalu i gael rhyw gyda phutain.

Mae rhai yn credu bod puteindra yn un o'r galwedigaethau hynaf yn y byd.

Crwydraeth

Mae crwydraeth yn ymwneud â bod heb gynhaliaeth amlwg a theithio o le i le. Yn aml, defnyddir y termau cysgu ar y stryd a chardota ar ei gyfer ac mae'n anghyfreithlon o dan Ddeddf Crwydraeth 1824. Yn wreiddiol, pasiwyd y ddeddf er mwyn clirio cardotwyr, cnafon a chrwydriaid o'r strydoedd, ac atal rhagor o droseddau rhag cael eu cyflawni. Rhoddwyd y gorau i ddefnyddio'r Ddeddf wrth i gymdeithas dderbyn bod rhesymau cyfiawn dros ddigartrefedd. Fodd bynnag, dros y blynyddoedd diwethaf mae cynnydd wedi bod yn nifer yr erlyniadau, gan fod pobl wedi bod yn cardota ar y stryd ac yn rhoi'r argraff eu bod yn ddigartref pan nad oedden nhw mewn gwirionedd. Fodd bynnag, roedd yr amgylchiadau hyn yn rhoi cyfle iddyn nhw wneud arian.

Mae crwydraeth yn drosedd o hyd yng Nghymru a Lloegr.

Mae safbwyntiau pobl ar grwydraeth wedi newid ers y bedwaredd ganrif ar bymtheg ac nid yw'n annerbyniol erbyn hyn. Heddiw, mae pobl yn cydymdeimlo â chrwydriaid ac yn poeni amdanyn nhw. Mae pobl yn derbyn bod nifer o resymau dilys dros ddigartrefedd ac nad yw'n gysylltiedig â diogi na segurdod.

Datblygu ymhellach

Ymchwiliwch i achosion diweddar yn ymwneud â Deddf Crwydraeth 1824 ac ystyriwch pam maen nhw wedi cael eu dwyn gerbron y llys.

Sut mae deddfau yn newid mewn lleoedd gwahanol

Nid yw'r un gweithredoedd o reidrwydd yn droseddau ym mhob rhan o'r byd na hyd yn oed yn cael eu plismona yn yr un ffordd yng Nghymru a Lloegr.

Bod ym meddiant canabis

Mae bod ym meddiant canabis yn drosedd ac yn anghyfreithlon yng Nghymru a Lloegr, ond mae galwadau wedi bod i ddad-droseddoli'r cyffur a chaniatáu defnydd ohono, yn enwedig am resymau meddygol. Fodd bynnag, mewn rhai gwledydd fel Columbia ac Uruguay, mae'n gyfreithlon. Yng Nghymru a Lloegr, mae'r ddeddf yn cael ei gorfodi'n wahanol, yn ôl blaenoriaethau ac adnoddau'r heddlu rhanbarthol. Er enghraifft, nid yw Heddlu Durham yn blaenoriaethu pobl sy'n tyfu planhigion canabis at eu defnydd personol; ond, mae'r heddlu yn Cumbria yn erlyn pobl am hyn.

Gall bod ym meddiant canabis gael ei blismona'n wahanol mewn gwahanol ardaloedd yn y DU.

Mae safbwyntiau am ddefnyddio canabis yn wahanol o le i le: mae rhai gwledydd yn ei ystyried yn gyffur hamdden, ond mae eraill yn ystyried y dylai ei nodweddion meddygol fod yn bwysicach na'i gyfreithlondeb.

Croesi diofal

Croesi diofal (*jaywalking*) yw pan fydd cerddwyr yn croesi'r ffordd heb gymryd sylw o'r rheoliadau traffig, er enghraifft yn camu i'r ffordd lle nad oes croesfan benodedig, neu pan nad yw'r golau'n wyrdd. Mae croesi diofal yn drosedd yn y rhan fwyaf o ardaloedd trefol yn UDA, Canada, Singapore a Gwlad Pwyl. Fodd bynnag, yn y DU, does dim trosedd o'r fath ac ystyrir mai cyfrifoldeb yr unigolyn yw croesi'r ffordd yn ddiogel.

Nid yw croesi diofal yn drosedd yng Nghymru a Lloegr.

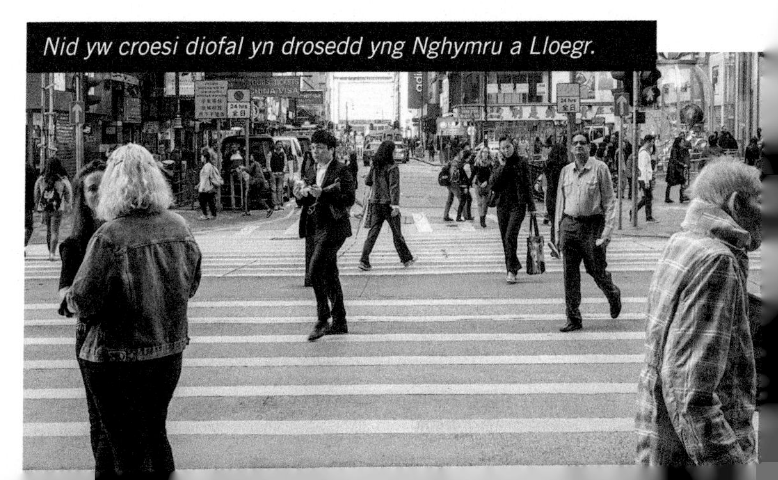

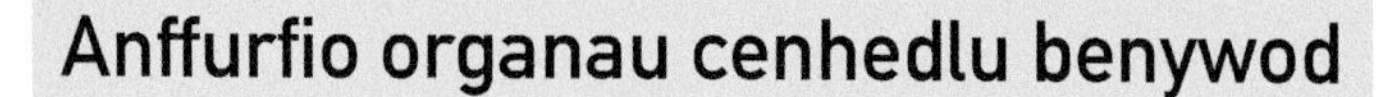

Anffurfio organau cenhedlu benywod

Mae anffurfio organau cenhedlu benywod (*FGM: female genital mutilation*) yn golygu'r broses o anffurfio'n fwriadol organau cenhedlu merched am resymau sydd heb fod yn feddygol. Mae fel arfer yn cael ei wneud i ferched o dan 15 oed, cyn iddyn nhw ddod yn weithgar yn rhywiol, ac mae'n anghyfreithlon yn y DU. Mae'n cael ei wneud mewn sawl rhan o Affrica, y Dwyrain Canol ac Asia, ac mae'n gysylltiedig â rhesymau diwylliannol, crefyddol a chymdeithasol. Y gred yw ei fod yn fanteisiol i'r ferch ac yn cadw ei gwryfdod yn barod ar gyfer priodas.

Mae'r gyfraith yn ymwneud ag anffurfio organau cenhedlu benywod yn wahanol mewn lleoedd gwahanol oherwydd safbwyntiau am yr arfer a dealltwriaeth ohono. Yn y DU, mae pobl yn deall natur boenus y llawdriniaeth a'r goblygiadau o ran iechyd a phroblemau yn ymwneud â rhyw a salwch meddwl ar ôl y broses.

Sut y defnyddir deddfau yn wahanol yn ôl yr amgylchiadau lle bydd gweithredoedd yn digwydd

Mae rheolaeth y gyfraith yn nodi bod pawb yn ddarostyngedig i'r gyfraith a'i bod yn cael ei gweithredu ar bawb yn ddiwahân. Felly, does dim llawer o amgylchiadau lle bydd deddfau'n cael eu cymhwyso'n wahanol. Mae un enghraifft yn ymwneud ag oedran:

- Oedran cyfrifoldeb troseddol yn y DU yw deg oed. Golyga hyn na all plentyn o dan ddeg oed gael ei arestio, ei gyhuddo na'i erlyn am drosedd, faint bynnag o fai sydd arno.
- Yng Nghanada, ni all plentyn o dan 12 oed gael ei ddyfarnu'n euog o drosedd a gyflawnwyd ganddo.
- Yn Bangladesh yr oedran yw 9 oed.
- Yn China mae'r oedran fel arfer o dan 16 oed.

Mewn rhai amgylchiadau, er bod llofruddiaeth wedi digwydd lle roedd yr actus reus (gweithred euog) a'r mens rea (meddwl euog) priodol yn bodoli, mae'r gyfraith yn caniatáu cyhuddiad gwahanol o ddynladdiad. Mae hyn yn digwydd mewn amgylchiadau penodol yn unig, gan gynnwys achosion lle doedd y troseddwr ddim yn llawn gyfrifol neu wedi gweithredu pan oedd wedi colli rheolaeth. Mae'r amgylchiadau a nodir yn gweithredu fel amddiffyniad rhannol ac yn hytrach na wynebu dedfryd am oes orfodol, mae'r gyfraith yn caniatáu'r cyhuddiad o ddynladdiad, lle bydd yr holl ddewisiadau dedfrydu ar gael i'r barnwr.

Mae'r amddiffyniadau rhannol hyn ar gael ar gyfer cyhuddiad o lofruddiaeth yn unig. Fodd bynnag, mae amddiffyniadau eraill sy'n dangos nad yw person yn euog o drosedd. Gall amddiffyniadau cydsyniad, hunanamddiffyniad ac awtomatiaeth, os ydyn nhw'n llwyddiannus, olygu nad yw person yn euog o drosedd.

Termau allweddol

Dynladdiad: Lladd anghyfreithlon, heb falais na bwriad, ac mewn amgylchiadau lle nad yw'n llofruddiaeth.

Ddim yn llawn gyfrifol: Amddiffyniad rhannol am lofruddiaeth sy'n arwain at euogfarn o ddynladdiad yn hytrach na llofruddiaeth.

Gorfodol: Yn ofynnol gan y gyfraith.

Cydsyniad: Amddiffyniad yn y gyfraith sy'n profi bod yr unigolyn priodol wedi rhoi caniatâd i'r drosedd ddigwydd.

Hunanamddiffyniad: Amddiffyniad yn y gyfraith sy'n caniatáu defnyddio grym rhesymol i osgoi euogfarn.

Awtomatiaeth: Amddiffyniad yn y gyfraith lle nad oes gan y diffynnydd reolaeth ar ei weithredoedd.

Pam mae deddfau yn amrywio yn ôl lle, amser a diwylliant

Mae sawl rheswm pam mae deddfau'n amrywio. Gallai newidiadau yn y gyfraith adlewyrchu safbwyntiau cymdeithasol a moesol sy'n newid, er enghraifft mae barn pobl am buteiniaid wedi newid yn sylweddol dros y 100 mlynedd diwethaf.

Mae barn pobl yn newid dros amser ac mae ymgyrchoedd yn gallu newid safbwyntiau pobl hefyd.

Allwch chi gofio unrhyw ymgyrchoedd o Uned 1 sydd wedi newid safbwyntiau pobl neu wedi newid y gyfraith? Er enghraifft, deddf Sarah, deddf Lillian, y ddeddf ar erlyniad dwbl ac ati.

Mae statws merched mewn cymdeithasau gwahanol yn gallu effeithio ar y ffordd mae deddfau'n amrywio. Er enghraifft, gall dynion gael mwy nag un wraig mewn rhai gwledydd. Mae croesi ffordd yn ddiofal yn drosedd mewn rhai gwledydd ond nid mewn gwledydd eraill, lle mae croesi'r ffordd yn ddiogel yn cael ei ystyried yn gyfrifoldeb personol.

Gall crefydd gael effaith sylweddol ar ddeddfau gwahanol hefyd. Gall yr arweiniad crefyddol mewn rhai llyfrau ffydd bennu pa weithgarwch sy'n droseddol. Os bydd gwlad yn mynd yn llai crefyddol, yna gallai ei deddfau newid hefyd.

Gall gwybodaeth, yn enwedig am iechyd a diogelwch, achosi i ddeddfau newid. Er enghraifft, y deddfau sydd wedi newid mewn perthynas ag ysmygu sigaréts dros y 50–60 mlynedd diwethaf.

Datblygu ymhellach

Ystyriwch ddeddf a ddylai gael ei diwygio (ei newid) neu ei diddymu (ei dileu) yn eich barn chi. Yna, ystyriwch pam rydych chi'n meddwl fel rydych chi. Er enghraifft:

- A yw'r ddeddf yn hen ffasiwn gan fod safbwyntiau'r gymdeithas wedi newid ers iddi gael ei chreu?
- A yw'n gwahaniaethu yn erbyn rhai grwpiau yn y gymdeithas?
- A yw'n atal y rhyddid i ddewis?
- A yw'n ymwneud â mater meddygol rydyn ni bellach yn gwybod mwy amdano?
- A oes unrhyw grwpiau ymgyrchu sy'n cefnogi newid y ddeddf?
- A yw'r ddeddf hon yn wahanol mewn mannau eraill o amgylch y byd neu mewn diwylliannau gwahanol?

Bydd deall y rhesymau dros fod eisiau newid deddfau yn eich helpu i ddeall pam mae deddfau'n amrywio yn ôl lle, amser a diwylliant.

DEILLIANT DYSGU 2
GWYBOD DAMCANIAETHAU TROSEDDOLDEB

MPA2.1 DISGRIFIO DAMCANIAETHAU BIOLEGOL O DROSEDDOLDEB

MEINI PRAWF ASESU	CYNNWYS	YMHELAETHU
MPA2.1 Dylech chi allu ... Disgrifio damcaniaethau biolegol o droseddoldeb	**Damcaniaethau biolegol** • damcaniaethau genetig • damcaniaethau ffisiolegol	Dylech chi feddu ar wybodaeth am amrywiaeth o ddamcaniaethau genetig a ffisiolegol, fel: • astudiaeth XYY Jacob • astudiaethau o efeilliaid a mabwysiadu • Lombroso • Sheldon

Mae damcaniaethau biolegol yn canolbwyntio ar y syniad y gall nodweddion corfforol wneud rhai pobl yn fwy tebygol o droseddu nag eraill. Gall tueddiadau troseddol o'r fath fod yn rhai genynnol ac felly'n rhai etifeddol. Felly, byddai modd dweud bod yr unigolyn wedi cael ei eni'n ddrwg.

Cyngor

Mae'r llyfr hwn yn cynnwys y damcaniaethau sy'n cael eu rhoi fel enghreifftiau yn y manylebau. Fodd bynnag, gall damcaniaethau eraill hefyd fod yn berthnasol a gallen nhw gael eu defnyddio i ateb cwestiwn arholiad allanol.

Damcaniaethau genetig

Defnyddiwyd damcaniaethau genetig i esbonio ymddygiad troseddol gyda datblygiad troseddeg fodern yn yr 1700au. Yn ystod y blynyddoedd diwethaf, mae cynnydd wedi bod yn yr ymchwil ym maes geneteg ymddygiad, gan gynnwys ymddygiad gwrthgymdeithasol.

Damcaniaeth XYY

Mae'r ddamcaniaeth hon o droseddoldeb yn awgrymu y gall rhai troseddau gael eu priodoli i annormaledd cromosomaidd. Cromosomau yw strwythurau yng nghnewyllyn celloedd ac mae gan fodau dynol 46 o gromosomau fel arfer; mae 44 o'r rhain yn pennu siâp a chyfansoddiad ein cyrff, a dau yn pennu ein rhyw.

Mae rhyw yn cael ei bennu gan batrwm cromosomau rhyw yr unigolyn: XX mewn menyw, XY mewn gwryw. Y cromosom Y sy'n gwneud rhywun yn wryw. Mae amrywiaeth o annormaleddau cromosomaidd, ac mae rhai o'r rhain yn cynnwys presenoldeb cromosomau ychwanegol. Mae un cyflwr o'r fath, sef 'XYY', yn golygu bod cromosom Y ychwanegol yn bresennol.

Cromosomau XYY

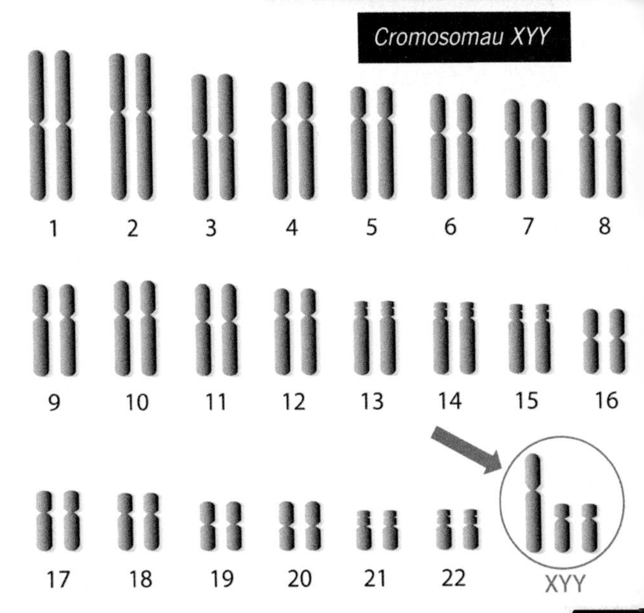

Mae dynion XYY, sydd weithiau'n cael eu galw'n 'uwch wrywod', wedi bod o ddiddordeb i droseddolegwyr oherwydd yr awgrym eu bod yn fwy ymosodol ac yn fwy tueddol o fod yn dreisgar na dynion sydd ag un cromoson Y.

Awgrymodd Jacob et al. (1965) fod dynion oedd â'r syndrom XYY yn fwy ymosodol na dynion 'XY' normal. Mae rhai astudiaethau hefyd yn awgrymu bod dynion XYY wedi'u gorgynrychioli ymhlith poblogaeth y carchardai. Mae'r syndrom hwn gan 15 o bob 1,000 o ddynion yn y carchar, o'i gymharu ag un o bob 1,000 yn y boblogaeth yn gyffredinol.

Dywedir bod gan y llofrudd cyfresol John Wayne Gacy syndrom XYY. Ymosododd yn rhywiol ar o leiaf 33 o ddynion yn UDA, eu harteithio a'u lladd.

Astudiaethau o efeilliaid

Mae astudiaethau o efeilliaid yn cefnogi'r ddadl bod nodwedd etifeddol yn gallu cynyddu'r risg o ymddygiad troseddol. Mae gefeilliaid unfath yn rhai monosygotig (MZ) gan eu bod yn dod o un wy a genhedlwyd. Mae'r efeilliaid hyn yn rhannu 100% o'u DNA, ond mae gefeilliaid deusygotig (DZ) yn dod o ddau wy ar wahân ac yn rhannu 50% o'u DNA. Pan fydd y ddau efaill yn rhannu nodwedd, dywedir bod cyfradd cydgordiad. Er mwyn asesu rôl dylanwadau genynnol ac amgylcheddol, neu'r ddadl natur yn erbyn magwraeth, mae gwahanol astudiaethau o efeilliaid wedi'u cynnal ac mae rhywfaint o dystiolaeth i awgrymu y gall geneteg, neu natur, chwarae rôl mewn troseddoldeb i'r graddau bod cydgordiad yn uwch mewn gefeilliaid MZ nag mewn gefeilliaid DZ.

Cyflwynwyd adroddiad ar un o'r astudiaethau cynharaf o efeilliaid gan y ffisegydd o'r Almaen Johannes Lange (1929). Darganfu fod gefeilliaid MZ yn dangos cyfradd cydgordiad llawer uwch na gefeilliaid DZ o ran ymddygiad troseddol. Roedd deg o'r 13 o efeilliaid MZ wedi bod yn y carchar am gyfnod, ond dau yn unig o'r 17 o efeilliaid DZ oedd â chydgordiad tebyg.

Astudiodd Christiansen (1977) 3,586 o barau o efeilliaid o ynysoedd Denmarc gan ddarganfod cyfraddau cydgordiad o 35% (MZ) ac 13% (DZ) ar gyfer gefeilliaid gwrywaidd a 21% (MZ) ac 8% (DZ) ar gyfer gefeilliaid benywaidd.

Termau allweddol

Monosygotig: Gefeilliaid unfath (*identical twins*).

Deusygotig: Gefeilliaid heb fod yn unfath (brawdol).

Cydgordiad: Yn gytûn neu mewn harmoni.

Astudiaethau mabwysiadu

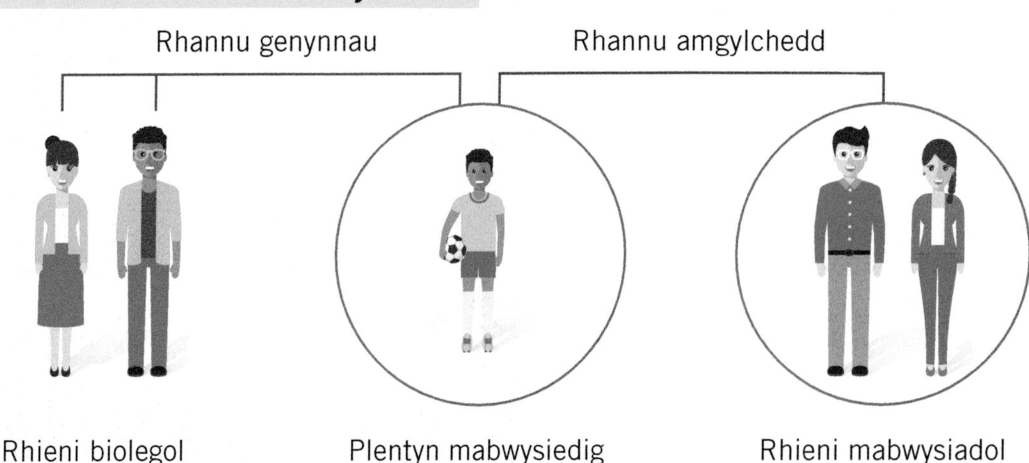

Mae astudiaethau mabwysiadu yn edrych ar effaith geneteg ar droseddoldeb.

Egwyddor sylfaenol astudiaethau mabwysiadu wrth esbonio ymddygiad troseddol yw cymharu troseddwyr â'u rhieni biolegol a'u rhieni mabwysiadol. Mae'r astudiaethau hyn yn edrych ar effaith magwraeth ar blant sy'n cael eu magu gan eu rhieni mabwysiadol, hynny yw, nid eu rhieni biolegol. Os yw'r plentyn yn debycach, o ran ei ymddygiad troseddol, i'w rieni biolegol nag i'w rieni mabwysiadol y mae'n rhannu'r un amgylchedd â nhw, gellir awgrymu sail genynnol ar gyfer troseddoldeb. Ar y llaw arall, os yw'r plentyn yn debycach i'w rieni mabwysiadol nag i'w rieni biolegol, mae dadl amgylcheddol o blaid troseddoldeb yn cael ei ffafrio.

Astudiodd Hutchings a Mednick (1975) 14,000 o blant mabwysiedig a gwelwyd bod gan gyfran fawr o'r bechgyn ag euogfarnau troseddol rieni biolegol oedd hefyd ag euogfarnau troseddol, gan awgrymu cysylltiad rhwng ymddygiad ymosodol a geneteg. Ni wnaeth Mednick et al. (1994) ganfod perthynas rhwng nifer yr euogfarnau oedd gan rieni mabwysiadol a'u plant mabwysiedig, ond gwelwyd bod cydberthynas arwyddocaol rhwng nifer yr euogfarnau troseddol oedd gan rieni biolegol a'u plant.

Awgrym

Gan ei bod yn bosibl ystyried astudiaethau o efeilliaid ac astudiaethau mabwysiadu, mae'n hawdd iawn drysu a meddwl bod astudiaethau mabwysiadu yn cynnwys gefeilliaid sydd wedi'u mabwysiadu. Mae astudiaethau o efeilliaid ac astudiaethau mabwysiadu yn dechnegau ymchwil ar wahân, gan nad yw astudiaethau mabwysiadu fel arfer yn cynnwys gefeilliaid. Mae gefeilliaid fel arfer yn cael eu mabwysiadu gyda'i gilydd yn hytrach na chael eu gwahanu.

Damcaniaethau ffisiolegol

Mae'r damcaniaethau hyn yn canolbwyntio ar ffurf gorfforol person fel dangosydd o droseddoldeb. Y mwyaf adnabyddus o'r rhain yw damcaniaethau Lombroso (2006) a Sheldon.

Cesare Lombroso – 'Tad Troseddeg Fodern'

Roedd Lombroso yn seicolegydd ac yn feddyg milwrol o'r Eidal a ddatblygodd ddamcaniaethau am droseddwyr. Mae'n cael ei alw'n 'Dad Troseddeg Fodern', ac roedd yn arloesi yn y defnydd o ddulliau gwyddonol ym maes troseddeg. Dadleuodd fod y troseddwr yn rhywogaeth ar wahân, rhywogaeth sydd rhwng bodau dynol modern a rhai cyntefig. Dadleuodd hefyd fod modd pennu 'troseddwr sydd wedi'i eni'n droseddwr' yn ôl siâp corfforol y pen a'r wyneb. Honnodd fod troseddoldeb yn cael ei etifeddu a bod gan y rhai oedd yn cyflawni troseddau nodweddion atafiaethol neu gyntefig. Roedd nodweddion o'r fath yn 'adleisiau' o gyfnod cynharach yn natblygiad y ddynoliaeth, a oedd yn cael eu hamlygu mewn tueddiad i droseddu.

Mae enghreifftiau o nodweddion atafiaethol yn cynnwys:

- gên fawr neu ymwthiol
- esgyrn bochau uchel
- trwyn fflat neu smwt
- talcen isel, ar ogwydd
- breichiau hir o'u cymharu â'r coesau
- clustiau mawr.

Term allweddol

Atafiaethol: Yn ymwneud â rhywbeth hynafol neu hynafaidd.

Cesare Lombroso (1835–1909)

Astudiodd Lombroso nodweddion wynebau a phenglogau 383 o droseddwyr marw a 3,839 o rai byw, gan ddod i'r casgliad ei bod yn bosibl cyfrif am 40% o weithredoedd troseddol drwy edrych ar nodweddion atafiaethol. Yn ôl Lombroso, gallwch chi ddweud pa fath o drosedd bydd rhywun yn ei chyflawni ar sail ei ymddangosiad, er enghraifft roedd gan lofruddion lygaid gwaetgoch a gwallt cyrliog ac roedd gan droseddwyr rhyw wefusau tew a chlustiau ymwthiol.

Ar wahân i nodweddion corfforol, awgrymodd Lombroso fod gan 'droseddwr sydd wedi'i eni'n droseddwr' nodweddion eraill, gan gynnwys bod yn ansensitif i boen, defnyddio slang troseddol, tatŵs a diweithdra. Cyhoeddwyd ei ddamcaniaeth yn y llyfr *L'uomo Delinquente*, sef 'Y Dyn Troseddol' (1976).

Mae'n werth nodi bod astudiaeth ddiweddar o brifysgol yn China wedi cyhoeddi gwaith ymchwil sy'n awgrymu bod nodweddion wyneb yn sicr yn gallu datgelu troseddwyr. Cafodd ffotograffau adnabod (ID) 1,856 o ddynion Tsieineaidd, yr oedd gan dros eu hanner euogfarn flaenorol, eu gosod mewn rhaglen deallusrwydd artiffisial. Gwelwyd bod y rhaglen wedi labelu dynion yn droseddwyr yn anghywir 6% o'r amser, ond wedi adnabod 83% o'r gwir droseddwyr.

Ffotograffau o gasgliad Lombroso yn dangos nodweddion atafiaethol.

William Sheldon

Cyflwynodd William Sheldon (1949) ddamcaniaeth sy'n rhannu syniad egwyddor Lombroso bod ymddygiad troseddol yn gysylltiedig â nodweddion corfforol rhywun. O ganlyniad i archwiliad trylwyr iawn o ffotograffau a dynnwyd o'r ochr, o'r blaen ac o'r cefn yn dangos 4,000 o ddynion heb lawer o ddillad, dadleuodd Sheldon fod tri phrif math o gorff neu somatoteip:

1. Math **endomorffig** (yn dew ac yn feddal) sy'n tueddu i fod yn gymdeithasol ac wedi ymlacio.
2. Math **ectomorffig** (yn denau ac yn fregus) sy'n fewnblyg ac yn swil.
3. Math **mesomorffig** (yn gyhyrog ac yn galed) sy'n fwy ymosodol ac anturus.

Gan ddefnyddio astudiaeth cydberthyniad, sylwodd Sheldon fod llawer o droseddwyr a oedd yn tueddu i gyflawni gweithredoedd treisgar ac ymosodol yn fesomorffig, a bod y rhai lleiaf tebygol yn ectomorffig. Defnyddiodd sampl o ffotograffau o fyfyrwyr coleg a

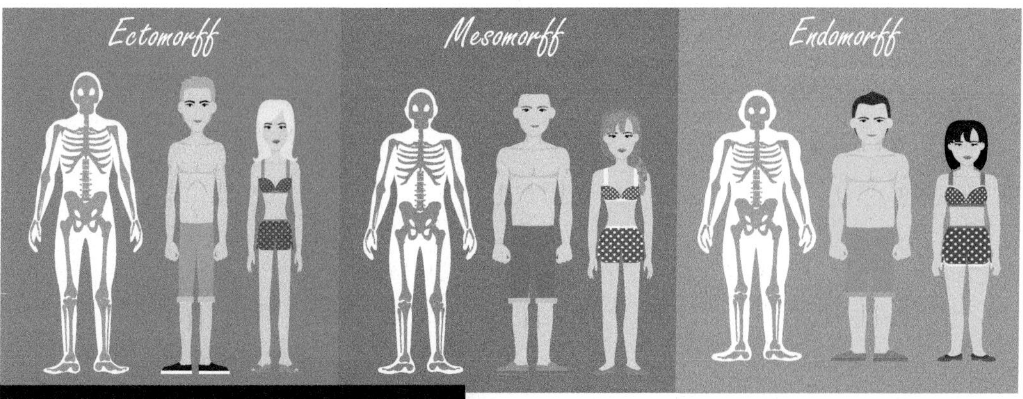

Y tri phrif fath o siâp corff neu somatoteip.

thramgwyddwyr wedi'u graddio ar raddfa o 1 (isel) i 7 (uchel) yn ôl eu tebygrwydd i'r somatoteip mesomorffig. Dangosodd y canlyniadau fod gan y tramgwyddwyr gyfradd fesomorffig uwch na'r cyfartaledd o'u cymharu â'r myfyrwyr coleg (4.6–3.8).

Cafodd Sheldon ei ysbrydoli i lunio ei ymchwil pan oedd yn gwylio ei dad yn magu dofednod a chŵn ar gyfer cystadlaethau; sylwodd ar y cydberthyniad rhwng geneteg a'i ddyhead i fagu rhywogaeth well. Cyhoeddwyd ei ganfyddiadau yn cysylltu siâp corff â thramgwyddwyr yn ei lyfr *Atlas of Men* (1954).

Term allweddol

Sgan PET: Defnyddir sganiau tomograffeg allyrru positronau (PET) i gynhyrchu delweddau tri dimensiwn o'r tu mewn i'r corff.

Annormaledd yr ymennydd

Mae sawl astudiaeth ymchwil wedi awgrymu y gall niwed i gortecs cyndalcennol yr ymennydd (*pre-frontal cortex*) achosi i unigolion newid patrwm eu hymddygiad, dod yn fwy anaeddfed a cholli mwy o hunanreolaeth yn ogystal â methu addasu ymddygiad. Defnyddiodd Raine et al. (1994) sganiau PET (tomograffeg allyrru positronau) i astudio ymennydd byw llofruddion mympwyol. Gwelwyd bod difrod yng nghortecs cyndalcennol ymennydd troseddwyr, sef y rhan o'r ymennydd sy'n rheoli ymddygiad mympwyol.

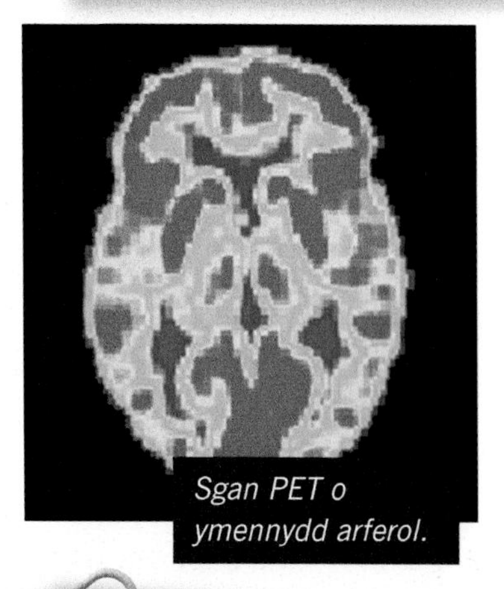

Sgan PET o ymennydd arferol.

ASTUDIAETH ACHOS

PHINEAS GAGE

Roedd Gage yn weithiwr rheilffordd a oroesodd ddamwain lle aeth rhoden haearn fawr drwy ei ben, gan ddinistrio darn mawr o labed flaen chwith yr ymennydd. Cafodd hyn effaith fawr ar bersonoliaeth ac ymddygiad Gage, a byddai ei ffrindiau'n dweud nad oedd yn debyg i'r hen Gage. Daeth yn berson gwastraffus a gwrthgymdeithasol, defnyddiai iaith anweddus, roedd yn anghwrtais a daeth yn gelwyddgi. Roedd y rhan o'r ymennydd a gollodd yn gysylltiedig â'r swyddogaethau meddyliol ac emosiynol a oedd wedi newid. Roedd ei feddyg yn credu bod y cydbwysedd rhwng ei alluoedd deallusol a'i ymddygiad anifeilaidd wedi'i ddinistrio yn y ddamwain.

Daeth astudiaeth fwy modern o Ganada (McIsaac et al., 2016) i'r casgliad bod pobl sydd wedi dioddef anafiadau pen difrifol ddwywaith yn fwy tebygol o fynd i'r carchar (0.5% o'i gymharu â 0.2%). Roedd carcharorion benywaidd hyd yn oed yn fwy tebygol o fod wedi goroesi anafiadau trawmatig i'r ymennydd. I fenywod â'r anafiadau hyn, roedd y risg o gael eu hanfon i garchar ffederal yng Nghanada 2.76 gwaith yn fwy nag ar gyfer menywod heb eu hanafu.

Datblygu ymhellach

Darllenwch yr ymchwil a gafodd ei wneud gan y Disabilities Trust – papur briffio'r sefydliad: 'The Prevalence of Traumatic Brain Injury among Adult Male Offenders in the UK'.

Niwrogemegol

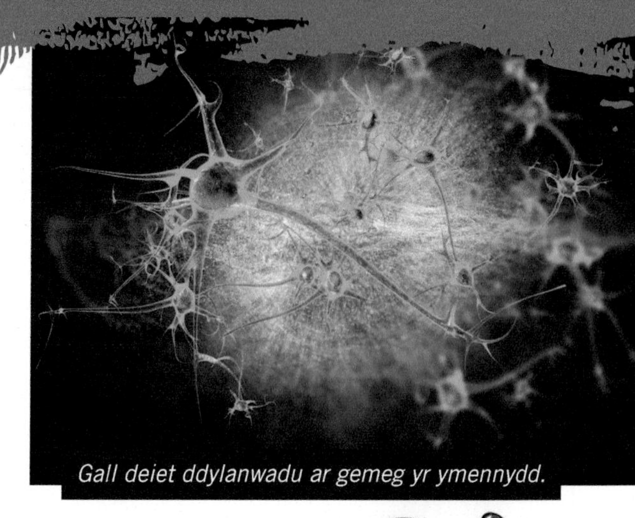
Gall deiet ddylanwadu ar gemeg yr ymennydd.

Gall deiet effeithio ar gemeg yr ymennydd, er enghraifft, ychwanegion bwyd, llygredd neu hypoglycaemia (lefelau siwgr gwaed isel sy'n gysylltiedig â mathau o ddiabetes).

Mae rhai astudiaethau yn dangos bod lefelau isel o serotonin yn gysylltiedig ag ymddygiad mwy ymosodol. Mae serotonin yn rheoli signalau rhwng niwronau a dywedir ei fod yn rheoli hwyliau person. Cynhaliodd Scerbo a Raine (1993) ddadansoddiad meta ar 29 astudiaeth o oedolion a phlant gwrthgymdeithasol, gan ddarganfod lefelau isel o serotonin ym mhob un ohonyn nhw. Mae'n bosibl rheoli lefelau serotonin drwy ddeiet, gan fod rhai bwydydd, gan gynnwys siocled tywyll, caws, cnau, eog, twrci a chyw iâr, yn gallu helpu i godi lefelau serotonin.

Mae pobl sy'n cymryd llawer iawn o steroidau yn gallu datblygu i fod yn hynod dreisgar (yr enw ar hyn yw 'roid rage'). Mae steroidau, sy'n cael eu cymryd fel arfer i gynyddu twf cyhyrau, hefyd yn cynyddu lefelau testosteron. Ar ôl cymryd dwy fil gwaith yn fwy o steroidau na'r hyn sy'n cael ei argymell, gwnaeth Horace Williams, a oedd yn gorffluniwr (*bodybuilder*) o America, guro dyn i farwolaeth.

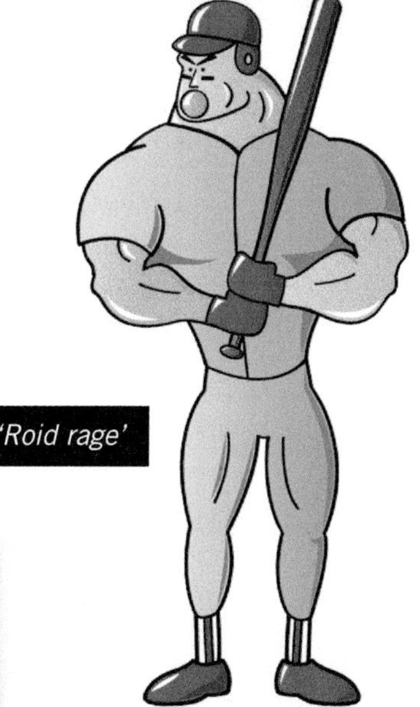
'Roid rage'

Cwestiynau enghreifftiol

Dyma gwestiynau arholiad enghreifftiol yn y maes hwn:

Uned 2 – Arholiad 2017

Gan gyfeirio at y testun uchod, disgrifiwch brif nodweddion un ddamcaniaeth ffisiolegol o droseddoldeb. **[6 marc]**

Esboniwch un ddamcaniaeth enetig o droseddoldeb. **[5 marc]**

SYLWCH: o 2020 ymlaen, bydd y newidiadau yn y bandiau marciau yn golygu bod y cwestiwn hwn werth naill ai 4 neu 6 marc.

Uned 2 – Arholiad 2018

Disgrifiwch un ddamcaniaeth ffisiolegol o droseddoldeb/troseddeg (*criminality*). **[5 marc]**

SYLWCH: o 2020 ymlaen, bydd y newidiadau yn y bandiau marciau yn golygu bod y cwestiwn hwn werth naill ai 4 neu 6 marc.

Uned 2 – Arholiad 2019

Disgrifiwch un ddamcaniaeth fiolegol o droseddoldeb. **[5 marc]**

SYLWCH: o 2020 ymlaen, bydd y newidiadau yn y bandiau marciau yn golygu bod y cwestiwn hwn werth naill ai 4 neu 6 marc.

Damcaniaethu

Yn yr arholiad, darllenwch bob cwestiwn cyn ceisio eu hateb. Efallai bydd un cwestiwn yn gofyn i chi ddisgrifio damcaniaeth ac yna bydd cwestiwn arall yn gofyn i chi gymhwyso neu werthuso'r ddamcaniaeth a ddewiswyd at y senario. Mewn geiriau eraill, mae'r ddamcaniaeth yn cario ymlaen i gwestiwn arall.

MPA2.2 DISGRIFIO DAMCANIAETHAU UNIGOLYDDOL O DROSEDDOLDEB

MEINI PRAWF ASESU	CYNNWYS	YMHELAETHU
MPA2.2 Dylech chi allu ... Disgrifio damcaniaethau unigolyddol o droseddoldeb	**Damcaniaethau unigolyddol** • damcaniaethau dysgu • seicodynamig • damcaniaethau seicolegol	Dylech chi feddu ar wybodaeth am amrywiaeth o ddamcaniaethau, er enghraifft: • Bandura • Freud • Eysenck

Damcaniaethau dysgu

Mae damcaniaethau dysgu yn seiliedig ar y rhagdybiaeth bod troseddu yn set o ymddygiadau sy'n cael eu dysgu yn yr un ffordd â mathau eraill o ymddygiad.

Mae llawer o'r astudiaethau y byddwn ni'n edrych arnyn nhw yn pwysleisio'r teulu a'r grŵp cyfoedion fel ffynonellau ymddygiad troseddol posibl.

Meddyliwch am yr hyn rydych wedi'i ddysgu gan eich athrawon. Beth fydd yn digwydd os na fyddwch chi'n cyflwyno eich gwaith cartref? A fyddwch chi'n cael eich cosbi drwy gael eich cadw i mewn? Felly a ydych chi wedi dysgu peidio ag ailadrodd yr ymddygiad hwn? A ydych chi erioed wedi cael gwobr am ymddygiad cadarnhaol? Dyma'r un egwyddor â damcaniaethau dysgu.

Gall damcaniaethau dysgu esbonio troseddoldeb.

Albert Bandura – damcaniaeth dysgu cymdeithasol (*SLT: social learning theory*)

Mae Bandura yn credu bod pobl yn dysgu drwy edrych ar ymddygiad eraill. Os bydd plant yn gwylio oedolion yn cael pleser o weithgaredd, neu'n cael eu cosbi am weithgaredd, yna byddan nhw naill ai'n ailadrodd neu'n gwrthod yr ymddygiadau hynny. Gall ymddygiad ymosodol hefyd gael ei ddysgu drwy wylio eraill yn ymddwyn mewn ffordd ymosodol. I brofi ei syniadau, cynhaliodd Bandura gyfres o arbrofion gan ddefnyddio dol Bobo.

Albert Bandura (1925–)

ASTUDIAETH ACHOS

BANDURA AC ARBRAWF Y DDOL BOBO (1963)

Cynhaliodd Bandura gyfres o arbrofion gan ddefnyddio dol Bobo (gweler McLeod, 2014). Roedd yr arbrawf yn ymwneud â chyflwyno plant i ddau oedolyn yn modelu ymddygiad gwahanol: model ymosodol a model oedd ddim yn ymosodol. Yn y model ymosodol, gwelwyd oedolion yn cicio ac yn taro'r ddol a hefyd yn ei tharo â gordd a'i thaflu yn yr awyr. Ar ôl gweld ymddygiad yr oedolion, byddai'r plant yn cael eu rhoi mewn ystafell heb y model ac yna'n cael eu gwylio i weld a fydden nhw'n dynwared yr ymddygiadau roedden nhw wedi'u gweld yn gynharach. Dangosodd yr arbrawf fod plant a oedd wedi gweld yr oedolion ymosodol yn tueddu i gopïo'r ymddygiad hwnnw. Roedden nhw hyd yn oed yn meddwl am ffyrdd newydd o frifo'r ddol, er enghraifft defnyddio gwn tegan i'w saethu neu daflu dartiau ati. Roedd y plant a oedd wedi gwylio'r fersiwn oedd ddim yn ymosodol yn ymddwyn yn llawer llai ymosodol tuag at y ddol.

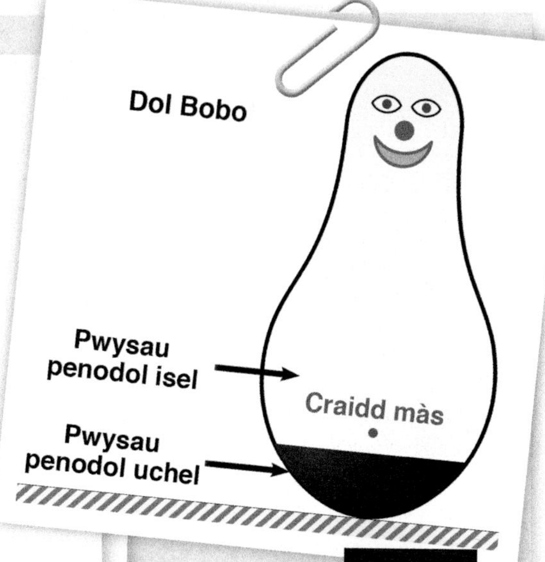

Dol Bobo

Mae'r canlynol yn gallu arwain at drais ac ymosodedd:

- digwyddiad ysgogol (cythruddiad)
- sgiliau ymosodol sy'n cael eu dysgu
- llwyddiant a gwobrau disgwyliedig
- gwerthoedd sy'n ffafrio trais.

Mae pobl yn talu sylw i fodelau ac yn copïo eu hymddygiad. Os byddwn ni'n cael ein gwobrwyo am ddynwared ymddygiad model, byddwn ni'n fwy tebygol o barhau i ymddwyn felly.

Sut mae canfyddiadau arbrawf y ddol Bobo yn esbonio troseddoldeb?

Gall ymddygiad troseddol, fel unrhyw ymddygiad arall, gael ei ddysgu drwy arsylwi. Mae rhai pobl yn dysgu ymddygiad troseddol gan y bobl o'u cwmpas, er enghraifft y teulu. Rydym yn galw hyn yn ddysgu drwy arsylwi. Mae hyn yn golygu dysgu ymddygiadau drwy wylio eraill a thrwy eu dynwared o bosibl; mae llawer o ymddygiadau'n cael eu dysgu gan y cyfryngau.

Ystyriwch effaith y cyfryngau.

Credir bod dysgu drwy arsylwi yn digwydd yn bennaf mewn tri chyd-destun:

1. Y teulu.
2. Yr isddiwylliant mwyaf amlwg, er enghraifft cyfoedion.
3. Drwy symbolau diwylliannol fel y teledu a llyfrau.

ASTUDIAETH ACHOS

A yw'r teledu, ffilmiau neu gemau fideo yn dylanwadu arnon ni? Ydyn ni'n copïo'r pethau rydyn ni'n eu gweld yn y cyfryngau? Cafodd y cwestiynau hyn eu trafod ar ôl i James Bulger gael ei lofruddio gan ddau fachgen deg oed: Robert Thomson a Jon Venables. Yn ôl y sôn, roedden nhw wedi bod yn gwylio'r ffilm *Child's Play 3* cyn y llofruddiaeth. Dywedodd y barnwr yn yr achos hwn:

Nid fy lle i yw rhoi barn am eu magwraeth, ond rwyf yn amau bod y ffaith iddyn nhw weld ffilmiau fideo treisgar yn cynnig esboniad rhannol. **(Mr Ustus Morland, Barnwr y Treial)**

Gwnaeth barnwr y treial sylwadau am ddylanwad ffilmiau fideo ar y rhai a laddodd James Bulger.

Un ddamcaniaeth sy'n cefnogi Bandura yw'r un a gynigiwyd gan Sutherland (Sutherland et al., 1992) sy'n ystyried cysylltiadau gwahaniaethol neu brofiadau dysgu gwahanol. Mae'r ddamcaniaeth hon yn awgrymu bod pobl yn dysgu eu gwerthoedd a'u technegau ar gyfer ymddygiad troseddol drwy gysylltiadau â phobl wahanol neu drwy gysylltiadau gwahaniaethol. Os bydd agweddau mwy ffafriol at drosedd yn cael eu dysgu, yn hytrach na rhai negyddol, yna bydd pobl yn gweld ymddygiad troseddol yn rhywbeth derbyniol. Maen nhw'n dysgu dulliau o gyflawni troseddau gan y rhai o'u cwmpas, boed y drosedd yn ddwyn neu'n dwyll, ac ati. Bydd y profiadau dysgu neu'r cysylltiadau gwahaniaethol yn amrywio o ran amlder a phwysigrwydd yn achos pob unigolyn. Mae'r broses o ddysgu ymddygiad troseddol yr un peth â'r broses o ddysgu unrhyw ymddygiad arall. Mae'r ddamcaniaeth hon hefyd yn esbonio'r gyfradd aildroseddu uchel ymhlith carcharorion sy'n cael eu rhyddhau yn y Deyrnas Unedig. Pan fyddan nhw yn y carchar, bydd carcharorion yn dysgu gan y rhai o'u cwmpas ac yn dod i wybod mwy am rai technegau troseddol a throseddau. Felly, dyna'r rheswm pam mae carchardai yn cael eu galw'n 'brifysgolion trosedd'.

Termau allweddol

Dysgu drwy arsylwi: Pan fydd ymddygiad sylwebydd yn newid ar ôl gwylio ymddygiad sy'n cael ei fodelu.

Cysylltiadau gwahaniaethol: Rhyngweithiadau ag eraill.

Mae ymchwil yn dangos bod troseddoldeb wedi'i ganoli mewn nifer bach o deuluoedd. Roedd gwaith ymchwil gan Osborn a West (1979) yn ystyried meibion tadau a oedd yn troseddu a meibion tadau oedd ddim yn troseddu. Yn yr achosion lle roedd gan y tad euogfarn, gwelwyd bod 40% o'r meibion hefyd wedi cael euogfarn erbyn eu bod yn 18 oed. Fodd bynnag, os nad oedd y tad yn droseddwr, 13% yn unig o'r meibion oedd ag euogfarn. Er nad oedd yr ymchwil yn dod i gasgliad, mae'n gyson â safbwynt genetig am droseddu.

Uned 2 – Arholiad 2019

Disgrifiwch un ddamcaniaeth unigolyddol o droseddoldeb. [5 marc]

SYLWCH: o 2020 ymlaen, bydd y newidiadau yn y bandiau marciau yn golygu bod y cwestiwn hwn werth naill ai 4 neu 6 marc.

Mae damcaniaeth dysgu cymdeithasol Albert Bandura'n cynnig y syniad y bydd pobl yn dysgu gan y rhai o'u cwmpas. Mae pobl yn aml yn gwneud hyn drwy sylwi ar eu cyfoedion a'u teulu, a defnyddio eu hymddygiad yn fodel sy'n cael ei ddynwared yn ddiweddarach. Yn aml, bydd plant yn cael eu dylanwadu fwyaf gan yr oedolion o'u cwmpas ac yn ailadrodd ymddygiadau neu'n gwrthod rhai mathau o ymddygiad ar sail y canlyniadau maen nhw'n eu gweld i'r oedolion hynny. Er enghraifft, os yw oedolyn yn mwynhau gweithgaredd penodol, gall plentyn ddynwared hyn i brofi'r un boddhad; ar y llaw arall, os yw oedolyn yn cael ei gosbi am weithgaredd penodol, mae plentyn yn llai tebygol o'i gopïo. Gelwir hyn yn ddysgu drwy arsylwi a gall ddigwydd o fewn y teulu, mewn isddiwylliannau amlwg a thrwy'r cyfryngau (ffilm, teledu, llyfrau, gemau fideo ac ati). Cafodd ymosodedd wedi'i fodelu ei ddangos yn arbrawf dol Bobo Bandura a oedd yn awgrymu bod ymosodedd a thrais yn cael eu cynhyrchu yn sgil digwyddiad ysgogol. Roedd plant a oedd wedi gweld y modelu ymosodol yn copïo'r iaith anghyfeillgar ac yn cael eu denu'n fwy at ynnau. Gall pobl hefyd ddysgu gan y rhai o'u cwmpas sut i droseddu a dulliau effeithiol o gyflawni ymddygiadau troseddol, fel lladrata neu dwyll.

Awgrym

Mewn arholiad, bydd cwestiwn 4 marc yn cynnwys y geiriau 'yn gryno'. Er enghraifft, 'Disgrifiwch yn gryno un ddamcaniaeth unigolyddol o droseddoldeb.' Byddai cwestiwn 6 marc, lle bydd mwy o wybodaeth yn ofynnol, yn darllen fel a ganlyn – 'Disgrifiwch un ddamcaniaeth unigolyddol o droseddoldeb.'

Asesiad

Byddai'r ateb hwn yn cyrraedd y band marciau uchaf 5–6 marc.

Mae'r ateb hwn yn fanwl ac yn defnyddio terminoleg briodol. Mae'n cyfeirio at ymchwil fel arbrawf y ddol Bobo ac yn cynnwys deunydd sy'n ategu gwaith Sutherland. Un maes i'w wella fyddai datblygu arbrawf y ddol Bobo, gan ddyfynnu'r amrywiadau a ddefnyddiwyd a'r canlyniadau dilynol. Fodd bynnag, ar gyfer cwestiwn 6 marc, nid yw hyn yn hanfodol.

Damcaniaethau seicodynamig

Sigmund Freud

Roedd Sigmund Freud yn credu mai'r ffordd orau o ddeall ymddygiad yw drwy archwilio profiadau plentyndod cynnar. Roedd hefyd yn credu bod troseddoldeb yn gysylltiedig ag euogrwydd. Awgrymodd fod llawer o'n meddwl yn digwydd mewn rhanbarth anymwybodol, sy'n debyg i fynydd iâ lle'r pigyn yn unig sydd yn y golwg. Ein meddwl anymwybodol sy'n rheoli ymddygiad, gan gynnwys troseddoldeb.

Sigmund Freud (1856–1939)

Datblygodd Freud strwythur y meddwl, neu'r seice, yn cynnwys ein personoliaeth wedi'i rhannu'n dair rhan:

- yr **id**, sy'n rheoli pob ysfa hunanol ac anifeilaidd
- yr **ego**, sy'n chwilio am reolaeth resymegol a synhwyrol
- yr **uwch-ego**, sef ein cydwybod moesol.

Mae'r id eisiau boddhad ar unwaith ac mae'n cynrychioli ein hanghenion sylfaenol. Dyma ran fwyaf cyntefig ein personoliaeth ac mae i'w ganfod yn rhan anymwybodol a dwfn yr ymennydd. Byddai'r id yn dweud wrthoch chi am anwybyddu eich gwaith cartref ac am fynd i'r parti yn lle hynny.

Yr uwch-ego yw'r hyn mae pobl yn ei ystyried fel ein cydwybod. Mae'n ymwneud â rheolau a moesau cymdeithasol ac yn dweud wrthon ni beth sy'n dda a beth sy'n ddrwg. Byddai'n dweud wrthoch chi am aros gartref a gorffen eich gwaith cartref i gyd gan fod hwnnw'n bwysicach na mynd i barti.

Mae'r ego yn llai cyntefig na'r id ac yn ceisio bod yn ymarferol ac yn realistig. Gan weithredu fel cyfryngwr rhwng yr id a'r uwch-ego, byddai'n awgrymu eich bod yn treulio peth amser yn cwblhau eich gwaith cartref ac yna'n mynd i'r parti. Mae hwn i'w ganfod yn y meddwl rhannol ymwybodol a rhannol anymwybodol.

Damcaniaeth personoliaeth Freud.

Mae angen cydbwysedd rhwng y tair rhan ar bersonoliaeth iach. Pan fydd anghydfod heb ei ddatrys yn y rhannau hyn, y canlyniad yw personoliaeth gythryblus. Os bydd yr id yn drech na'r lleill, gall fod yn amhosibl rheoli'r meddwl a dyma pryd bydd troseddoldeb yn digwydd. Fodd bynnag, os yw'r uwch-ego yn gryfach na'r lleill, bydd person yn foesol iawn, yn disgwyl perffeithrwydd ac yn eithaf beirniadol os nad yw hyn yn cael ei gyflawni. Gall ego cryf iawn arwain at rywun sydd ddim yn gallu derbyn newid ac sy'n dyheu am ffordd o fyw sefydlog a phendant iawn.

Mae angen i blant symud ymlaen o'r egwyddor bleser, pan fydd yr id ar ei gryfaf sy'n golygu eu bod eisiau boddhad ar unwaith, at yr egwyddor realiti, lle mae'r ego ar ei gryfaf. Troseddwyr yw'r plant sydd ddim yn llwyddo i wneud y newid hwn. Yn ôl Freud, mae angen amgylchedd cartref sefydlog ar y plentyn er mwyn llwyddo i wneud y newid hwn. Mae ymchwil wedi cefnogi'r ffaith bod y rhan fwyaf o droseddwyr yn dod o gartrefi ansefydlog. Edrychodd astudiaeth John Bowlby (1944) ar amddifadedd mamol drwy astudio 44 tramgwyddwr ifanc a'u cymharu â phobl ifanc cythryblus oedd ddim yn droseddwyr. O'r holl dramgwyddwyr, roedd 39% wedi cael eu gwahanu oddi wrth eu mamau am chwe mis neu fwy yn ystod pum mlynedd gyntaf eu bywyd o'u cymharu â 5% o'r grŵp rheolydd.

Termau allweddol

Tramgwyddwr ifanc: Rhywun o dan 18 oed sydd wedi torri'r gyfraith.

Grŵp rheolydd: Grŵp mewn arbrawf neu astudiaeth sydd ddim yn derbyn triniaeth gan yr ymchwilwyr ac yna sy'n cael ei ddefnyddio yn feincnod i fesur beth ddigwyddodd i'r rhai a dderbyniodd driniaeth.

Datblygu ymhellach

Ymchwiliwch i gymhleth Oedipus a chymhleth Electra i ddysgu am rai o ddamcaniaethau Freud am effaith ein magwraeth.

Damcaniaethau seicolegol

Hans Eysenck

Roedd Eysenck yn credu bod rhai mathau o bersonoliaethau yn fwy tebygol o droseddu gan eu bod yn dyheu am gyffro, ond yn araf yn dysgu bod goblygiadau gwael i droseddu. Seiliodd ei ganlyniadau ar ddadansoddiad o ymatebion i holiadur personoliaeth. Rhoddodd yr holiadur i 700 o filwyr a oedd yn cael eu trin am anhwylderau niwrotig yn yr ysbyty lle roedd yn gweithio. Credai fod yr atebion yn awgrymu bod nifer o nodweddion personoliaeth gwahanol yn cael eu datgelu gan atebion y milwyr.

Hans Eysenck (1916–1997)

Yna, aeth ati i nodi, yn y lle cyntaf, ddau 'ddimensiwn' personoliaeth, sef allblygedd/mewnblygedd (A, M) a niwrotiaeth/sefydlogrwydd (N, S). Roedd gan y rhain nodweddion personoliaeth gwahanol.

- **Allblygedd/mewnblygedd:** yn ymwneud â faint o ysgogiad sydd ei angen ar rywun. Mae rhywun allblyg yn gymdeithasol ond gall ddiflasu'n sydyn iawn, os oes diffyg ysgogiad. Ar y llaw arall, mae pobl fewnblyg yn ddibynadwy ac yn gallu rheoli eu hemosiynau.
- **Niwrotiaeth/sefydlogrwydd:** yn ymwneud â lefel sefydlogrwydd emosiynol unigolyn. Mae pobl niwrotig yn bryderus iawn ac yn aml yn ymddwyn yn afresymol. Ar y llaw arall mae personoliaeth sefydlog yn ddigynnwrf ac mewn rheolaeth yn emosiynol.

Yn ddiweddarach, ychwanegodd Eysenck drydydd dimensiwn sef seicotiaeth (S), personoliaeth oer, ddi-hid ac ymosodol, ac roedd hyn yn awgrymu tuedd bellach at droseddu.

Termau allweddol

Allblygedd: Bod â diddordeb a phleser mewn pethau y tu allan i'r hunan.

Mewnblygedd: Cyfeirio eich diddordebau yn fewnol neu at bethau o fewn yr hunan.

Niwrotiaeth: Cael teimladau o orbryder, pryder, dicter neu ofn.

Sefydlogrwydd: Yn annhebygol o symud na newid.

Seicotiaeth: Patrwm personoliaeth sy'n cael ei nodweddu gan ymosodedd a gelyniaeth at bobl eraill.

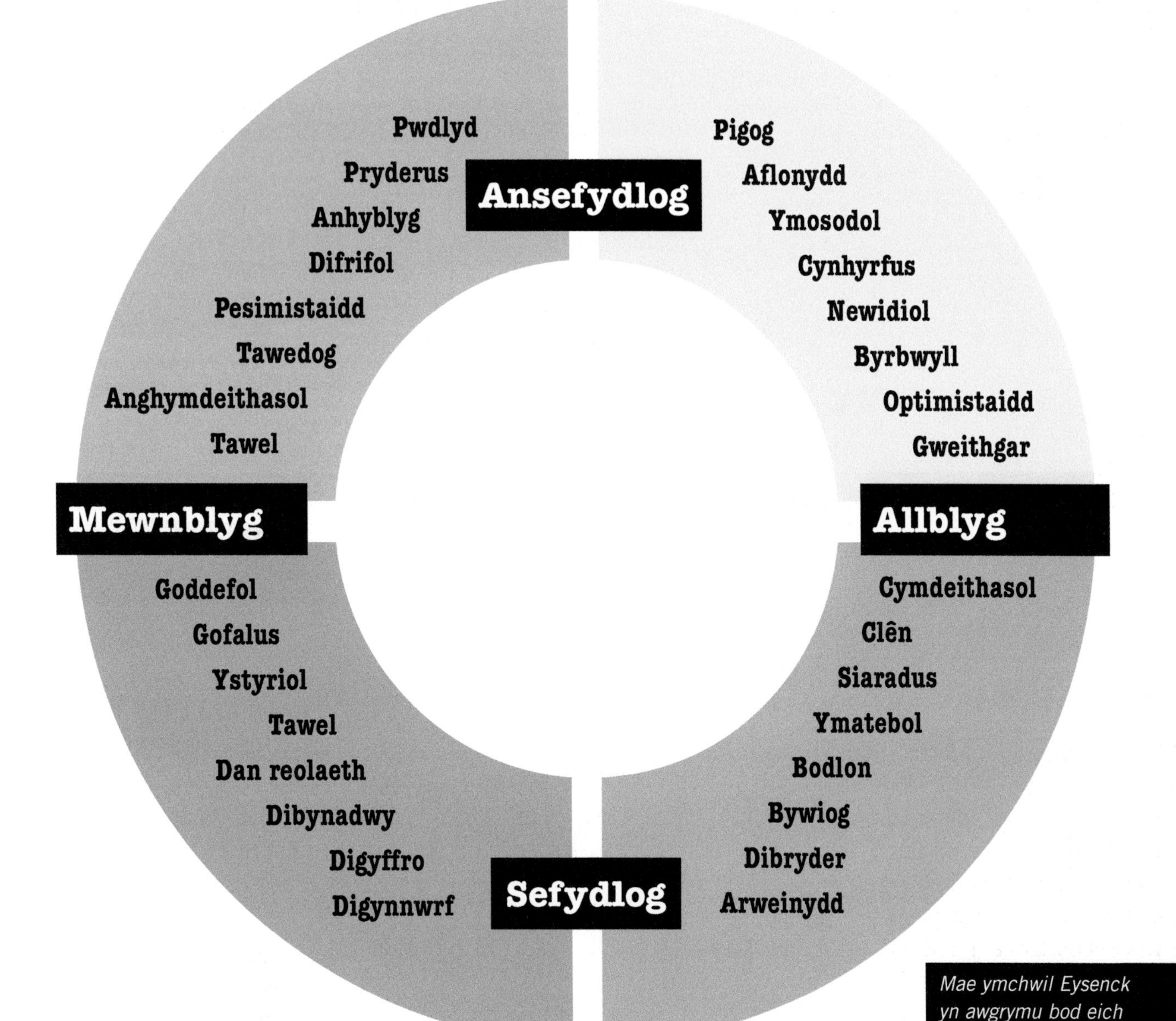

Mae ymchwil Eysenck yn awgrymu bod eich personoliaeth yn rhagdybio a oes risg uchel y byddwch chi'n droseddwr.

Mae damcaniaeth Eysenck yn rhagdybio y bydd pobl sydd â phersonoliaethau allblyg (A), niwrotig (N) a seicotig (S) yn fwy tebygol o droseddu gan ei bod hi'n anodd iddyn nhw ddysgu sut i reoli eu hysgogiadau anaeddfed. Felly, mae troseddwyr yn fwy tebygol o fod yn fyrbwyll, o geisio gwefr a chyffro, ac o fethu derbyn a deall rheolau cymdeithas.

Gweithgaredd

Rhowch gynnig ar y prawf personoliaeth i ddarganfod pa fath o bersonoliaeth sydd gennych chi.
Gweler http://similarminds.com/eysenck.html.

MPA2.3 DISGRIFIO DAMCANIAETHAU CYMDEITHASEGOL O DROSEDDOLDEB

MEINI PRAWF ASESU	CYNNWYS	YMHELAETHU
MPA2.3 Dylech chi allu ... Disgrifio damcaniaethau cymdeithasegol o droseddoldeb	**Damcaniaethau cymdeithasegol** • strwythur cymdeithasol • rhyngweithiadaeth • realaeth	Dylech chi allu crynhoi pwyntiau allweddol amrywiaeth o ddamcaniaethau, er enghraifft: • Marcsaeth • labelu • swyddogaetholdeb • realaeth y chwith a realaeth y dde

Gall cymdeithas achosi troseddoldeb.

Mae damcaniaethau cymdeithasegol o droseddeg yn credu bod cymdeithas yn dylanwadu ar rywun i ddod yn droseddwr.

Strwythur cymdeithasol

Mae'r ddamcaniaeth hon yn rhagdybio mai dosbarth cymdeithasol difreintiedig yw prif achos trosedd a bod ymddygiad troseddol yn dechrau yn ystod ieuenctid. Mae trosedd yn bennaf yn ganlyniad amodau anffafriol mewn cymuned, er enghraifft diweithdra, teuluoedd un rhiant, ac ati.

Mae **Marcswyr** yn gweld trosedd i bob pwrpas yn rhywbeth sy'n anorfod mewn cymdeithas gyfalafol ac sy'n cael ei ddefnyddio gan y dosbarth sy'n rheoli, neu'r bourgeoisie, yn ffordd o reoli cymdeithas. Os nad yw rhywun yn cydymffurfio, bydd yn cael ei gosbi. Mae sefydliadau fel yr heddlu, y system cyfiawnder, carchardai, ysgolion, y teulu a chrefydd yno i'ch annog i gydymffurfio. Maen

Termau allweddol

Marcsaeth: Damcaniaethau gwleidyddol ac economaidd Karl Marx, sy'n nodi bod cyfalafiaeth yn anghyfartal ac yn annemocrataidd, gan ei bod yn seiliedig ar gamfanteisio ar y dosbarth gweithiol gan y dosbarth cyfalafol/y bourgeoisie.

Cyfalafiaeth: Y system gymdeithasol lle mae'r dull o gynhyrchu a dosbarthu nwyddau (masnach a diwydiant y wlad) yn cael ei reoli gan leiafrif bach o bobl er elw (y dosbarth cyfalafol). Rhaid i'r rhan fwyaf o bobl werthu eu gallu i weithio yn gyfnewid am gyflog (y dosbarth gweithiol/proletariat).

nhw'n dadlau bod troseddau coler wen, sy'n tueddu i gael eu cyflawni gan y rhai mwyaf pwerus mewn cymdeithas, yn cael eu hanwybyddu, ond bod troseddau'r rhai llai pwerus mewn cymdeithas, fel bwrgleriaeth a throseddau stryd, yn derbyn y prif sylw ac yn cael eu gweld yn rhai mwy difrifol.

Byddai Marcswyr hefyd yn dadlau bod dosbarthiadau cymdeithasol gwahanol yn cael eu plismona'n wahanol, gydag aelodau o'r dosbarth gweithiol, neu'r proletariat, yn cael eu plismona'n drwm oherwydd bod disgwyl iddyn nhw fod yn fwy troseddol. Oherwydd hyn, mae siawns uwch y bydd eu troseddau'n cael eu canfod.

Hefyd, mae Marcswyr o'r farn bod llywodraethau, wrth ystyried troseddau, yn camliwio ystadegau i'w dibenion eu hunain ac yn cael cefnogaeth y cyhoedd am unrhyw gamau a gymerwyd gan y llywodraeth a allai gael eu gweld yn dresmasu ar ryddid. Mae Marcswyr yn credu bod 42% ar gyfartaledd o'r ystadegau a gyflwynir gan y llywodraeth yn ffug ac yn gamarweiniol.

Karl Marx (1818–1883)

Cyswllt synoptig

Meddyliwch yn ôl i Uned 1 MPA1.6 'Gwerthuso dulliau o gasglu ystadegau' a'r feirniadaeth am gywirdeb ystadegau trosedd.

Cwestiwn enghreifftiol

Uned 2 – Arholiad 2018/19

Disgrifiwch un ddamcaniaeth gymdeithasegol o droseddoldeb. **[6 marc]**

neu

Uned 2 – Arholiad 2020

Disgrifiwch yn gryno un ddamcaniaeth gymdeithasegol o droseddoldeb. **[4 marc]**

Sylwch, ar gyfer y math hwn o gwestiwn arholiad, byddai 4 marc yn gofyn am ddisgrifiad cryno a 6 marc yn gofyn am ateb canolig ei hyd.

Disgrifiwch un ddamcaniaeth gymdeithasegol o droseddoldeb. **[6 marc]**

Mae'r ddamcaniaeth hon yn dweud (1) bod cymdeithas yn pwyso (2) ar rywun i ddod yn droseddwr. Mae'n rhagdybio bod y dosbarth cymdeithasol difreintiedig yn brif achos troseddu a bod ymddygiad troseddol yn dechrau yn ystod ieuenctid. Mae'n dweud bod trosedd yn ganlyniad amodau anffafriol mewn cymuned yn bennaf. I bob pwrpas, mae safbwyntiau Marx yn gweld trosedd yn rhywbeth sy'n cael ei ddiffyddio gan y dosbarth sy'n rheoli (3) fel ffordd o reoli cymdeithas.

Mae (4) yr heddlu yno i'ch annog i gydymffurfio a sicrhau bod y dosbarth gweithiol (5) yn cael ei blismona'n llym. (6) Maen nhw hefyd yn credu bod llywodraethau'n dweud celwydd am (7) ystadegau i fodloni eu dibenion eu hunain. (8) Mae Marcswyr yn credu bod llawer o'r ystadegau (9) sy'n cael eu cyflwyno gan y llywodraeth yn anghywir. (10)

1 honni

2 dylanwadu

3 bourgeoisie

4 sefydliadau fel

5 proletariat

6 Datblygwch i ystyried diffyg plismona troseddau coler wen.

7 ffugio

8 Datblygwch i gynnwys ennill cefnogaeth am eu hymyrraeth ac o bosibl tresmasu ar ryddid.

10 yn ffug ac yn gamarweiniol

9 mwy o fanylion, e.e. 42%

Asesiad

Band marciau 3–4

Er bod y ddamcaniaeth wedi'i nodi'n gywir yn yr ateb hwn, mae'r manylion yn gyfyngedig. Hefyd, gallai fod wedi defnyddio mwy o derminoleg arbenigol. Edrychwch ar y sylwadau o amgylch yr ateb am awgrymiadau eraill a ffyrdd o'i wella.

Trosedd ac ymagwedd swyddogaethol

Mae'r ddamcaniaeth hon yn dechrau â'r gymdeithas yn gyffredinol ac ag awgrym Émile Durkheim fod trosedd yn anorfod gan na all pob aelod o'r gymdeithas ymrwymo yn yr un ffordd i'r teimladau cyffredinol neu i'r gwerthoedd a'r credoau. Mae cymdeithasoli a rheolaeth gymdeithasol yn helpu i sicrhau undod mewn cymdeithas.

Mae trosedd yn cael ei hystyried yn swyddogaethol a dim ond pan fydd y gyfradd troseddu yn uchel neu'n isel y daw'n gamweithredol. Os bydd teimladau cyffredinol yn rhy gryf mewn cymdeithas, ni fydd llawer o newid. Gwelir hyn yn y newidiadau i'r deddfau ar gyfunrywioldeb. Pe na bai pobl wedi gwrthwynebu'r deddfau hyn, ni fyddai newid wedi bod a byddai cyfunrywioldeb yn dal i fod yn anghyfreithlon. Os bydd teimladau cyffredinol yn rhy wan, bydd gormod o droseddu a bydd y status quo yn chwalu gan arwain at anhrefn o bosibl.

Mae trosedd hefyd yn cryfhau cydlyniad cymdeithasol neu barodrwydd aelodau'r gymdeithas i gydweithio â'i gilydd. Mae'n cynnal ffiniau wrth i gymdeithas ymateb, uno ac atgyfnerthu ei hymrwymiad i'r consensws gwerthoedd. Gwelwyd enghraifft o hyn yn dilyn herwgipio Shannon Matthews yn 2008, pan unodd trigolion Ystad Moorside i fynegi eu barn am y drosedd, gan drefnu chwiliadau, gorymdeithiau ac arddangosiadau cyhoeddus eraill o gynnal y ffin.

Roedd Émile Durkheim (1858–1917), neu 'Dad Cymdeithaseg', yn credu bod trosedd ei hun yn cyflawni swyddogaeth.

Damcaniaeth straen Merton

Mae Robert K. Merton yn dadlau bod cymdeithas yn ein hannog i gefnogi nodau llwyddiant materol, ond nad yw cymdeithas yn gallu darparu'r dulliau cyfreithlon i alluogi pawb i gyflawni'r llwyddiannau hyn, gan nad yw pawb yn gallu ennill cymwysterau a dod o hyd i swyddi. Mae pobl dosbarth gweithiol yn fwy tebygol nag eraill o beidio â chael cyfle i gael y buddion materol hyn. Mae eu cyfleoedd yn cael eu rhwystro, ac o ganlyniad, maen nhw'n profi teimladau o straen ac anomi, lle maen nhw'n ymdrechu i gyrraedd nodau llwyddiant materol, ond heb y cyfleoedd i gyrraedd y nodau drwy ddulliau cyfreithlon. Os na all pobl gyflawni eu nodau, gallan nhw wneud y canlynol:

- cydymffurfio a derbyn y sefyllfa
- addasu drwy fabwysiadu dulliau anghonfensiynol neu droseddol o sicrhau llwyddiant materol
- dod yn ddefodol, gan golli golwg ar nodau
- dod yn enciliol a throi eu cefn ar gymdeithas gonfensiynol
- dod yn rebeliaid, sy'n gosod nodau a gwerthoedd gwahanol, gwrthwynebol yn hytrach na'r rhai sy'n cael eu hyrwyddo gan gymdeithas.

Termau allweddol

Anomi: Colli egwyddorion neu normau sy'n cael eu rhannu.

Defodol: Gwneud rhywbeth yn yr un ffordd.

Enciliol: Gwrthod y nodau a ragnodir gan gymdeithas a'r dulliau confensiynol o'u cyflawni.

Rhyngweithiadaeth

Mae rhyngweithiadaeth yn cyfeirio at sut mae pobl mewn cymdeithas yn rhyngweithio â'i gilydd. Mae rhyngweithiadwyr fel Howard Becker yn defnyddio'r ddamcaniaeth labelu i esbonio troseddoldeb. Maen nhw'n dadlau bod ystadegau swyddogol yn cael eu llunio'n gymdeithasol ac maen nhw'n credu bod trosedd hefyd yn lluniad cymdeithasol. Mae Becker yn cyflwyno'r ddadl bod trosedd yn gysyniad goddrychol; mae asiantaethau rheolaeth gymdeithasol, fel yr heddlu a barnwyr, yn labelu gweithredoedd ac ymddygiad penodol yn rhai gwyrdroëdig neu'n rhai troseddol. Yna bydd yr ymddygiad yn cael ei gosbi'n briodol.

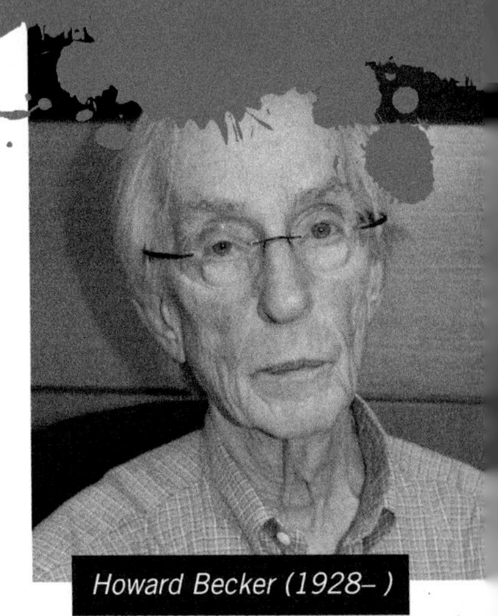
Howard Becker (1928–)

Mae'r cymdeithasegydd Edwin Lemert yn cyfeirio at ddau fath penodol o wyredd: gwyredd sylfaenol, sef gweithred wyrdroëdig sydd ddim wedi'i labelu'n gymdeithasol yn un wyrdroëdig; a gwyredd eilaidd, sef gweithred sydd wedi'i labelu yn un wyrdroëdig.

Unwaith y bydd gweithred/ymddygiad penodol wedi'i labelu'n wyrdroëdig, bydd yr unigolyn gwyrdroëdig yn dechrau ei ystyried ei hun yn wyrdroëdig. Dyma fydd ei 'statws meistr' a gall arwain at broffwydoliaeth hunangyflawnol, sy'n golygu y bydd yn dechrau mewnoli'r label ac yn dechrau gweithredu ac ymddwyn mewn ffordd sy'n adlewyrchu'r label. Yn fyr, daw'r unigolyn yn label, yn yr achos hwn yn rhywun gwyrdroëdig neu'n droseddwr.

Gall y cyfryngau gyfrannu at hyn, gan 'bardduo' (*demonise*) pobl sydd wedi'u labelu'n gymdeithasol yn rhai gwyrdroëdig a chreu panig moesol mewn cymdeithas. Mae hyn yn ei dro yn gwneud i'r rhai a labelwyd yn bobl wyrdroëdig ymddangos fel diawliaid y werin, gan eu gwthio i'r cyrion a'u gelyniaethu hyd yn oed yn fwy. Cyfeirir at y broses hon fel ymhelaethu gwyredd, gan fod y broses yn ymhelaethu'r sefyllfa (yn ei chwyddo) ac yn ei gwneud yn fwy anodd i'r unigolyn gwyrdroëdig newid barn y cyhoedd amdano. Dyma effaith labelu, a gall arwain yn aml at stereoteipio.

Termau allweddol

Diawliaid y werin: Pobl sy'n cael dylanwad drwg ar gymdeithas (gweler Cohen (1973), tudalen 40).

Ymhelaethu gwyredd: Proses sy'n aml yn cael ei pherfformio gan y cyfryngau, lle bydd graddfa a difrifoldeb ymddygiad gwyrdroëdig yn cael eu gorliwio, gan greu mwy o ymwybyddiaeth o wyredd a diddordeb ynddo.

Stereoteipio: Darlun meddyliol neu argraff orsyml a sefydlog sydd gan bobl yn gyffredinol am nodweddion math arbennig o berson.

Gweithgaredd

Trafodwch fel dosbarth: A yw hi'n debygol bod labelu rhywun yn un sy'n creu helynt yn ddigon i wneud i rywun droi'n droseddwr?

Cyswllt synoptig

Cyfeiriwch yn ôl at Uned 1 a sut mae'r cyfryngau yn portreadu trosedd.

Realaeth

Realaeth y dde

Mae realaeth y dde yn ystyried trosedd o safbwynt ceidwadaeth wleidyddol, a'r gred bod angen delio â throseddu yn llym.

Mae Charles Murray yn un o ddilynwyr blaenllaw realaeth y dde. Yn ei farn ef, mae pob un ohonon ni'n cael ei demtio i droseddu ond mae nifer y bondiau cymdeithasol sydd gennym yn aml yn ein hatal rhag gwneud hynny. Mae Murray yn sôn am ddatblygiad yr 'isddosbarth' fel rhieni sengl, lle mae bechgyn ifanc yn tyfu heb fodelau rôl priodol a lle mae trosedd yn ffordd o brofi eu bod yn ddynion.

Y Chwith | **Y Dde**

Mae realaeth y dde a realaeth y chwith yn dilyn strwythur gwleidyddol y DU.

Mae realwyr y dde yn cwestiynu'r safbwynt mai ffactorau economaidd, fel tlodi neu ddiweithdra, yw'r rhesymau dros y cynnydd yn y cyfraddau troseddu. Yn hytrach, y gred oedd bod unigolion yn fwy tebygol o droseddu pan fydd y cyfyngiadau cymdeithasol ar eu hymddygiad yn cael eu gwanhau. Felly cysylltir trosedd â rheolaeth gymdeithasol annigonol.

Realaeth y chwith

Mae realaeth y chwith yn awgrymu bod trosedd yn deillio o'r anghydraddoldebau a grëwyd gan gymdeithas gyfalafol. Mae realwyr y chwith yn credu bod angen mesurau ymarferol i leihau trosedd a newid tymor hir i greu cymdeithas fwy cyfartal a gofalgar. Mae cyfalafiaeth yn annog lefelau o dreuliant ond nid yw'n gallu cynnig hyn i bawb. Felly mae rhai pobl yn cael eu hysgogi gan brynwriaeth a materoliaeth ac yn troi at drosedd i wneud iawn am y diffyg hwn. Ond yr hyn sydd ei angen yw newid cymdeithasol graddol ynghyd ag atebion ymarferol i broblem trosedd.

Awgrym !

Bydd y ddamcaniaeth byddwch chi'n ei dewis yn dibynnu ar y senario ar ddechrau'r cwestiwn, a fydd yn cynnwys awgrymiadau neu gliwiau sy'n eich tywys tuag at o leiaf un ddamcaniaeth gymdeithasegol. Eich cyfrifoldeb chi wedyn fydd dewis y ddamcaniaeth. Fodd bynnag, cyn i chi benderfynu ar y ddamcaniaeth, darllenwch bob rhan o'r cwestiynau sy'n dilyn, oherwydd efallai bydd rhaid i chi ddadansoddi eich damcaniaeth dewisol mewn perthynas â'r amgylchiadau yn y senario. Efallai bydd rhaid i chi ei gwerthuso hefyd. Felly, gallai eich damcaniaeth dewisol fod yn berthnasol i fwy nag un rhan o'r cwestiwn.

Gweithgaredd

Ewch ati i greu cymhorthyn adolygu ar realaeth y chwith a realaeth y dde. Er enghraifft, poster neu siart yn dangos y cymariaethau rhwng pob damcaniaeth. Ceisiwch gynnwys y pwyntiau canlynol:

- crynodeb o brif agweddau'r ddamcaniaeth
- damcaniaethwyr sy'n gysylltiedig â'r ddamcaniaeth
- terminoleg allweddol ar gyfer pob damcaniaeth
- pwyntiau cadarnhaol pob damcaniaeth
- gwendidau pob damcaniaeth
- troseddau a allai fod yn gysylltiedig â phob damcaniaeth
- prif ganolbwynt pob damcaniaeth o ran atal troseddu.

DEILLIANT DYSGU 3
DEALL ACHOSION TROSEDDOLDEB

MPA3.1 DADANSODDI SEFYLLFAOEDD TROSEDDOLDEB

MEINI PRAWF ASESU	CYNNWYS	YMHELAETHU
MPA3.1 Dylech chi allu … Dadansoddi sefyllfaoedd troseddoldeb	Sefyllfaoedd sy'n ymwneud â'r canlynol: • mathau gwahanol o droseddau • ymddygiad troseddol gan unigolyn	Dylech chi feddu ar wybodaeth am amrywiaeth o droseddau, er enghraifft troseddau yn erbyn y person/eiddo, troseddau coler wen, troseddau corfforaethol, ac ati Dylech chi allu dadansoddi amrywiaeth o droseddau ac ymddygiad troseddol a deall achosion posibl drwy gymhwyso'r damcaniaethau a ddysgwyd ar gyfer DD2

Awgrym

Yma, rhaid i chi ystyried pam mae troseddau wedi'u cyflawni, gan edrych ar y mathau o droseddau ac ar ymddygiad unigolion hefyd. Gallwch gymhwyso'r damcaniaethau a gafodd eu hystyried yn MPA2.1, 2.2 a 2.3.

Gweithgaredd

Copïwch a llenwch y tabl.

TROSEDD	RHESYMAU POSIBL DROS GYFLAWNI'R DROSEDD	DAMCANIAETH BERTHNASOL
Troseddau eiddo (dwyn, lladrata, bwrgleriaeth)		
Troseddau coler wen		
Troseddau corfforol (ymosod, curo, ABH a GBH)		
Troseddau ar sail anrhydedd		
Llofruddiaeth		
Troseddau Deddf Trefn Gyhoeddus, fel affräe, terfysg ac anhrefn dreisgar		

ABH = gwir niwed corfforol (*actual bodily harm*) GBH = niwed corfforol difrifol (*grevious bodily harm*)

ASTUDIAETH ACHOS

ROBERT NAPPER

Cafwyd Robert Napper yn euog o lofruddio Rachel Nickell mewn ffordd dreisgar iawn, ac o ladd Samantha Bisset a'i merch bedair oed, Jazmine. Roedd lle i gredu hefyd mai ef oedd y 'Green Chain Rapist', a oedd yn gyfrifol am o leiaf 70 ymosodiad ar draws De Llundain dros gyfnod o bedair blynedd a ddaeth i ben yn 1993.

Cefndir

Yn ystod blynyddoedd cynnar ei fywyd, roedd Napper wedi gweld ei dad yn ymddwyn yn dreisgar tuag at ei fam. Cafodd ef a'i frodyr a'i chwiorydd eu rhoi mewn cartrefi maeth a dechreuodd Napper, a oedd yn dioddef o anhwylder seiciatrig ac ymddygiadol, ddioddef o sgitsoffrenia paranoid tra oedd hefyd yn dioddef o syndrom Asperger. Pan oedd yn 12 oed, cafodd ei dreisio gan ffrind i'r teulu. Yn yr ysgol, doedd ganddo ddim ffrindiau ac roedd plant eraill yn gwneud hwyl am ei ben. Lefel deallusrwydd cyffredin yn unig oedd ganddo. Byddai Napper yn bwlio ei frodyr ac yn ddiweddarach cyfaddefodd wrth ei fam iddo dreisio menyw.

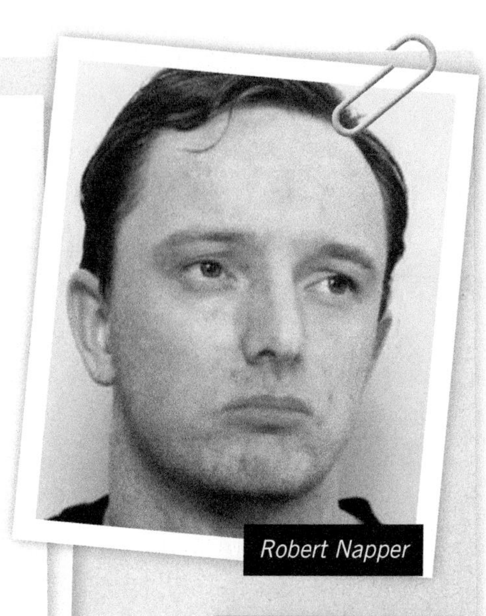

Robert Napper

Mae rhagor am hyn yn Uned 3, tudalen 156.

Term allweddol

Sgitsoffrenia paranoid: Salwch seicosis sy'n amrywio o ran dwyster, sy'n gwneud i'r dioddefwr golli cysylltiad â realiti.

Damcaniaethau perthnasol o droseddoldeb – Robert Napper

Damcaniaeth ymlyniad Bowlby

O ystyried y wybodaeth yn yr astudiaeth achos am fywyd Napper, mae nifer o ddamcaniaethau a allai fod yn berthnasol i'w droseddoldeb. Er enghraifft, gallwn ni ystyried damcaniaeth ymlyniad Bowlby (1944), sy'n ategu'r syniad bod angen amgylchedd cartref sefydlog ar blentyn er mwyn iddo ddatblygu'n briodol. Fodd bynnag, byddai modd dadlau bod y cyfnod hwn o fod ar wahân yn ystod plentyndod wedi arwain at seicopathi dideimlad lle nad yw'r unigolion yn teimlo unrhyw edifeirwch tuag at eu dioddefwyr nac unrhyw euogrwydd am y drosedd maen nhw wedi'i chyflawni.

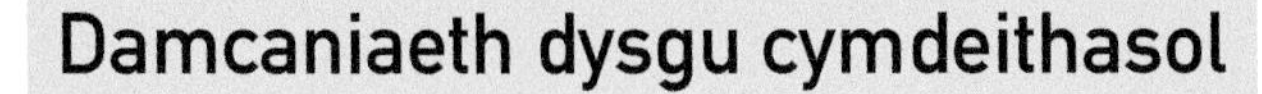

Damcaniaeth dysgu cymdeithasol

At hyn, mae'r ddamcaniaeth dysgu cymdeithasol a gyflwynwyd gan Bandura yn awgrymu bod Napper wedi dysgu gan y bobl o'i gwmpas. Yn benodol, roedd wedi gweld ei dad yn defnyddio trais yn erbyn ei fam. Yn ddiweddarach yn ei fywyd roedd wedi ymosod ar fenywod mewn ffordd greulon a threisgar iawn, gan eu treisio a'u llofruddio. Hefyd, pan oedd yn 12 oed, cafodd Napper ei dreisio yn y coed ger ei gartref. Adleisiwyd hyn yn ei droseddau ei hun yn ddiweddarach yn ei fywyd.

ASTUDIAETH ACHOS

FRED WEST

Credir bod Fred West, o swydd Gaerloyw, wedi llofruddio o leiaf 12 menyw ifanc, gan gynnwys llofruddio nifer ohonyn nhw gyda'i wraig Rose, rhwng 1967 ac 1987. Roedd y llofruddiaethau yn gysylltiedig â rhoi boddhad rhywiol i Fred a Rose ac roedden nhw'n cynnwys treisio, caethiwo ac arteithio. Hefyd, cafodd rhannau o'r cyrff eu torri a chladdwyd rhai o dan y patio yn eu cartref. Un o'r rhain oedd Heather West, eu merch, y cafwyd hyd i'w chorff gyda'r pen wedi'i dorri a'r esgyrn wedi'u torri'n fach er mwyn cael digon o le i gladdu'r sgerbwd. Cafodd y pâr eu harestio yn y pen draw a'u cyhuddo o'r llofruddiaethau. Fodd bynnag, llwyddodd Fred i'w grogi ei hun yn y carchar cyn y treial. Dyfarnwyd Rose yn euog o ddeg achos o lofruddiaeth gan reithgor ym mis Tachwedd 1995 a chafodd ei dedfrydu i ddeg dedfryd am oes orfodol ynghyd â thariff oes.

Yn ôl yr hanes, cafodd Fred ei gyflwyno i ryw gan ei fam pan oedd yn ifanc iawn a honnir ei fod yn cymryd rhan mewn gweithredoedd rhywiol gydag anifeiliaid yn ei arddegau cynnar. Pan oedd Fred yn 17 oed, cafodd ddamwain beic modur, dioddefodd anafiadau difrifol i'w ben ac roedd mewn coma am wythnos. Rhoddwyd plât metel yn ei ben ac efallai fod hyn wedi effeithio ar ei ymddygiad gan olygu nad oedd yn gallu rheoli ei ysgogiadau.

Gallwch ddarllen hanes Fred a Rose West yn llyfr Howard Sounes o'r enw Fred & Rose.

Term allweddol

Tariff oes: Gorchymyn sy'n datgan y bydd rhaid i'r diffynnydd, ar ôl iddo gael ei ddyfarnu'n euog o lofruddiaeth, dreulio'r holl ddedfryd yn y carchar ac na fydd yn cael hawl i barôl.

Datblygu ymhellach

Ymchwiliwch i lofruddion sydd wedi derbyn tariff oes. Ewch ati i ddarganfod beth yw eu henwau ac enwau eu dioddefwyr.

Damcaniaethau perthnasol o droseddoldeb – Fred West

Damcaniaeth dysgu cymdeithasol

Os yw'r straeon yn wir bod mam Fred wedi'i gyflwyno i ryw pan oedd yn ifanc, gall hyn esbonio dulliau a chreulondeb ei droseddau yn ddiweddarach yn ei fywyd. Roedd pwyslais ar dreisio ac arteithio rhywiol, sy'n awgrymu i'w fam ddylanwadu'n gryf arno a gweithredu fel model rôl.

Damcaniaeth personoliaeth Freud

Byddai modd dadlau nad oedd Fred yn gallu symud ymlaen o'r id, sy'n chwilio am bleser, at yr egwyddor realiti lle mae'r ego yn cael y lle blaenaf. Roedd yn dal i fod eisiau boddhad ar unwaith o'i weithredoedd rhywiol.

Niwed i'r ymennydd

Mae'r ffaith bod Fred wedi cael niwed i'w ymennydd mewn damwain beic modur yn rhoi rheswm biolegol dros ei droseddoleb o bosibl. Mae ymchwil wedi dangos bod niwed i ardal cortecs cyndalcennol yr ymennydd yn gallu effeithio ar allu unigolyn i reoli ei ymddygiad mympwyol. Efallai nad oedd Fred yn gallu gwrthsefyll yr ysfa am foddhad rhywiol.

ASTUDIAETH ACHOS

NICK LEESON

Mae Nick Leeson yn adnabyddus fel y dyn yr arweiniodd ei hapfasnachu twyllodrus ac anawdurdodedig at gwymp Banc Barings, banc masnachol hynaf y DU. Ar y dechrau, roedd yn llwyddiannus iawn, gwnaeth elw mawr i'r banc ac enillodd daliadau bonws enfawr iddo'i hun. Fodd bynnag, daeth ei lwc i ben yn 1995 pan ddangosodd ffeil gyfrinachol, Error Account 88888, ei fod wedi gamblo a cholli £827 miliwn yn enw Baring. Yn ei hunangofiant, dywed Leeson (1997), 'Roedden ni i gyd yn cael ein gyrru i wneud elw, elw, a mwy o elw ... Fi oedd y seren lachar ar y pryd.' Roedd pobl hefyd yn dweud ei fod yn anelwr uchel a oedd yn hoffi ymhél â busnesau mentrus.

Nick Leeson

Damcaniaethau perthnasol o droseddoldeb – Nick Leeson

Damcaniaeth personoliaeth Eysenck

Yn ôl y ddamcaniaeth hon, mae troseddwyr yn fwy tebygol o fod yn allblyg, yn fyrbwyll ac o geisio gwefr. Byddai modd dadlau bod Leeson yn barod i fentro ym myd trafodion ariannol, gan gymryd siawns y gallai gael ei ddal ond gan fwynhau'r wefr o wneud arian ar yr un pryd.

Damcaniaeth strwythur cymdeithasol Marcsaeth

O ystyried yr arian mawr roedd Leeson yn ei ennill, a oedd yn cynnwys taliadau bonws o hyd at £150,000, efallai ei fod eisiau osgoi syrthio i'r dosbarth gweithiol difreintiedig mewn cymdeithas. Gall Marcswyr ddadlau, oherwydd bod aelodau o'r proletariat yn cael eu plismona mor ofalus, nad yw troseddau coler wen fel twyll yn cael eu monitro gan yr heddlu ac mai dyna sut llwyddodd ef i osgoi cael ei ddal am amser mor hir.

Cyngor

Mae senarios yn cael eu hysgrifennu'n ofalus IAWN – mae pob darn o wybodaeth yno am reswm. Meddyliwch pam mae'r arholwr wedi cynnwys pob un manylyn yn y senario – at beth mae'n cyfeirio? Soniwch amdano yn eich ateb.

Gweithgaredd

Darllenwch y senario isod, o bapur arholiad Uned 2 2017, ac ystyriwch pa ffactorau sydd o bosibl yn peri i Paul droseddu. Trafodwch eich atebion gyda phartner.

> Mae Paul, 25 oed, wedi bod yn ddi-waith ers iddo adael yr ysgol yn 16 oed. Mae ei dad a'i ddau frawd hŷn wedi bod yn y carchar, ond hyd yma dydy Paul ddim wedi'i gael yn euog o unrhyw drosedd. Mae ei gariad yn cwyno nad oes ganddi dŷ braf ac nad yw'n mynd ar wyliau da fel ei ffrindiau. Mae Paul yn aml yn dioddef o iselder o ganlyniad i'w ddamwain car ddwy flynedd yn ôl, pan gafodd anafiadau i'w ben. Yr wythnos diwethaf, mewn ymgais i ddod ag ychydig o gyffro i'w fywyd diflas, cymerodd Paul ran mewn lladrad arfog mewn swyddfa bost leol. Fodd bynnag, cafodd ei arestio'n ddiweddarch ac mae ar remánd yn y carchar erbyn hyn.

Datblygu ymhellach

Ewch ati i lunio eich senarios eich hun gan gynnwys ymddygiad a allai ymwneud â'r damcaniaethau troseddegol. Bydd hyn yn eich helpu chi i ddeall sut gall y damcaniaethau troseddegol gael eu cymhwyso at sefyllfaoedd troseddoldeb.

MPA3.2 GWERTHUSO EFFEITHIOLRWYDD DAMCANIAETHAU TROSEDDEGOL I ESBONIO ACHOSION TROSEDDOLDEB

MEINI PRAWF ASESU	CYNNWYS	YMHELAETHU
MPA3.2 Dylech chi allu … Gwerthuso effeithiolrwydd damcaniaethau troseddegol i esbonio achosion troseddoldeb	**Damcaniaethau troseddegol** • unigolyddol • biolegol • cymdeithasegol	Dylech chi werthuso cryfderau a gwendidau damcaniaethau troseddegol o ran esbonio trosedd

Gwerthuso damcaniaethau unigolyddol

Damcaniaethau dysgu – damcaniaeth dysgu cymdeithasol Bandura

Cyfeiriwch at Uned 2, tudalennau 97–98, i ddarllen rhagor am ddamcaniaeth Bandura.

Dangosodd arbrawf y ddol Bobo fod y model yn effeithio ar ymddygiad y plentyn. Felly, roedd yn dangos achos ac effaith.	Mae arbrawf y ddol Bobo yn astudiaeth mewn labordy o ddynwared, sydd â dilysrwydd ecolegol (naturiol) isel. Mae'r sefyllfa yn cynnwys plentyn ac oedolyn sy'n modelu ymddygiad mewn sefyllfa gymdeithasol gyfyngedig iawn; mae'r plentyn a'r model yn ddieithr i'w gilydd. Fodd bynnag, mae modelu fel arfer yn digwydd o fewn y teulu lle bydd plant yn gyfarwydd â'r modelau.
Cafodd yr arbrawf a'r newidynnau, fel rhywedd a gweithredoedd y model, eu rheoli, i sicrhau mwy o gywirdeb.	Mae materion moesegol ynghlwm wrth yr arbrawf gan ei fod yn cyflwyno'r plant i ymddygiad ymosodol gyda'r ddealltwriaeth y bydden nhw'n ei ddynwared. Felly mae materion yn ymwneud ag amddiffyn plant rhag niwed seicolegol a chorfforol.
Mae'r astudiaeth wedi'i hailadrodd gyda rhai mân newidiadau ac fe gafwyd canlyniadau tebyg.	Yn achos y plant nad oedd erioed wedi chwarae gyda'r ddol cyn yr arbrawf, roedd y ddol yn cynnig rhywbeth newydd. Roedd hyn yn golygu eu bod yn fwy tebygol o ddilyn yr oedolyn. Sylwodd Cumberbatch (1997) fod plant nad oedd wedi chwarae â dol Bobo o'r blaen bum gwaith yn fwy tebygol o ddynwared y model na'r rhai oedd yn gyfarwydd â'r ddol.

Damcaniaethau seicodynamig – damcaniaeth seice Freud

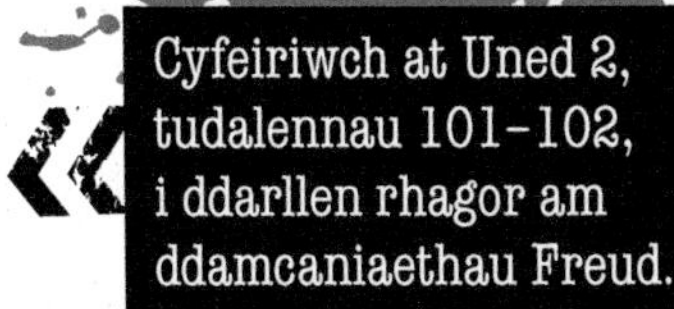
Cyfeiriwch at Uned 2, tudalennau 101–102, i ddarllen rhagor am ddamcaniaethau Freud.

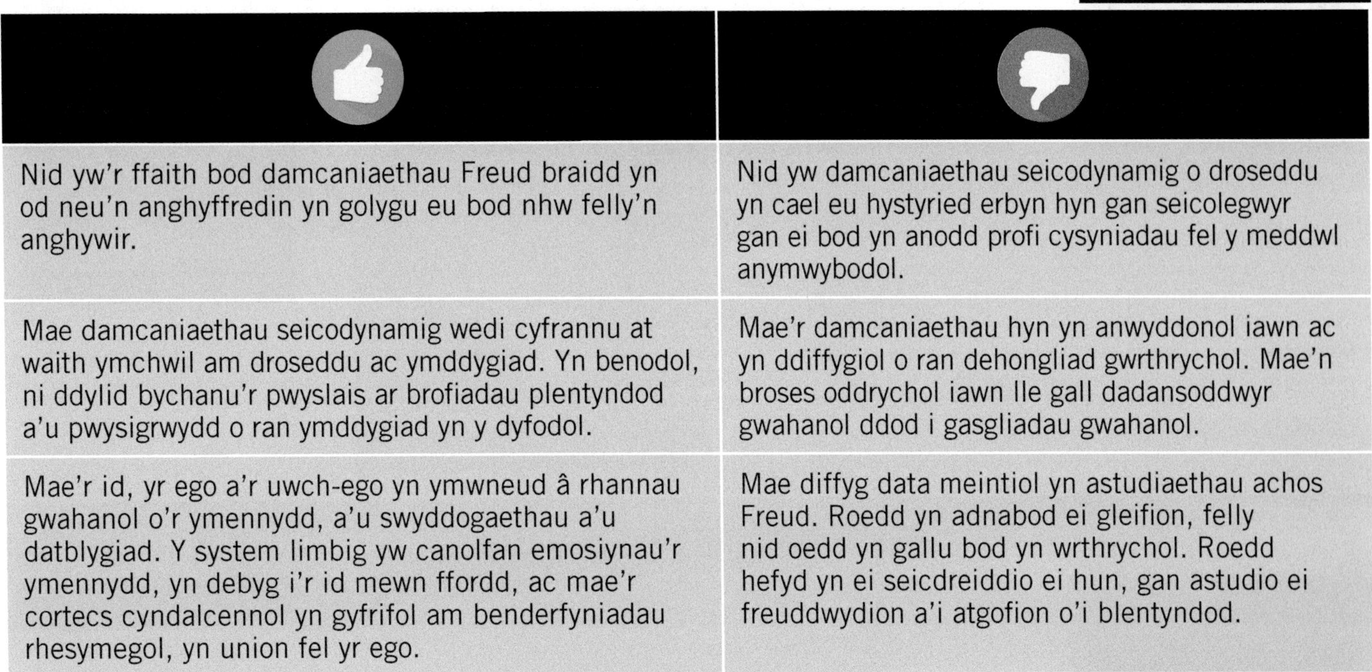

Nid yw'r ffaith bod damcaniaethau Freud braidd yn od neu'n anghyffredin yn golygu eu bod nhw felly'n anghywir.	Nid yw damcaniaethau seicodynamig o droseddu yn cael eu hystyried erbyn hyn gan seicolegwyr gan ei bod yn anodd profi cysyniadau fel y meddwl anymwybodol.
Mae damcaniaethau seicodynamig wedi cyfrannu at waith ymchwil am droseddu ac ymddygiad. Yn benodol, ni ddylid bychanu'r pwyslais ar brofiadau plentyndod a'u pwysigrwydd o ran ymddygiad yn y dyfodol.	Mae'r damcaniaethau hyn yn anwyddonol iawn ac yn ddiffygiol o ran dehongliad gwrthrychol. Mae'n broses oddrychol iawn lle gall dadansoddwyr gwahanol ddod i gasgliadau gwahanol.
Mae'r id, yr ego a'r uwch-ego yn ymwneud â rhannau gwahanol o'r ymennydd, a'u swyddogaethau a'u datblygiad. Y system limbig yw canolfan emosiynau'r ymennydd, yn debyg i'r id mewn ffordd, ac mae'r cortecs cyndalcennol yn gyfrifol am benderfyniadau rhesymegol, yn union fel yr ego.	Mae diffyg data meintiol yn astudiaethau achos Freud. Roedd yn adnabod ei gleifion, felly nid oedd yn gallu bod yn wrthrychol. Roedd hefyd yn ei seicdreiddio ei hun, gan astudio ei freuddwydion a'i atgofion o'i blentyndod.

Damcaniaethau seicolegol – mathau o bersonoliaeth droseddol Eysenck

Cyfeiriwch at Uned 2, tudalennau 102–103, i ddarllen rhagor am ymchwil Eysenck.

Roedd ymchwil Eysenck ar filwyr mewn ysbyty yn ategu'r ddamcaniaeth hon. Rhagdybiodd y byddai'r milwyr oedd wedi dioddef y trawma mwyaf yn sgorio'n uchel o ran niwrotiaeth.	Nid yw hyn yn ddibynadwy, gan fod posibilrwydd na fydd pobl yn ymateb yn union yr un peth i'r un cwestiynau bob dydd neu bob tro. Neu, efallai y byddan nhw'n cynnig yr ateb y mae'r ymchwilydd, yn eu barn nhw, yn ei ddisgwyl neu'n dymuno ei gael.
Os yw'r ddamcaniaeth hon yn gywir a'i bod yn bosibl canfod tueddiadau at ymddygiad troseddol yn ystod plentyndod, yna gall fod yn bosibl ymyrryd yn y cyfnod cynnar ac atal datblygiad o'r fath. Gallai hyn arwain at ymyraethau yn seiliedig ar rianta neu at driniaeth gynnar gan leihau troseddu.	Mae ymchwil yn y maes hwn yn dibynnu ar fesurau hunanadrodd ynghylch safbwynt unigolion am ei bersonoliaeth. Gall hyn arwain at atebion rhagfarnllyd neu fwriadol anghywir (Farrington et al., 1996).
Ei brofion personoliaeth yw sylfaen llawer o brofion personoliaeth modern sy'n ceisio rhagfynegi ymddygiad pobl mewn sefyllfaoedd gwahanol, er enghraifft profion seicometrig. Mae DeYoung (2010) yn awgrymu bod cysylltiad rhwng sgoriau S, A, N a phrosesau'r ymennydd, fel rhyddhau dopamin yn cael ei gysylltu â phersonoliaeth allblyg, a'r cysylltiad rhwng lefelau uchel o destosteron a seicotiaeth.	Mae'r ddamcaniaeth yn awgrymu bod personoliaeth yn rhywbeth genynnol heb ystyried y gall newid dros amser.

Datblygu ymhellach

Lluniwch fap meddwl yn dangos y gwerthusiad o ddamcaniaethau unigolyddol.

Gwerthuso damcaniaethau biolegol

Lombroso

Ydych chi'n cofio damcaniaeth Lombroso?

Cyflwynodd y syniad bod rhywun yn 'cael ei eni'n droseddwr'.

Mae troseddoldeb yn cael ei etifeddu a bydd y ffordd rydych chi'n edrych yn penderfynu a fyddwch chi'n droseddwr. Mae gan droseddwyr nodweddion atafiaethol (adleisiau).

Cyfeiriwch at Uned 2, tudalennau 93–94, i ddarllen rhagor am ddamcaniaeth Lombroso.

👍	👎
Lombroso oedd y cyntaf i roi hygrededd gwyddonol i droseddeg.	Dim grŵp rheolydd – felly nid yw'n bosibl gwneud cymariaethau.
Canfu Charles Goring (1913) ddeallusrwydd is-werth ymhlith carcharorion, gan awgrymu bod rhywfaint o sail genynnol i droseddoldeb.	Diffyg cywirdeb oherwydd anffurfiadau posibl.
Mae sawl darn o waith ymchwil, er enghraifft Prifysgol Bath Spa (Butcher a Taylor, 2007), yn awgrymu bod unigolion llai deniadol yn fwy tebygol o gael eu hystyried yn euog.	Nid yw pob un sydd â nodweddion atafiaethol yn droseddwr ac nid oes gan bob troseddwr y nodweddion hyn.
Heriodd Lombroso'r syniad fod troseddwyr yn bobl 'ddrwg' neu eu bod yn dewis bod yn droseddwyr.	Defnyddiodd Charles Goring (1913) grŵp rheolydd oedd ddim yn cynnwys troseddwyr a gwelodd nad oedd gwahaniaeth sylweddol o ran ymddygiad.
Rhoddodd Lombroso y label 'prifysgolion troseddu' i garchardai ac awgrymodd fod carcharorion yn bobl llawer mwy drwg wrth adael y carchar na phan aethon nhw i mewn. O ystyried y gyfradd atgwympo heddiw, mae hwn yn sylw craff iawn.	Hiliaeth wyddonol – nododd DeLisi (2012) fod llawer o'r nodweddion atafiaethol a ddiffiniwyd yn disgrifio pobl o dras Affricanaidd yn benodol.
Arweiniodd ei waith at ddechrau proffilio troseddwyr.	Penderfyniaethol iawn ac yn rhagdybio na allwn ddianc rhag ein tynged.

Term allweddol

Atgwympo: Tuedd troseddwr euog i aildroseddu.

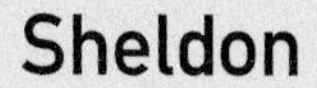

Sheldon

Ydych chi'n cofio damcaniaeth Sheldon? Roedd yn cysylltu math o gorff â throseddoldeb. O'r tri somatoteip, y mesomorff, sef person cyhyrog ac ymosodol, a gâi ei gysylltu ag ymddygiad troseddol.

Cyfeiriwch at Uned 2, tudalennau 94–95, i ddarllen rhagor am ddamcaniaeth Sheldon.

Mae nifer o astudiaethau eraill wedi cadarnhau bod cysylltiad bach rhwng maint corfforol a throseddoldeb (Putwain a Sammons, 2002).	Nid oedd yn gallu esbonio'n iawn sut gall ectomorffiaid ac endomorffiaid hefyd fod yn droseddwyr.
Defnyddiwyd sampl eithaf mawr (200). Hefyd, at bwrpas cymharu, roedd gan Sheldon grŵp rheolydd o fyfyrwyr nad oedd wedi troseddu.	Nid yw'n rhoi ystyriaeth i'r ffaith nad yw somatoteip rhai pobl yn aros yr un peth. Mae cyrff pobl yn newid ar hyd eu bywyd.
Er bod rhai materion yn codi ynghylch dibynadwyedd astudiaeth Sheldon, mae ymchwilwyr eraill wedi cael canlyniadau sydd fel pe baen nhw'n ategu ei ddamcaniaeth gychwynnol, yn rhannol o leiaf. Yn eu gwaith ymchwil, darganfu Glueck a Glueck (1956) fod 60% o'u sampl o dramgwyddwyr yn fesomorffiaid, ond bod y sampl heb dramgwyddwyr yn cynnwys 31% yn unig.	Ystyriwch a yw pobl yn pigo ar fesomorffiaid neu'n eu gwahodd/herio i gyflawni gweithredoedd anghyfreithlon? Oherwydd y ffordd mae pobl yn ystyried mesomorffiaid, efallai eu bod nhw'n cael eu denu at weithgareddau tramgwyddus gan grwpiau cyfoedion.
Canfu fod y grwpiau troseddol yn fwy mesomorffig.	Os yw siâp mesomorff yn cael ei ystyried yn droseddol, a yw'r llysoedd yn credu hyn hefyd? Efallai fod y llysoedd yn eu trin yn fwy llym, gan olygu bod mwy o debygolrwydd y byddan nhw'n cael eu labelu'n swyddogol yn droseddwyr.

Damcaniaeth XYY

Allwch chi gofio'r ddamcaniaeth enetig hon? Nododd adroddiadau fod nifer mawr o droseddwyr a garcharwyd am ymddygiad treisgar yn cario'r cromosom XYY.

Cyfeiriwch at Uned 2, tudalennau 91–92, i ddarllen rhagor am ddamcaniaeth XYY.

Yn ôl un astudiaeth gan Jacob et al. (1965), roedd gan nifer sylweddol o ddynion yn y carchar gromosmau rhyw XYY yn hytrach na'r rhai XY arferol.	Fodd bynnag, mae astudiaethau hefyd wedi dangos bod annormaleddau genynnol yn gyffredin yn y boblogaeth yn gyffredinol ac felly dydyn nhw ddim yn esbonio ymddygiad ymosodol.
Awgrymodd Adler et al. (2007) ei bod yn bosibl bod ymddygiad ymosodol a threisgar yn cael ei bennu'n rhannol o leiaf gan ffactorau genynnol.	Mae canolbwyntio gormod ar eneteg yn anwybyddu'r ymagwedd ymddygiadol.
	Ymchwiliodd Theilgaard (1984) i nodweddion dynion XYY o'u cymharu â dynion XY. Darganfu nad oedd y nodwedd ymosodol yn gysylltiedig â'r dynion XYY.

Astudiaethau o efeilliaid

Cyfeiriwch at Uned 2, tudalen 92, i ddarllen rhagor am astudiaethau o efeilliaid.

Mae astudiaethau o'r fath yn arbrofion naturiol, gan fod y berthynas fiolegol rhwng yr efeilliaid yn newidyn sy'n digwydd yn naturiol.	Nid oedd yr astudiaethau cynnar o efeilliaid, fel un Lange (1929), wedi'u rheoli'n ddigonol ac roedd diffyg dilysrwydd o ran a oedd yr efeilliaid yn DZ neu'n MZ, a oedd yn seiliedig ar eu hymddangosiad ac nid ar eu DNA.
Mae Christiansen (1977) yn cefnogi'r safbwynt bod elfen genynnol yn perthyn i droseddoldeb.	Efallai nad yw'r sampl bach a ddefnyddiwyd yn yr astudiaethau o efeilliaid yn gynrychiadol o'r boblogaeth yn gyffredinol.
Mae canlyniadau astudiaethau o efeilliaid wedi helpu i atal anhwylderau pobl sy'n teimlo'n agored i niwed.	Os yw gefeilliaid yn cael eu magu yn yr un amgylchedd, byddai'r un mor hawdd cysylltu troseddoldeb â natur â'i gysylltu â geneteg.

Astudiaethau mabwysiadu

Cyfeiriwch at Uned 2, tudalennau 92–93, i ddarllen rhagor am astudiaethau mabwysiadu.

Gan fod plant mabwysiedig yn cael eu magu mewn amgylchedd sy'n wahanol i'w teulu biolegol, mae'n haws gwahanu ffactorau genynnol ac amgylcheddol.	Gall oedran y plant pan gawson nhw eu mabwysiadu olygu bod un ai eu rhieni naturiol neu eu hamgylchedd maeth wedi dylanwadu arnyn nhw'n barod.
Mae astudiaethau wedi dod i'r casgliad bod cydberthyniad rhwng plant mabwysiedig a'u rhieni biolegol.	Nid oes gwybodaeth am y teulu biolegol ar gael bob amser.
	Nid yw'r broses fabwysiadu bob amser yn digwydd ar hap, gan fod plant yn aml yn cael eu lleoli gyda rhieni sy'n debyg i'w teuluoedd biolegol.

Cyngor

Sylwch nad yw'r pwyntiau gwerthuso yn disgrifio'r damcaniaethau. Nid yw hyn yn ofynnol yn y MPA hwn. Yn yr arholiad, mae'n bwysig nad ydych chi'n gwastraffu amser yn ysgrifennu disgrifiadau.

Gwerthuso damcaniaethau cymdeithasegol

Damcaniaeth strwythur cymdeithasol – Marcsaeth

Cyfeiriwch at Uned 2, tudalen 113, i ddarllen rhagor am Farcsaeth.

Mae'n cynnig esboniad am droseddu sy'n cynnwys pob dosbarth cymdeithasol ac amryw o droseddau.	Mae'n anwybyddu i raddau helaeth anghydraddoldebau eraill sydd ddim yn ymwneud â dosbarth, fel rhywedd neu ethnigrwydd.
Mae'n tynnu sylw at effaith gorfodi'r gyfraith yn ddewisol a'r ffaith nad yw troseddau coler wen yn cael eu plismona'n ddigonol.	Mae'n gor-ddweud faint o droseddu sy'n digwydd mewn cymunedau dosbarth gweithiol. Er enghraifft, nid yw pob aelod o'r dosbarth gweithiol yn troseddu. Hefyd, nid oes cyfraddau troseddu uchel ym mhob cymdeithas gyfalafol (ystyriwch Japan a'r Swistir).
Mae'n dangos sut mae'r gyfraith yn adlewyrchu gwahaniaethau mewn grym rhwng y dosbarthiadau cymdeithasol. Hefyd, sut gall anghydraddoldeb mewn cymdeithas arwain at ymddygiad troseddol.	Mae llawer o bobl yn cael eu herlyn am droseddau coler wen neu gorfforaethol. Ystyriwch Bernie Madoff a *The Wolf of Wall Street*.

Rhyngweithiadaeth – y ddamcaniaeth labelu

Cyfeiriwch at Uned 2, tudalen 107, i ddarllen rhagor am rhyngweithiadaeth.

Mae'n dangos sut mae'r gyfraith yn cael ei gorfodi mewn ffordd wahaniaethol. Mae'n tynnu sylw at ganlyniadau labelu.	Nid yw'n esbonio pam mae ymddygiad gwyrdroëdig yn digwydd yn y lle cyntaf. Nid yw'n derbyn y ffaith bod rhai pobl yn dewis gweithredu mewn ffordd wyrdroëdig.
Mae'n tynnu sylw at wendidau ystadegau swyddogol, sy'n caniatáu rhagfarn wrth orfodi'r gyfraith.	Mae'n anwybyddu dioddefwr y drosedd ac yn canolbwyntio ar y 'troseddwr'. Mae'n bosibl rhamanteiddio troseddu.
Mae'n tynnu sylw at rôl y cyfryngau wrth ddiffinio a chreu gwyredd ac am greu panig moesol.	Does dim angen label ar droseddwr iddo wybod ei fod yn gwneud rhywbeth drwg. Hefyd, nid yw labelu bob amser yn arwain at broffwydoliaeth hunangyflawnol.

Datblygu ymhellach

Darllenwch 'Labelling Theory its Strengths and Weaknesses' (2019) sydd ar wefan LawTeacher. Bydd yn rhoi rhagor o wybodaeth a syniadau i chi a fydd yn eich helpu i werthuso'r ddamcaniaeth hon o droseddoldeb.

Realaeth – realaeth y dde

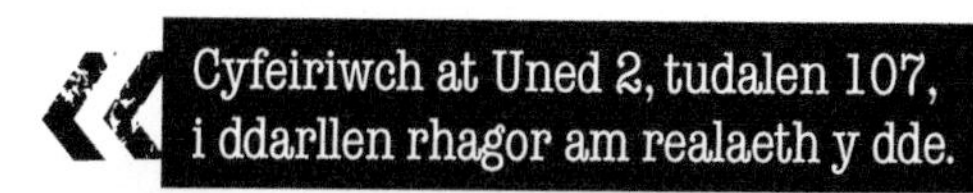
Cyfeiriwch at Uned 2, tudalen 107, i ddarllen rhagor am realaeth y dde.

👍	👎
Mae wedi helpu i lunio a chyfeirio ymchwil y llywodraeth i droseddu. Er enghraifft, mae wedi ysgogi pob math o arolygon dioddefwyr a mesurau ymarferol i drechu tlodi.	Mae'n rhy barod i dderbyn ystadegau troseddu. Er enghraifft, nid yw'n esbonio troseddau coler wen. Mae'r pwyslais ar ddynion ifanc a throsedd stryd.
Mae'n cynnig dull mwy ymarferol o ddelio â throseddu na'i brif ragflaenwyr damcaniaethol fel Marcsaeth neu labelu.	Mae'n anwybyddu achosion strwythurol troseddu, fel tlodi.
Mae ymchwil gan Flood-Page et al. (2000) yn ategu'r farn bod y teulu yn dirywio. Gwelwyd bod plant, yn enwedig bechgyn, o gefndiroedd un rhiant a llysteuluoedd yn fwy tebygol o droseddu na rhai a oedd yn byw gyda dau riant biolegol.	Mae'n anwybyddu'r bwlch cynyddol rhwng y cyfoethog a'r tlawd gan greu drwgdeimlad (amddifadedd cymharol).

Realaeth – realaeth y chwith

Cyfeiriwch at Uned 2, tudalen 108, i ddarllen rhagor am realaeth y chwith.

👍	👎
Mae'n rhoi llawer mwy o sylw i rôl y dioddefwyr, yn enwedig y tlawd a'r rhai agored i niwed, nag unrhyw ddamcaniaeth droseddegol arall.	Nid yw'n esbonio pam nad yw pawb mewn amddifadedd cymharol yn troi at drosedd.
Mae'n cydnabod achosion niferus trosedd.	Byddai modd dadlau bod y ddamcaniaeth hon yn gymysgedd o'r damcaniaethau eraill i gyd.
Mae realaeth y chwith yn osgoi eithafion gwaethaf yr ymagweddau asgell dde ac asgell chwith drwy beidio â mawrygu nac ymosod ar yr heddlu.	Nid yw'n esbonio troseddau coler wen na throseddau corfforaethol.

Gweithgaredd

Rhannwch y dosbarth yn ddau: un ochr o blaid realaeth y dde a'r llall o blaid realaeth y chwith. Yna trafodwch pa un yw'r safbwynt realaeth mwyaf addas i gymdeithas yn gyffredinol a hefyd i esbonio troseddoldeb.

Awgrym

Mewn arholiad, os bydd cwestiwn yn gofyn i chi werthuso damcaniaeth (neu ddamcaniaethau), does dim angen i chi ddisgrifio'r ddamcaniaeth. Yn aml bydd myfyrwyr yn camddeall y ddau fath o gwestiwn ac ni fyddan nhw'n rhoi gwerthusiad pan ofynnir iddyn nhw wneud hynny.

SYLWCH

Mae'r cwestiynau canlynol i gyd ar gael yn www.cbac.co.uk/cymwysterau/lefel-3-troseddeg/#tab_pastpapers.

Cwestiynau enghreifftiol

Dyma gwestiynau arholiad enghreifftiol yn y maes hwn:

Uned 2 – Arholiad 2017

Gwerthuswch effeithiolrwydd nifer o ddamcaniaethau troseddegol unigolyddol ar gyfer esbonio achosion troseddoldeb. **[8 marc]**

SYLWCH: o 2020 ymlaen, bydd y newidiadau yn y bandiau marciau yn golygu bod y cwestiwn hwn werth 9 marc.

Disgrifiwch wendidau'r ddamcaniaeth ffisiolegol rydych chi wedi ei disgrifio yn (a)(i). **[6 marc]**

Uned 2 – Arholiad 2018

Gwerthuswch pa mor effeithiol yw'r ddamcaniaeth gymdeithasegol sy'n cael ei disgrifio ar dudalen 3 o ran esbonio achosion troseddoldeb/troseddeg (*causes of criminality*). **[6 marc]**

Gwerthuswch ddamcaniaeth seicodynamig o ran esbonio achosion troseddoldeb/troseddeg (*causes of criminality*). **[8 marc]**

SYLWCH: o 2020 ymlaen, bydd y newidiadau yn y bandiau marciau yn golygu bod y cwestiwn hwn werth naill ai 4 neu 6 marc.

Uned 2 – Arholiad 2019

Gwerthuswch y ddamcaniaeth (cymdeithasegol) sy'n cael ei disgrifio yn (a)(i) a (ii). **[6 marc]**

Gwerthuswch pa mor effeithiol yw naill ai un ddamcaniaeth ffisiolegol neu un ddamcaniaeth enetig o ran esbonio achosion troseddoldeb. **[6 marc]**

Gwerthuswch pa mor effeithiol yw'r ddamcaniaeth (unigolyddol) rydych chi wedi ei disgrifio yn (b)(i) o ran esbonio achosion troseddoldeb. **[6 marc]**

Cyngor

Gallai cwestiwn gwerthuso yn yr arholiad allanol ofyn i chi ystyried un ddamcaniaeth neu amrywiaeth o ddamcaniaethau. Byddwch yn barod i addasu eich ateb i sicrhau eich bod yn gwneud y defnydd priodol o'r amser.

Uned 2 – Arholiad 2017

Disgrifiwch wendidau'r ddamcaniaeth ffisiolegol rydych chi wedi ei disgrifio yn (a)(i). **[6 marc]**

Mae'r damcaniaethau hyn yn cyfeirio at siâp corfforol rhywun ac mae Lombroso yn ganolog i'r rhain. Fodd bynnag, nid yw ei ddamcaniaeth bod gan droseddwyr nodweddion atafiaethol yn foddhaol oherwydd nad oedd grŵp rheolydd i wneud cymariaethau ag ef. Fe wnaeth Charles Goring (1913) ddefnyddio grŵp rheolydd oedd ddim yn cynnwys troseddwyr a gwelodd nad oedd gwahaniaeth sylweddol o ran ymddygiad. Hefyd, gall y ddamcaniaeth hon fod yn anghywir oherwydd anffurfiadau wyneb a'r ffaith nad yw pob un sydd â nodweddion cyntefig yn droseddwr. Mae'r ddamcaniaeth yn rhy benderfyniaethol. Yn olaf, mae dadl yn ymwneud â hiliaeth wyddonol gan fod DeLisi (2012) wedi nodi bod llawer o'r nodweddion atafiaethol a gafodd eu diffinio yn ymwneud yn benodol â phobl o dras Affricanaidd. Mae damcaniaeth Sheldon ynghylch somatoteipiau yn wan gan nad yw'n esbonio pam gall endomorffiaid ac ectomorffiaid fod yn droseddwyr hefyd. Yn ogystal, nid yw'n rhoi ystyriaeth i'r ffaith nad yw somatoteip rhai pobl yn aros yr un peth; gall siâp corff pobl newid ar hyd eu bywyd.

Asesiad

Band marciau 5–6 marc

Mae'r ateb hwn yn ystyried dwy ddamcaniaeth ac yn gywir nid yw'n disgrifio beth yw'r ddwy ddamcaniaeth. Mae'n canolbwyntio ar wendidau. Mae'r rhan gyntaf yn fanwl iawn ac yn cynnwys nifer o sylwadau priodol. Mae'n cynnwys ymchwil arall fel Goring a safbwyntiau mwy modern fel rhai DeLisi. Byddai modd gwella'r ateb drwy ddatblygu damcaniaeth Sheldon ychydig ymhellach. Mae'r defnydd o derminoleg arbenigol hefyd yn dda.

Sgiliau llythrennedd

Mae ansawdd eich cyfathrebu ysgrifenedig yn bwysig wrth ysgrifennu ateb. I wella eich ymateb i gwestiwn yn y MPA hwn, ysgrifennwch gyfres o frawddegau, pob un yn defnyddio un o'r geiriau neu'r ymadroddion isod:

- archwilio
- dyfnder
- penderfyniaethol
- idealydd
- dadleuol
- damcaniaethol
- mae'r ddamcaniaeth wedi ei hategu gan
- fodd bynnag, cyfyngiad yw
- ddim yn esbonio pam
- ar y llaw arall
- yn methu rhoi rhesymau dros hyn.

DEILLIANT DYSGU 4
DEALL ACHOSION NEWID MEWN POLISI

MPA4.1 ASESU'R DEFNYDD O DDAMCANIAETHAU TROSEDDEGOL WRTH LYWIO'R BROSES O DDATBLYGU POLISI

MEINI PRAWF ASESU	CYNNWYS	YMHELAETHU

MPA4.1 Dylech chi allu ...
Asesu'r defnydd o ddamcaniaethau troseddegol wrth lywio'r broses o ddatblygu polisi
	Damcaniaethau troseddegol
	• unigolyddol
	• biolegol
	• cymdeithasegol
	Datblygu polisi
	• llunio polisïau anffurfiol
	• llunio polisïau ffurfiol
	  • polisïau rheoli troseddau
	  • polisïau gwladol o ran cosbi
		Dylech chi allu cymhwyso eich gwybodaeth am bob un o'r damcaniaethau hyn ac asesu'r defnydd ohonyn nhw wrth lywio polisïau ar droseddu. Gallai hyn gynnwys, er enghraifft, poblyddiaeth gosbol, goddef dim, teledu cylch cyfyng (CCTV), cyfiawnder adferol, dull gweithredu amlasiantaeth

Cyngor

Meddyliwch am y meini prawf asesu hyn fel rhai sy'n ystyried dulliau o reoli troseddu y gallwch chi eu cysylltu â'r damcaniaethau troseddegol a gafodd eu trafod yn MPA2.1 damcaniaethau biolegol, MPA2.2 damcaniaethau unigolyddol a MPA2.3 damcaniaethau cymdeithasegol.

Damcaniaethau unigolyddol sy'n sail i'r broses o ddatblygu polisi

Cofiwch fod y damcaniaethau hyn yn gysylltiedig â'r ffordd mae unigolyn yn dysgu ac yn ymateb i brofiadau bywyd. Ar sail y profiad dysgu hwn, mae polisïau neu fesurau rheoli troseddu wedi cael eu datblygu i atal neu i leihau troseddoldeb.

Seicdreiddio a thriniaeth ar gyfer ymddygiad troseddol – yn cysylltu â damcaniaethau seicodynamig o droseddoldeb

Mae seicdreiddio, a sefydlwyd gan Freud, yn fath o driniaeth lle bydd y claf yn siarad am ei feddyliau, drwy wahanol ddulliau. Nod y dull hwn yw cyrraedd y meddyliau anymwybodol a ataliwyd, sef y meddyliau a arweiniodd o bosibl at y gweithgaredd troseddol. Y rhagdybiaethau yw bod unrhyw broblemau seicolegol, a achoswyd yn ystod datblygiad neu drawma a ataliwyd, wedi'u gwreiddio yn y

Triniaeth seicdreiddio.

meddwl anymwybodol. Yna mae'r driniaeth yn ceisio dod â'r meddyliau a ataliwyd i'r ymwybod lle gellir delio â nhw. Mae'r dadansoddwr yn caniatáu rhyddgysylltu felly bydd y claf yn siarad am beth bynnag sy'n dod i'w feddwl. Mae'n gwneud hyn drwy orwedd ar y gwely heb wynebu'r dadansoddwr.

Awgrym !

Mae'n bwysig asesu'r polisïau hyn i benderfynu a ydyn nhw'n gweithio ac a ydyn nhw'n lleihau troseddoldeb. Ni fydd esbonio beth ydyn nhw yn unig yn ddigonol.

A yw'n gweithio?

- Mae'n debyg mai'r therapi hwn yw'r un sy'n cael ei ffafrio leiaf o'r holl ddulliau cyfoes o weithio gyda throseddwyr. Mae'n cymryd llawer o amser ac mae'n annhebygol o gynnig atebion cyflym.
- Mae Blackburn (1993) yn feirniadol ohono gan nodi mai prin iawn yw'r gwerthusiadau cadarnhaol o seicdreiddio clasurol fel ffordd o drin troseddwyr.
- Mae Andrews et al. (1990) yn dadlau: 'Dylid osgoi therapïau seicodynamig traddodiadol ... gyda samplau cyffredinol o droseddwyr' (tudalen 376).
- Mae natur seicdreiddio yn creu anghydbwysedd grym rhwng y therapydd a'r cleient a allai godi cwestiynau moesegol.
- Gallai claf ddarganfod atgofion poenus iawn a gafodd eu hatal yn fwriadol.
- Daeth astudiaeth yn 2010 i'r casgliad ei fod yn gweithio cystal â thriniaethau seicotherapi eraill, fel therapi ymddygiadol gwybyddol, neu o leiaf roedd cyfwerth â nhw.

Mae sawl elfen negyddol yn ymwneud â seicdreiddio fel triniaeth.

Sgiliau llythrennedd

Cywirwch y camgymeriadau sillafu ac esboniwch y cysyniad/astudiaeth ym mhob un o'r canlynol:
- seictreiddiad
- Frued
- Bendura
- rhyddcysylltu.

Addasu ymddygiad – cysylltu â damcaniaethau dysgu o droseddoldeb

Mae addasu ymddygiad yn canolbwyntio ar dechnegau sy'n dileu ymddygiad annymunol ac yn hyrwyddo ymddygiad dymunol. Yr egwyddor sylfaenol yw bod ymddygiadau a atgyfnerthir yn cael eu cryfhau, ond bod ymddygiadau a gosbir yn cael eu gwanhau. Yn achos ymddygiad troseddol, mae'n cael ei gosbi er mwyn gwanhau'r feddylfryd a arweiniodd at yr ymddygiad anghyfreithlon.

Mae rhaglenni atgyfnerthu â thalebau yn dangos sut gellir addasu ymddygiad.

Mae'r system o atgyfnerthu â thalebau yn un agwedd ar addasu ymddygiad. Ystyr hyn yw rhoi taleb i rywun am weithred ddymunol, a fydd yn cael ei gyfnewid yn ddiweddarach am 'wobr'. Er enghraifft, gall carcharorion sy'n dilyn rheolau ennill breintiau, a'r enw ar hyn yw'r 'Cynllun Cymhelliant a Breintiau a Enillwyd'. Gall carcharor gael mwy o ymweliadau gan ffrindiau neu aelodau o'r teulu neu bydd yn cael gwario mwy o arian bob wythnos. Mae'r carcharor yn cael ei wobrwyo am ymddygiad dymunol a'i gosbi am ymddygiad

annymunol. Yn ôl Ymddiriedolaeth Diwygio'r Carchardai, elusen flaenllaw sy'n gweithio ym maes diwygio'r deddfau cosbi, mae'r cynllun:

yn hyrwyddo ymddygiad sy'n cydymffurfio drwy roi dewis rhesymegol. Mae galluogi pobl i ennill manteision yn gyfnewid am ymddygiad cyfrifol yn annog carcharorion i ymwneud â'r gwaith o gynllunio eu dedfryd ac yn sicrhau amgylchedd mwy disgybledig a rheoledig sy'n fwy diogel i staff a charcharorion. **(2017a, tudalen 1)**

A yw'n gweithio?

Dyfeisiodd Fo ac O'Donnell (1975) 'system bydis' lle byddai oedolion a oedd wedi gwirfoddoli yn cael eu rhoi i weithio gyda throseddwr ifanc er mwyn atgyfnerthu'n barhaus ymddygiad a oedd yn dderbyniol yn gymdeithasol. Roedd yn ymddangos bod y system wedi gwella ymddygiad troseddwyr difrifol, ond roedd yr effaith ar y rhai oedd wedi cyflawni troseddau llai difrifol yn gymysg.

Awgryma tystiolaeth ynghylch effeithlonrwydd rhaglenni atgyfnerthu â thalebau eu bod yn effeithiol yn y tymor byr gyda throseddwyr ifanc (Hobbs a Holt, 1976) a throseddwyr sy'n oedolion (Allyon a Milan, 1979). Fodd bynnag, nid oedd y gwelliannau yn tueddu i fynd y tu hwnt i'r sefydliad yn y tymor hirach.

Polisïau neu driniaethau eraill

- Mae hyfforddiant sgiliau cymdeithasol yn ceisio gwella sgiliau er mwyn osgoi troseddu a gwneud pobl yn fwy cymwys yn gymdeithasol. Fodd bynnag, ar ôl i'r driniaeth ddod i ben, gall yr hyn a ddysgwyd gael ei anghofio'n aml a gall hyd yn oed ddiflannu'n llwyr yn y tymor hir.
- Mae rheoli dicter yn ceisio atal pobl sydd ddim yn gallu rheoli eu tymer rhag cyflawni troseddau treisgar. Gall fod yn effeithiol os oes adnoddau priodol ar gael. Yn ôl Novaco (1975), gan nad yw troseddwyr yn gallu delio'n effeithiol â'u dicter, mae dicter yn tueddu i gael ei fynegi mewn ffyrdd gwrthgymdeithasol a'i gyfeirio at dargedau amhriodol. Mewn rhaglen rheoli dicter, defnyddir technegau ymddygiadol gwybyddol er mwyn helpu troseddwyr i ddelio'n fwy effeithiol â'u teimladau o ddicter. Dylai gwaith ymchwil gan Ainsworth (2000) a Howitt (2008) gael ei ddyfynnu.

Datblygu ymhellach

Gwyliwch 'Sheldon Shaping Penny in Big Band Theory' ar YouTube, a nodwch yr enghreifftiau o atgyfnerthiad cadarnhaol a negyddol ynddo. Esboniwch beth yw pwrpas pob un drwy ddweud beth yn union mae Sheldon yn ceisio ei gyflawni.

Mae Big Bang Theory *yn dangos atgyfnerthiad cadarnhaol a negyddol.*

Damcaniaethau biolegol sy'n sail i'r broses o ddatblygu polisi

Niwrogemegion – dylanwadu ar gemeg yr ymennydd drwy ddeiet

ASTUDIAETH ACHOS

GESCH ET AL. (2002)

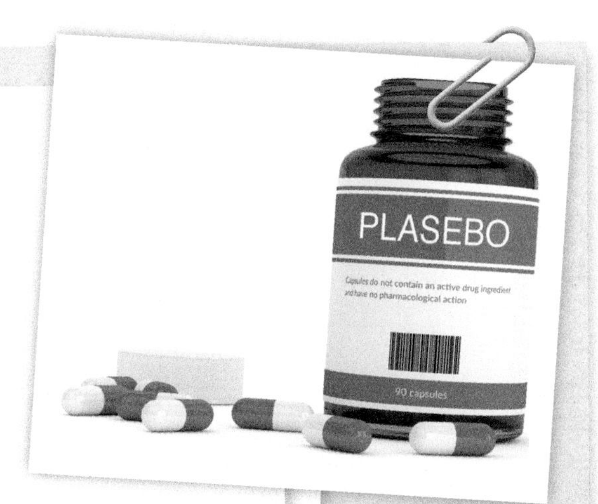

Yn yr astudiaeth hon, cytunodd 231 o wirfoddolwyr (oedolion ifanc, gwrywaidd yn y carchar) i dderbyn naill ai atchwanegyn fitamin, mwyn ac asid brasterog dyddiol neu gyffur plasebo (nid meddyginiaeth go iawn). Cymerwyd nifer o fesuriadau cyn ac ar ôl y prawf, gan gynnwys profion seicolegol, adroddiadau am weithredoedd treisgar ac adroddiadau am gamau disgyblu.

Roedd y canlyniad yn dangos bod nifer cyfartalog y 'digwyddiadau disgyblu i bob 1,000 o ddyddiau pobl' wedi gostwng o 16 i 10.4 yn y grŵp a gymerodd yr atchwanegyn, sef gostyngiad o 35%. Ar y llaw arall, gostyngiad o 6.7% yn unig oedd yn y grŵp plasebo. Roedd gostyngiad o 37% yn y digwyddiadau treisgar iawn yn y grŵp gweithredol, a 10.1% yn unig yn y grŵp plasebo.

Mae'r ymchwil sydd wedi'i ddangos yn yr astudiaeth achos uchod yn dangos ei bod yn bosibl i ddeiet effeithio'n gadarnhaol ar ymddygiad ymosodol, ac y gall hyn, yn ei dro, arwain at lai o droseddu. Hefyd, mae Virkkunen et al. (1987) wedi canfod bod lefel trosiant serotonin troseddwyr treisgar yn is na'r cyfartaledd. Mae'n bosibl trin hyn drwy ddilyn deiet o fwydydd sy'n cynnwys serotonin fel eog a thiwna ffres. Yn ogystal, canfu Schoenthaler (1982) fod deiet isel mewn siwgr yn lleihau ymddygiad gwrthgymdeithasol o 48%. Mae'r ymchwil hwn wedi cael effaith ar garchardai. Yn gyffredinol, mae'r holl garchardai erbyn hyn wedi ceisio mabwysiadu'r model Cydbwysedd Iechyd Da (Edwards et al., 2001) ac maen nhw'n darparu deiet iach sy'n gytbwys o ran maeth.

Yn 2012, roedd cynllun peilot yn cynnig ysbaddu cemegol i droseddwyr rhyw yn CEM Whatton, Lloegr. Yno, cafodd y gwirfoddolwyr bilsen, neu ymyrraeth gwrth-libidinol seicoffarmacolegol, i leihau eu hysfa am ryw. Cafodd y driniaeth dderbyniad ffafriol gan y carcharorion a oedd yn wirfoddolwyr.

Datblygu ymhellach

Darllenwch a lluniwch grynodeb o'r erthygl gan Gaby Hinsliff (2003), 'Diet of Fish "Can Prevent" Teen Violence', sydd ar gael ar wefan *The Guardian*.

Ewgeneg

Roedd yr astudiaeth o ewgeneg yn honni:

- Bod etifeddu genynnau yn gallu esbonio presenoldeb nodweddion ymddygiadol dynol syml a chymhleth.
- Ei fod yn atgyfnerthu syniadau penderfyniaeth fiolegol gan honni bod bioleg wedi cyfrannu at lawer o'r problemau cymdeithasol ar ddiwedd y bedwaredd ganrif ar bymtheg.

Mae polisi o'r fath wedi amrywio dros amser ac mewn gwledydd gwahanol, er enghraifft rhaglen anffrwythloni'r Natsïaid. Yn ei hanfod, mae'n argymell cyfraddau uwch o atgenhedlu rhywiol i bobl â nodweddion dymunol a chyfraddau uwch o anffrwythloni i bobl â nodweddion llai dymunol. Yn sgil hynny, roedd honiadau y byddai deddfau anffrwythloni yn atal troseddwyr dan glo rhag rhoi genedigaeth i blant a fyddai hefyd yn 'droseddwyr'. Mae ymchwil gan Osborn a West yn yr 1970au yn ategu'r ddamcaniaeth hon i raddau; datgelodd eu gwaith ymchwil fod gan 40% o'r bechgyn yr oedd gan eu tadau gofnod troseddol hefyd gofnodion troseddol, o'u cymharu ag ychydig dros 12% o fechgyn nad oedd gan eu tadau gofnod troseddol.

Er ei bod yn hynod o annhebygol y bydd polisi ewgeneg cyffredinol yn cael ei fabwysiadu, yn 2015, am resymau moesol a moesegol, rhoddodd barnwr yn y DU orchymyn a oedd yn caniatáu i fam ag anableddau dysgu a oedd â chwech o blant, gael ei hanffrwythloni.

Mae ewgeneg yn bolisi biolegol i atal troseddu.

Termau allweddol

Penderfyniaeth fiolegol: Mae personoliaeth neu ymddygiad unigolyn yn cael ei achosi gan y genynnau a etifeddodd, yn hytrach na ffactorau cymdeithasol neu ddiwylliannol, h.y. gan natur yn hytrach na gan ei fagwraeth.

Troseddwyr dan glo: Pobl sydd wedi'u cael yn euog o drosedd ac sydd wedi derbyn cyfnod yn y carchar yn gosb.

Y gosb eithaf

Mae'n bosibl mai'r polisi mwyaf eithafol sy'n cael ei sbarduno gan fioleg yw'r gosb eithaf neu ddienyddio gan y wladwriaeth. Yn ôl Amnest Rhyngwladol (2021), dienyddiwyd 657 o bobl yn 2019 (ac eithrio China). Yn y DU, cafodd y gosb eithaf ei diddymu dros dro yn 1965. Dangoswyd nad oedd y gyfradd llofruddiaethau wedi cynyddu o ganlyniad i hyn, felly diddymwyd y gosb eithaf yn barhaol mewn achosion o lofruddiaeth yn 1969.

A yw'r gosb eithaf yn gweithio fel dull o reoli troseddu?

Mae ystadegau o UDA yn dangos bod y gyfradd llofruddiaethau yn is yn y taleithiau sydd ddim yn defnyddio'r gosb eithaf nag yn y taleithiau sy'n ei defnyddio. Er enghraifft, yn 2015 roedd y gyfradd llofruddiaethau 25% yn uwch yn y taleithiau lle roedd y gosb eithaf nag yn y taleithiau heb y gosb eithaf, yn ôl Canolfan Wybodaeth y Gosb Eithaf (*Death Penalty Information Center*) (2017). Mae hyn yn awgrymu nad yw'r gosb eithaf yn atal troseddu o gwbl. Weithiau bydd pobl yn lladd yn fympwyol, pan fyddan nhw o dan ddylanwad cyffuriau neu alcohol neu'n dioddef o salwch meddwl. Mae'r bobl hyn yn annhebygol o ddod i benderfyniadau rhesymol a rhesymegol ar sail ofni'r canlyniadau, sef derbyn y gosb eithaf.

Cafodd y gosb eithaf ei diddymu'n llwyr ar gyfer llofruddiaeth yn y DU yn 1969.

Cyngor

Gall y gosb eithaf hefyd gael ei hystyried yn MPA4.2 'Esbonio sut mae newidiadau cymdeithasol yn effeithio ar y broses o ddatblygu polisi'. Fodd bynnag, mae'n bwysig deall y cyd-destun ar gyfer pob maen prawf. Yn y MPA hwn, y cyd-destun yw a yw'r gosb eithaf yn effeithio ar bolisi'r wladwriaeth, y gyfraith neu reolaeth o droseddu. Mewn geiriau eraill, a yw'n fesur effeithiol y gall y wladwriaeth ei fabwysiadu i reoli troseddu? Yn MPA4.2, dylai'r pwyslais fod ar safbwyntiau newidiol y gymdeithas a sut mae'r gosb eithaf wedi cael ei hystyried gan bobl dros amser.

Damcaniaethau cymdeithasegol sy'n sail i'r broses o ddatblygu polisi

Poblyddiaeth gosbol

Mae poblyddiaeth gosbol (*penal populism*) yn cyfeirio at ymdrechion y llywodraeth i gynnig deddfau i gosbi troseddwyr a fydd yn boblogaidd gyda'r cyhoedd. Yn ôl yr Athro David Wilson (2014), dechreuodd y polisi hwn o ganlyniad i achos James Bulger yn 1993. Daeth y cyhoedd i bryderu am droseddu treisgar yn y gymuned. Ychwanegodd y cyfryngau at y pryderon â phenawdau yn sôn am yr angen i beidio â delio â throseddu yn rhy ysgafn. O ganlyniad, roedd consensws rhwng y pleidiau gwleidyddol bod angen iddyn nhw ddelio â throseddu mewn ffordd gadarn a bod angen cosbi troseddwyr. Effeithiodd hyn yn ei dro ar boblogaeth y carchardai, gan fod cymaint o bobl wedi cael dedfrydau o garchar, sy'n golygu bod mwy o ddedfrydau am oes yn y DU nag yn holl wledydd Ewrop gyda'i gilydd, ac mae hyn yn dal yn wir heddiw.

Mae'r cyfryngau yn cyhoeddi penawdau sy'n cyfrannu at ymateb gan y cyhoedd sy'n mynnu y dylai llywodraethau ddelio â throseddu mewn ffordd gadarn.

SUT GALL HYN FOD YN GYFIAWNDER?

LLOFRUDDION

Y gwirionedd am dreuliau'r Cabinet

Y GWIRIONEDD

Haciodd *News of the World* ffôn Millie Dowler yn ystod chwiliad yr heddlu

NAWR RYDYCH CHI'N TALU AM BARTÏON YN Y CARCHAR

99% YN GALW AM DDEDDF SARAH

Aduno tad a mab. Llys cyfrinachol yn gorfod agor ei ddrysau.

CYFIAWNDER YN AWR

Un o brif addewidion Tony Blair, Prif Weinidog y Deyrnas Unedig rhwng Mai 1997 a Mehefin 2007, pan oedd yn Ysgrifennydd Cartref yr Wrthblaid yn 1993, oedd y byddai'n 'delio â throseddu mewn ffordd gadarn, a delio ag achosion troseddu mewn ffordd gadarn' ('*to be tough on crime and tough on the causes of crime*'). Ers hynny, mae pleidiau gwleidyddol wedi cyflwyno deddfau cosbi i ddelio â throseddu mewn ffordd gadarn ac mae hyn wedi arwain at gosbau, gan gynnwys dedfrydau am oes awtomatig, am ail drosedd ddifrifol, a dedfrydau o garchar am isafswm o gyfnod sefydlog. Er enghraifft, y syniad o roi 'tri rhybudd' yng nghyfraith Cymru a Lloegr, lle mae trydedd drosedd o fasnachu cyffur dosbarth A yn arwain at saith mlynedd yn y carchar o leiaf ac mae trydedd euogfarn am fwrgleriaeth ddomestig yn arwain at ddedfryd o dair blynedd o leiaf.

Termau allweddol

Deddfau cosbi: Deddfau â'r bwriad o gosbi.

Dedfryd o garchar: Cosbi drwy anfon rhywun i'r carchar.

Carchar

Un o'r prif ffyrdd mae cymdeithas yn ceisio rheoli troseddu yw drwy garcharu pobl. Yn ôl gwefan Gwasanaeth Carchardai Ei Mawrhydi (d.d.):

Rydyn ni'n cadw'r rhai sy'n cael eu dedfrydu i garchar yn y ddalfa, gan eu helpu i ddilyn bywydau defnyddiol sy'n ufudd i'r gyfraith, yn ystod eu cyfnod yn y carchar ac ar ôl iddyn nhw gael eu rhyddhau. Rydyn ni'n cydweithio â llysoedd, yr heddlu a chynghorau lleol, yn ogystal â mudiadau gwirfoddol, i wneud hyn.

Mae'r carchar yn bolisi ffurfiol a ysbrydolwyd gan ddamcaniaeth gymdeithasegol.

Dyma'r mathau o ddedfrydau o garchar sydd ar gael:

- **Cydredol:** lle bydd dwy neu ragor o ddedfrydau o garchar yn cael eu rhoi a gorchmynnir iddyn nhw gael eu bwrw ar yr un pryd.
- **Cyd-olynol:** bydd un yn dilyn y llall.
- **Gohiriedig:** yn cael eu bwrw yn y gymuned ag amodau sy'n aml yn ymwneud â gwaith di-dâl.
- **Penodol:** cyfnod penodol.
- **Amhenodol:** dim cyfnod penodol.

A yw carchar yn gweithio?

Y ffordd orau o ateb y cwestiwn hwn yw drwy ymchwilio i Bromley Briefings Prison Factfile sydd ar wefan Ymddiriedolaeth Diwygio'r Carchardai. Mae'r canlynol yn dod o rifyn Gaeaf 2021:

- Mae nifer y bobl yn y carchar wedi cynyddu 70% dros y 30 mlynedd diwethaf.
- Mae gan Cymru, Lloegr a'r Alban y gyfradd carcharu uchaf yng Ngorllewin Ewrop.
- Cafodd bron i 70,000 o bobl eu hanfon i'r carchar yn y flwyddyn hyd at fis Mehefin 2020. Roedd y mwyafrif wedi cyflawni trosedd heb fod yn dreisgar (65%).
- Mae dedfrydau byr o garchar yn llai effeithiol na dedfrydau cymunedol o ran lleihau aildroseddu.
- Yn yr arolwg, dywedodd llai nag un ymhob 10 mai rhoi mwy o bobl yn y carchar oedd y ffordd fwyaf effeithiol o ddelio â throsedd. Cafodd ymyrraeth gynnar, fel gwell rhianta, disgyblaeth mewn ysgolion a gwell adsefydlu, i gyd eu nodi yn ffyrdd fwy effeithiol.
- Mae nifer y bobl sy'n cael eu galw yn ôl i'r ddalfa wedi cynyddu, yn enwedig ymhlith menywod.
- Cafodd 8,931 o bobl a oedd â dedfryd o 12 mis neu lai yn y carchar, eu galw yn ôl i'r carchar yn y flwyddyn hyd at fis Mehefin 2020.
- Yn ôl arolygwyr, doedd diogelwch dros hanner y carchardai i ddynion y gwnaethon nhw ymweld â nhw yn ystod y flwyddyn ddiwethaf (51%) ddim yn ddigon da. Dywedodd bron i hanner y bobl mewn carchardai i ddynion (48%) a charchardai i fenywod (49%) eu bod wedi teimlo'n anniogel ar ryw bwynt yn y carchar.
- Mae'r gyfradd marwolaeth mewn carchardai wedi codi dros 50% yn y degawd diwethaf. Bu farw 282 o bobl yn y carchar yn y flwyddyn hyd at fis Medi 2020.
- Mae'r gwasanaeth carchardai yn gyffredinol wedi bod yn orlawn bob blwyddyn ers 1994.

(wedi'i addasu o Ymddiriedolaeth Diwygio'r Carchardai, 2021)

Sgiliau llythrennedd

Ysgrifennwch frawddeg ar gyfer pob un o'r geiriau canlynol i esbonio eu defnydd mewn rheolaeth gymdeithasol:

- ewgeneg
- y gosb eithaf
- poblyddiaeth gosbol
- dedfrydau o garchar
- cydredol
- cyd-olynol.

Nid yw cyfnod yn y carchar yn effeithiol o ran lleihau aildroseddu – mae 46% o oedolion yn cael eu dyfarnu'n euog eto cyn pen blwyddyn ar ôl eu rhyddhau. I'r rhai sy'n bwrw dedfrydau llai na 12 mis o hyd, mae'r ganran yn codi i 60%.

Goddef dim

Mae'r polisi hwn yn mynnu cymryd mesurau yn erbyn pob trosedd, pa mor ddibwys bynnag yw hi. Mae realwyr y dde yn ffafrio polisi goddef dim. Cyflwynwyd y polisi yn Efrog Newydd a honnir iddi fod yn llwyddiannus iawn yno. Defnyddiodd Adran Heddlu Efrog Newydd gyfrifiaduron i ddadansoddi ardaloedd lle roedd troseddau'n digwydd amlaf, fesul stryd a fesul trosedd, cyn cyflwyno polisi goddef dim.

Ystyr goddef dim yw cymryd camau yn erbyn pob trosedd.

Mae'r dull hwn wedi cael ei ddefnyddio yn y DU yn King's Cross (Llundain), Hartlepool, Middlesborough a Strathclyde. Roedd cyn-Dditectif Uwcharolygydd Heddlu Cleveland, Ray Mallon, wedi addo ymddiswyddo pe bai'n methu lleihau troseddu yn ei ardal o 20% mewn 18 mis, drwy ddilyn polisi goddef dim; oherwydd hyn, roedd yn cael ei alw'n 'Robocop'.

Mae'r strategaeth yn seiliedig ar y ddamcaniaeth 'ffenestri wedi'u torri', a ddatblygwyd gan George Kelling a James Wilson (1982). Mae'r ddamcaniaeth hon yn awgrymu cysylltiad rhwng anhrefn a throseddu, gan nodi bod arwyddion gweledol o ddirywiad fel sbwriel, ffenestri wedi'u torri, graffiti, tai gwag ac ati yn arwyddion o ddiffyg diddordeb gan y cyhoedd. Pan welir arwyddion fel hyn, rhaid gweithredu i atal rhagor o droseddu rhag digwydd.

A yw'n gweithio?

Yn Efrog Newydd, ers 1993, gwelwyd gostyngiad o 39% mewn troseddau difrifol a 49% mewn llofruddiaethau. Mae canlyniadau tebyg wedi dod i'r amlwg yn y DU: gwireddwyd addewid y Ditectif Uwcharolygydd Mallon i leihau troseddu o 20% mewn 18 mis. Roedd y ffigurau ar gyfer y tri mis hyd at Chwefror 1997 yn dangos gostyngiad o 22%. Llwyddodd Mallon i gael canlyniadau tebyg yn ei swydd flaenorol yn Hartlepool, lle roedd lleihad mewn troseddu o 38% mewn 28 mis.

Mae canlyniadau negyddol yn dod yn sgil plismona ymosodol, gan gynnwys cyhuddiadau o ymddygiad llawdrwm gan yr heddlu.

Yn ogystal â pholisi goddef dim, mae rhesymau eraill dros ostyngiad yn nifer y troseddau yn Efrog Newydd. Mae llai o drigolion yn cymryd crac cocain sy'n annog trais ac mae llawer o'r rhai a oedd yn gyfrifol am droseddu yn yr 1980au bellach yn y carchar. Hefyd, mae troseddu wedi lleihau yn yr ardaloedd lle nad yw'r heddlu'n dilyn polisi goddef dim. Yn olaf, gellid dadlau nad yw'n bosibl gwybod beth fydd effeithiau tymor hir polisi o'r fath. Mae'n gweithio'n dda mewn ardaloedd poblog iawn lle mae lefelau uchel o blismona a llawer o fân droseddau. Ond mewn ardaloedd lle mae'r boblogaeth yn wasgaredig neu lle mae'r gyfradd droseddu yn isel, efallai na fydd yn cael llawer o effaith. Hefyd, mae tensiwn hiliol bob amser yn bosibilrwydd os yw pobl yn teimlo eu bod yn cael eu herlid, fel yn achos UDA. Mae hyn wedi codi ar sawl achlysur, gan gynnwys yn 2020 gyda marwolaeth George Floyd, wnaeth arwain at fudiad Black Lives Matter.

Cyfiawnder adferol

Mae cyfiawnder adferol yn broses wirfoddol sy'n cynnwys yr unigolyn sydd wedi dioddef niwed a'r un sydd wedi achosi'r niwed. Bydd hwyluswr wedi'i hyfforddi yn gweithio gyda dioddefwyr a throseddwyr i siarad am yr hyn ddigwyddodd, ar bwy effeithiodd y niwed, a sut, a beth gellir ei wneud i helpu i wella'r niwed.

Oherwydd deddfwriaeth, gall cyfiawnder adferol ddigwydd ar unrhyw gam o'r broses cyfiawnder troseddol, yn y cyfnod cyn y ddedfryd ac ar ôl euogfarnu lle gall fod yn rhan o'r weithdrefn ddedfrydu. Mae carchardai a heddluoedd yn ei ddefnyddio ac mae'n dod yn fwyfwy poblogaidd. Hefyd, mae'r llywodraeth wedi rhoi arian i'r comisiynwyr heddlu a throseddu i sicrhau bod y broses ar gael i ddioddefwyr trosedd.

Term allweddol

Hwyluswr: Rhywun sy'n helpu i wneud tasg yn haws neu sy'n helpu rhywun i ddod o hyd i ateb.

Mae'r defnydd o gyfiawnder adferol wedi tyfu dros y blynyddoedd diwethaf.

Gweithgaredd

Gwyliwch 'The Woolf Within' ar YouTube ac ystyriwch fanteision ac anfanteision cyfiawnder adferol.

A yw'n gweithio?

Mae cyfiawnder adferol yn gweithio gan ei fod yn rhoi llais i'r dioddefwr yn y system cyfiawnder troseddol a gall wneud troseddwyr yn atebol am eu gweithredoedd gan roi cyfle iddyn nhw gymryd cyfrifoldeb drostyn nhw. Yn ôl gwefan Cymdeithas y Carchardai (*Prison Fellowship*) (2017), mae astudiaethau peilot yn awgrymu bod cyfiawnder adferol yn gallu lleihau anhwylder pryder ôl-drawmatig mewn dioddefwyr ac, mewn rhai achosion, gall sbarduno troseddwyr i droi cefn ar fywyd troseddol. Mae gwahanol astudiaethau yn awgrymu bod cyfiawnder adferol yn lleihau cyfraddau aildroseddu ac yn cynnig gwerth am arian sy'n cael ei wario gan y llywodraeth. Yn 2001, daeth adroddiad annibynnol gan y Weinyddiaeth Gyfiawnder i'r casgliad bod:

- Y rhan fwyaf o ddioddefwyr yn dewis cymryd rhan mewn cyfarfodydd wyneb yn wyneb â'r troseddwr, gyda chymorth hwyluswr wedi'i hyfforddi.
- 85% o'r dioddefwyr a gymerodd ran yn fodlon â'r broses.
- Cyfiawnder adferol yn lleihau amlder aildroseddu, gan arwain at £9 mewn arbedion i'r system cyfiawnder troseddol am bob £1 sy'n cael ei gwario ar gyfiawnder adferol. (Y Cyngor Cyfiawnder Adferol, 2016)

Mae dadansoddiad y llywodraeth o'r ymchwil hwn wedi dod i'r casgliad bod cyfiawnder adferol yn lleihau amlder aildroseddu o 14%. Cyhoeddwyd adolygiad systematig o'r dystiolaeth ar effeithiolrwydd cyfiawnder adferol gan y Campbell Collaboration yn 2013. Daeth i'r casgliad bod cyfiawnder adferol yn lleihau aildroseddu ac yn gwella bodlonrwydd dioddefwyr.

Datblygu ymhellach

Ymchwiliwch i ganfyddiadau a'r gwerthusiad o raglen The Sycamore Tree sy'n codi ymwybyddiaeth dioddefwyr o gyfiawnder adferol.

CCTV

Mae'r defnydd o CCTV (teledu cylch cyfyng) mewn ymchwiliad troseddol yn dechneg werthfawr iawn:

- Dyma un o'r ceisiadau cyntaf a wneir gan yr heddlu ar ddechrau eu hymholiadau.
- Mae adnabod cyflawnwr posibl neu rywun a ddrwgdybir o gyflawni gweithred droseddol yn anodd iawn os nad oes lluniau CCTV ar gael.
- Mae goblygiadau polisi ynghlwm wrth CCTV fel mesur i atal troseddu.

Teledu Cylch Cyfyng (CCTV)

A yw'n gweithio?

Fel mesur ataliol, yn ôl papur briffio'r Coleg Plismona (2013), 'The Effects of CCTV on Crime', gall arwain at 'leihad bach, ond arwyddocaol yn ystadegol, mewn troseddu' (tudalen 2). Mae'n fwy effeithiol pan fydd yn cael ei gyfeirio at leihau dwyn cerbydau a dwyn o gerbydau, ond nid yw'n cael unrhyw effaith ar droseddau treisgar. Fel techneg ymchwiliadol, gall ddarparu tystiolaeth rymus.

Llun CCTV o James Bulger yn cael ei arwain i'w farwolaeth.

Gellir defnyddio CCTV i ddangos natur a difrifoldeb y drosedd ac adnabod y rhai a ddrwgdybir a thystion. Mae llawer o achosion atgas (*infamous*) wedi cael eu datrys diolch i dystiolaeth CCTV. Er enghraifft, mae llawer o bobl yn cofio'r llun hunllefus o James Bulger yn cael ei arwain i ffwrdd gan y ddau fachgen 10 oed, Robert Thompson a Jon Venables, neu'r lluniau niferus o bobl yn dwyn yn ystod y terfysgoedd yn Llundain yn 2011.

Cyhoeddodd sawl papur newydd luniau CCTV o rai o'r bobl a oedd yn gysylltiedig â therfysgoedd Llundain yn 2011 er mwyn i'r cyhoedd adnabod y rhai oedd yn cael eu drwgdybio.

Dull gweithredu amlasiantaeth

Mae'n amlwg bod cydweithio rhwng asiantaethau sy'n gweithio yn y system cyfiawnder troseddol yn bwysig iawn er mwyn ei gwneud yn fwy tebygol y bydd troseddau'n cael eu canfod a'u hatal rhag digwydd yn y lle cyntaf. Er enghraifft, mae'n bosibl atal materion fel diogelu neu gam-drin domestig pan fydd nifer o asiantaethau yn gweithio gyda'i gilydd, er mwyn cael darlun cyflawn o'r sefyllfa. Yn 1984, pwysleisiodd y Swyddfa Gartref bod angen dull gweithredu amlasiantaeth â'r arwyddair 'Mae atal troseddu yn dasg i'r gymuned gyfan'. Mae'r dull hwn o weithio mewn partneriaeth yn seiliedig ar y syniad nad yw'n bosibl i'r heddlu, nac yn wir i un asiantaeth ar ei phen ei hun, ddelio â throseddu'n effeithiol.

Term allweddol

Diogelu: Amddiffyn rhag niwed neu ddifrod drwy gyfrwng mesur priodol.

Mae Adran 5 Deddf Trosedd ac Anhrefn 1998 yn gosod dyletswydd statudol ar awdurdodau lleol, yr heddlu, awdurdodau iechyd a phwyllgorau'r gwasanaeth prawf i gydweithio er mwyn mynd i'r afael â phroblemau trosedd ac anhrefn yn eu hardaloedd. Mae sawl ffordd o weithio mewn dull gweithredu amlasiantaeth, gan gynnwys:

- Yr heddlu yn gweithio gydag Awdurdod y Diwydiant Diogelwch, Safonau Masnach ac Iechyd yr Amgylchedd i leihau troseddau anhrefn yn ymwneud ag alcohol.
- Swyddogion heddlu arbenigol yn gweithio gyda gweithwyr ailsefydlu, tîm camddefnyddio sylweddau'r gwasanaeth prawf a'r rhaglen ymyrraeth cyffuriau i roi sylw i aildroseddu yn ymwneud â chyffuriau.
- Cydweithio rhwng y gwasanaeth carchardai, yr heddlu, asiantaethau gorfodaeth y gyfraith a'r gwasanaethau prawf er mwyn ymateb yn llym i gynnydd yn nifer y drôns sy'n smyglo cyffuriau a ffonau symudol i garchardai yng Nghymru a Lloegr.
- Mae'r Trefniadau Amlasiantaethol ar gyfer Amddiffyn y Cyhoedd (MAPPA) yn asesu ac yn rheoli'r risgiau yn achos troseddwyr rhywiol a threisgar, ac yn darparu arweiniad i'r heddlu, y gwasanaeth carchardai ac ymddiriedolaethau prawf.

MPA4.2 ESBONIO SUT MAE NEWIDIADAU CYMDEITHASOL YN EFFEITHIO AR Y BROSES O DDATBLYGU POLISI

MEINI PRAWF ASESU	CYNNWYS	YMHELAETHU
MPA4.2 Dylech chi allu ... Esbonio sut mae newidiadau cymdeithasol yn effeithio ar y broses o ddatblygu polisi	**Newidiadau cymdeithasol** • gwerthoedd cymdeithasol, normau a moesau • canfyddiad y cyhoedd o drosedd • strwythur cymdeithas • newidiadau demograffig • newidiadau diwylliannol	Dylech chi feddu ar ddealltwriaeth o newidiadau cymdeithasol a sut maen nhw wedi effeithio ar y broses o ddatblygu polisi

Cyngor

Mae'r maen prawf asesu hwn yn gofyn i chi esbonio sut mae newidiadau mewn cymdeithas a safbwyntiau pobl yn arwain at newidiadau o ran deddfau neu bolisi. Mae hyn yn eithaf eang ac nid yw'n rhagnodol, felly gallwch chi ddewis meysydd i'w hastudio ar gyfer yr arholiad. Er enghraifft, gallai'r newidiadau cymdeithasol fod oherwydd strwythur cymdeithas, er enghraifft crefydd, hawliau menywod, hawliau anabledd neu hiliaeth. Ar y llaw arall, gallai newidiadau cymdeithasol fod oherwydd newid yn niwylliant cymdeithas, er enghraifft newidiadau i'r safbwyntiau ar ysmygu tybaco, cyfunrywioldeb, cam-drin domestig, cymorth i farw, ac ati. Mae'n dderbyniol i chi sôn am ymgyrchoedd; fodd bynnag, mae'r MPA hwn yn ymwneud â chymdeithas ac nid ag ymgyrchoedd.

Gwerthoedd cymdeithasol, normau a moesau

Gwerthoedd cymdeithasol

Gwerthoedd cymdeithasol yw rheolau sy'n cael eu rhannu gan y rhan fwyaf o bobl mewn diwylliant neu'r syniadau maen nhw'n eu hystyried yn werthfawr. Maen nhw'n ganllawiau mwy cyffredinol na normau. Er enghraifft:

- Mae'r rhan fwyaf o bobl yn credu y dylen ni barchu pobl hŷn ac y dylen ni ildio ein seddau i bobl hŷn.
- Roedd yr ymadrodd 'menywod a phlant yn gyntaf' yn ymwneud â'r gwerth cymdeithasol o adael i fenywod a phlant adael llong a oedd yn suddo cyn y dynion.

Normau

Disgwyliadau cymdeithasol yw'r rhain sy'n llywio ymddygiad ac sy'n esbonio ymddygiad pobl a pham maen nhw'n ymddwyn fel y maen nhw. Maen nhw'n atal ymddygiad gwyrdroëdig. Mae disgwyliad cymdeithasol yn ymddygiad disgwyliedig ond gallai amrywio o un diwylliant i'r llall. Er enghraifft, yn y DU mae pobl yn gwisgo dillad tywyll a phrudd mewn angladd ond yn China gwyn yw lliw galaru.

Moesau

Moesau neu ffyrdd da o ymddwyn yw'r rhain. Normau y byddai diwylliant yn eu hystyried yn rhy ddifrifol i'w torri, er enghraifft llofruddiaeth neu droseddau rhyw yn erbyn plant.

Mae gwerthoedd cymdeithasol, normau a moesau i gyd wedi newid dros amser, gan arwain at newidiadau yn y gyfraith neu mewn polisi.

Newid yn safbwyntiau'r gymdeithas ynghylch ysmygu

Yn yr 1930au, roedd ysmygu sigaréts yn norm cymdeithasol ac roedd yr ymddygiad hwn yn dderbyniol. Fodd bynnag, wrth i bobl ddeall goblygiadau iechyd ysmygu, newidiodd safbwyntiau pobl ac erbyn hyn mae'n arfer nid yn unig y mae pobl yn gwgu arno, ond sydd hefyd, mewn rhai amgylchiadau, yn anghyfreithlon.

Yn yr 1930au, roedd ysmygu yn cael ei weld yn rhywbeth deniadol ac yn cael ei annog, hyd yn oed gan feddygon. Roedd sêr enwog i'w gweld yn ysmygu sigaréts mewn ffilmiau ac roedd yn dderbyniol ysmygu dan do, mewn bwytai, mewn ceir ac yn ymyl plant. Fodd bynnag, o ganol yr 1950au ymlaen, cyhoeddwyd sawl darn o waith ymchwil a oedd yn cadarnhau bod cysylltiad rhwng cynhyrchion tybaco a chanser yr ysgyfaint. Roedd y cyhoedd yn dechrau poeni mwy am beryglon ysmygu sigaréts, ac yn y pen draw diflannodd y meddygon o'r hysbysebion sigaréts.

Yn wreiddiol, roedd hysbysebion sigaréts yn cael eu cymeradwyo gan feddygon.

ASTUDIAETH ACHOS

Yn 1964, daeth y Llawfeddyg Cyffredinol (yn UDA) i'r casgliad bod cysylltiad rhwng canser yr ysgyfaint a broncitis cronig ac ysmygu sigaréts. Erbyn diwedd 1965, roedd yn ofynnol i'r diwydiant tybaco roi labeli rhybudd ar ei gynhyrchion a hysbysebion yn rhybuddio'r cyhoedd am y peryglon iechyd a oedd yn gysylltiedig ag ysmygu. Newidiodd agweddau cymdeithas a daeth ysmygu sigaréts yn llai ffasiynol a sigaréts eu hun yn fwy anodd cael gafael arnyn nhw. Dechreuodd rhybuddion iechyd ymddangos ar becynnau sigaréts, gan ddatblygu'n rhybuddion a oedd yn cynnwys delweddau graffig.

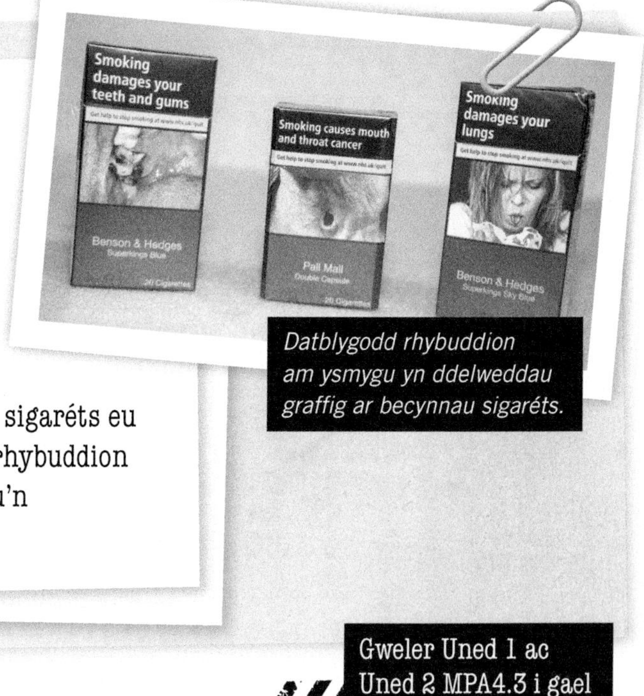

Datblygodd rhybuddion am ysmygu yn ddelweddau graffig ar becynnau sigaréts.

Erbyn hyn, mae nifer o grwpiau ymgyrchu yn annog pobl i roi'r gorau i ysmygu, er enghraifft ASH (*Action on Smoking and Health*).

Gweler Uned 1 ac Uned 2 MPA4.3 i gael rhagor o wybodaeth am ymgyrchoedd.

Dros y blynyddoedd diwethaf, mae ymgyrchoedd yn erbyn ysmygu sigaréts wedi arwain at sawl darn o ddeddfwriaeth sy'n gosod cyfyngiadau ar ysmygu. Er enghraifft, roedd Deddf Hysbysebu a Hyrwyddo Tybaco 2002 yn gwahardd hysbysebu a hyrwyddo cynhyrchion tybaco yn llwyr, gan gynnwys y defnydd o rannu brandiau a noddi digwyddiadau diwylliannol a chwaraeon. Mae Deddf Iechyd 2006 yn gwahardd ysmygu mewn mannau cyhoeddus ac mewn ardaloedd gwaith sy'n gaeëdig neu'n sylweddol gaeëdig. Hefyd, roedd Deddf Plant a Theuluoedd 2014 yn galluogi'r llywodraeth i weithredu rheoliadau yn gwahardd ysmygu mewn cerbydau pan fydd plant yn bresennol.

Gweithgaredd

Gwyliwch 'Unbelievable: Doctors Recommend Smoking! 60 Years Ago ...' a 'Changing Social Norms to Reduce the Acceptability of Smoking' ar YouTube. Bydd hyn yn eich helpu chi i werthfawrogi sut mae safbwyntiau'r gymdeithas wedi newid o safbwynt ysmygu.

Newid yn safbwyntiau'r gymdeithas ynghylch cyfunrywioldeb

Mae'n amlwg o'r darn blaenorol ar ysmygu fod newid mewn gwerthoedd ac agweddau cymdeithasol yn gallu effeithio'n sylweddol ar ddatblygu polisi. Erbyn hyn, mae cyfunrywioldeb yn dderbyniol yn gymdeithasol yn y DU a'r frwydr i sicrhau cydraddoldeb yw un o'r newidiadau diwylliannol mwyaf dramatig yn y farn gyhoeddus.

Yn yr unfed ganrif ar bymtheg, roedd gweithredoedd cyfunrywiol yn arwain at y gosb eithaf. Cafodd y gosb hon ei diddymu yn y bedwaredd ganrif ar bymtheg, ond roedd y ddeddf yn gwahardd unrhyw weithgaredd rhywiol rhwng gwrywod. Cafwyd Oscar Wilde yn euog o dan y ddeddf hon a'i ddedfrydu i ddwy flynedd yn y carchar. Roedd safbwyntiau yn dal i newid, ac yn 1967 cafodd cyfunrywioldeb ei ddad-droseddoli. Fodd bynnag, aeth sawl degawd heibio cyn i bobl gyfunrywiol gael yr un hawliau â phobl heterorywiol.

- **1950au:** roedd sawl achos enwog o arestio pobl am weithredoedd cyfunrywiol anweddus. Arweiniodd hyn at drafodaeth agored i sicrhau newid yn y gyfraith.
- **1957:** cyhoeddwyd Adroddiad Wolfenden, a ddaeth i'r casgliad bod y deddfau yn tresmasu ar ryddid sifil ac na ddylai'r gyfraith ymyrryd mewn materion yn ymwneud â moesoldeb personol.
- **1967:** cafodd cyfunrywioldeb ei ddad-droseddoli yng Nghymru a Lloegr, a phennwyd oed cydsynio o 21 oed i bobl gyfunrywiol.
- **1994:** cafodd oed cydsynio ei ostwng i 18 oed gan Ddeddf Cyfiawnder Troseddol a Threfn Gyhoeddus 1994.
- **2000:** cafodd yr oedran ei ostwng i 16 oed gan Ddeddf Troseddau Rhyw (Diwygio) 2000. Roedd hyn yn gosod rhyw rhwng pobl gyfunrywiol ar sail gyfartal â rhyw rhwng pobl heterorywiol.

Roedd cyfunrywioldeb yn drosedd ac yn dabŵ cymdeithasol difrifol ym Mhrydain yn ystod cyfnod Oscar Wilde.

Fodd bynnag, roedd llawer o hawliau o dan y ddeddf yn wahanol o hyd, er enghraifft doedd hi ddim yn gyfreithlon i bobl gyfunrywiol briodi. Roedd rhaid ymgyrchu am ddegawd arall cyn i hyn ddigwydd.

- **2000:** ymgyrchodd gwahanol grwpiau fel Stonewall dros hawliau cyfartal i gyplau o'r un rhyw.
- **2004:** caniatawyd partneriaethau sifil o ganlyniad i Ddeddf Partneriaeth Sifil 2004.
- **2014:** cafodd y briodas gyntaf rhwng pobl o'r un rhyw ei chaniatáu o dan Ddeddf Priodasau (Cyplau o'r un Rhyw) 2013.

Hefyd, yn gwbl groes i'r cyfnod pan oedd cyfunrywioldeb yn cael ei gosbi â marwolaeth, erbyn hyn mae deddfau yn ei gwneud yn drosedd i wahaniaethu yn erbyn pobl ar sail eu cyfeiriadedd rhywiol, yn sgil Deddf Cydraddoldeb 2010.

Mae trosedd homoffobig yn un agwedd ar drosedd gasineb sy'n caniatáu i Wasanaeth Erlyn y Goron wneud cais am ymestyn dedfryd troseddwr.

Mae sawl rheswm pam mae safbwyntiau cymdeithas wedi newid, gan gynnwys:

- Newidiadau diwylliannol neu hyd yn oed strwythur cymdeithas yn newid.
- Mae cymdeithas yn llai crefyddol erbyn hyn nag ar unrhyw adeg arall yn ei hanes.
- Mae dysgeidiaethau sawl crefydd yn awgrymu bod cyfunrywioldeb yn anghywir.
- Nid yw pobl yn gyffredinol yn ofni Duw na hyd yn oed yn credu yn Nuw.

Mae hyn wedi golygu nad yw ideolegau'r Beibl, er enghraifft, bellach yn cael eu dilyn ac mae agwedd fwy goddefgar neu ymlaciol yn bodoli. Hefyd, mae oedran yn bwysig, gan fod pob cenhedlaeth newydd yn dod yn fwy goddefgar, gan gario'r agwedd hon ymlaen gyda nhw. Dyna pam mae cyfran y gymdeithas sy'n derbyn cyfunrywioldeb yn tyfu o hyd.

Newid yn safbwyntiau'r gymdeithas ynghylch hawliau menywod

Ar ddechrau'r ugeinfed ganrif, ychydig iawn o hawliau cyfreithiol a gwleidyddol oedd gan fenywod. Stereoteip y wraig briod oedd un a fyddai'n aros gartref i edrych ar ôl y plant, tra oedd y gŵr yn mynd allan i weithio. Roedd menywod dibriod yn aml yn cael eu cyflogi mewn gwasanaethau fel addysg, gweini neu goginio.

Fodd bynnag, wrth i fudiad y Swffragetiaid ymladd am yr hawl i bleidleisio, gwrthryfelodd menywod yn erbyn priodas, gan geisio addysg a chydraddoldeb. Yn raddol, dechreuodd cymdeithas newid ei safbwyntiau am fenywod, fel mae'r ddeddfwriaeth a basiwyd yn dangos.

- **1928:** oherwydd bod dynion a menywod yn cefnogi cydraddoldeb, enillodd menywod yr hawl i bleidleisio o ganlyniad i Ddeddf Cynrychiolaeth y Bobl 1928.
- **Yr Ail Ryfel Byd:** pan ddechreuodd y rhyfel, roedd rhaid i fenywod lenwi llawer o swyddi roedd dynion yn draddodiadol yn eu gwneud.

Roedd mudiad y Swffragetiaid yn arwain yr ymgyrch i fenywod gael yr hawl i bleidleisio.

- **1960au:** helpodd y mudiad Rhyddid i Fenywod i sicrhau nifer o newidiadau drwy eu polisïau a'u dull radical o feddwl. Roedd polisïau yn ymwneud â chydraddoldeb yn parhau i gael eu cyflwyno gan sawl llywodraeth ym meysydd addysg, gwahaniaethu a chyflogaeth.
- **1970:** roedd Deddf Cyflog Cydradd 1970 yn ei gwneud yn anghyfreithlon i dalu cyfraddau is i fenywod nag i ddynion am yr un gwaith.
- **1975:** roedd Deddf Gwahaniaethu ar sail Rhyw 1975 yn ei gwneud yn anghyfreithlon i wahaniaethu yn erbyn menywod ym myd gwaith, addysg a hyfforddiant.

Newid yn safbwyntiau'r gymdeithas

Mae meysydd eraill y byddai modd eu hystyried wrth ymdrin ag agweddau sy'n newid mewn cymdeithas yn cynnwys:

- cam-drin domestig
- hiliaeth
- y gosb eithaf
- gwregysau diogelwch mewn ceir
- erthyliad
- hawliau anabledd
- hawliau cyflogaeth
- crefydd
- hunanladdiad cynorthwyedig.

Gorymdeithiodd dirprwyaeth o'r grŵp Hawl i Fyw'n Annibynnol i Dŷ'r Cyffredin ac ymlaen i Stryd Downing yn 2016 i brotestio am wahaniaethu yn erbyn anabledd.

Gweithgaredd

Ymchwiliwch i ymdrechion diweddar yn Senedd y DU i newid y gyfraith ar hunanladdiad cynorthwyedig.

Strwythur cymdeithas – newidiadau demograffig

Mae troseddolegwyr yn defnyddio demograffeg i ddeall y rhesymau pam mae pobl yn troseddu. Mae gwybodaeth fel hyn yn cynnwys lleoliad y drosedd a manylion yr unigolyn sy'n troseddu. Felly, mae modd astudio agweddau ar ddemograffeg, fel oed, hil, rhyw a dosbarth cymdeithasol i roi gwybodaeth am droseddoldeb. Gall gwybodaeth o'r fath ein helpu ni i ddeall pam mae troseddau'n cael eu cyflawni, ac felly rhoi ffyrdd i ni o wrthsefyll a mynd i'r afael â'r materion hynny. Mae'r wybodaeth hon yn cael ei chofnodi yn Arolwg Troseddu Cymru a Lloegr ac yng nghofnodion yr heddlu o droseddau a gofnodwyd.

Gweithgaredd

Ewch i wefan y Swyddfa Ystadegau Gwladol (www.ons.gov.uk) ac edrychwch ar rai o'r tueddiadau blynyddol a'r tablau demograffig. Gwnewch nodyn o'r hyn mae'r wybodaeth yn ei ddweud am bwy sy'n cyflawni troseddau a lleoliad troseddau.

MPA4.3 TRAFOD SUT MAE YMGYRCHOEDD YN EFFEITHIO AR Y BROSES O LUNIO POLISI

MEINI PRAWF ASESU	CYNNWYS
MPA4.3 Dylech chi allu ... Trafod sut mae ymgyrchoedd yn effeithio ar y broses o lunio polisi	**Ymgyrchoedd** • ymgyrchoedd papur newydd • ymgyrchoedd unigol • ymgyrchoedd gan garfanau pwyso

Cyswllt synoptig

Dylech chi gyfeirio at ymgyrchoedd a drafodwyd yn Uned 1, ac eraill, i nodi'r polisïau a gyflwynwyd ganddyn nhw. Hefyd, ceisiwch gynnwys amrywiaeth o ymgyrchoedd fel:

- Ymgyrchoedd papur newydd am ddeddf Sarah, er enghraifft.
- Ymgyrchoedd unigol fel brwydr Ann Ming i ddileu'r gyfraith erlyniad dwbl neu ymgyrch Bobby Turnbull i ddiwygio'r deddfau gynnau.
- Ymgyrchoedd carfanau pwyso fel y rhai sy'n cael eu rhedeg gan ASH, Greenpeace, Cynghrair Howard er Diwygio'r Deddfau Cosbi ac ati.

Pwyntiau i'w hystyried

Mae pwyntiau i'w hystyried ar gyfer pob ymgyrch yn cynnwys:

- Esboniwch am beth roedd yr ymgyrch, neu sut/pam dechreuodd hi.
- Y prif gyfranwyr.
- Sut ceisiodd yr ymgyrch newid polisïau/deddfau (enghreifftiau o ddulliau ymgyrchu).
- Sut newidiodd yr ymgyrch safbwyntiau neu feddyliau pobl.
- Y ddeddf neu'r polisïau a gyflwynwyd yn ei sgil, os oedd yn llwyddiannus. Byddai modd dadlau mai dyma ran bwysicaf eich ateb, felly gwnewch yn siŵr eich bod yn gwybod beth oedd effaith y newidiadau a beth yw enw'r ddeddf/polisi.

Mae llong Greenpeace 'Arctic Sunrise' *yn helpu i hyrwyddo ei waith.*

Ymgyrch papur newydd

Deddf Sarah

Esbonio am beth roedd yr ymgyrch, neu sut/pam dechreuodd hi

Yn 2000, wyth oed yn unig oedd Sarah Payne pan gafodd ei herwgipio a'i llofruddio gan Roy Whiting. Roedd wedi cael ei garcharu yn 1995 am herwgipio plentyn naw oed ac ymosod yn anweddus arni. Cafodd ei enw ei roi ar y Gofrestr Troseddwyr Rhyw. Yn ystod ymweliad ag aelodau o'i theulu, rhoddodd rhieni Sarah ganiatâd iddi hi, ei brodyr a'i chwaer, chwarae ar eu pen eu hunain, a dyna pryd cafodd hi ei herwgipio. Fodd bynnag, roedd y teulu'n mynnu pe baen nhw'n gwybod bod Whiting yn yr ardal, bydden nhw wedi cymryd camau i'w hamddiffyn.

Y prif gyfranwyr

Dechreuodd rhieni Sarah ymgyrch i sicrhau bod gwybodaeth am droseddwyr rhyw hysbys ar gael i'r cyhoedd. Cefnogwyd yr ymgyrch i newid y ddeddf gan y cyn-bapur Sul, *News of the World*. Cyhoeddodd y papur enwau a lluniau 50 o bobl roedd yn honni eu bod nhw'n droseddwyr rhyw. Yn anffodus, cafodd hyn effaith vigilante a gwrthododd y llywodraeth ymateb i'r pwysau.

Sut newidiodd yr ymgyrch safbwyntiau neu feddyliau pobl

Fodd bynnag, parhaodd y papur newydd a rhieni Sarah â'u hymgyrch, a phan gafodd merch ifanc arall ei herwgipio a dioddef ymosodiad rhyw, dechreuodd y llywodraeth ailfeddwl. Anfonwyd gweinidog i UDA i weld sut roedd deddf Megan yn gweithio, sef polisi yn UDA sy'n galluogi rhieni i gael gwybodaeth am baedoffiliaid sy'n byw yn eu cymuned.

Y ddeddf neu'r polisïau a gyflwynwyd yn ei sgil

Yn 2008, cyflwynwyd cynllun peilot mewn pedair ardal yn y DU a oedd yn galluogi rhieni i wneud ymholiadau am unigolion a oedd wedi'u henwi. Yna byddai'r heddlu yn datgelu manylion yn gyfrinachol i'r unigolyn a oedd yn y sefyllfa orau i amddiffyn y plentyn, fel arfer y rhieni, os oedden nhw'n credu bod hynny er budd y plentyn. Yn 2011, ar ôl i'r cynllun peilot fod yn llwyddiannus, cafodd ei ymestyn i gynnwys Cymru a Lloegr i gyd. Ei enw yw'r Cynllun Datgelu Troseddwyr Rhyw yn erbyn Plant.

Term allweddol

Cofrestr Troseddwyr Rhyw: Yn cynnwys manylion unrhyw un a gafodd ei gyhuddo, ei rybuddio neu ei ryddhau o'r carchar am droseddau rhyw yn erbyn plant neu oedolion ers mis Medi 1997. Mae'n cael ei chadw gan yr heddlu ac mae enwau tua 9,000 o bobl arni.

Term allweddol

Cynllun peilot: Yn cael ei ddefnyddio i brofi syniad cyn penderfynu a ddylai gael ei gyflwyno ar raddfa fawr.

NEWS OF THE WORLD

Edition number 8,674

The world's greatest newspaper 1843–2011

FERGIE 'SELLS' ANDY FOR £500K

NAMED SHAMED

HUNTLEY IN HIS CELL

CAUGHT!

THANK YOU & GOODBYE

After 168 years, we finally say a sad but very proud farewell to our 7.5m loyal readers

INSIDE: 48-PAGE SOUVENIR PULLOUT

PROFITS FROM THIS HISTORIC EDITION WILL GO TO CHARITY

JACKO'S DEATHBED

Cyhoeddwyd rhifyn olaf News of the World *ym mis Gorffennaf 2011.*

Cyngor

Gallwch gynnwys unrhyw ymgyrchoedd gan bapurau newydd lleol sydd wedi ceisio newid y gyfraith. Does dim rhaid iddyn nhw fod yn ymgyrchoedd mawr cenedlaethol.

Ymgyrchoedd papur newydd eraill sydd wedi helpu i newid y gyfraith

Y prif gyfranwyr

Ymgyrchodd *Bradford Telegraph & Argus* i wella diogelwch ar y ffyrdd.

Tudalennau blaen Bradford Telegraph & Argus *yn dangos canlyniadau gyrru peryglus.*

READ BY 116,589 PEOPLE IN PRINT AND ONLINE EVERY DAY — COUNTY EDITION

Telegraph & Argus

GREEN BELT CAMPAIGNER HITS OUT AT DEVELOPERS

Menston protester's anger at claim that land must be built on – PAGE 5

Wednesday, September 28, 2016 — 65p — telegraphandargus.co.uk

WHEN WILL THIS MADNESS END?

STOP THE DANGER DRIVERS — A T&A CAMPAIGN

As another family mourns a young life lost, we ask: how many more must die before action is taken?

SPECIAL REPORT – Pages 2&3; COMMENT – Page 10

CARE PROCEEDINGS & FAMILY LAW SPECIALISTS

CHAMBERS SOLICITORS — 24 HR LAWYERS

OFFICE: 01274 301 450 • 24hr: 07958 405040 • 37 Grattan Road, Bradford BD1 2LU

telegraphandargus.co.uk

Telegraph & Argus

GO SWITCHING ON TO CHRISTMAS

Big festive events round-up in pictures – PAGES 20–21

Monday, November 30, 2015 — 60p — Serving the district for 144 years

ENOUGH IS ENOUGH...

Page 1 Comment

STOP THE DANGER DRIVERS

SHOCKING FOOTAGE – P2 / TRAIL OF DESTRUCTION – P3

News: High winds havoc hits Yeadon — Page 7

Shock axe for blood service — Page 14

Sport: Keeper vow as run ends — Back Page

CARE PROCEEDINGS & FAMILY LAW SPECIALISTS

CHAMBERS SOLICITORS — 24 HR LAWYERS

OFFICE: 01274 301 450 • 24hr: 07958 405040 • 37 Grattan Road, Bradford BD1 2LU

Sut ceisiodd yr ymgyrch newid polisïau/deddfau

Roedd yn annog darllenwyr i anfon fideos 'dash-cam' yn dangos enghreifftiau o yrru peryglus.

Sut newidiodd yr ymgyrch safbwyntiau neu feddyliau pobl

O ganlyniad i hyn, dechreuodd yr heddlu 'Ymgyrch Steerside' i leihau gyrru peryglus, a hyd yma mae bron 8,000 o yrwyr wedi cael eu dal yn torri'r gyfraith gan dîm plismona'r ffyrdd. Mae'r heddlu'n dweud bod yr ymgyrch hon bellach wedi'i gwreiddio yn niwylliant heddluoedd lleol.

Y ddeddf neu'r polisïau a gyflwynwyd yn ei sgil

Tua diwedd 2016, rhoddwyd sylw i'r ymgyrch yn y Senedd gan ASau Bradford. Defnyddion nhw'r ymgyrch fel rhan o ymgynghoriad cenedlaethol yn ymwneud â gwneud deddfwriaeth gyrru peryglus yn fwy llym.

Datblygu ymhellach

Ymchwiliwch i broject 'Beyond the Blade' a lansiwyd gan *The Guardian* yn 2017. Sut ceisiodd newid polisïau/deddfau?

Ymgyrchoedd unigol

Ymgyrch Ann Ming i ddiddymu'r gyfraith ar erlyniad dwbl

Ymgyrch am beth roedd hi

'Mother's Devotion Makes History' oedd y pennawd ym mhapur newydd *The Journal* pan gafodd Billy Dunlop ddedfryd am oes am lofruddio Julie Hogg.

Y prif gyfranwyr

Roedd mam Julie, Ann Ming, wedi addo y byddai'n dod â llofrudd ei merch gerbron llys, gan ddiddymu deddf 800 mlwydd oed er mwyn gwneud hynny.

Esbonio ymgyrch am beth roedd hi

Mae'r gyfraith ar erlyniad dwbl yn atal ail erlyniad am yr un drosedd ar ôl rhyddfarn neu euogfarn. Lladdwyd Julie yn ei chartref yn Billingham, Teesside, yn 1989 ac fe gafodd Dunlop ei ddwyn i brawf am ei llofruddio. Fodd bynnag, yn 1991 methodd rheithgor yn Llys y Goron Newcastle ddwyn rheithfarn. Cafodd ail achos llys ei gynnal yn ddiweddarach y flwyddyn honno, ond ar ôl i reithgor gwahanol fethu dwyn rheithfarn, cafwyd Dunlop yn ddieuog.

Fodd bynnag, yn ddiweddarach cyfaddefodd iddo ladd Julie gan gredu y byddai'r gyfraith ar erlyniad dwbl yn ei ddiogelu rhag sefyll ei brawf am ei llofruddio. Cafodd ei ddyfarnu'n euog o anudoniaeth (*perjury*), sef dweud celwydd ar lw yn y llys, ond doedd hi ddim yn bosibl cymryd unrhyw gamau mewn cysylltiad â'r llofruddiaeth.

Sut ceisiodd yr ymgyrch newid polisïau/deddfau

Dechreuodd Ann Ming ei hymgyrch i ddiddymu'r gyfraith ar erlyniad dwbl. Aeth â'i hymgyrch at bapurau newydd, gorsafoedd radio a theledu, ac at sawl gwleidydd.

Y ddeddf neu'r polisïau

Yn y pen draw, cefnogodd y llywodraeth newidiadau i'r gyfraith ac yn sgil Deddf Cyfiawnder Troseddol 2003 cafodd erlyniad dwbl ei ddiddymu am 30 o droseddau difrifol, gan gynnwys llofruddiaeth. Roedd y ddeddf yn ôl-weithredol a Dunlop oedd y cyntaf i'w gael yn euog o lofruddiaeth o dan y ddeddf newydd. Ar hyn o bryd mae'n bwrw dedfryd o oes am ladd Julie.

Yn y pen draw, cafodd Billy Dunlop ei ddyfarnu'n euog o lofruddio Julie Hogg 19 mlynedd ar ôl ei marwolaeth.

Ymgyrch wrth-ynnau Bobby Turnbull

Ymgyrch am beth roedd hi

Ddydd Calan 2012, lladdwyd Alison, sef mam Bobby Turnbull, ei chwaer Tanya, a'i fodryb Susan, yn eu cartref yn Horden yn Swydd Durham gan Michael Atherton. Roedd Michael Atherton, partner Susan, yn berchen yn gyfreithlon ar chwe arf gan gynnwys tri dryll, er bod ganddo hanes o drais domestig. Ar ôl lladd tri o bobl, fe'i lladdodd ei hun. Roedd y gynnau wedi cael eu cymryd oddi ar Atherton ar ôl yr achos blaenorol o drais domestig ond roedden nhw wedi cael eu dychwelyd iddo'n ddiweddarach.

Bobby Turnbull

Y prif gyfranwyr

Dechreuodd Bobby Turnbull ymgyrch i newid y deddfau gynnau a hefyd i geisio sefydlu llinell gymorth y gallai pobl ei ffonio i roi gwybod am unrhyw bryderon yn ymwneud â gynnau.

Sut ceisiodd yr ymgyrch newid polisïau/deddfau

Lansiodd Bobby Turnbull ddeiseb, a lofnodwyd gan 20,000 o bobl, ymddangosodd ar y cyfryngau yn rheolaidd i gael cefnogaeth a bu'n lobïo ASau i gyflwyno newidiadau.

Y ddeddf neu'r polisïau

O ganlyniad i'r ymgyrch, daeth diwygiadau i Ddeddf Arfau Tanio 1968 i rym, yn atal unrhyw un sy'n derbyn dedfryd ohiriedig o dri mis neu ragor (am unrhyw drosedd) rhag prynu neu fod ym meddiant arf tanio. Hefyd, dylai pob achos o drais domestig, pa un ai yw arfau tanio yn cael eu defnyddio ai peidio, ysgogi'r heddlu i gynnal adolygiad i weld a ddylai'r dystysgrif arfau tanio barhau i fod yn ddilys.

Fodd bynnag, does dim arian wedi bod ar gael i lansio'r llinell gymorth.

Gweithgaredd

Chwiliwch ar y rhyngrwyd am erthyglau i'w darllen a chlipiau i'w gwylio am ymgyrch Bobby Turnbull.

Ymgyrchoedd unigol eraill

Deddf Clare

Roedd deddf Clare yn ymgyrch i greu cynllun sy'n galluogi pobl i ddarganfod, gan yr heddlu, a oes gan eu partner hanes o drais domestig. Ar ôl i Clare Wood gael ei lladd gan ei phartner treisgar, sefydlwyd ymgyrch gan ei thad, Michael Brown. Roedd yn argyhoeddedig y byddai Clare yn dal i fod yn fyw pe bai hi wedi cael gwybod am ymddygiad treisgar blaenorol ei phartner.

Cyflwynwyd y 'Cynllun Datgelu Cam-drin Domestig' gan yr ymgyrch. Nod y cynllun yw cynnig mecanwaith ffurfiol a fydd yn galluogi aelodau o'r cyhoedd i wneud ymholiadau am unigolyn maen nhw mewn perthynas ag ef/hi neu sydd mewn perthynas â rhywun maen nhw'n ei adnabod, lle mae posibilrwydd bod yr unigolyn yn cam-drin ei bartner.

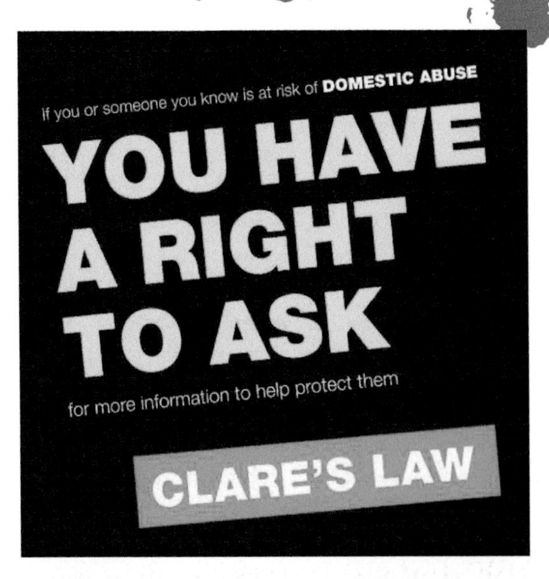

Deddf Lillian

Roedd ymgyrch deddf Lillian yn ceisio cyflwyno dyfeisiau profi cyffuriau wrth ochr y ffordd, ei gwneud yn drosedd gyrru o dan ddylanwad cyffuriau, cynnal archwiliadau cyffuriau ar hap a rhoi dedfrydau mwy llym i bobl a gafwyd yn euog o yrru ar gyffuriau. Dechreuwyd yr ymgyrch ar ôl i Lillian Groves, 14 oed, gael ei lladd y tu allan i'w chartref gan yrrwr a oedd yn goryrru ar ôl ysmygu canabis. Casglodd ei theulu, yn benodol mam a thad Lillian, Natasha a Gary Groves, dros 22,000 o lofnodion ar ddeiseb gan gyfarfod â Phrif Weinidog Prydain, David Cameron, yn Stryd Downing. Hefyd, ysgrifennodd Natasha Groves at bob AS yn eu hannog i gefnogi'r newidiadau yn y Senedd. O ganlyniad i'r ymgyrch, ym mis Mawrth 2015 cyflwynwyd y newidiadau i'r gyfraith yn Rheoliadau Gyrru ar Gyffuriau (Terfynau Penodedig) (Cymru a Lloegr) 2014.

Gweithgaredd

Ymchwiliwch i'r ymgyrch o'r enw Deddf Helen. Dewch o hyd i'r canlynol:

(i) nod yr ymgyrch

(ii) beth ddigwyddodd i lofrudd Helen McCourt.

Datblygu ymhellach

Ymchwiliwch i'r ymgyrch gan wraig weddw PC Andrew Harper, a chyflwynwch eich canfyddiadau i weddill y dosbarth.

Mae hi'n ymgyrchu dros gael dedfryd am oes i rai sy'n lladd gweithwyr y gwasanaethau argyfwng.

Ymgyrchoedd gan garfanau pwyso

British Lung Foundation (BLF)

Ymgyrch am beth roedd hi a'r prif gyfranwyr

Mae'r British Lung Foundation (BLF) yn ceisio atal clefyd yr ysgyfaint drwy ymgyrchu dros newid cadarnhaol yn iechyd yr ysgyfaint yn y DU. Mae'n codi ymwybyddiaeth o glefyd yr ysgyfaint, y peryglon sy'n ei achosi a sut i edrych ar ôl eich ysgyfaint. Roedd un o'i ymgyrchoedd diweddaraf yn ymwneud â newid y ddeddf yn ymwneud ag ysmygu mewn ceir gyda phlant. Trefnodd y BLF ddeiseb a lofnodwyd gan 50,000 o bobl yn 2011 a'i chyflwyno i 10 Stryd Downing. Aeth ati i wneud gwaith ymchwil hefyd am effeithiau mwg ail-law a'r niwed parhaol mae'n gallu ei achosi. Roedd yr ymchwil hefyd yn dangos bod dros 430,000 o blant yn dod i gysylltiad â mwg ail-law yng ngheir eu teuluoedd bob wythnos. O ganlyniad i'r ymgyrchu hwn, daeth gwaharddiad ar ysmygu mewn ceir gyda phlant i rym yng Nghymru a Lloegr ym mis Hydref 2014. Cafodd ei gyflwyno yn Neddf Plant a Theuluoedd 2014.

Ymgyrchodd y BLF, ynghyd â charfanau pwyso eraill, fel ASH, i gael defnydd pecynnu plaen ar sigaréts. Mae'r pecynnau bellach yn ddi-liw ac yn safonol yn hytrach na'r pecynnau lliwgar a'r brandiau oedd ar gael cyn hynny. Roedd eu gwaith ymchwil yn dangos mai un o brif resymau pobl ifanc dros ddechrau ysmygu oedd bod y pecynnu lliwgar, â'u gwaith dylunio clyfar, yn denu. Unwaith eto, cyflwynwyd y newidiadau yn Neddf Plant a Theuluoedd 2014.

Gweithgaredd

Ymchwiliwch i'r elusen Catch 22. O'r cyswllt 'Justice', gallwch ddysgu am y gwaith mae'r elusen yn ei wneud gyda phobl ifanc ac oedolion yn y ddalfa.

Hefyd, gallwch ddarganfod mwy am waith Catch 22 yn eich ardal chi, yn www.catch-22.org.uk/our-services/. Defnyddiwch yr offeryn cod post ar y wefan i wneud hyn.

Cynghrair Howard er Diwygio'r Deddfau Cosbi

Ymgyrch am beth roedd hi a'r prif gyfranwyr

Mae Cynghrair Howard er Diwygio'r Deddfau Cosbi (*The Howard League for Penal Reform*) yn ymgyrchu dros newid yn y system cyfiawnder troseddol. Ei nod yw cael llai o droseddu, cymunedau mwy diogel, a llai o bobl yn y carchar. Mae wedi ymgyrchu am dros 150 o flynyddoedd ac wedi cael nifer o lwyddiannau. Un o'i lwyddiannau diweddaraf yw'r ymgyrch 'UR Boss', a oedd yn ceisio gwella profiadau pobl ifanc yn y system cyfiawnder troseddol. Llwyddodd i ennill cefnogaeth pobl ifanc yn y ddalfa a'r gymuned drwy eu cynnwys yn yr ymgyrch dros newid.

Mae 'UR Boss' wedi newid y polisi ar bobl ifanc mewn sawl maes, gan gynnwys:

- Rhoi'r gorau i'r defnydd arferol o gynnal noeth-chwiliadau wrth gyrraedd Sefydliad Troseddwyr Ifanc, a oedd yn llwyddiant polisi allweddol.
- Ymestyn cylch gwaith Ombwdsmon y Carchardai a'r Gwasanaeth Prawf i bobl ifanc sy'n cael eu cadw mewn Canolfannau Hyfforddiant Diogel, gan roi system gwynion allanol annibynnol i'r bobl ifanc.
- Cau pob Sefydliad Troseddwyr Ifanc i ferched. Erbyn hyn mae merched yn cael eu cadw mewn unedau diogel neu ofal preswyl yn unig mewn dinasoedd fel Sheffield, Llundain a Manceinion.
- Newid y ddeddfwriaeth remánd sy'n golygu bod pobl ifanc 17 oed nawr yn cael eu trin fel plant.

Term allweddol

Sefydliad Troseddwyr Ifanc: Math o garchar i bobl ifanc rhwng 18 a 20 oed.

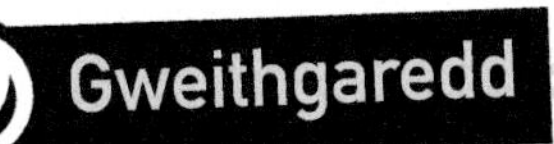

Gweithgaredd

Ymchwiliwch i lwyddiannau eraill Cynghrair Howard er Diwygio'r Deddfau Cosbi yn http://howardleague.org/what-we-have-achieved.
Bydd hyn yn rhoi rhagor o fanylion i chi am lwyddiannau'r grŵp hwn.

CRYNODEB O'R UNED

Drwy weithio drwy'r uned hon:

- Byddwch wedi meithrin y sgiliau i werthuso rhai damcaniaethau troseddegol a byddwch chi'n gwybod bod trafodaethau o fewn y gwahanol ddamcaniaethau.
- Byddwch chi'n deall sut mae newidiadau mewn damcaniaethau troseddegol wedi dylanwadu ar bolisi.
- Byddwch hefyd wedi meithrin y sgiliau i gymhwyso'r damcaniaethau at drosedd neu droseddwr penodol er mwyn deall yr ymddygiad a'r ddamcaniaeth.

UNED 3
O LEOLIAD Y DROSEDD I'R LLYS

Drwy'r uned hon, byddwch chi'n meithrin y ddealltwriaeth a'r sgiliau sydd eu hangen i archwilio gwybodaeth i adolygu cyfiawnder rheithfarnau mewn achosion troseddol.

- Byddwch chi'n dilyn trosedd o leoliad cychwynnol y drosedd i ymchwiliadau'r heddlu a phersonél eraill sy'n gysylltiedig ag ymchwiliadau troseddol.
- Byddwch chi'n dysgu am rai o'r technegau a ddefnyddir gan yr heddlu ac yn dilyn y broses cyfiawnder troseddol drwy'r gwahanol gamau.
- Byddwch chi'n dysgu am reolau tystiolaeth a rolau rheithgorau ac ynadon.
- Hefyd, bydd pwyslais ar ddilysrwydd gwybodaeth, gan gynnwys achosion llys, rheithfarnau a dedfrydu.
- Yn olaf, byddwch chi'n ystyried achosion o gamweinyddu cyfiawnder drwy ystyried sefyllfaoedd go iawn.

Asesiad: asesiad dan reolaeth 8 awr.

O fis Medi 2020 ymlaen, bydd briff yr aseiniad ar gyfer Uned 3 yn cael ei ryddhau ar ddechrau'r asesiad dan reolaeth a dim cynharach, fel sy'n digwydd gydag Uned 1. Chewch chi ddim mynd ag unrhyw werslyfrau na deunyddiau wedi'u paratoi ymlaen llaw i mewn i'r asesiad.

Fodd bynnag, sylwch nad oes unrhyw amser wedi'i neilltuo ar gyfer defnyddio'r rhyngrwyd, felly ddylai eich gwaith chi ddim cynnwys unrhyw ddelweddau na chysylltau.

DEILLIANT DYSGU 1
DEALL PROSES YMCHWILIADAU TROSEDDOL

MPA1.1 GWERTHUSO EFFEITHIOLRWYDD ROLAU PERSONÉL SY'N CYMRYD RHAN MEWN YMCHWILIADAU TROSEDDOL

MEINI PRAWF ASESU	BAND MARCIAU 1	BAND MARCIAU 2	BAND MARCIAU 3
MPA1.1 Dylech chi allu ... Gwerthuso effeithiolrwydd rolau personél sy'n cymryd rhan mewn ymchwiliadau troseddol	Gwerthusiad cyfyngedig o effeithiolrwydd y rolau perthnasol Mae'r ymateb yn ddisgrifiadol ar y cyfan a gall fod ar ffurf rhestr o'r personél sy'n cymryd rhan yn unig **(1–3)**	Rhywfaint o werthusiad o effeithiolrwydd rolau perthnasol Ceir disgrifiad o rolau'r personél sy'n cymryd rhan hefyd **(4–7)**	Gwerthusiad clir a manwl o effeithiolrwydd rolau Caiff y personél sy'n cymryd rhan eu trafod yn amlwg o ran cyfyngiadau posibl **(8–10)**

CYNNWYS	YMHELAETHU
Personél • ymchwilwyr lleoliad y drosedd • arbenigwyr fforensig • gwyddonwyr fforensig • swyddogion yr heddlu/ditectifs • Gwasanaeth Erlyn y Goron (CPS) • patholegwyr • asiantaethau ymchwiliol eraill, er enghraifft Asiantaeth Troseddau Difrifol a Threfnedig (yr Asiantaeth Troseddu Cenedlaethol erbyn hyn), Cyllid a Thollau EM	Dylech chi feddu ar ddealltwriaeth o rolau'r personél sy'n rhan o'r broses a gallu gwerthuso eu heffeithiolrwydd mewn ymchwiliadau troseddol. Dylid ystyried yr effeithiolrwydd yng nghyd-destun cyfyngiadau posibl: • cost • arbenigedd • argaeledd

Awgrym

Ceisiwch drafod cost, arbenigedd ac argaeledd cymaint o rolau â phosibl. Efallai na fydd hi'n briodol gwneud hynny yng nghyd-destun rhai rolau, fodd bynnag.

Awgrym

Mae'r MPA hwn yn gofyn i chi werthuso rolau personél mewn ymchwiliadau troseddol. Os byddwch yn disgrifio'r maes gwaith yn unig, ni fyddwch yn cyrraedd y band marciau uchaf. Bydd ateb gwell yn gwerthuso'r rôl drwy ystyried pwyntiau cadarnhaol a chanolbwyntio ar gyfyngiadau gan roi enghreifftiau o achosion i ategu'r ateb.

Pwy yw'r bobl sy'n cymryd rhan mewn ymchwiliadau troseddol? Meddyliwch am yr holl bobl sy'n cymryd rhan mewn ymchwiliadau troseddol, o adeg cyflawni'r drosedd at adeg cyhuddo'r sawl a ddrwgdybir. Mae'r swyddi hyn yn cynnwys:

- Ymchwilwyr lleoliad y drosedd, neu swyddogion lleoliad y drosedd (SOCOs), sef yr enw arnyn nhw yn y DU, sy'n casglu'r dystiolaeth.
- Gwyddonwyr fforensig sy'n dehongli'r dystiolaeth.
- Arbenigwyr fforensig ag arbenigedd mewn meysydd gwahanol.
- Swyddogion yr heddlu/ditectifs sy'n ymchwilio i'r drosedd.
- Gwasanaeth Erlyn y Goron (CPS) sy'n penderfynu a fydd y sawl a ddrwgdybir yn cael ei gyhuddo.
- Patholegydd sy'n penderfynu ar achos a dull y farwolaeth, ac sy'n gallu darparu tystiolaeth hanfodol i'r ymchwiliad.
- Mae asiantaethau eraill hefyd, er enghraifft yr Asiantaeth Troseddu Cenedlaethol, sy'n gyfrifol am arwain ymgyrch y DU yn erbyn troseddu trefnedig a difrifol, a Chyllid a Thollau EM.

Swyddogion lleoliad y drosedd (SOCOs)

Mae'r swyddi hyn yn aml yn cael eu portreadu ar y teledu fel 'CSIs' neu ymchwilwyr lleoliad y drosedd ac maen nhw'n cael eu cyflogi gan wasanaeth yr heddlu i warchod lleoliad trosedd drwy ei gadw fel mae, a chanfod tystiolaeth. Yn amlwg, gall tystiolaeth o'r fath fod yn hanfodol i ymchwiliadau troseddol.

Mae'n hanfodol nad yw tystiolaeth lleoliad trosedd yn cael ei halogi a'i bod yn cael ei chasglu cyn gynted â phosibl i ddarparu tystiolaeth ddibynadwy mewn ymchwiliad troseddol. Mae swyddogion lleoliad y drosedd fel arfer yn chwilio am dystiolaeth olion, fel gweddillion saethu gwn, olion bysedd, a blew a ffibrau. Os bydd y dystiolaeth yn cael ei halogi, bydd yn annerbyniol yn y llys. Fodd bynnag, mae'r perygl hwn yn isel iawn gan fod swyddogion lleoliad y drosedd wedi'u hyfforddi ac yn gymwysedig yn y maes hwn. Maen nhw fel arfer yn gweithio yn ôl trefn 'ar alwad' ac felly maen nhw bob amser ar gael i helpu gydag ymchwiliadau troseddol.

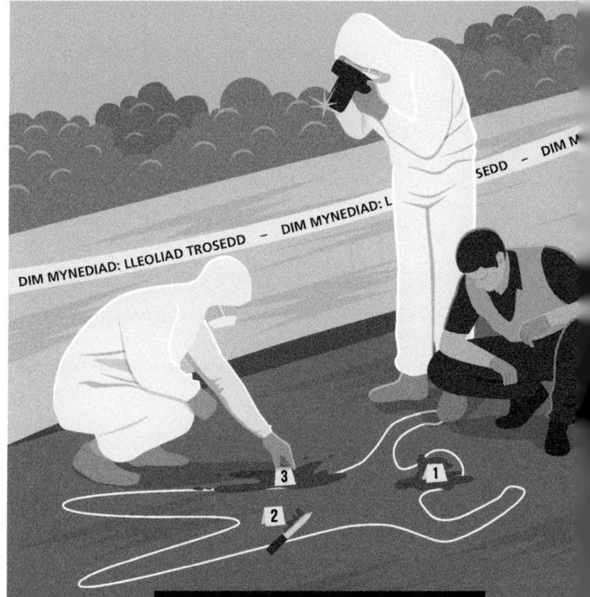

Mae swyddogion lleoliad y drosedd hefyd yn cael eu galw'n ymchwilwyr lleoliad fforensig.

Cyfyngiadau

Fodd bynnag, ar adegau mae agweddau ar y rôl yn cyfyngu ar y broses o ddatrys trosedd:

- Gall swyddogion lleoliad y drosedd ddod i gysylltiad â sylweddau peryglus wrth wneud eu gwaith, fel halogyddion sy'n dod i gysylltiad â'r croen neu sylweddau yn yr awyr a allai fynd i mewn i'r geg.
- Mae'n bosibl lleihau'r risgiau hyn drwy wisgo dillad amddiffynnol, gan gynnwys mygydau a sbectolau.

Gweithgaredd

Ymunwch â lleoliad trosedd rhyngweithiol Heddlu Gorllewin Canolbarth Lloegr. Chi yw'r swyddog cyntaf i gyrraedd y lleoliad. Rhyngweithiwch â'r dystiolaeth fesul ystafell, a chanfod sut digwyddodd y drosedd, yn www.west-midlands.police.uk/27stationroad.

ASTUDIAETH ACHOS

AMANDA KNOX

Mae rhai achosion lle mae tystiolaeth lleoliad trosedd wedi'i halogi, fel yn achos llofruddiaeth Meredith Kercher a threial Amanda Knox yn yr Eidal. Yn yr achos hwn, roedd ditectifs wedi gwisgo gorchuddion esgidiau y tu allan i'r tŷ, ond roedd eraill heb wisgo dillad amddiffynnol y tu mewn i'r tŷ. Defnyddiwyd hyn yn y llys i awgrymu bod y dystiolaeth a gasglwyd yn annibynadwy.

Amanda Knox

Gwyddonwyr fforensig

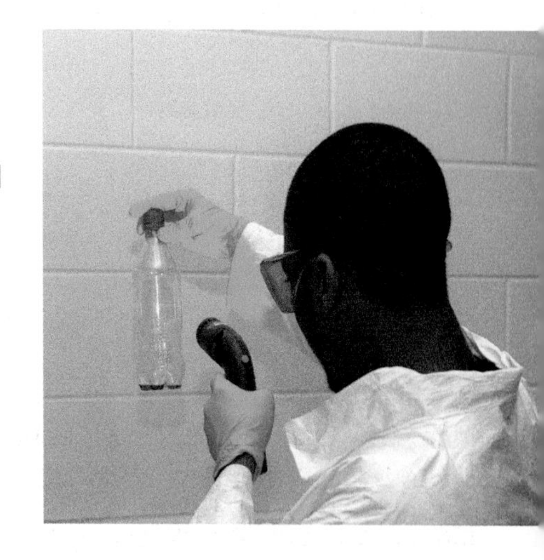

Mae gwyddonwyr fforensig yn adolygu tystiolaeth o leoliad trosedd ac yn paratoi gwybodaeth ar gyfer y llys. Bydd tystiolaeth fel gwaed a hylifau eraill y corff yn cael eu dadansoddi mewn labordy a'u dehongli. Gall y wybodaeth hon helpu llys i ddod i benderfyniad ac arwain at ganlyniad cyfiawn.

Un o fanteision gwaith fforensig yw ei fod yn cynnwys arbenigedd mewn llawer o feysydd arbenigol fel:

- cyfrifiaduron
- tocsicoleg (cyffuriau)
- deintyddiaeth
- tân
- seicoleg.

Cyfyngiadau

Fodd bynnag, mae cyfyngiadau yn perthyn i'r rôl hon:

- Mae rhai pobl yn credu y gall dadansoddiad DNA o unigolyn fod yn groes i foeseg ddynol gan ei fod yn datgelu gwybodaeth bersonol.
- Gall fod yn ddrud iawn a gall gymryd llawer o amser.
- Os nad yw pobl yn ofalus ac yn talu sylw, gallai arwain at achos o gamweinyddu cyfiawnder. Er enghraifft, yn achos Adam Scott, roedd hambwrdd plastig yn cynnwys ei DNA heb gael ei daflu a chafodd ei ailddefnyddio mewn achos o dreisio. Oherwydd y camgymeriad hwn cafodd ei gadw yn y ddalfa am bum mis.

Swyddogion heddlu

Mae'r heddlu yn chwarae rôl allweddol wrth ymchwilio i achosion troseddol:

- Yr heddlu yw'r cyntaf i gael eu galw i leoliad trosedd ac mae eu gweithredoedd cyntaf yn bwysig iawn.
- Er mai eu prif swyddogaeth yw diogelu bywyd, byddan nhw hefyd yn diogelu lleoliad y drosedd mewn ymgais i gadw tystiolaeth.
- Maen nhw'n weithwyr proffesiynol sydd wedi'u hyfforddi ac maen nhw'n ymchwilio i droseddau gan geisio eu lleihau a lleihau ofn troseddau.

Awgrym!

Cofiwch y dylai'r gwerthusiad o rolau'r personél fod yn gysylltiedig â'u rhan yn yr ymchwiliad i achosion troseddol ac nid yn werthusiad o'r swydd ei hun. Er enghraifft, nid yw'n ymwneud â'r pethau cadarnhaol sy'n gysylltiedig â bod yn swyddog heddlu ond bod yr heddlu'n ymchwilio i droseddau.

Mae unedau arbenigol yn rhan o wasanaeth yr heddlu gan gynnwys yr Adran Ymchwiliad Troseddol (*CID: Criminal Investigation Department*). Mae swyddogion y CID wedi'u hyfforddi i ymchwilio i amrywiaeth eang o droseddau a gallan nhw alw am gymorth gwahanol adrannau arbenigol fel y timau arfau tanio neu danddwr.

Gweithgaredd

Ymchwiliwch i'r gwahanol swyddi arbenigol yng ngwasanaeth yr heddlu, fel yr asiantaeth gyffuriau, heddlu ar geffylau, ac ati, ac ystyriwch sut maen nhw'n cyfrannu at werthusiad o'r heddlu mewn ymchwiliadau troseddol.

Cyfyngiadau

Mae cyfyngiadau'r gwasanaeth heddlu i'w gweld mewn sawl achos, gan gynnwys:

- Achos Stephen Lawrence: dywedodd Adroddiad Macpherson (1999), a gyhoeddwyd o ganlyniad i achos Lawrence, fod hiliaeth sefydliadol yn yr heddlu a gwnaeth 70 argymhelliad i wella'r gwasanaeth.
- Mae trychineb Hillsborough hefyd yn dangos y gall yr heddlu ymddwyn yn amhriodol mewn ymchwiliadau troseddol. Daeth y cwest yn 2016 i'r casgliad bod camgymeriadau gan yr heddlu wedi achosi neu wedi cyfrannu at y drychineb a bod y dioddefwyr wedi'u lladd yn anghyfreithlon.

Gwasanaeth Erlyn y Goron (CPS)

Sefydlwyd yr adran hon yn 1986 fel asiantaeth erlyn annibynnol i gymryd lle yr heddlu. Yn amlwg, mae perygl o duedd neu ragfarn os bydd yr un asiantaeth yn ymchwilio ac yn erlyn achosion troseddol. Fodd bynnag, mae Gwasanaeth Erlyn y Goron (*CPS: Crown Prosecution Service*) yn gweithio gyda'r heddlu i adolygu achosion a phenderfynu a yw'n briodol erlyn. Cwmni o gyfreithwyr yw Gwasanaeth Erlyn y Goron, i bob pwrpas, ac mae ei 2,000+ o erlynwyr yn fargyfreithwyr a chyfreithwyr cwbl gymwysedig. Mae cysondeb yn cael ei sicrhau drwy'r profion maen nhw'n eu cymhwyso sy'n ystyried y dystiolaeth a gasglwyd gan yr heddlu ac a yw er lles y cyhoedd i erlyn ai peidio. Mae CPS Direct yn cynnig cyngor 24 awr y dydd i helpu'r heddlu â'u hymchwiliadau ac i benderfynu a ddylid dwyn cyhuddiad troseddol yn erbyn y sawl a ddrwgdybir ai peidio.

Logo Gwasanaeth Erlyn y Goron.

Datblygu ymhellach

Ymchwiliwch i achos llofruddiaeth Damilola Taylor, gan lunio llinell amser o'r digwyddiadau, gan gynnwys yr ail dreial yn 2006 a arweiniodd at euogfarn yn y pen draw. Hefyd, gwyliwch *Our Loved Boy*, drama BBC am farwolaeth Damilola Taylor.

Cyfyngiadau

Fodd bynnag, mae rhai cyfyngiadau yn perthyn i'r asiantaeth hon:

- Yn y gorffennol mae wedi cael ei beirniadu am nifer yr achosion sydd wedi methu oherwydd diffyg tystiolaeth.
- Mae perthynas y Gwasaneth â'r heddlu wedi bod yn anodd weithiau, er enghraifft yn achos y pregethwr casineb, Abu Hamza, a gafwyd yn euog o annog llofruddio. Fodd bynnag, cyn hyn, roedd yr heddlu wedi cyflwyno tystiolaeth amdano i'r Gwasanaeth ar fwy nag un achlysur ond gwrthododd y CPS ei erlyn.

ASTUDIAETH ACHOS

DAMILOLA TAYLOR

Cafodd enw da Gwasanaeth Erlyn y Goron ei niweidio o ganlyniad i achos Damilola Taylor, lle dibynnwyd yn helaeth ar dystiolaeth merch 14 oed. Cafodd tystiolaeth y ferch ei diystyrru gan y llys pan ddangoswyd ei bod hi wedi dweud celwydd. Condemniwyd Gwasanaeth Erlyn y Goron yn eang oherwydd dywedwyd bod y celwyddau yn amlwg iawn ac y dylai'r Gwasanaeth fod wedi gwybod y bydden nhw'n cael eu datgelu. Hefyd, roedd beirniadaeth o'r ffaith nad oedd llawer o amser wedi'i dreulio yn gwirio ei thystiolaeth yn erbyn ffeithiau hysbys a thapiau fideo ohoni.

Damilola Taylor

Patholegwyr

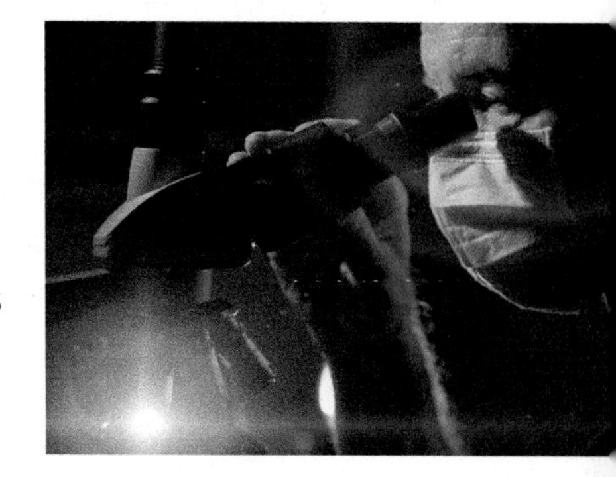

Meddygon yw patholegwyr sy'n cynnal awtopsi i sefydlu beth oedd achos y farwolaeth. Mae gwybodaeth fel hyn yn hanfodol mewn ymchwiliad troseddol, gan ddarparu cliwiau i'r rolau eraill yn yr ymchwiliad. Mae patholegwyr yn ymarferwyr profiadol a chymwysedig iawn sydd â gwybodaeth mewn sawl maes fel patholeg, gwerthuso lleoliad trosedd, anatomi ac anthropoleg.

Cyfyngiadau

- Nifer bach iawn o batholegwyr sydd ar gael ac efallai bydd rhaid iddyn nhw weithio ar sawl achos ar yr un pryd.
- Mae'n costio llawer iawn i gyflogi patholegydd; yn y sector cyhoeddus gall ymgynghorydd ennill £100,000 y flwyddyn ac o bosibl llawer mwy na hynny yn y sector preifat.

ASTUDIAETH ACHOS

ANTHONY HARDY

Mae cyfyngiadau rôl patholegydd mewn ymchwiliadau troseddol i'w gweld yn achos Anthony Hardy, neu'r Camden Ripper. Yn yr achos hwn, penderfynodd y patholegydd, Freddy Patel, fod dioddefwr wedi marw o achosion naturiol er gwaethaf y ffaith bod ei chorff wedi'i ddarganfod mewn ystafell wedi'i chloi yn fflat Hardy. Roedd olion gwaed ar ei dillad, y dillad gwely ac ar y wal. Gan nad oedd gan yr heddlu drosedd i ymchwilio iddi, doedd hi ddim yn bosibl cymryd camau pellach ac aeth Hardy ymlaen i ladd dwy fenyw arall. Cafodd ei ddyfarnu'n euog yn ddiweddarach o lofruddio'r tair menyw a gwaharddwyd Patel o'i swydd yn dilyn sylwadau gan Banel Disgyblu'r Cyngor Meddygol Cyffredinol a ddywedodd fod ei weithredoedd yn anghyfrifol a heb gyrraedd y safonau a ddisgwylir gan batholegydd cymwys.

Freddy Patel

MPA1.2 ASESU DEFNYDDIOLDEB TECHNEGAU YMCHWILIOL MEWN YMCHWILIADAU TROSEDDOL

MEINI PRAWF ASESU	BAND MARCIAU 1	BAND MARCIAU 2	BAND MARCIAU 3	BAND MARCIAU 4
MPA1.2 Dylech chi allu … Asesu defnyddioldeb technegau ymchwiliol mewn ymchwiliadau troseddol	Ymateb disgrifiadol ar y cyfan gydag asesiad sylfaenol/ syml, cyfyngedig iawn. Ar y pen isaf, mae'n bosibl mai rhestr syml o dechnegau ymchwiliol a geir **(1–5)**	Tystiolaeth gyfyngedig bod y technegau ymchwiliol a ddefnyddiwyd wedi'u hasesu'n berthnasol. Ar y pen isaf, caiff rhai technegau ymchwiliol eu disgrifio **(6–10)**	Defnyddir amrywiaeth o dechnegau ymchwiliol er mwyn asesu eu defnyddioldeb mewn ymchwiliadau troseddol **(11–15)**	Gwneir asesiad clir a manwl o'r amrywiaeth gofynnol o dechnegau ymchwiliol **(16–20)**

CYNNWYS	YMHELAETHU

Technegau
• fforensig
• technegau gwylio
• technegau proffilio
• defnyddio cronfeydd data cuddwybodaeth, e.e. y Gronfa Ddata DNA Genedlaethol
• technegau cyfweld, er enghraifft cyfweliadau â llygad-dystion, cyfweliadau ag arbenigwyr
Ymchwiliadau troseddol
• sefyllfaoedd
  • lleoliad y drosedd
  • labordy
  • gorsaf yr heddlu
  • 'stryd'
• mathau o droseddau
  • troseddau treisgar
  • e-droseddau
  • troseddau eiddo
	Dylech chi feddu ar ddealltwriaeth o'r amrywiaeth o dechnegau ymchwiliol ac asesu eu defnyddioldeb mewn amrywiaeth o wahanol fathau o ymchwiliadau troseddol gan ystyried sefyllfaoedd a'r mathau o drosedd

SYLWCH

Ers 2020, mae geiriad MPA1.2 wedi newid ychydig i roi mwy o eglurder ynglŷn â beth mae cymedrolwr eisiau ei weld yn yr ateb, ac i gyd-fynd yn well â geiriad y MPA. Er enghraifft, yn yr adran ymhelaethu, mae'r gair 'effeithiolrwydd' wedi ei newid i 'defnyddioldeb'. Mae'r newid i'w weld mewn coch yn y tabl ar y chwith.

Technegau ymchwilio

Defnyddio cronfeydd data cuddwybodaeth i ymchwilio i droseddau

Mae'r heddlu yn defnyddio llawer o gronfeydd data i'w helpu i storio a chael gafael ar wybodaeth er mwyn helpu yn y frwydr yn erbyn trosedd. Mae enghreifftiau yn cynnwys Cronfa Ddata DNA Genedlaethol y DU a Chyfrifiadur Cenedlaethol yr Heddlu (*PNC: Police National Computer*), sy'n storio llawer iawn o wybodaeth am bobl, cerbydau, troseddau ac eiddo. Mae Crimint, sy'n cael ei redeg gan Wasanaeth Heddlu Metropolitan Llundain Fwyaf, yn storio gwybodaeth am droseddwyr, pobl sy'n cael eu hamau o fod yn droseddwyr a phrotestwyr. Hefyd, mae cronfeydd data ar gael sy'n cynnwys gwybodaeth gan dystion, cuddhysbyswyr ac asiantiaid.

Gwaith fforensig

Mae gwyddoniaeth fforensig heddiw yn wahanol iawn i'r hyn oedd hi 100 mlynedd yn ôl. Yn y gorffennol, pan oedd yr heddlu'n mynd i leoliad trosedd, bydden nhw ar eu pen eu hunain nes i feddyg gyrraedd i gadarnhau'r farwolaeth a chynnal adolygiad sydyn iawn o'r corff. Ym myd gwyddoniaeth fforensig heddiw:

- Mae'r heddlu'n cael cymorth arbenigwyr fforensig i helpu yn yr ymchwiliadau.
- Mae'r heddlu'n trafod camau gweithredu a gwahanol fathau o dystiolaeth gyda'r arbenigwyr eraill.
- Mae mynediad i leoliad trosedd yn gyfyngedig a rhaid gwisgo dillad amddiffynnol, er mwyn osgoi halogiad.
- Mae'r heddlu yn canfod tystiolaeth drwy ddulliau gwyddonol, ac yna bydd yn cael ei hystyried gan amryw o arbenigwyr o sawl maes gwahanol.

Term allweddol

DNA neu asid deocsiriboniwclëig: Y cemegyn sy'n cario gwybodaeth genynnol ac sydd i'w gael mewn cromosomau sydd yng nghnewyllyn y rhan fwyaf o gelloedd. Weithiau mae'n cael ei alw'n god genynnol gan ei fod yn pennu ein holl nodweddion.

ASTUDIAETH ACHOS

COLIN PITCHFORK

Un o'r technegau fforensig mwyaf defnyddiol yw'r defnydd o DNA neu asid deocsiriboniwclëig. Achos Colin Pitchfork yn 1986 oedd y cyntaf i gael rhywun yn euog drwy ddefnyddio tystiolaeth DNA. Cafwyd Pitchfork yn euog o lofruddio Lynda Mann yn 1983 a llofruddio Dawn Ashworth yn 1986.

Ar adeg yr ail lofruddiaeth, roedd Alec Jeffreys, genetegydd o Brydain, yn arloesi â thechnegau proffilio gan ddefnyddio DNA ac roedd yn gallu defnyddio ei waith i gadarnhau mai'r un dyn a laddodd y ddwy ferch. Roedd hefyd yn gallu dangos nad Robert Buckland, a oedd wedi cyfaddef iddo lofruddio Dawn Ashworth, oedd llofrudd Mann. Pan gasglodd yr heddlu samplau gwaed gan yr holl ddynion yn yr ardal, roedd Pitchfork wedi perswadio ffrind i ffugio mai ef oedd Pitchfork a rhoi sampl. Daeth yr heddlu i wybod am hyn yn y pen draw, arestiwyd Pitchfork a defnyddiwyd techneg proffilio DNA Jeffreys i gadarnhau mai ef oedd wedi llofruddio'r ddwy ferch.

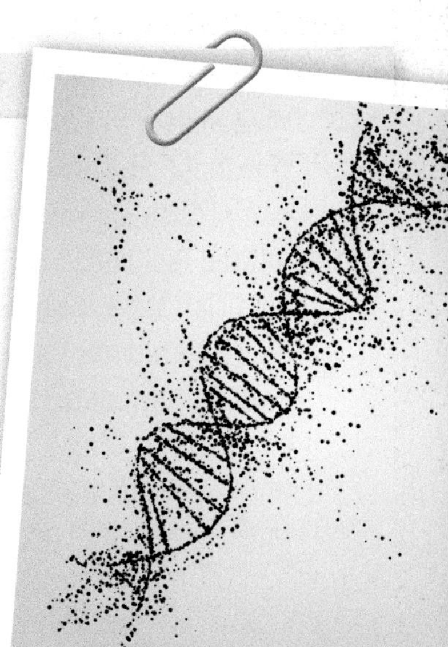

Asid deocsiriboniwclëig

Gall DNA gael ei weld fel techneg ymchwiliol ddefnyddiol am y rhesymau canlynol:

- Mae i'w gael ym mhob un o gelloedd y corff dynol, bron.
- Mae DNA pawb yn unigryw, sy'n golygu ei fod yn hynod o ddibynadwy.
- Mae'n rhoi cyfle i ddatrys hen lofruddiaethau.
- Gall helpu i brofi bod rhywun yn ddieuog yn ogystal â bod rhywun yn euog.
- Gall helpu i adnabod dioddefwyr pan na fydd dulliau eraill yn gweithio.
- Gall DNA o berthnasau agos iawn, fel brodyr a chwiorydd, gynnwys llawer o nodweddion tebyg. Gweler yr ymchwiliad i lofruddiaeth Colette Aram (isod).

Fodd bynnag, mae cyfyngiadau yn gysylltiedig â defnyddio DNA fel techneg ymchwiliol. Er enghraifft:

- Mae'n bosibl i'r dystiolaeth gael ei thraws-halogi.
- Er mwyn i sampl gyfateb i sampl o leoliad trosedd, rhaid i fanylion y cyflawnwr fod ar y Gronfa Ddata DNA Genedlaethol.
- Gall techneg o'r fath dresmasu ar ryddid sifil, yn enwedig pan fydd proffiliau DNA pobl ddieuog yn cael eu cadw.
- Mae'n bosibl i ddarnau bach iawn o DNA gysylltu rhywun ar gam â throsedd. Gweler yr Astudiaeth Achos o David Butler ar dudalen 155.
- Cost ariannol profion DNA.

Datblygu ymhellach

Ymchwiliwch i achos llofruddiaeth Melanie Road ac ewch ati i ddarganfod sut cafodd achos 32 oed ei ddatrys gan DNA a gasglwyd yn 1984.

ASTUDIAETH ACHOS

COLETTE ARAM

Llofruddiwyd Colette Aram yn 1983, cyn i DNA ddod yn dechneg ymchwiliol. Fodd bynnag, wrth i dechnegau fforensig ddatblygu, llwyddodd gwyddonwyr i adeiladu sampl DNA a gymerwyd o leoliad y llofruddiaeth ac o dafarn leol roedd y llofrudd wedi ymweld â hi ar ôl iddo ladd Colette. Yn sgil proffilio DNA teuluol, pan gymerwyd sampl gan berthynas agos yn dilyn trosedd yrru, cafwyd Paul Hutchinson yn euog. Er nad oedd sampl Hutchinson ar y Gronfa Ddata DNA Genedlaethol, roedd y cysylltiad teuluol wedi'i wneud a chafwyd euogfarn chwe blynedd ar hugain ar ôl llofruddiaeth Colette.

Colette Aram

ASTUDIAETH ACHOS

DAVID BUTLER

Cyhuddwyd David Butler o lofruddio putain, Anne Marie Foy, o ganlyniad i'r ffaith bod ei DNA yn cyfateb yn rhannol. Cafodd ei DNA ei ddarganfod o dan ewinedd bysedd y dioddefwr. Fodd bynnag, er iddo fod yn y ddalfa am wyth mis, yn ystod y treial roedd cyfreithwyr Butler yn gallu dangos i'r rheithgor fod y gweithdrefnau a ddefnyddiwyd i gael y DNA yn annibynadwy a bod y dystiolaeth o ansawdd gwael. Hefyd, roedd Butler yn dioddef o gyflwr croen sych a oedd yn golygu ei fod yn colli darnau mawr o groen, felly roedd yn hawdd trosglwyddo ei DNA. Gan ei fod yn gweithio fel gyrrwr tacsi, roedd yn bosibl ei fod wedi cludo teithiwr i'r ardal golau coch, lle roedd y dioddefwr yn gweithio, a bod DNA wedi cael ei drosglwyddo gyda'r newid a roddwyd i deithiwr ac yna i'r dioddefwr. Oherwydd hyn, cafwyd Butler yn ddieuog o'r llofruddiaeth.

David Butler

Gall tystiolaeth DNA fod yn hynod o ddefnyddiol mewn troseddau treisgar a rhywiol. Mewn achosion o'r fath, mae tystiolaeth fel arfer yn cael ei gadael yn y lleoliad ar ffurf gwaed, blew neu semen. Mae hyn yn ei gwneud yn bosibl i greu proffil DNA o'r darpar ddiffynnydd.

Gwyliadwriaeth

Mae gwyliadwriaeth plismona modern yn ystyried CCTV yn dechneg ymchwiliol bwysig. Mae'n un o'r pethau cyntaf y bydd swyddog ymchwilio yn gofyn amdano yn dilyn trosedd oherwydd gall ddarparu delweddau parhaol o'r drosedd yn cael ei chyflawni a lluniau o'r troseddwyr.

Term allweddol

Gwyliadwriaeth: Gwylio rhywun neu rywbeth yn ofalus.

Mae CCTV yn chwarae rhan fawr mewn bywyd pob dydd. Mae camerâu ar strydoedd llawer o drefi a dinasoedd yn ogystal ag adeiladau busnes a'r tu mewn i siopau. Gall y dechnoleg ddiweddaraf olrhain symudiadau'r rhai a ddrwgdybir a chael ei defnyddio i gysylltu rhywun â throsedd neu ddangos ei fod yn ddieuog. Gwelir un enghraifft o'r defnydd o CCTV fel tystiolaeth yn ystod terfysgoedd Llundain yn Awst 2011. Dangoswyd recordiadau o'r troseddau yn digwydd a ffotograffau o'r troseddwyr honedig yn rheolaidd yn y cyfryngau ac roedd pobl yn gallu adnabod rhai ohonyn nhw.

Mae CCTV yn fath o wyliadwriaeth.

Gall tystiolaeth CCTV fod yn hynod o ddefnyddiol mewn achosion sy'n ymwneud â throseddu stryd, fel lladrata, gan fod camerâu ym mhob ardal brysur mewn dinas heddiw. Hefyd, mae achosion o ddwyn o adeiladau masnachol yn debygol o gael eu ffilmio ar CCTV.

Math arall o wyliadwriaeth sy'n cael ei ddefnyddio gan yr heddlu wrth gynnal ymchwiliadau yw gwyliadwriaeth gudd. Mae ffynonellau cuddwybodaeth ddynol (*CHISs: covert human intelligence sources*) yn cyfeirio at wybodaeth a gafwyd gan rywun sy'n sefydlu neu sy'n cynnal perthynas bersonol, neu berthynas arall, â rhywun at y diben cudd o'i defnyddio i gael gwybodaeth neu i gael mynediad at unrhyw wybodaeth. Mae hyn yn cynnwys defnyddio cuddhysbyswyr a swyddogion cudd. Oherwydd y posibilrwydd o dresmasu ar ryddid sifil, mae rheolau caeth yn ymwneud â gwaith cudd yr heddlu. Fodd bynnag, gall y dechneg hon fod yn ddefnyddiol wrth drechu troseddau difrifol fel terfysgaeth ac achosion difrifol o ddelio â chyffuriau.

Term allweddol

Gwyliadwriaeth gudd: Monitro'n gudd neu mewn ffordd nad yw'n amlwg.

ASTUDIAETH ACHOS

COLIN STAGG

Yn dilyn llofruddiaeth Rachel Nickell yn 1992, arestiwyd Colin Stagg ond doedd dim tystiolaeth i'w gysylltu â'r drosedd. Felly aeth yr heddlu ati i drefnu 'trap', yn cynnwys swyddog benywaidd o'r enw 'Lizzie', a wnaeth esgus bod ganddi ddiddordeb mewn cael perthynas â Stagg. Er i'r heddlu geisio ei ddenu i gyfaddef i'r llofruddiaeth, mynnodd Stagg ei fod yn ddieuog. Fodd bynnag, cafodd y wybodaeth a gasglwyd o ganlyniad i'r ymgyrch gudd hon ei rhoi gerbron y llys. Disgrifiodd y barnwr yn y treial yr ymgyrch gudd fel un 'annoeth' ac 'un a oedd nid yn unig yn dangos gormod o sêl, ond a oedd yn ymgais agored i daflu bai ar y sawl a ddrwgdybir drwy ymddygiad cadarnhaol a thwyllodrus o'r math gwaethaf'. Dyfarnwyd bod yr holl dystiolaeth gudd yn annerbyniol a chafodd yr achos yn erbyn Stagg ei ollwng. Yn ddiweddarach, plediodd Robert Napper yn euog i lofruddiaeth Nickell.

Dyfarnwyd £706,000 i Colin Stagg ar ôl iddo gael ei adnabod ar gam fel llofrudd Rachel Nickell.

Gweithgaredd

Gofynnwch i'ch athro wahodd swyddog heddlu i'ch canolfan. Dylai bod swyddog ar gael sy'n gyfrifol am yr ardal gymunedol lle mae eich canolfan addysg chi. Bydd y swyddog hwn yn gallu eich helpu chi gyda llawer o'r Meini Prawf Asesu yn yr uned hon ac yn Uned 4.

Technegau proffilio

Gweithgaredd

Chwiliwch am y ffilm YouTube 'Offender Profiling' ac yna ei gwylio i glywed crynodeb o broffilio troseddol.

Mae proffilio troseddwyr yn seiliedig ar y gred ei bod yn bosibl darganfod beth yw nodweddion troseddwr drwy archwilio nodweddion eu troseddau. Fel y dywed Ainsworth (2001, tudalen 7):

yn gyffredinol, mae proffilio yn cyfeirio at y broses o ddefnyddio'r holl wybodaeth sydd ar gael am drosedd, lleoliad trosedd, a dioddefwr er mwyn creu proffil o'r cyflawnwr (sydd ar y pryd yn anhysbys).

Mae proffilio daearyddol, sydd hefyd yn cael ei alw'n ddull o'r gwaelod i fyny, yn defnyddio gwybodaeth i gynnig awgrymiadau am droseddwyr posibl. Mae'n dibynnu ar ddata ac ystadegau, ac er nad yw'n gallu datrys trosedd, gall yr awgrymiadau sy'n cael eu cynnig olygu bod modd defnyddio adnoddau i'r eithaf. Yn benodol, mae'n edrych ar batrymau yn lleoliad ac amseriad y troseddau er mwyn penderfynu a oes cysylltiadau rhwng y troseddau, a all gynnig syniadau ynglŷn â lle mae'r troseddwr yn byw neu'n gweithio.

David Canter

Yn 1986 bu'r seicolegydd David Canter yn helpu'r heddlu yn eu hymchwiliad i gyfres o achosion o dreisio a llofruddiaethau yn Llundain. Gan ddefnyddio'r wybodaeth am y troseddau a manylion am sut roedd y troseddwr yn rhyngweithio â'r amgylchedd, aeth Canter ati i gymhwyso egwyddorion seicolegol i awgrymu lle roedd y troseddwr yn byw, y math o waith roedd yn ei wneud a'i fywyd cymdeithasol. Galluogodd hyn yr heddlu i flaenoriaethu adnoddau ac i lunio rhestr fer o bobl dan amheuaeth. Dechreuodd yr heddlu wylio John Duffy a gafodd ei arestio'n ddiweddarach a'i gael yn euog o'r troseddau.

Mae seicoleg ymchwiliol yn ddull a ddatblygodd yn sgil proffilio daearyddol ac mae'n cynnig cymorth mewn ymchwiliadau troseddol. Yr Athro David Canter oedd arloeswr y dull hwn, ond fe gafodd ei ddatblygu a'i wella gan greu dull strwythuredig sy'n cynnig cymorth ymchwiliol i adnabod pobl a ddrwgdybir ac i gysylltu troseddau â'r dystiolaeth. Nid yw seicoleg ymchwiliol yn canolbwyntio ar y rhesymau pam mae'r troseddwr yn cyflawni'r drosedd ond yn hytrach mae'n dod i gasgliadau gwrthrychol am nodweddion y troseddwr ar sail ei weithredoedd yn ystod y drosedd. I wneud hynny, mae'n defnyddio ymchwil proffilio troseddwyr, ynghyd â meddalwedd cronfeydd data helaeth ac arbenigol. Mae'n dadansoddi llawer iawn o ddata ac yn rhannu gwybodaeth am leoliad trosedd yn adrannau llai. Mewn geiriau eraill, gall awgrymu prif themâu y gellir eu defnyddio i ddod i gasgliadau am y troseddau. Mae ymchwil o'r fath yn cael ei adolygu gan gydweithwyr ac felly mae'n wrthrychol. Gellid dadlau bod y swm mawr o ddata a ddefnyddir yn cynnig sicrwydd wrth benderfynu pa mor aml mae mathau penodol o ymddygiad i'w gweld mewn troseddau penodol.

Cafodd proffilio teipolegol, sydd hefyd yn cael ei alw'n ddull **o'r brig i lawr**, ei ddatblygu gan y Federal Bureau of Investigations (FBI) yn UDA ddiwedd yr 1970au. Mae'n creu proffil o'r sawl a ddrwgdybir, gan ddefnyddio greddf yn aml, ac mae'n cael ei ddefnyddio i gyfyngu ar unrhyw drywydd posibl. Mae'r troseddau'n cael eu trefnu yn droseddau trefnedig neu'n rhai anhrefnedig, ac mae nodweddion y ddau fath wedi'u dangos yn y tabl isod.

Termau allweddol

Proffilio daearyddol: Ystyried patrymau a gafodd eu datgelu yn lleoliad ac amseriad troseddau i ddod i benderfyniadau ynglŷn â lle mae'r troseddwr yn byw (damcaniaeth y cylch).

Seicoleg ymchwiliol: Techneg proffilio â'i wreiddiau ym maes theori ac ymchwil seicolegol. Mae'n helpu i adnabod pobl a ddrwgdybir ac i gysylltu troseddau â'r dystiolaeth.

Proffilio teipolegol: Ystyried nodweddion y troseddwr drwy ddadansoddi lleoliad y drosedd a'r troseddau.

TROSEDDAU TREFNEDIG	TROSEDDAU ANHREFNEDIG
Wedi'u cynllunio, y dioddefwr wedi'i ddewis, ffantasïau treisgar yn cael eu cyflawni ar y dioddefwr, yr arf yn lleoliad y drosedd, troseddwr deallus sy'n hoffi rheoli'r dioddefwr, y troseddwr yn gymwys yn gymdeithasol ac yn rhywiol.	Mympwyol, trosedd heb ei chynllunio a'r dioddefwr yn un a ddewiswyd ar hap, defnydd o arf byrfyfyr a thystiolaeth wedi'i gadael yn y lleoliad, dim llawer o ymgysylltu â'r dioddefwr a gweithgaredd rhywiol yn debygol o ddigwydd ar ôl y farwolaeth. Y troseddwr yn debygol o fod yn ddi-glem yn gymdeithasol ac yn rhywiol.

Yna, bydd proffil yn cael ei greu, yn cynnwys awgrymiadau ynghylch oedran, rhyw, cefndir gwaith, IQ, a chysylltiadau cymdeithasol a theuluol y troseddwr. Y proffil hwn a fyddai'n cael ei ddefnyddio gan yr heddlu i ymchwilio i'r drosedd.

Mae'r dechneg ymchwiliol hon wedi bod yn ddylanwadol iawn wrth helpu i adnabod y sawl a ddrwgdybir ac mae sawl gwlad wedi'i mabwysiadu. Gall helpu i lunio rhestr fer o bobl a ddrwgdybir, er enghraifft arweiniodd yr ymchwiliad i achos yr Yorkshire Ripper at enwi 268,000 o bobl dan amheuaeth ond gall proffilio leihau'r nifer hwn ac arbed amser a chostau.

Fodd bynnag, mae llawer o'r nodweddion wedi datblygu yn sgil cyfweld â llofruddion cyfresol sy'n amlwg ddim ymhlith y bobl fwyaf onest a dibynadwy. Hefyd, nid yw bob amser yn bosibl trefnu troseddwyr yn daclus yn gategorïau troseddau trefnedig ac anhrefnedig a gall fod ganddyn nhw agweddau ar y ddau fath, neu eu bod yn symud rhwng y ddau. Yn olaf, mae proffiliau yn anwyddonol, yn aml yn amwys ac yn bosibl eu cymhwyso at nifer mawr o unigolion, sef yr hyn sy'n cael ei alw'n effaith Barnum.

Gall proffilio troseddol fod yn hynod o ddefnyddiol mewn achosion sy'n gysylltiedig â threisio, llofruddiaethau, tân bwriadol, lladrata a bomio.

Term allweddol

Effaith Barnum: Pan fydd unigolyn yn dweud bod disgrifiadau eraill ohono yn debyg iawn iddo ef ei hun. Fodd bynnag, mae'r disgrifiadau yn amwys ac yn gyffredinol iawn mewn gwirionedd, a byddai'n bosibl eu cymhwyso at amrywiaeth eang o bobl.

ASTUDIAETH ACHOS

COLIN STAGG

Gan ddychwelyd at achos Colin Stagg (gweler tudalen 156), gall yr achos hwn ddangos y camgymeriad o ddibynnu gormod ar broffilio troseddol. Gofynnwyd i'r seiciolegydd Paul Britton lunio proffil o lofrudd Rachel Nickell. Arweiniodd hyn at erlid Stagg mewn ffordd obsesiynol gan yr heddlu, gan ei fod yn ffitio proffil Britton. Chwaraeodd Britton rôl allweddol yn yr ymchwiliad ac roedd yn amlwg iawn yn yr wyliadwriaeth gudd a'r trap a gafodd ei osod gyda 'Lizzie'.

Datblygu ymhellach

Darllenwch yr erthygl 'Psychological Profiling "Worse than Useless"' (Sample, 2010) ar wefan *The Guardian*, a fydd yn eich helpu chi i werthfawrogi rhai o'r materion sy'n gysylltiedig â phroffilio.

Parêd adnabod.

Cyfweliad – tystiolaeth llygad-dyst

Mae tystiolaeth llygad-dyst yn dystiolaeth sy'n cael ei rhoi gan rywun sydd wedi bod yn dyst i drosedd. Gan hynny, mae disgwyliad uchel y bydd yn ddibynadwy ac mae rheithgorau'n aml yn fodlon credu tystiolaeth o'r fath. Yn 1976, edrychodd (Adroddiad) Pwyllgor Devlin ar yr arfer o ddefnyddio tystion i adnabod pobl a ddrwgdybir a gwelwyd yn 1973 fod 850 achos lle cafodd pobl a ddrwgdybir eu hadnabod mewn rhes, gyda chyfradd euogfarnu o 82%. Hefyd, cafodd 347 o'r rhain eu herlyn mewn achosion lle tystiolaeth llygad-dyst oedd yr unig dystiolaeth o euogrwydd. O'r rhain, cafwyd 74% yn euog gan reithgor. Yn amlwg, mae rheithgorau'n dibynnu ar ddulliau o adnabod pobl fel hyn ac, ar yr wyneb, mae tystiolaeth llygad-dyst yn dystiolaeth dda a chadarn.

Fodd bynnag, mae rhywfaint o ymchwil yn bwrw amheuaeth ar gywirdeb tystiolaeth llygad-dyst ar sail y ffaith y gall ffactorau effeithio ar ei chryfder. Er enghraifft, gall gorbryder a straen effeithio ar y dystiolaeth mewn ffordd gadarnhaol.

ASTUDIAETH ACHOS

RONALD COTTON

Treuliodd Ronald Cotton 10 mlynedd yn y carchar yn UDA am drosedd na wnaeth ei chyflawni. Cafwyd ef yn euog o dreisio ar ôl i'r rheithgor gredu tystiolaeth llygad-dyst y dioddefwr, Jennifer Thompson-Cannino. Pan oedd hi'n cael ei threisio roedd hi'n benderfynol o gofio ei hymosodwr er mwyn ei gael yn euog. Pan ddangoswyd ffotograffau iddi, dewisodd Jennifer lun Cotton a gwnaeth yr un peth yn ystod parêd adnabod. Roedd y rheithgor yn credu tystiolaeth y llygad-dyst ac fe gafwyd Cotton yn euog. Ceisiodd apelio yn erbyn y rheithfarn sawl gwaith ond roedd yn aflwyddiannus nes i DNA gael ei ddatblygu. Defnyddiwyd technoleg DNA i ganfod cysylltiad rhwng y dioddefwr a chyd-garcharor a oedd wedi cyfaddef wrth garcharor arall iddo gyflawni'r drosedd. Cliriwyd Cotton a daeth yn ffrindiau da gyda Jennifer. Mae'r ddau yn ymgyrchu o blaid diwygio tystiolaeth llygad-dyst ac yn ceisio atal euogfarnau anghywir eraill.

Ronald Cotton a Jennifer Thompson-Cannino.

Cyfweliad – arbenigwyr

Gall yr heddlu gyfweld â thyst arbenigol i gael gwybodaeth arbenigol a allai ddylanwadu ar ymchwiliad. Er enghraifft, gall arbenigwyr meddygol ddarparu gwybodaeth am achos marwolaeth neu achos anaf. Mae tystion arbenigol eraill yn cynnwys pobl sy'n gallu darparu ôl-gyfrifiadau alcohol i ddarganfod a yw'r sawl a ddrwgdybir yn gyrru o dan ddylanwad alcohol mewn damweiniau traffig. Mewn geiriau eraill, gall yr arbenigwr ddefnyddio'r crynodiad o alcohol mewn sampl gwaed i gyfrifo'r crynodiad alcohol ar adeg cynharach. Bydd hyn yn dangos, er enghraifft, a oedd y sawl a ddrwgdybir dros y cyfyngiad penodedig ar gyfer yfed alcohol a gyrru.

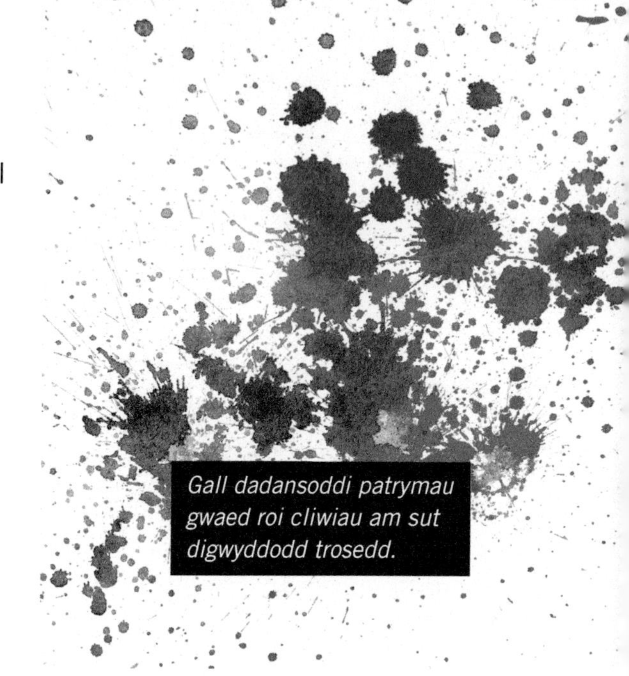

Gall dadansoddi patrymau gwaed roi cliwiau am sut digwyddodd trosedd.

Gall arbenigwyr mewn dadansoddi patrymau gwaed benderfynu ar ffactorau fel symudiad yn ystod ymosodiad neu rym a natur ymosodiad. Gall tystiolaeth fel hyn helpu'r heddlu a Gwasanaeth Erlyn y Goron i benderfynu a ddylid bwrw ymlaen ag achos ai peidio.

Mewn ymchwiliad, mae'n bwysig dangos lleoliad y sawl a ddrwgdybir neu ryw gysylltiad rhwng y rhai a ddrwgdybir: gall tyst sy'n arbenigo mewn ffonau ddarparu dadansoddiad o'r defnydd o offer ffôn fel ffonau symudol. Gall arbenigwyr ddefnyddio rhaglenni meddalwedd i gael gafael ar ddata perthnasol fel rhestrau o gysylltiadau, negeseuon testun wedi'u dileu, negeseuon llais wedi'u dileu a gwybodaeth sydd wedi'i dileu yn dangos defnydd o'r ffonau. Defnyddiwyd hyn yn yr ymchwiliad i farwolaeth Alice Ruggles gan ei chyn-gariad Trimaan Dhillon.

Gall tystion arbenigol ym maes entomoleg helpu mewn achosion o farwolaethau amheus neu lofruddiaethau drwy gynnig sylwadau ar faterion fel symud y corff ar ôl marwolaeth ac a yw'r corff wedi bod mewn amgylchedd agored neu gudd. Maen nhw'n defnyddio gwybodaeth gan bryfed i sefydlu amser a lleoliad y farwolaeth. Defnyddiwyd y dechneg hon i ddatrys llofruddiaeth Leanne Tiernan.

Term allweddol

Entomoleg: Astudio pryfed yn wyddonol.

Mae pryfed yn cael eu denu at gorff a gall hyn helpu i benderfynu ar amser a lleoliad y farwolaeth.

MPA1.3 ESBONIO SUT Y CAIFF TYSTIOLAETH EI PHROSESU

MEINI PRAWF ASESU	BAND MARCIAU 1	BAND MARCIAU 2
MPA1.3 Dylech chi allu ... Esbonio sut y caiff tystiolaeth ei phrosesu	Ymateb sylfaenol gan o bosibl restru gweithdrefnau neu grybwyll astudiaethau achos yn unig **(1–3)**	Esboniad clir a manwl o sut y caiff y ddau fath o dystiolaeth eu prosesu gan ddefnyddio enghreifftiau perthnasol **(4–6)**

CYNNWYS	YMHELAETHU
Mathau o dystiolaeth • tystiolaeth ffisegol • tystiolaeth gan dyst **Proses** • casglu • trosglwyddo • storio • dadansoddi • personél sy'n rhan o'r broses	Dylech chi feddu ar ddealltwriaeth o'r gwahanol fathau o dystiolaeth a sut maen nhw'n cael eu casglu a'u prosesu Dylech chi ystyried sut cafodd gwahanol fathau o dystiolaeth eu prosesu drwy amrywiaeth o astudiaethau achos, er enghraifft Barry George, Sally Clark, Angela Cannings, Amanda Knox

Mathau o dystiolaeth

Gellir rhannu tystiolaeth yn ddau gategori:

- **Ffisegol (*physical*):** mae hefyd yn cael ei galw'n dystiolaeth gadarn, yn cynnwys gwrthrychau diriaethol fel blew, ffibrau, olion bysedd a deunydd biolegol.
- **Gan dyst:** datganiadau neu'r hyn sy'n cael ei ddweud gan y diffynnydd, gan ddioddefwr neu dyst.

Tystiolaeth ffisegol

Yn ôl y cysyniad sy'n cael ei alw'n egwyddor cyfnewid Locard, bob tro y bydd rhywun yn mynd i mewn i amgylchedd, bydd rhywbeth yn cael ei ychwanegu ato a'i dynnu oddi yno. Mae'r egwyddor hon weithiau'n cael ei mynegi fel 'mae pob cyswllt yn gadael ei ôl', ac mae hynny'n wir am gyswllt rhwng unigolion yn ogystal â rhwng unigolyn ac amgylchedd ffisegol. Mae swyddogion lleoliad y drosedd bob amser yn gweithio ar yr egwyddor bod tystiolaeth ffisegol wedi'i gadael ym mhob lleoliad.

Term allweddol

Egwyddor cyfnewid Locard: Roedd Dr Edmond Locard yn wyddonydd fforensig o Ffrainc, yr oedd pobl yn aml yn cyfeirio ato yn anffurfiol fel 'Sherlock Holmes Ffrainc'. Roedd yn arloesi ym maes technegau gwyddoniaeth fforensig, gan gynnwys yr egwyddor cyfnewid, sef bod rhywbeth yn cael ei ychwanegu at amgylchedd, a'i dynnu oddi yno, bob tro y bydd rhywun yn mynd i mewn i'r amgylchedd hwnnw.

LLEOLIAD TROSEDD - DIM MYNEDIAD

Mae mwy o berygl i dystiolaeth gael ei cholli neu ei halogi mewn lleoliad trosedd yn yr awyr agored. Gall unigolion sydd â mynediad at y lleoliad newid, dinistrio neu halogi tystiolaeth o bosibl. Mae'r perygl yn fwy pan na fydd ymchwilwyr wedi diogelu lleoliad y drosedd yn gywir. Gall amodau tywydd fel gwres, oerfel, eira a glaw, ddinistrio neu ddifetha tystiolaeth.

Gweithgaredd

Gofynnwch i'ch athro wahodd arweinydd cwrs gwyddor fforensig o brifysgol leol i ddod i'r Ganolfan i siarad am y cwrs – gofynion y cwrs a'r gofynion mynediad.

Tystiolaeth gan dyst

Tystiolaeth gan dyst yw'r hyn sy'n cael ei ddweud gan y tystion, a allai gynnwys naill ai'r dioddefwr neu'r diffynnydd. Rhaid i'r dystiolaeth fod yn dderbyniol, sy'n golygu cydymffurfio â rheolau tystiolaeth. Er enghraifft, yn achos Colin Stagg, cafodd yr holl dystiolaeth yn ymwneud â 'Lizzie' ei gwahardd gan farnwr y treial.

Bydd y ddwy ochr yn cymryd datganiadau gan y tystion ac yn eu datgelu cyn yr achos llys. Yn y llys, mae'r dystiolaeth gan dyst fel arfer yn cael ei chyflwyno yn y bocs tystio a bydd cyfle i'r ochr arall groesholi neu gwestiynu tystiolaeth y tystion. Weithiau, gall yr amddiffyniad a'r erlyniad gytuno ar y dystiolaeth ac os felly bydd yn cael ei darllen allan heb i'r tystion fod yn bresennol. Y rheithgor/ynadon fydd yn penderfynu i ba raddau mae'n bosibl dibynnu ar dyst. Gall tystion agored i niwed roi tystiolaeth drwy gyswllt fideo. Ni ellir gorfodi diffynyddion i roi tystiolaeth a gallan nhw wrthod mynd i'r bocs tystio os byddan nhw'n dewis peidio â gwneud hynny.

Termau allweddol

Rheolau tystiolaeth: Rheolau cyfreithiol sy'n esbonio pryd bydd tystiolaeth mewn achos llys yn dderbyniol a phryd na fydd yn cael ei chaniatáu neu'n cael ei hystyried yn annerbyniol.

Tyst agored i niwed: Unrhyw un o dan 17 oed, neu ddioddefwr ymosodiad rhyw, neu rywun y mae ei dystiolaeth neu ei allu i roi tystiolaeth yn debygol o fod yn llai oherwydd anhwylder meddwl, nam deallusrwydd sylweddol neu nam corfforol.

Y broses o gasglu tystiolaeth ffisegol

- Gellir casglu **olion gwaed** ar ddefnydd di-haint, os ydyn nhw'n dal i fod ar ffurf hylif, a'u gadael i sychu ar dymheredd ystafell. Ymhen 28 awr, dylen nhw gael eu trosglwyddo i'r labordy er mwyn i'r gwyddonwyr fforensig eu harchwilio. Os yw'r gwaed wedi sychu ar y defnydd yn barod, dylai'r eitem gael ei rhoi mewn cynhwysydd, ei selio a'i labelu.
- Mae **olion semen** yn aml i'w canfod ar ddillad neu ddillad gwely a dylid gadael iddyn nhw sychu ar y defnydd, ac yna eu lapio mewn papur a'u rhoi mewn bagiau papur. Mae'n bwysig mewn troseddau o natur rywiol fod y dystiolaeth yn cael ei diogelu a bod meddyg yn archwilio'r dioddefwr. Dylid pecynnu'r holl ddillad ac unrhyw eitemau perthnasol eraill ar wahân.

Olion gwaed

- Mae **samplau blew** yn debygol o fod ar ddillad ac felly dylid lapio'r dillad mewn papur a'u rhoi i'r labordy i gael eu harchwilio. Dylid rhoi unrhyw ddarnau bach o flew mewn papur, ar gyfer eu marcio a'u selio. Weithiau, gall archwiliad o'r blew ddatgelu hil posibl yr unigolyn dan sylw ac o ba ran o'r corff y daeth y blew.
- Mae **ffibrau ac edafedd** yn aml i'w cael ar eitemau eraill neu'n cael eu dal mewn defnyddiau wedi'u rhwygo. Fel arfer, mae'n bosibl eu harchwilio i ganfod math a lliw y ffabrig gwreiddiol. Gall gwyddonwyr fforensig weithiau awgrymu o ba fath o ddilledyn neu ffabrig y daethon nhw. Mae'n bosibl hefyd gwneud cymariaethau â dillad y sawl a ddrwgdybir. Gellir codi ffibrau ac edafedd â bysedd yn gwisgo menig neu â gefel fach a'u lapio mewn papur, yna eu rhoi mewn amlen, a fydd yn cael ei selio a'i marcio.
- Gall **olion bysedd** fod yn amlwg ac wedi'u gadael ar ôl mewn hylif fel gwaed. Gellir tynnu ffotograffau fel cofnod parhaol. Gall olion bysedd fod yn gudd, ond gallan nhw ddod yn fwy amlwg wrth ddefnyddio powdr neu gyfrwng cemegol. Gellir defnyddio golau uwchfioled os yw'r olion yn rhai na fyddai'n hawdd eu gweld fel arfer. Gellir casglu olion drwy ddefnyddio brwsh yn cynnwys powdr magnesiwm sy'n aml yn cael ei gymysgu â sylwedd tebyg i lud cryf iawn. Yn olaf, gellir argraffu olion ar ddefnydd meddal neu hances bapur drwy wasgu i lawr â'r bys neu'r llaw. Gellir tynnu ffotograffau o'r olion hyn neu mewn rhai amgylchiadau gellir gwneud mowld os ydyn nhw'n fregus iawn.
- Gall **olion esgidiau** yn aml ddweud wrth yr heddlu pa fath o esgidiau i chwilio amdanyn nhw wrth archwilio cartref y sawl a ddrwgdybir. Wrth dynnu ffotograffau, dylid defnyddio trybedd, pren mesur a lefel i ddangos graddfa. Gellir defnyddio'r argraffiadau i greu castiau ac ar ôl iddyn nhw galedu, gellir eu rhoi mewn pecynnau papur a'u rhoi i'r labordy. Mae hyn yn ei gwneud yn bosibl i wneud cysylltiad ag esgidiau y sawl a ddrwgdybir.
- Mae **olion cnoadau** yn gyffredin mewn ymosodiadau rhywiol a gellir eu cysylltu â'r unigolyn dan sylw. Dylid tynnu ffotograff ohonyn hwn a gwneud cast o bosibl. Bydd angen castiau a ffotograffau o ddannedd yr unigolyn a ddrwgdybir ac efallai dannedd y dioddefwr er mwyn eu cymharu. Gellid ymgynghori ag arbenigwr ym maes deintyddiaeth fforensig.

Ôl bys

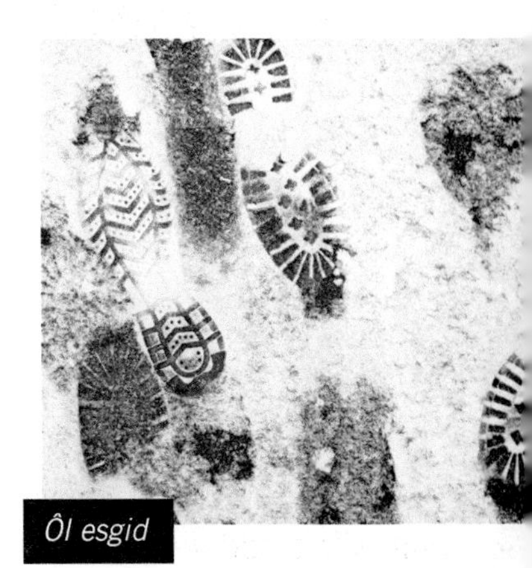

Ôl esgid

Termau allweddol

Amlwg: Yn glir i'r llygad noeth.

Cudd: Ddim yn amlwg i'r llygad noeth.

Deintydd fforensig: Rhywun sy'n gallu cyflwyno gwybodaeth ddeintyddol mewn achosion cyfreithiol.

Gweithgaredd

Ymchwiliwch i fysbrintio (*fingerprinting*), gan gynnwys:

(i) y gwahanol ffyrdd o wneud hyn

(ii) y canran tebygol o'r boblogaeth sydd â'r un math o ôl bys

(iii) pryd cafodd bysbrintio ei ddefnyddio am y tro cyntaf.

Gallech chi hyd yn oed ddod at eich gilydd fel ffrindiau a chodi arian i brynu cit bysbrintio syml i ganfod pa fath o batrwm sydd gan eich ôl bys chi.

ASTUDIAETH ACHOS

AMANDA KNOX

Amanda Knox

Darganfuwyd sawl darn o dystiolaeth yn achos Amanda Knox, lle cafodd hi a'i chariad Raffaele Sollecito eu cyhuddo o lofruddio Meredith Kercher yn yr Eidal. Roedd y brif dystiolaeth yn ymwneud â DNA a gafodd ei ddarganfod ar gyllell, sef yr arf a ddefnyddiwyd i ladd, ac ar fwcl bra y dioddefwr, a gafodd ei ddarganfod saith wythnos ar ôl y llofruddiaeth. Daethpwyd o hyd i'r gyllell yn fflat Sollecito; roedd DNA'r dioddefwr ar y llafn a DNA Amanda Knox ar y carn. Fodd bynnag, dadleuodd cyfreithwyr Knox nad oedd y gweithdrefnau cywir wedi'u dilyn a gallai halogiad fod wedi digwydd.

Cafwyd hyd i DNA Raffaele ar fwcl bra y dioddefwr. Roedd tîm yr amddiffyniad yn dibynnu ar yr oedi wrth ddarganfod y dystiolaeth hon gan ddadlau nad oedd yn ddibynadwy. Yn ôl tystiolaeth yr heddlu, roedd olion traed Knox a Sollecito wedi'u canfod ger lleoliad y llofruddiaeth. Dywedwyd bod un o'r olion traed, a oedd yn ystafell wely Kercher, yn cyfateb i ôl troed Knox. Hefyd, darganfuwyd dau ôl troed arall ar y mat yn yr ystafell ymolchi ac yn y coridor, a dywedwyd eu bod yn cyfateb i olion Sollecito. Fodd bynnag, dadleuodd arbenigwr fforensig arall nad oedd yr olion yn cyfateb i draed Sollecito.

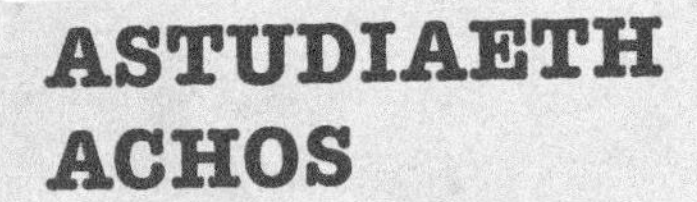

ASTUDIAETH ACHOS

BARRY GEORGE

Cafwyd George yn euog o lofruddio'r seren deledu Jill Dando yn 1999. Fodd bynnag, dilewyd yr euogfarn hon saith mlynedd yn ddiweddarach, pan ganolbwyntiodd yr apêl ar smotyn bach o weddillion saethu dryll ym mhoced ei gôt, oedd ddim yn amlwg i'r llygad noeth ac a oedd yn mesur un degfed milfed centimedr. Fodd bynnag, mynnodd George fod yr heddlu wedi cario arfau tanio i'w fflat pan wnaethon nhw ei chwilio y tro cyntaf. Roedd pocedi'r siaced ar agor yn y fflat a gallai gronynnau o weddillion saethu dryll fod yn yr aer o ganlyniad i bresenoldeb swyddogion arfog.

Cafwyd George yn euog yn wreiddiol o lofruddio'r seren deledu Jill Dando.

Sgiliau llythrennedd

Llenwch y bylchau â'r geiriau sydd ar goll.

1. Mae dau fath o dystiolaeth: ffisegol a ______________________ .
2. Yn syml iawn, mae damcaniaeth Locard yn datgan bod 'pob ______________________ yn gadael ei ôl'.
3. Os na fydd lleoliad trosedd yn cael ei ddiogelu'n briodol, gall y dystiolaeth gael ei ______________________ .
4. Gall tyst ______________________ fod yn rhywun o dan 17 oed.
5. Gall olion bysedd naill ai fod yn amlwg neu'n ______________________ .

Awgrym

Yn yr asesiad dan reolaeth, esboniwch y ddau fath o dystiolaeth ac yna dewiswch enghreifftiau perthnasol o dystiolaeth o'r senario i'w hesbonio'n fanwl (casglu, dadansoddiad, ac ati). Dylech gynnwys achosion gan esbonio'r dystiolaeth a'r materion yn ymwneud â'r dystiolaeth.

MPA1.4 ARCHWILIO HAWLIAU UNIGOLION MEWN YMCHWILIADAU TROSEDDOL

MEINI PRAWF ASESU	BAND MARCIAU 1	BAND MARCIAU 2
MPA1.4 Dylech chi allu … Archwilio hawliau unigolion mewn ymchwiliadau troseddol	Rhestrir hawliau unigolion mewn ymchwiliadau troseddol neu o bosibl ceir disgrifiad cyfyngedig ohonyn nhw **(1–3)**	Caiff hawliau unigolion mewn ymchwiliadau troseddol yn amlwg eu harchwilio o'r ymchwiliad hyd at apêl **(4–6)**

CYNNWYS	YMHELAETHU
Unigolion • y sawl a ddrwgdybir • dioddefwyr • tystion	Dylech chi ystyried hawliau pob unigolyn o'r ymchwiliad hyd at yr apêl

Awgrym !

I gael uchafswm y marciau mae angen i chi ystyried hawliau pob unigolyn; sef y sawl a ddrwgdybir, gan gynnwys hawliau apelio, dioddefwyr a thystion.

Hawliau'r sawl a ddrwgdybir

Gall swyddog yr heddlu arestio'r sawl a ddrwgdybir, heb warant, os oes ganddo sail resymol dros gredu bod yr unigolyn yn cyflawni, wedi cyflawni neu ar fin cyflawni trosedd a bod angen ei arestio.

Rhaid i swyddog yr heddlu roi gwybod i'r unigolyn ei fod yn cael ei arestio, beth yw'r rheswm dros ei arestio, hyd yn oed os yw hyn yn amlwg, a pham mae angen ei arestio. Felly, efallai byddai cwnstabl yn dweud, '*Rwyf yn eich arestio chi am ymosod* ac *er mwyn eich atal rhag achosi niwed i neb arall.*' Daw'r pŵer hwn o adran 24, Deddf yr Heddlu a Thystiolaeth Droseddol 1984 (PACE) fel y'i diwygiwyd gan Ddeddf Troseddu Trefnedig Difrifol a'r Heddlu 2005 (SOCPA).

Oni bai ei fod yn amhosibl gwneud hynny, rhaid i'r heddlu wedyn roi rhybudd i'r sawl a arestiwyd. Gweler y dudalen nesaf am yr hawl i aros yn ddistaw.

Yng ngorsaf yr heddlu, bydd y sawl a ddrwgdybir yn cael ei drosglwyddo i swyddog y ddalfa a fydd yn sicrhau bod yr unigolyn yn cael ei drin yn unol â'r gyfraith a'i

Rhaid rhoi rhybudd i rywun sy'n cael ei arestio.

fod yn derbyn ei holl hawliau cyfreithiol. Mae swyddog y ddalfa hefyd yn adolygu hyd y cyfnod cadw er mwyn sicrhau cydymffurfiaeth â chyfyngiadau amser. Yn gyffredinol, rhaid rhyddhau rhywun o fewn 24 awr ar ôl iddo gyrraedd gorsaf yr heddlu ond yn achos troseddau ditiadwy gellir awdurdodi 12 awr ychwanegol (felly, hyd at 36 awr). Ar ôl 36 awr, rhaid cael cymeradwyaeth yr ynadon i gadw rhywun am gyfnod hirach, a gallan nhw ganiatáu hyd at 96 awr yn y ddalfa.

O dan PACE, mae gan y sawl sy'n cael ei gadw dri phrif hawl:

- **A. 56 DEDDF YR HEDDLU A THYSTIOLAETH DROSEDDOL:** hawl i roi gwybod i rywun ei fod wedi cael ei arestio.
- **A. 58 DEDDF YR HEDDLU A THYSTIOLAETH DROSEDDOL:** hawl i ymgynghori'n breifat â chyfreithiwr.
- Hawl i ddarllen y Codau Ymarfer.

Yng ngorsaf yr heddlu, gellir cymryd olion bysedd y sawl a ddrwgdybir a DNA ar ffurf swab ceg, a hynny â grym rhesymol os oes ei angen. Felly bydd gan yr heddlu DNA y sawl a ddrwgdybir fel tystiolaeth.

Gall yr heddlu hefyd holi unrhyw un sy'n cael ei gadw yng ngorsaf yr heddlu. Mae gan y rhai a ddrwgdybir rai hawliau a chamau diogelu i'w hamddiffyn. Er enghraifft, rhaid recordio pob cyfweliad ar dâp, ac mewn rhai rhannau o'r DU, mae'r heddlu yn gwneud recordiadau fideo o gyfweliadau. Mae gan bobl sy'n cael eu cadw yn y ddalfa yr hawl i gael cyfreithiwr yn bresennol yn ystod y cyfweliad.

Yn ystod cyfweliadau, does dim rhaid i'r rhai a ddrwgdybir ateb o gwbl, cyfeirir at y rhain yn aml fel cyfweliadau 'dim sylw' ('*no comment*'). Mae'r 'hawl i aros yn ddistaw' yn cael ei roi yn rhybudd yr heddlu:

Does dim rhaid i chi ddweud dim byd. Ond gall niweidio eich amddiffyniad os na fyddwch chi'n sôn, wrth gael eich holi, am rywbeth y byddwch chi'n dibynnu arno nes ymlaen yn y llys. Gall unrhyw beth yr ydych yn ei ddweud gael ei roi fel tystiolaeth.

Mae hyn yn golygu na ellir gorfodi'r sawl a ddrwgdybir i siarad, a gall aros yn ddistaw, ac mewn unrhyw dreial gall y barnwr gyfeirio at fethiant y diffynnydd i sôn am rywbeth sy'n hanfodol i'w amddiffyniad. Gall y methiant hwn i sôn am rywbeth, y mae'r diffynnydd bellach yn dymuno dibynnu arno yn y llys, ffurfio rhan o'r dystiolaeth yn ei erbyn. Nid yw distawrwydd diffynnydd yn ddigon ar ei ben ei hun i sicrhau euogfarn a rhaid i'r erlyniad gael tystiolaeth arall er mwyn profi ei achos.

Os bydd yr achos yn cael ei glywed yn y llys ynadon, mae gan y diffynnydd yr hawl i apelio yn erbyn euogfarn, os plediodd yn ddieuog, a hefyd i apelio yn erbyn y ddedfryd yn achos Llys y Goron. Byddai'r achos yn cael ei ailglywed gan farnwr a dau ynad. Rhaid cael caniatâd i glywed unrhyw apêl bellach a rhaid i'r apêl ymwneud â phwynt cyfreithiol.

Os aeth y diffynnydd ar dreial yn Llys y Goron, nid yw apêl yn awtomatig gan fod rhaid gofyn am ganiatâd o fewn 28 diwrnod ar ôl y penderfyniad. Mae apêl yn erbyn dedfryd a/neu euogfarn yn bosibl. Yr unig reswm dros apelio yn erbyn euogfarn fyddai nad yw hi'n ddiogel. Byddai'r rhesymau dros yr apêl yn cael eu clywed, ond nid fel ail dreial llawn a dim ond am y rhesymau dros yr apêl, yn Adran Droseddol y Llys Apêl gan dri barnwr. Dim ond achosion yn ymwneud â phwyntiau cyfreithiol o bwysigrwydd cyffredinol i'r cyhoedd a fyddai'n gallu apelio ymhellach, gyda chaniatâd, i'r Goruchaf Lys.

Termau allweddol

Swyddog y ddalfa: Y swyddog heddlu, rhingyll (sarjant) o leiaf, sy'n gyfrifol am ofal a lles rhywun a arestiwyd.

Trosedd dditiadwy: Trosedd ddifrifol mae'n rhaid delio â hi yn Llys y Goron.

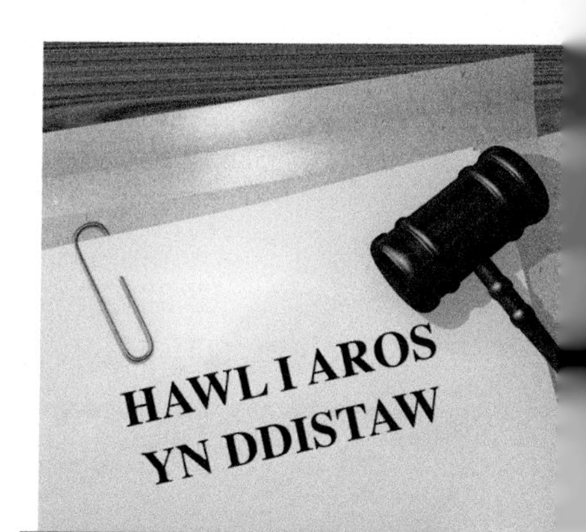

Un o brif hawliau'r sawl a ddrwgdybir yw'r hawl i aros yn ddistaw.

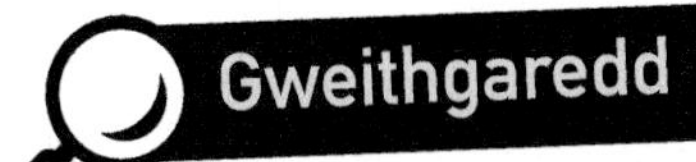

Gweithgaredd

Lluniwch ddiagram o'r llwybrau apêl sydd ar gael i ddiffynnydd, gan nodi'r llysoedd, a oes rhaid cael caniatâd, a gan gynnwys pawb sy'n gwrando ar yr apêl a pha fath o wrandawiad yw'r apêl.

Hawliau dioddefwr

Mae hawliau dioddefwr wedi'u cynnwys yn Nghod y Dioddefwr neu God Ymarfer Dioddefwyr Trosedd, a sefydlwyd gan Ddeddf Trais Domestig, Troseddu a Dioddefwyr 2004. Mae'r hawliau yn cynnwys:

- yr hawl i gael gwybod gan yr heddlu sut mae eich achos yn dod yn ei flaen
- yr hawl i gael gwybod pan fydd y sawl a ddrwgdybir yn cael ei arestio, ei gyhuddo, ei fechnïo neu ei ddedfrydu
- yr hawl i wneud cais am gymorth ychwanegol wrth roi tystiolaeth yn y llys (sef 'mesurau arbennig') os ydych chi'n agored i niwed, yn cael eich bygwth, neu'n blentyn neu'n unigolyn ifanc
- yr hawl i wneud cais am iawndal
- yr hawl i wneud Datganiad Personol y Dioddefwr yn esbonio effaith y drosedd, ac i hwnnw gael ei ddarllen yn y llys, gyda chaniatâd y llys. (Cymorth i Ddioddefwyr, 2006)

VS VICTIM SUPPORT

Mae Cymorth i Ddioddefwyr yn darparu cymorth emosiynol ac ymarferol i ddioddefwyr pob math o droseddau.

Gall y llys ddyfarnu iawndal i ddioddefwr trosedd, er enghraifft mewn achosion anafiadau personol neu ddifrod i eiddo. Hefyd, os ydych wedi dioddef trosedd dreisgar, mae'n bosibl gwneud cais am iawndal i'r Awdurdod Digolledu am Anafiadau Troseddol (*CICA: Criminal Injuries Compensation Authority*), asiantaeth sy'n derbyn nawdd gan y llywodraeth.

Hawliau tyst

Mae Siarter Tystion hefyd ar gael sy'n cynnwys safon y gwasanaeth gall tyst ei ddisgwyl mewn achos llys. Mae'r safonau'n cynnwys:

- cael prif fan cyswllt i gael gwybodaeth am yr achos
- gallu hawlio treuliau teithio a chostau am golli enillion oherwydd yr achos llys
- derbyn mesurau arbennig os ydych yn dyst sy'n agored i niwed neu'n cael eich bygwth. Er enghraifft, rhoi tystiolaeth drwy gyswllt fideo neu'r barnwr a'r cyfreithwyr i ddiosg eu wigiau.

Hefyd mae trefn gwyno os na fydd y safonau yn cael eu dilyn, a byddai unrhyw gwynion yn cael eu trin gan yr Ombwdsmon Seneddol yn y pen draw.

Mae Gwasanaeth Erlyn y Goron hefyd yn darparu gwybodaeth, help a chymorth i ddioddefwyr a thystion yr erlyniad.

Gweithgaredd

Gofynnwch i'ch athro gysylltu â'ch Swyddfa Cymorth i Ddioddefwyr leol a gofyn a oes rhywun ar gael i ymweld â'ch Canolfan i siarad am ei waith.

DEILLIANT DYSGU 2

DEALL Y BROSES O ERLYN Y SAWL A DDRWGDYBIR

MPA2.1 ESBONIO GOFYNION GWASANAETH ERLYN Y GORON (CPS) AR GYFER ERLYN Y SAWL A DDRWGDYBIR

MEINI PRAWF ASESU	BAND MARCIAU 1	BAND MARCIAU 2
MPA2.1 Dylech chi allu … Esbonio gofynion Gwasanaeth Erlyn y Goron ar gyfer erlyn y sawl a ddrwgdybir	Esboniad syml/sylfaenol o Wasanaeth Erlyn y Goron heb lawer o gyfeiriadau at y broses o erlyn y sawl a ddrwgdybir, os o gwbl **(1–2)**	Esboniad manwl gan gynnwys enghreifftiau clir a pherthnasol o ofynion (profion) Gwasanaeth Erlyn y Goron wrth erlyn y sawl a ddrwgdybir **(3–4)**

CYNNWYS	YMHELAETHU
Gofynion • prawf cod llawn • rôl gyhuddo – Deddf Cyfiawnder Troseddol 2003 • Deddf Erlyn Troseddau 1985	Dylech chi feddu ar ddealltwriaeth o rôl Gwasanaeth Erlyn y Goron Dylai dysgwyr esbonio'r prawf tystiolaethol a'r prawf lles y cyhoedd sy'n rhan o benderfyniad i erlyn

Sefydlwyd Gwasanaeth Erlyn y Goron (CPS) yn 1986 gan Ddeddf Erlyn Troseddau 1985. Cyn hyn, roedd yr heddlu'n ymchwilio i achosion ac yn eu herlyn hefyd. Fodd bynnag, y teimlad oedd bod angen sefydliad mwy annibynnol ar gyfer erlyniadau, ac un a oedd ar wahân i'r heddlu. Felly, mae Gwasanaeth Erlyn y Goron:

- yn cynghori'r heddlu ar y camau cyntaf mewn ymchwiliad
- yn penderfynu pa achosion i'w herlyn
- yn penderfynu ar y cyhuddiad priodol
- yn paratoi achosion ar gyfer y llys
- yn cyflwyno achosion yn y llys.

Er bod Gwasanaeth Erlyn y Goron yn annibynnol, mae'n gweithio'n agos gyda'r heddlu. Hefyd, mae gwasanaeth cynghori 24 awr ar gael i'r heddlu drwy CPS Direct.

Gwasanaeth Erlyn y Goron sy'n penderfynu a ddylid erlyn rhywun ai peidio ym mhob achos heblaw'r rhai mân iawn.

Prawf cod llawn

Er mwyn helpu i sicrhau tegwch a chysondeb wrth erlyn, mae Gwasanaeth Erlyn y Goron yn defnyddio prawf dau gam i benderfynu a ddylid erlyn ai peidio. Y ddau gam yw:

(i) prawf tystiolaethol

(ii) prawf lles y cyhoedd.

Y prawf tystiolaethol

Mae'r prawf tystiolaethol yn gofyn a oes digon o dystiolaeth i gael 'gobaith realistig o euogfarn'. Rhaid i Wasanaeth Erlyn y Goron ystyried beth fydd achos yr amddiffyniad, a sut mae hynny'n debygol o effeithio ar achos yr erlyniad. Mae gobaith realistig o euogfarn yn brawf gwrthrychol, sy'n golygu bod rheithgor neu fainc o ynadon neu farnwr sy'n gwrando ar achos ar eu pen eu hunain, gyda'r cyngor cywir am y gyfraith, yn debygol iawn o gael y diffynnydd yn euog. Os penderfynir bod gobaith o euogfarn, yna bydd y prawf tystiolaethol yn cael ei gynnal.

Er mwyn helpu Gwasanaeth Erlyn y Goron i benderfynu a oes digon o dystiolaeth, rhaid iddo ystyried a ellir defnyddio'r dystiolaeth yn y llys. Efallai eich bod yn cofio achos Colin Stagg, lle roedd y barnwr o'r farn bod tystiolaeth 'Lizzie' yn annerbyniol (gweler tudalen 156). Rhaid i Wasanaeth Erlyn y Goron hefyd ystyried a yw'r dystiolaeth yn ddibynadwy, gan gynnwys penderfynu ar uniondeb tystion ac a yw eu tystiolaeth yn gredadwy neu'n anghredadwy. Os bydd yr achos yn methu'r prawf hwn, ni fydd yn symud ymlaen i'r cam nesaf ac ni fydd erlyniad. Fodd bynnag, os bydd yn pasio'r prawf tystiolaethol, yna gellir ystyried yr ail brawf – prawf lles y cyhoedd.

Prawf lles y cyhoedd

Rhaid i Wasanaeth Erlyn y Goron benderfynu a yw er lles y cyhoedd i erlyn. Mae'n bosibl y byddai'n well er lles y cyhoedd i drin y mater â phenderfyniad y tu allan i'r llys. Er mwyn penderfynu a yw'r mater yn pasio prawf lles y cyhoedd, mae rhestr o gwestiynau i'w hystyried. Nid yw'r rhestr yn gynhwysfawr ac efallai na fydd pob cwestiwn yn berthnasol. Efallai y byddai pwyslais gwahanol yn cael ei roi ar bob ateb mewn achosion gwahanol. Mae'r cwestiynau'n cael eu hystyried yn ganllawiau ac maen nhw fel a ganlyn:

- Pa mor ddifrifol yw'r drosedd a gyflawnwyd? Y mwyaf difrifol yw'r drosedd, y mwyaf tebygol yw hi y bydd erlyniad.
- Beth yw lefel beiusrwydd (*culpability*) neu gyfrifoldeb y sawl a ddrwgdybir? Y mwyaf yw'r lefel, y mwyaf tebygol yw hi y bydd erlyniad.

- Beth yw amgylchiadau'r dioddefwr a'r niwed a achoswyd i'r dioddefwr? Os yw'r dioddefwr yn agored i niwed neu os oedd y diffynnydd mewn sefyllfa lle roedd y dioddefwr yn ymddiried ynddo neu os cafodd y drosedd ei hysgogi gan wahaniaethu, mae erlyniad yn fwy tebygol.
- A oedd y sawl a oedd yn cael ei ddrwgdybio o dan 18 oed adeg y drosedd? Mae hyn oherwydd bod rhaid ystyried budd a lles plentyn.
- Beth yw'r effaith ar y gymuned? Y mwyaf yw'r effaith, y mwyaf tebygol yw hi y bydd erlyniad.
- A yw erlyn yn ymateb cymesur? Y ffordd orau o esbonio hyn yw drwy ystyried achos yn cynnwys nifer mawr o bobl a ddrwgdybir; byddai'n bosibl penderfynu erlyn y prif gymeriadau yn unig er mwyn osgoi achosion rhy hir a chymhleth.

Y prawf trothwy

Mae'r prawf trothwy yn golygu bod modd dod i benderfyniad ar unwaith ynghylch cyhuddo'r sawl a ddrwgdybir ai peidio, er nad yw'r holl dystiolaeth ar gael, ac felly nid yw'n bosibl defnyddio'r prawf cod llawn. Mae hyn yn amlwg yn tramgwyddo rhyddid, gan na fyddai'r dystiolaeth yn awgrymu bod llys yn debygol o gael rhywun yn euog, ac mae'r penderfyniad yn cael ei wneud ar sail amheuaeth resymol yn hytrach na thystiolaeth. Fodd bynnag, dim ond pan fydd y sawl a ddrwgdybir yn cael ei ystyried yn risg mechnïaeth sylweddol a phan nad yw'r holl dystiolaeth ar gael pan gaiff y sawl a ddrwgdybir ei ryddhau o'r ddalfa y mae'n bosibl ei gymhwyso. Y cwestiynau i'w hateb yn y prawf trothwy yw:

(i) A oes amheuaeth resymol mai'r unigolyn a fydd yn cael ei gyhuddo sydd wedi cyflawni'r drosedd?

(ii) A oes sail resymol i gredu y bydd yr ymchwiliad sy'n parhau yn datgelu mwy o dystiolaeth, o fewn cyfnod rhesymol o amser? O dan yr amgylchiadau hyn, rhaid adolygu penderfyniad i gymhwyso'r prawf trothwy.

Gweithgaredd

Ewch i wefan swyddogol Gwasanaeth Erlyn y Goron (CPS), www.cps.gov.uk/.

Mae llawer iawn o wybodaeth ar gael ar y wefan hon fydd yn ddefnyddiol ar gyfer y MPA hwn a rhai eraill yn Unedau 3 a 4.

Os byddwch chi'n astudio cwrs Safon Uwch y Gyfraith, bydd y wefan hon yn ddefnyddiol bryd hynny hefyd.

ASTUDIAETH ACHOS

DAMILOLA TAYLOR

Ydych chi'n cofio achos Damilola Taylor (gweler MPA1.1, tudalen 150)? Condemniwyd Gwasanaeth Erlyn y Goron yn eang oherwydd dywedwyd bod celwyddau un o brif dystion yr erlyniad yn amlwg iawn a dylai'r Gwasanaeth fod wedi gwybod y bydden nhw'n cael eu datgelu. Hefyd, roedd beirniadaeth o'r ffaith nad oedd llawer o amser wedi'i dreulio yn gwirio ei thystiolaeth yn erbyn ffeithiau hysbys a thapiau fideo ohoni.

ASTUDIAETH ACHOS

ABU HAMZA

Cafwyd Abu Hamza, clerigwr Mwslimaidd radical, yn euog yn 2006 o sawl trosedd gan gynnwys cymell llofruddio ac annog casineb hiliol. Fodd bynnag, arweiniodd yr achos hwn at ddadlau mawr ynghylch Gwasanaeth Erlyn y Goron a'r ffordd roedd yn cymhwyso'r prawf cod llawn, gan fod yr heddlu wedi gofyn yn ffurfiol i erlynwyr ystyried cyhuddiadau yn ymwneud â therfysgaeth yn ei erbyn ddwywaith (yn 1999 a 2000) yn ystod y saith mlynedd cyn ei gael yn euog. Penderfynodd Gwasanaeth Erlyn y Goron nad oedd digon o dystiolaeth i'w erlyn. Fodd bynnag, penderfynon nhw ei erlyn yn y pen draw yn 2006.

Abu Hamza

ASTUDIAETH ACHOS

JOAN FRANCISCO

Yn achos llofruddiaeth Joan Francisco, yn 1994, gwrthododd Gwasanaeth Erlyn y Goron erlyn oherwydd diffyg tystiolaeth. Fodd bynnag, bedair blynedd yn ddiweddarach, siwiodd ei theulu ei chyn-gariad mewn llys sifil gan ennill yr achos. Dyma'r tro cyntaf i rywun gael ei siwio am lofruddiaeth nad oedd erioed wedi'i gyhuddo o'i chyflawni. Unwaith eto, gwrthododd Gwasanaeth Erlyn y Goron erlyn, gan ddweud nad oedd digon o dystiolaeth. Fodd bynnag, gorchmynnwyd cynnal adolygiad o'r dystiolaeth a daeth tystiolaeth a gollwyd yn wreiddiol i law a oedd yn cysylltu'r cyn-gariad â'r llofruddiaeth. Oni bai am yr achos sifil, efallai na fyddai Gwasanaeth Erlyn y Goron erioed wedi ei erlyn.

Awgrym

Gwnewch eich ateb yn well drwy gynnwys Deddfau Seneddol sy'n berthnasol i Wasanaeth Erlyn y Goron. Er enghraifft, Deddf Erlyn Troseddau 1985, a wnaeth sefydlu Gwasanaeth Erlyn y Goron. Neu Ddeddf Cyfiawnder Troseddol 2003, a oedd yn cadarnhau mai penderfyniad y CPS, yn hytrach na'r heddlu, yw cyhuddo unigolyn ai peidio.

MPA2.2 DISGRIFIO PROSESAU TREIAL

MEINI PRAWF ASESU	BAND MARCIAU 1	BAND MARCIAU 2
MPA2.2 Dylech chi allu … Disgrifio prosesau treial	Disgrifiad syml/sylfaenol o brosesau treial a/neu'r personél sy'n rhan o'r broses. Gall fod ar ffurf rhestr yn unig **(1–2)**	Yn disgrifio'n fanwl i raddau gamau proses treial, gan gynnwys y personél sy'n gysylltiedig â hynny **(3–4)**

CYNNWYS	YMHELAETHU
Prosesau • cyn y treial • mechnïaeth • rolau • bargeinio ple • llysoedd • apeliadau	Dylech chi feddu ar wybodaeth am bob un o'r camau sy'n rhan o dreial gan gynnwys rolau'r personél cysylltiedig

Cyn y treial

Mathau o droseddau

Mae tri math o droseddau:

- troseddau ditiadwy
- troseddau neillffordd
- troseddau ynadol/ diannod.

Troseddau ditiadwy

Troseddau ditiadwy yw'r rhai mwyaf difrifol ac er eu bod yn dechrau yn y llys ynadon, rhaid iddyn nhw fynd ar brawf yn Llys y Goron. Mae enghreifftiau o droseddau ditiadwy yn cynnwys llofruddiaeth, dynladdiad, treisio a lladrata.

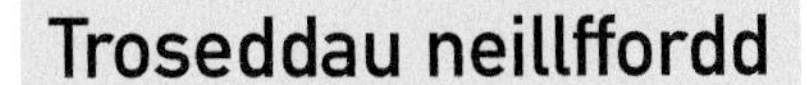

Troseddau neillffordd

Gall troseddau neillffordd fynd ar brawf yn y llys ynadon neu yn Llys y Goron. Mae gan farnwr yn Llys y Goron bwerau dedfrydu uwch ond mae'r siawns o gael eich rhyddfarnu gan reithgor yn uwch nag mewn llys ynadon. Mae enghreifftiau o droseddau neillffordd yn cynnwys dwyn, bwrgleriaeth ac ymosod gan achosi gwir niwed corfforol.

Troseddau ynadol/diannod

Troseddau ynadol/diannod yw'r lleiaf difrifol ac maen nhw'n cynnwys mân droseddau fel ymosod, curo a'r rhan fwyaf o droseddau gyrru. Rhaid i'r achosion hyn aros yn y llys ynadon.

Mechnïaeth

Gall unigolyn gael ei ryddhau ar fechnïaeth ar unrhyw adeg ar ôl cael ei arestio gan yr heddlu. Mae bod ar fechnïaeth yn golygu bod yr unigolyn yn rhydd tan y cam nesaf yn yr achos. Yr heddlu a'r llysoedd sy'n rhoi mechnïaeth. Gall fod yn amhenodol neu gall gynnwys rhai amodau fel cyrffyw, ymbresenoli, byw mewn man penodol a pheidio â chysylltu â thystion. Y rhesymau dros yr amodau hyn yw sicrhau:

- bod yr unigolyn yn ildio i fechnïaeth
- na fydd yn cyflawni trosedd tra bydd ar fechnïaeth
- na fydd yn ymyrryd â thystion.

O ran mechnïaeth yr heddlu, cyn ac ar ôl cyhuddo, gall swyddog y ddalfa wrthod caniatáu mechnïaeth:

- os na ellir cadarnhau beth yw enw a chyfeiriad y sawl a ddrwgdybir
- os oes amheuaeth ynghylch a yw enw a chyfeiriad y sawl a ddrwgdybir yn gywir.

Gweithgaredd

Mae'n bosibl mynd ar daith rithiol 360 gradd o amgylch y Goruchaf Lys yn www.supremecourt.uk/visiting/360-degree-virtual-tour.html.

Mae pwerau ynad i ganiatáu mechnïaeth wedi'u cynnwys yn Neddf Mechnïaeth 1976. Mae'r Ddeddf yn dechrau â'r rhagdybiaeth y dylid caniatáu mechnïaeth i'r sawl a gyhuddir. Mae Adran 4 o Ddeddf Mechnïaeth 1976 yn rhoi hawl cyffredinol i fechnïaeth. Fodd bynnag, ni fydd llys (hynny yw, yr ynad) yn caniatáu mechnïaeth os yw'n fodlon bod rhesymau cadarn dros gredu y byddai'r diffynnydd, pe bai'n cael ei ryddhau ar fechnïaeth, yn:

- methu ag ildio i fechnïaeth
- yn cyflawni trosedd tra bydd ar fechnïaeth
- yn ymyrryd â thystion neu fel arall yn rhwystro cyfiawnder.

Mechnïaeth yw rhyddhau rhywun o'r ddalfa.

Gall y llys hefyd wrthod mechnïaeth os yw'n fodlon y dylid cadw'r diffynnydd yn y ddalfa i'w amddiffyn ei hun.

Y ffactorau bydd y llys yn eu hystyried wrth benderfynu ynghylch mechnïaeth yw:

- natur a difrifoldeb y drosedd
- cymeriad, hanes blaenorol, cysylltiadau a chysylltiadau cymunedol y diffynnydd
- record y diffynnydd o fechnïaeth flaenorol
- cryfder y dystiolaeth.

Fodd bynnag, yn achos cyhuddiadau o lofruddiaeth, y barnwr yn unig all ganiatáu mechnïaeth a rhaid rhoi rhesymau dros y penderfyniad.

Term allweddol

Hanes blaenorol: Teulu a chefndir cymdeithasol y diffynnydd.

Rolau

Mewn achos troseddol, bydd yr erlyniad yn cael ei gynrychioli gan gynrychiolydd o Wasanaeth Erlyn y Goron. Rôl yr unigolyn hwn yw cyflwyno ffeithiau'r achos i'r llys mewn ffordd deg. Gallai'r cyfreithiwr fod wedi'i gyflogi gan Wasanaeth Erlyn y Goron, neu'n gweithredu fel asiant i'r CPS ar gyfer yr achos llys.

Bydd gan y diffynnydd gynrychiolaeth gyfreithiol, yn enwedig yn achos troseddau difrifol. Yn gyffredinol, bydd cyfreithiwr yn darparu'r gynrychiolaeth mewn llys ynadon, a bargyfreithiwr yn Llys y Goron. Eu rôl yw creu amheuaeth am dystiolaeth yr erlyniad. Does dim rhaid iddyn nhw brofi bod y diffynnydd yn ddieuog. Does dim modd gorfodi diffynnydd i roi tystiolaeth.

Mewn llys ynadon, rôl yr ynadon yw penderfynu ynghylch atebolrwydd, pan fydd achos wedi ei brofi gan Wasanaeth Erlyn y Goron, a phasio'r ddedfryd briodol. Yn Llys y Goron, bydd rheithgor yn penderfynu a yw'r diffynnydd yn euog neu'n ddieuog a bydd barnwr yn pennu dedfryd briodol.

Bargeinio ple

Bargeinio ple yw trefniant sy'n cael ei gytuno gan yr erlyniad a'r amddiffyniad neu'r barnwr fel cymhelliant i'r diffynnydd bledio'n euog. Gall ymwneud â'r cyhuddiad ei hun, lle bydd y diffynnydd yn pledio'n euog i gyhuddiad llai neu i rai o'r cyhuddiadau yn ei erbyn, er enghraifft dynladdiad yn hytrach na llofruddiaeth. Neu gall ymwneud â'r ddedfryd, lle bydd y diffynnydd yn cael gwybod ymlaen llaw beth fydd ei ddedfryd os bydd yn pledio'n euog. Gall hyn helpu'r erlynydd i gael euogfarn, yn enwedig mewn achosion lle mae'r diffynnydd yn wynebu cyhuddiadau difrifol.

Llysoedd troseddol

Y llys ynadon

Mae pob achos troseddol yn cael ei glywed yn y lle cyntaf yn y llys ynadon a bydd y mwyafrif helaeth, tua 95%, yn aros yno. Canran fach iawn sy'n mynd ymlaen i Lys y Goron. Yn gyffredinol, mae tri ynad yn penderfynu ar euogrwydd a dedfryd priodol. Lleygwyr (*laypeople*) yw'r rhain, sy'n golygu eu bod heb gymwysterau yn y gyfraith.

Maen nhw'n cael cymorth gan glerc â chymwysterau yn y gyfraith. Mae eu pwerau dedfrydu yn gyfyngedig i chwe mis a/neu ddirwy o £5,000 am un drosedd. Mae hyn yn cael ei ddyblu ar gyfer dwy drosedd neu fwy.

Os byddan nhw'n teimlo bod eu pwerau dedfrydu yn annigonol, gallan nhw anfon yr achos i Lys y Goron i'w ddedfrydu. Mae'r diffynyddion fel arfer yn cael eu cynrychioli gan gyfreithiwr, yn aml â chymorth cyllid cyfreithiol. Bydd cynrychiolydd o Wasanaeth Erlyn y Goron yn cyflwyno'r achos ar ran yr erlyniad.

Llys y Goron

Mae'r holl droseddau ditiadwy, sef yr achosion lle mae'r diffynnydd wedi dewis cael treial gan reithgor, mewn troseddau neillffordd ac achosion lle mae'r ynadon wedi gwrthod awdurdodaeth, yn cael eu clywed yn Llys y Goron. Ystyr gwrthod awdurdodaeth yw bod yr ynadon yn penderfynu bod achos yn llawer rhy ddifrifol i gael ei glywed ganddyn nhw ac maen nhw'n gorchymyn i'r drosedd neillffordd fynd ymlaen i Lys y Goron. Os bydd y diffynnydd yn pledio'n ddieuog, bydd treial gan reithgor yn cael ei drefnu. Rhaid i'r rheithgor wrando ar dystiolaeth yr amddiffyniad a'r erlyniad, gan gynnwys y tystion. Mae gan aelodau o'r rheithgor yr hawl i ystyried unrhyw eitemau fel ffotograffau, i wneud nodiadau os ydyn nhw'n dymuno gwneud hynny, ac i ofyn unrhyw gwestiynau drwy'r barnwr. Yna rhaid iddyn nhw ymgilio ac ystyried rheithfarn, yn gyfrinachol.

Bydd barnwr yn Llys y Goron bob amser yn gwisgo wig a gŵn.

Yn y lle cyntaf, bydd y barnwr yn gofyn am reithfarn unfrydol, lle mae pawb yn cytuno, ond gall rheithfarn fwyafrifol o 10/12 fod yn dderbyniol pan fydd y barnwr yn gorchymyn hynny. Mae'r diffynyddion fel arfer yn cael eu cynrychioli gan fargyfreithwyr a bydd aelod o Wasanaeth Erlyn y Goron yn cyflwyno'r achos ar ran y Goron.

Rôl y barnwr yw rhoi cyngor ar y gyfraith i'r rheithgor a sicrhau bod treial yn deg ac yn cydymffurfio â hawliau dynol. Mae'r system droseddol yn wrthwynebus, sy'n golygu bod y partïon – yr erlyniad a'r amddiffyniad – yn cyflwyno eu hachosion, a'r barnwr yn gweithredu fel dyfarnwr. Bydd y barnwr yn rhoi cyngor i'r rheithgor ar y drefn ac yn esbonio eu dyletswyddau. Bydd y barnwr yn ymdrin ag unrhyw bwyntiau cyfreithiol rhaid penderfynu yn eu cylch ac yn rhoi cyngor i'r rheithgor ar sut i gymhwyso'r gyfraith i'r ffeithiau byddan nhw'n dod ar eu traws. Bydd barnwr hefyd yn cyhoeddi dedfryd os bydd y diffynnydd yn cael ei ganfod yn euog. O dan Ddeddf Cyfiawnder Troseddol 2003, mae'n bosibl i farnwr eistedd ar ei ben ei hun, heb reithgor, i benderfynu ar reithfarn.

Adran Droseddol y Llys Apêl

Mae Adran Droseddol y Llys Apêl yn llys apêl sy'n penderfynu a yw rheithfarn Llys y Goron yn ddiogel. Rhaid cael caniatâd er mwyn i hyn ddigwydd. Nid yw'n cynnal ail dreial ond gall orchymyn i un gael ei gynnal neu ddileu'r rheithfarn ac amrywio dedfryd, gan ei gwneud yn hirach neu'n fyrrach. Mae achosion yn cael eu clywed gan farnwyr a does dim rheithgor.

Y Goruchaf Lys

Gall achos symud ymlaen i'r Goruchaf Lys, neu i Dŷ'r Arglwyddi fel roedd yn arfer cael ei alw – y llys uchaf yn yr hierarchaeth – os bydd yr achos yn ymwneud â phwynt cyfreithiol o fudd cyffredinol i'r cyhoedd. Rhaid cael caniatâd er mwyn i hyn ddigwydd. Mae deuddeg o Ustusiaid y Goruchaf Lys yn eistedd yn y llys hwn ac yn gwneud dyfarniadau sy'n rhwymo pob llys oddi tano.

Term allweddol

Ustusiaid y Goruchaf Lys: Barnwyr sydd hefyd yn cael eu galw'n 12 Arglwydd Apêl (Sefydlog), sy'n gwrando ar achosion yn y Goruchaf Lys.

Apeliadau

Apeliadau o'r llys ynadon

Gall y diffynnydd apelio yn erbyn euogfarn neu ddedfryd a gafwyd mewn llys ynadon i glywed ei achos yn Llys y Goron. Yno bydd yr achos yn cael ei glywed fel ail dreial gan farnwr a dau ynad. Gellir cadarnhau, dileu neu amrywio'r euogfarn, o bosibl i gyhuddiad llai. O ran y ddedfryd, gellir ei gwneud yn fwy neu'n llai. Mae'r hawl i apelio yn awtomatig a does dim rhaid cael caniatâd. Os bydd pwynt cyfreithiol yn gysylltiedig â'r apêl, mae hawl i apelio i'r Uchel Lys drwy 'Achos Datganedig'.

Apeliadau o Lys y Goron

Gallai'r diffynnydd ofyn am ganiatâd i apelio i Adran Droseddol y Llys Apêl yn erbyn ei euogfarn a/neu ei ddedfryd. Yr unig reswm dros apelio yn erbyn rheithfarn euog fyddai nad yw'r euogfarn yn ddiogel. Mae gan y Llys Apêl y pŵer i orchymyn ail dreial, amrywio'r euogfarn, gwneud y ddedfryd yn llai – ond ni all ei gwneud yn fwy – ar apêl y diffynnydd. Byddai unrhyw apêl bellach gan yr amddiffyniad neu'r erlyniad yn mynd i'r Goruchaf Lys, gyda chaniatâd, os oedd yr achos yn ymwneud â phwynt cyfreithiol a oedd o fudd cyffredinol i'r cyhoedd.

Mae gan yr erlyniad hawliau cyfyngedig i apelio, ond byddai apêl yn cael ei chaniatáu o dan yr amodau canlynol:

- pe bai camgymeriad yn y gyfraith gan farnwr yn arwain at wrthodiad
- pe bai'r erlyniad yn credu bod rhyddfarn yn ganlyniad noblo rheithgor ('prynu' neu fygwth rheithgor)
- mae tystiolaeth newydd a grymus o euogrwydd y diffynnydd wedi dod i'r amlwg, mewn achos difrifol.

Mae gan yr erlyniad a'r amddiffyniad hefyd hawl i apelio i'r Llys Apêl os yw'r barnwr wedi gwneud camgymeriad cyfreithiol neu os oedd y ddedfryd yn rhy drugarog.

Gweithgaredd

Gan ddefnyddio'r wybodaeth sydd wedi'i rhoi yma am apeliadau, lluniwch ddiagramau i ddangos y llwybrau apêl sydd ar gael i'r amddiffyniad a'r erlyniad.

Gweithgaredd

Trefnwch ymweliad â Llys y Goron yn eich ardal leol i weld y gyfraith ar waith.

Termau allweddol

Noblo: 'Prynu' neu fygwth.

Trugarog: Yn disgrifio cosb nad yw mor llym â'r disgwyl.

MPA2.3 DEALL RHEOLAU O RAN DEFNYDDIO TYSTIOLAETH MEWN ACHOSION TROSEDDOL

MEINI PRAWF ASESU	BAND MARCIAU 1	BAND MARCIAU 2
MPA2.3 Dylech chi allu ... Deall rheolau o ran defnyddio tystiolaeth mewn achosion troseddol	Dealltwriaeth syml/sylfaenol o'r rheolau o ran defnyddio tystiolaeth mewn achosion troseddol **(1–2)**	Dealltwriaeth fanwl o'r rheolau o ran defnyddio tystiolaeth mewn achosion troseddol **(3–4)**

CYNNWYS	YMHELAETHU
Rheolau tystiolaeth • perthnasedd a derbynioldeb • datgelu tystiolaeth • rheol tystiolaeth ail-law ac eithriadau • deddfwriaeth a chyfraith achosion	Dylech chi feddu ar ddealltwriaeth o'r ffordd y defnyddir tystiolaeth mewn llys

Awgrym !

Gwnewch yn siŵr eich bod chi'n cynnwys enghreifftiau o ddeddfwriaeth neu Ddeddfau Seneddol sy'n ymwneud â'r amrywiol reolau tystiolaeth.

Perthnasedd a derbynioldeb

Dylai tystiolaeth bob amser fod yn berthnasol, yn ddibynadwy ac yn dderbyniol. Fodd bynnag, nid yw hyn bob amser yn wir. Mae nifer o achosion wedi bod lle na ddilynwyd y rheolau syml hyn.

Tystiolaeth wedi'i chael yn amhriodol – endrapiad

Os yw'r heddlu yn ei chael yn anodd dod o hyd i dystiolaeth a fydd yn dderbyniol yn y llys, efallai byddan nhw'n ystyried techneg lle byddan nhw'n gweithredu fel 'agent provocateur'. Mewn geiriau eraill, maen nhw'n cymell eraill i dorri'r gyfraith er mwyn iddyn nhw sicrhau euogfarn. Nid yw cyfraith Cymru a Lloegr yn caniatáu amddiffyniad o endrapiad, ond mewn egwyddor gallai tystiolaeth o'r fath gael ei heithrio o dan adran 78 Deddf yr Heddlu a Thystiolaeth Droseddol 1984 (PACE). Un enghraifft dda o hyn yw achos Colin Stagg a thystiolaeth 'Lizzie' (tudalen 156).

Does dim rheol yn ei gwneud yn ofynnol i wahardd tystiolaeth a gafwyd drwy ddulliau amhriodol. Mae gan y barnwr ddisgresiwn i wahardd tystiolaeth o'r fath gan yr erlynaid o dan gyfraith gwlad/cyfraith gyffredin, sef cyfraith nad yw wedi'i chynnwys mewn Deddf Seneddol, ac o dan gyfraith statud. Mae un o'r prif ddarpariaethau statudol wedi'i chynnwys yn adran 78 Deddf yr Heddlu a Thystiolaeth Droseddol 1984 (PACE). Mae Erthygl 6 y Confensiwn Ewropeaidd ar Hawliau Dynol (CEHD) hefyd yn rhoi'r hawl i gael treial teg. Byddai'r diffynnydd yn dadlau nad oedd yr endrapiad yn deg.

Rhaid i'r dystiolaeth fod yn berthnasol ac yn dderbyniol.

Y prawf cyffredin ar gyfer gwahardd yw ystyried a yw gwerth tystiolaethol y dystiolaeth yn llai na'i effaith niweidiol. Mewn geiriau eraill, a yw'r dystiolaeth wedi profi'n fwy defnyddiol i sefydlu'r gwirionedd nag i fod yn niweidiol, a diangen, i'r achos?

Mae Adran 78 PACE yn rhoi pŵer dewisol i farnwyr ac ynadon wahardd tystiolaeth y mae'r erlyniad yn bwriadu dibynnu arni, os yw'n ymddangos 'ar ôl ystyried yr holl amgylchiadau, gan gynnwys yr amgylchiadau lle cafwyd y dystiolaeth, y byddai derbyn y dystiolaeth yn cael effaith niweidiol ar degwch yr achos ac felly na ddylai'r llys ei derbyn'.

Term allweddol

Gwerth tystiolaethol: Pa mor ddefnyddiol yw tystiolaeth i brofi rhywbeth pwysig mewn treial.

Awgrym !

Yn yr asesiad dan reolaeth, ceisiwch ddangos pa reolau tystiolaeth sy'n berthnasol i'r briff sydd wedi'i roi i chi.

Aros yn dawel cyn y treial

Os na fydd y sawl a ddrwgdybir yn rhoi esboniad pan fydd yn cael ei holi gan yr heddlu o dan rybudd, gall y rheithgor yn y treial ddod i gasgliad ei fod yn euog o dan Ddeddf Cyfiawnder Troseddol a Threfn Gyhoeddus 1994 (CJPOA). Mae hyn yn gymwys hyd yn oed os yw'r sawl a ddrwgdybir wedi derbyn cyngor cyfreithiol. Ond ni all casgliadau a dynnir drwy resymu fod yn brawf o euogrwydd ar eu pen eu hunain, rhaid cael tystiolaeth arall.

Term allweddol

Dod i gasgliad bod rhywun yn euog: Mae'n bosibl penderfynu, ar sail y dystiolaeth a roddir, fod y person yn euog.

Awgrym !

Peidiwch ag esbonio tystiolaeth yn yr adran hon, gan fod hyn eisoes wedi cael sylw yn MPA1.3. Yn hytrach, gwnewch yn siŵr eich bod yn canolbwyntio ar y deddfau neu'r rheolau sy'n llywio derbynioldeb tystiolaeth mewn achos troseddol.

Tystiolaeth o gymeriad ac euogfarnau blaenorol

O dan Ddeddf Cyfiawnder Troseddol (CJA) 2003, nid yw euogfarnau blaenorol yn cael eu caniatáu yn awtomatig fel tystiolaeth, ond ar adegau caniateir i'r rhain gael eu rhoi i'r llys. Mae'r Ddeddf Cyfiawnder Troseddol yn darparu sawl rheol neu 'borth' er mwyn i hyn ddigwydd. Mae un 'porth' neu ffordd o gyflwyno euogfarnau blaenorol diffynnydd wedi'i gynnwys yn adran 103 ac mae'n cynnwys materion yn ymwneud â thueddfryd y diffynnydd i gyflawni troseddau fel y rhai y cafodd eu cyhuddo o'u cyflawni. Mae hyn yn golygu bod ganddo dueddfryd i gyflawni troseddau â'r un disgrifiad neu droseddau yn yr un categori.

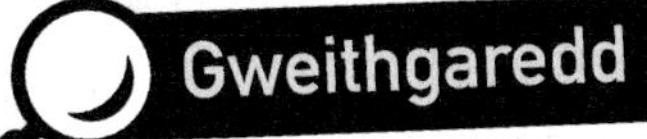

Gweithgaredd

Cynhaliwch ddadl yn y dosbarth i drafod a yw euogfarnau blaenorol yn berthnasol i euogrwydd mewn achos troseddol, ac a ddylid eu datgelu i reithgor.

Datgeliad mewn achosion troseddol

Datgeliad yw un o'r agweddau pwysicaf ar y system cyfiawnder troseddol. Mae'n sicrhau treial teg. Rhaid i'r erlyniad ddatgelu'r holl ddogfennau y mae'n bwriadu eu defnyddio yn y treial. Y rheol i sicrhau treial teg yw y dylai'r erlyniad ddatgelu'n llawn yr holl ddeunydd sydd ganddo, hyd yn oed os bydd hyn yn gwanhau ei achos ei hun neu'n cryfhau achos yr amddiffyniad. Mae'r rheolau i'w cael yn Neddf Gweithdrefn ac Ymchwiliadau Troseddol 1996 (CIPA) a ddiwygiwyd gan Ddeddf Cyfiawnder Troseddol 2003.

Bydd yr amddiffyniad yn gwneud datganiad sy'n ei gwneud yn ofynnol i'r erlyniad ddatgelu tystiolaeth. Rhaid i ddatganiad yr amddiffyniad fod yn ysgrifenedig a rhaid iddo gynnwys y canlynol:

- natur yr amddiffyniad
- y materion ffeithiol y bydd yr amddiffyniad yn eu herio a pham maen nhw'n cael eu herio
- y materion ffeithiol y bydd yr amddiffyniad yn dibynnu arnyn nhw
- unrhyw bwyntiau cyfreithiol perthnasol.

Datblygu ymhellach

Chwiliwch ar y rhyngrwyd am wybodaeth am achos llys Samson Makele. Rhoddwyd stop ar ei dreial pan ddaethpwyd i'r amlwg nad oedd Gwasanaeth Erlyn y Goron wedi datgelu tystiolaeth berthnasol.

ASTUDIAETH ACHOS

SALLY CLARK

Mae achos Sally Clark yn cael ei ystyried yn fwy manwl yn MPA3.1 (tudalen 193). Fodd bynnag, mae'n berthnasol nodi i'r achos hwn o gamweinyddu cyfiawnder gael ei achosi gan fethiant yr erlyniad i ddatgelu tystiolaeth feddygol adroddiad microbiolegol a oedd yn awgrymu bod ei hail fab wedi marw o achosion naturiol. Mae'r achos hwn yn dangos perygl peidio â datgelu dogfennau.

Tystiolaeth ail-law

Mae tystiolaeth ail-law (*hearsay*) yn cyfeirio at ddatganiad a gafodd ei wneud y tu allan i'r llys (gan rywun arall) y mae tyst yn dymuno dibynnu arno a'i ddefnyddio yn y llys. Er enghraifft, *mae tyst X yn rhoi tystiolaeth yn y llys ac yn dweud: 'dywedodd tyst Y wrtha i ei fod wedi gweld y diffynnydd yn cyflawni'r drosedd ...'*

Diffinnir tystiolaeth ail-law yn adran 114 (1) Deddf Cyfiawnder Troseddol 2003 fel hyn:

datganiad na chafodd ei wneud mewn tystiolaeth lafar yn yr achos sy'n dystiolaeth o unrhyw fater a nodwyd.

Yn gyffredinol, nid yw'n cael ei derbyn fel tystiolaeth, oherwydd dylai'r sawl a wnaeth y datganiad fod yn bresennol yn y llys i roi tystiolaeth. Mae hyn er mwyn ei groesholi ynglŷn â'i dystiolaeth. Mae rhai eithriadau, er enghraifft, os nad yw'r tyst ar gael neu os yw wedi marw. Fel arall, gall y partïon hefyd gytuno i dderbyn tystiolaeth ail-law neu gellir ei derbyn os yw'r llys yn fodlon ei bod er budd cyfiawnder i'w defnyddio fel tystiolaeth.

Nid yw tystiolaeth ail-law fel arfer yn dderbyniol.

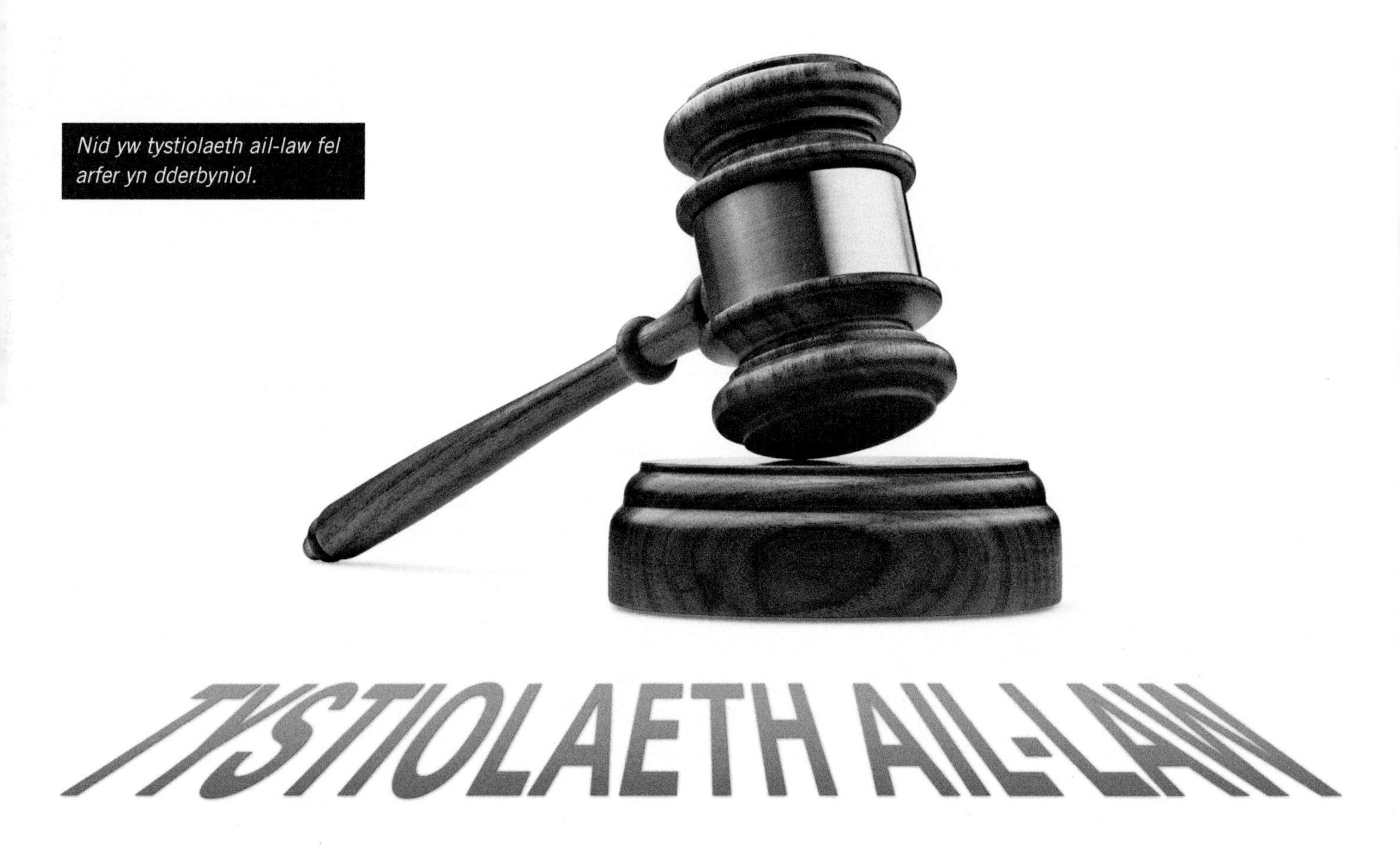

MPA2.4 ASESU DYLANWADAU ALLWEDDOL SY'N EFFEITHIO AR GANLYNIADAU ACHOSION TROSEDDOL

MEINI PRAWF ASESU	BAND MARCIAU 1	BAND MARCIAU 2	BAND MARCIAU 3
MPA2.4 Dylech chi allu … Asesu dylanwadau allweddol sy'n effeithio ar ganlyniadau achosion troseddol	Disgrifir dylanwadau allweddol sy'n effeithio ar ganlyniadau achosion troseddol i raddau helaeth **(1–3)**	Dangosir rhywfaint o ddealltwriaeth o'r dylanwadau allweddol sy'n effeithio ar ganlyniadau achosion troseddol ac asesir eu heffaith i ryw raddau **(4–7)**	Yn asesu'r amrywiaeth ofynnol o ddylanwadau allweddol sy'n effeithio ar ganlyniadau achosion troseddol Ceir dealltwriaeth glir a manwl o'u heffaith **(8–10)**

CYNNWYS	YMHELAETHU
Dylanwadau • tystiolaeth • y cyfryngau • tystion • arbenigwyr • gwleidyddiaeth • y farnwriaeth • bargyfreithwyr a thimau cyfreithiol	Dylech chi feddu ar ddealltwriaeth o'r ffactorau niferus a all ddylanwadu ar ganlyniad treial a gallu asesu eu heffaith

Awgrym!

I gael marciau llawn, dylech chi gynnwys cyfeiriad at yr holl ddylanwadau yn yr adran cynnwys. Ond cofiwch, does dim disgwyl i chi drafod pob un i'r un manylder.

Parwch effaith y dylanwad â'r dylanwad cywir yn y tabl isod:

	DYLANWAD		SUT GALLAI HYN DDYLANWADU AR GANLYNIAD TREIAL
1	TYSTIOLAETH	A	Pobl sy'n rhoi tystiolaeth yn y llys ac y mae angen eu credu i effeithio ar y canlyniad.
2	Y CYFRYNGAU	B	Y personél sydd yng ngofal ystafell y llys a dehonglwyr y gyfraith. Gall y ffordd bydd y gyfraith yn cael ei hesbonio neu ei dehongli ddylanwadu ar y canlyniad.
3	TYSTION	C	Y grŵp o bobl sy'n gyfrifol am eiriolaeth (*advocacy*) yn y llys. Bydd y rhain yn cael effaith fawr ar y dull o gyflwyno'r dystiolaeth.
4	ARBENIGWYR	CH	Dull o gyfathrebu â'r cyhoedd yr hyn sy'n digwydd yn y treial. Fodd bynnag, gallai adroddiadau unochrog neu'r ffordd mae straeon yn cael eu hysgrifennu gael dylanwad mawr ar y canlyniad.
5	GWLEIDYDDIAETH	D	Gall tystion â gwybodaeth arbenigol greu argraff ar y rheithgor ac ymddangos yn gredadwy ac felly maen nhw'n cael effaith fawr ar ganlyniad achos.
6	Y FARNWRIAETH	DD	Yn allweddol i'r canlyniad gan ei bod yn cael ei chyflwyno gan y ddwy ochr yn ystod treial. Hyn yn unig mae angen i'r rheithgor ei ystyried wrth benderfynu ar reithfarn.
7	TIMAU CYFREITHIOL	E	Gweithgareddau sy'n gysylltiedig â'r llywodraeth. Dyma sut mae deddfau'n cael eu llunio a gellir hyrwyddo ac annog rhai meysydd i gael eu herlyn.

Atebion: 1 – DD, 2 – CH, 3 – A, 4 – D, 5 – E, 6 – B, 7 – C.

Tystiolaeth

Y dystiolaeth mewn treial ddylai gael yr effaith fwyaf ar y canlyniad. Yn draddodiadol, mae pob aelod o'r rheithgor yn tyngu llw (neu gadarnhad) fel a ganlyn:

Tyngaf i Dduw Hollalluog y profaf yn ffyddlon y diffynnydd a rhoi rheithfarn gyfiawn yn ôl y dystiolaeth.

Yr unig dystiolaeth sy'n cael ei chaniatáu yw'r hyn a gyflwynir yn y llys ar ffurf tystiolaeth ffisegol neu dystiolaeth gan dyst. Mater i bob aelod o'r rheithgor neu i bob ynad yw penderfynu faint o bwys mae'n ei ystyried sy'n briodol ei roi i bob darn o dystiolaeth.

Y llw arferol i dystion yw: 'Tyngaf i ... [yn unol â chred grefyddol] y bydd y dystiolaeth a roddaf y gwir, yr holl wir, a'r gwir yn unig.'

Llw arall yw: 'Yr wyf yn datgan a chadarnhau yn ddifrifol, yn ddiffuant ac yn ddidwyll y bydd y dystiolaeth a roddaf y gwir, yr holl wir, a'r gwir yn unig.'

Mae'n bwysig nodi bod cyfraith Cymru a Lloegr yn ei gwneud yn ofynnol i'r erlyniad gyflwyno tystiolaeth i brofi'r honiad mae'n ei wneud. Yr enw ar hyn yw baich prawf. Safon y prawf, mewn materion troseddol, yw y tu hwnt i amheuaeth resymol neu hyd nes bod y rheithgor neu'r ynadon yn sicr o'r rheithfarn. Os oes unrhyw amheuaeth, rhaid cael rhyddfarn. Does dim rhaid i'r amddiffyniad brofi dim, ond yn ymarferol bydd yn ceisio bwrw cymaint o amheuaeth â phosibl ar y dystiolaeth.

Term allweddol

Baich prawf: Y ddyletswydd i brofi'r cyhuddiad.

Y cyfryngau

Gall y cyfryngau effeithio ar ganlyniad achos troseddol. Os cyhoeddir stori, bydd y cyhoedd yn ei darllen a gallen nhw gredu bod y deunydd a gyhoeddwyd yn wir, hyd yn oed os nad ydyw. Gall hyn olygu na fydd y sawl a ddrwgdybir yn cael treial teg. O dan gyfraith Cymru a Lloegr, mae rhywun yn ddieuog nes iddo gael ei brofi'n euog, ond os bydd gan y rheithgor ragdybiaethau ar sail adroddiadau yn y cyfryngau, gallai hyn effeithio ar ganlyniad treial. Dyma yw ystyr 'treial gan y cyfryngau' yn hytrach na threial gan reithgor ar sail y dystiolaeth a gyflwynir yn ystafell y llys.

ASTUDIAETH ACHOS

CHRISTOPHER JEFFERIES

Cafodd Christopher Jefferies ei arestio gan yr heddlu a'i gyfweld mewn cysylltiad â llofruddiaeth Joanna Yeates yn 2010. Fodd bynnag, cafodd lawer iawn o sylw yn y cyfryngau, gan ymddangos ar dudalen flaen y papurau newydd cenedlaethol. Mewn un erthygl yn unig, disgrifiwyd ef fel rhywun 'od', 'anweddus', 'rhyfedd', 'annifyr', 'blin', 'cythryblus', 'ecsentrig', 'anghyffredin' ac fel 'un oedd yn hoffi bod ar ei ben ei hun'. Fodd bynnag, roedd Jefferies yn ddieuog ac anfonwyd Vincent Tabak, cymydog Yeates, i'r carchar am oes ym mis Hydref 2011 ar ôl ei gael yn euog o'i llofruddio. Bu'n rhaid i'r papurau newydd gyhoeddi ymddiheuriad cyhoeddus a thalu iawndal enllib sylweddol i Jefferies.

MYSTERY PAIR AT JO FLAT

OBSESSED BY DEATH

WAS JO'S BODY HIDDEN NEXT TO HER FLAT?

JO SUSPECT IS PEEPING TOM

The Strange Mr Jefferies

Penawdau papurau newydd treial Christopher Jefferies gan y cyfryngau.

Gweithgaredd

Gwyliwch y gyfres ddrama *The Lost Honour of Christopher Jefferies.*

Datblygu ymhellach

Darllenwch yr erthygl gan Boris Johnson (2006), o'r enw 'Colin Stagg Shows Why Trial by Judge, Not by Media, is Right', sydd i'w gweld ar wefan *The Daily Telegraph.* Bydd hyn yn rhoi gwybodaeth i chi am sut gall y cyfryngau effeithio ar achos llys.

Tystion

Mae gan yr erlyniad a'r amddiffyniad hawl i alw ar dystion i gefnogi eu hachosion. Os gellir cytuno ar dystiolaeth y tyst, ac os nad oes anghytuno, gellir ei darllen allan yn y llys ar ffurf datganiad. Mae hyn yn golygu nad oes rhaid i'r tyst ddod i'r llys a rhoi tystiolaeth. Fodd bynnag, os bydd tystiolaeth y tyst yn cael ei herio, rhaid i'r tyst ymddangos yn y llys i gyflwyno ei ochr e o'r stori, a'r enw ar hyn yw'r prifholiad. Gall yr ochr arall hefyd ofyn cwestiynau i'r tystion neu eu croesholi. Gall aelodau o'r rheithgor benderfynu faint o bwys maen nhw'n ei ystyried mae'n briodol ei roi i dystiolaeth tystion. Felly, os yw'r tyst yn gredadwy, gallai hynny gael dylanwad ar y rheithgor o blaid pa ochr bynnag a gynrychiolir gan y tyst. Yn yr un modd, os yw'r tyst yn ymddangos yn annibynadwy gall gael effaith niweidiol ar ganlyniad achos.

Term allweddol

Prifholiad: Holi tyst gan y parti sydd wedi galw'r tyst hwnnw i roi tystiolaeth, i gefnogi'r achos sy'n cael ei wneud.

Arbenigwyr

Arbenigwr yw tyst sydd â gwybodaeth arbenigol. Gall tystiolaeth arbenigwr gael dylanwad mawr ar ganlyniad achos, yn enwedig pan fydd y dystiolaeth honno'n dechnegol iawn neu'n dibynnu llawer ar ystadegau. Mewn sefyllfa felly, mae'n debygol y bydd gwybodaeth arbenigol a chymwysterau arbenigol y tyst yn dylanwadu ar reithgor arferol. Pobl gyffredin yw'r rheithwyr ac mae'n annhebygol y bydd ganddyn nhw wybodaeth arbenigol am y mater dan sylw. Natur ddynol yw cael eich dylanwadu gan brofiad a chymwysterau; mae bron iawn yn enghraifft o gael eich 'dallu gan wyddoniaeth'.

Fodd bynnag, pan fydd tystiolaeth o'r fath yn anghywir neu'n gamarweiniol, gall achosion o gamweinyddu cyfiawnder ddigwydd. Digwyddodd hyn yn achos Sally Clark (gweler MPA3.1, tudalen 194) ac Angela Cannings, pan gyflwynodd Syr Roy Meadows dystiolaeth anghywir ar y siawns ystadegol o syndrom marwolaeth sydyn babanod.

Hyd yn oed os bydd yn cael ei gyfarwyddo gan un parti, dylai tyst arbenigol aros yn annibynnol.

Gwleidyddiaeth

Gall rhai gweithgareddau sy'n gysylltiedig â'r llywodraeth a meysydd gwleidyddol gael dylanwad ar ganlyniad achos. Yn amlwg, mae pob cyfraith statudol yn cael ei llunio gan y senedd, ac mae'r gwleidyddion yn trafod, yn pleidleisio ac yn llunio diwygiadau i'r cynigion. Mewn geiriau eraill, mae gwleidyddiaeth yn cael dylanwad ar y deddfau sy'n cael eu gorchymyn gan ddeddfwriaethau. Er enghraifft, os yw'r wlad yn dymuno gweld mesurau mwy cadarn o ddelio â throseddu, yna gall deddfau gael eu pasio i gynyddu dedfrydau. Os bydd trosedd benodol yn cael ei gweld yn broblem fawr, yna gall dedfrydau adlewyrchu dymuniad i anghymeradwyo'r drosedd honno. Er enghraifft, yn dilyn terfysgoedd Llundain yn 2011, roedd dedfrydau yn llawer mwy llym. Hefyd, mae'r gyfraith ar fechnïaeth wedi newid yn sylweddol yn ystod y blynyddoedd diwethaf, ac mae mwy o bwyslais ar wrthod mechnïaeth mewn rhai amgylchiadau. Dyma'r ymateb gwleidyddol i'r ffaith bod diffynyddion yn cyflawni troseddau, rhai difrifol weithiau, pan fyddan nhw ar fechnïaeth.

Y farnwriaeth

Mae barnwyr yn darparu eglurhad ar y gyfraith ac yn esbonio sut dylai gael ei chymhwyso. Mae dehongliadau o'r fath yn cael eu rhoi i'r rheithgor ac felly gall hyn ac unrhyw grynodeb o dystiolaeth yr achos ddylanwadu ar unrhyw benderfyniadau. Os bydd barnwr yn ymddangos fel pe bai'n dangos tuedd ac yn ffafrio un ochr, gall y rheithgor dueddu i ddilyn y farn honno. Mae barnwyr yn brofiadol ac yn gymwysedig iawn, sy'n golygu y gall eraill ddilyn eu safbwyntiau.

Hefyd, ers pasio Deddf Cyfiawnder Troseddol 2003, gall barnwyr glywed achos heb reithgor os ydyn nhw'n credu y bydd yr achos yn hir/yn gymhleth neu ei bod yn debygol y bydd rhywun yn ymyrryd â'r rheithgor neu bod hynny yn digwydd eisoes. Digwyddodd hyn yn achos Twomey, 2009, lle cafodd yr hawl hwn ei arfer yn dilyn honiadau o ymyrryd â'r rheithgor (i gael rhagor o wybodaeth am Twomey, gweler tudalen 188).

Gweithgaredd

Ymchwiliwch i achosion *R.* v *Ponting* (1985) ac *R.* v *Wang* (2005) a phenderfynwch a fyddech chi wedi dod i'r un penderfyniad â'r rheithgor yn yr achosion hyn.

Bargyfreithwyr a thimau cyfreithiol

Gall timau cyfreithiol ddylanwadu ar ganlyniad achos llys. Er enghraifft, mae'n bosibl i fargyfreithiwr carismataidd iawn ddylanwadu ar reithgor. Neu gall y rheithgor gael ei gamarwain gan dechnegau bargyfreithiwr a'i allu i gyflwyno'r dystiolaeth. Cafwyd enghreifftiau o reithiwr yn gwirioni'n lân ar fargyfreithiwr, a gallai hyn effeithio ar y canlyniad.

Mae arddull wrthwynebus achosion troseddol hefyd yn tueddu i alluogi'r bargyfreithiwr i ddylanwadu ar y rheithgor. System wrthwynebus yw pan fydd rheithgor yn penderfynu ar euogrwydd ar ôl clywed cyflwyniadau'r amddiffyniad a'r erlyniad o'r achos. Mae system fel hon yn dibynnu felly ar allu'r bargyfreithwyr i gynrychioli buddion eu partïon eu hunain yn hytrach na dibynnu ar ymgais parti niwtral, y barnwr fel arfer, i ganfod beth yw gwirionedd yr achos.

Mae wig bargyfreithiwr wedi'i wneud o flew ceffyl yn draddodiadol.

MPA2.5 TRAFOD Y DEFNYDD A WNEIR O LEYGWYR MEWN ACHOSION TROSEDDOL

MEINI PRAWF ASESU	BAND MARCIAU 1	BAND MARCIAU 2
MPA2.5 Dylech chi allu ... Trafod y defnydd a wneir o leygwyr mewn achosion troseddol	Disgrifiad sylfaenol/syml o reithgorau ac ynadon **(1–3)**	Trafodir y defnydd o leygwyr (rheithgorau ac ynadon) yn llawn mewn perthynas â'u cryfderau a'u gwendidau mewn achosion troseddol **(4–6)**

CYNNWYS	YMHELAETHU
Lleygwyr • rheithgorau • ynadon	Dylech chi allu trafod cryfderau a gwendidau rheithgorau ac ynadon lleyg

Rheithgorau

Pobl gyffredin, neu leygwyr, heb wybodaeth gyfreithiol yw rheithwyr, sy'n penderfynu ar ganlyniad achosion troseddol. Mae cymhwysedd unigolyn ar gyfer cael ei ddewis ar gyfer rheithgor wedi'i nodi yn Neddf Rheithgorau 1974 a Deddf Cyfiawnder Troseddol 2003. Dyma rywfaint o wybodaeth am reithwyr:

- maen nhw'n cael eu dewis ar hap o'r enwau ar y gofrestr etholiadol
- maen nhw rhwng 18 a 75 oed
- mae'n ofynnol iddyn nhw fod wedi byw am bum mlynedd neu fwy yn y DU, Ynysoedd y Sianel neu Ynys Manaw
- does ganddyn nhw ddim euogfarnau diweddar.

Datblygu ymhellach

Chwiliwch am wybodaeth am wasanaethu ar reithgor ar wefan Gov.uk.

Mewn tua 1% o achosion troseddol yn unig y mae treial gan reithgor yn cael ei gynnal.

Rôl y rheithgor yw gwrando ar y dystiolaeth ac yna penderfynu a yw'r diffynnydd yn euog neu'n ddieuog. Maen nhw'n cael cyngor ar y gyfraith gan y barnwr a gallan nhw gymryd nodiadau a gofyn cwestiynau, drwy'r barnwr, os ydyn nhw'n dymuno gwneud hynny. Ni ellir cwestiynu eu penderfyniad.

Mae gwasanaethu ar reithgor yn orfodol ond mae'n bosibl ei ohirio am resymau da fel gwyliau, apwyntiad meddygol ac ati. Gall cyfreithwyr, barnwyr a phersonél cyfreithiol eraill wasanaethu ar reithgor erbyn hyn o ganlyniad i Ddeddf Cyfiawnder Troseddol 2003.

Cryfderau

Mae rheithgorau yn cynnwys pobl gyffredin sydd, felly, yn gallu dod â'u 'cyfiawnder' neu degwch eu hunain i'r achos (gelwir hyn weithiau yn ecwiti'r rheithgor).

Hyd yn oed os bydd barnwr yn esbonio'r gyfraith a sut dylai gael ei chymhwyso, gall y rheithgor ddwyn rheithfarn sy'n groes i'r dystiolaeth.

Term allweddol

Ecwiti'r rheithgor: Gall rheithgor gyflwyno rheithfarn sy'n gywir yn foesol yn hytrach nag un sy'n cydymffurfio â'r gyfraith ac achosion blaenorol.

ASTUDIAETH ACHOS

R v *OWEN*

Mae ecwiti'r rheithgor i'w weld yn achos *R* v *Owen* lle cafodd mab y diffynnydd ei ladd gan yrrwr diofal a gafodd ddedfryd o 12 mis yn y carchar. Tarodd y gyrrwr fab Owen oddi ar ei feic â thryc 30 tunnell, doedd ganddo ddim yswiriant a doedd y tryc ddim mewn cyflwr addas i fod ar y ffordd. Hefyd, doedd y gyrrwr erioed wedi pasio prawf gyrru ac roedd yn ddall yn un llygad. Roedd Owen yn teimlo bod y ddedfryd yn rhy drugarog a phenderfynodd geisio cael cyfiawnder am golli ei fab. Felly saethodd y gyrrwr yn ei gefn a'i fraich â gwn wedi'i lifio. Cafodd Owen ei gyhuddo o geisio llofruddio, ac roedd yn amlwg yn euog gan iddo saethu'r dyn yn fwriadol. Fodd bynnag, roedd y rheithgor yn deall pam roedd wedi gwneud hyn a phenderfynon nhw ei gael yn ddieuog. Yn ddiweddarach, aeth rhai aelodau o'r rheithgor ato i'w longyfarch. Dyma oedd rheithfarn y rheithgor a doedd hi ddim yn bosibl gwneud dim am y peth.

Datblygu ymhellach

Ymchwiliwch i achos *R* v *Ponting* i weld ecwiti'r rheithgor ar waith.

Mae system y rheithgor yn boblogaidd ymhlith y cyhoedd; mae ganddyn nhw hyder yn y system gan eu bod yn gwybod bod aelodau cyffredin cymdeithas yn chwarae rhan mor bwysig yn y system cyfiawnder troseddol. Mae'r hawl i gael treial gan gymheiriaid wedi'i gwreiddio yn ein hanes ac mae'n cael ei gweld yn hawl ddemocrataidd. Cafodd camau i ddileu rheithgorau ar gyfer mân droseddau fel dwyn eu gwrthwynebu'n chwyrn. Dyma'r 'lamp sy'n dangos bod rhyddid yn fyw' (Arglwydd Devlin).

Mae 12 o bobl ar reithgor, sy'n golygu nad un unigolyn sy'n gyfrifol ac y gall nifer o safbwyntiau gael eu trafod a'u hystyried. Hefyd, mae trafodaethau'r rheithgor yn gyfrinachol ac ni ellir gofyn i aelodau o'r rheithgor esbonio eu rheithfarn. Golyga hyn eu bod yn gallu dod i benderfyniad hyd yn oed os nad yw'n boblogaidd gyda'r cyhoedd.

Mae'r rheithgor yn ddiduedd gan na all yr aelodau fod ag unrhyw gysylltiad ag unrhyw un yn yr achos. Maen nhw'n eistedd am bythefnos yn unig, oni bai y cytunwyd y gallai'r achos bara am gyfnod hirach, felly dydyn nhw ddim yn diflasu ar yr achos.

CRYFDER GWENDID

Gwendidau

Gan nad yw'r rheithgor yn rhoi rhesymau dros eu penderfyniad, gall rheithfarnau gwrthnysig (*perverse*) neu rai sy'n mynd yn groes i'r dystiolaeth gael eu cyflwyno. Rhaid i farnwr neu ynad bob amser roi rhesymau dros ei benderfyniadau ond nid yw hyn yn wir am reithgor. Yn achos *R* v *Kronlid and Others*, cafwyd y diffynyddion yn ddieuog gan y rheithgor er bod y dystiolaeth yn eu herbyn yn gwbl amlwg. Roedden nhw wedi achosi difrod gwerth miliwn o bunnoedd i awyren i'w hatal rhag cael ei hanfon i Indonesia, lle roedd bwriad i'w defnyddio i ymosod ar bobl o Ddwyrain Timor.

Yn ystod y blynyddoedd diwethaf, un o wendidau cynyddol system y rheithgor yw'r defnydd o'r rhyngrwyd a'r cyfryngau cymdeithasol yn ystod y treial. Er bod y barnwr yn dweud wrth y rheithgor am beidio ag edrych ar y rhyngrwyd nac ymchwilio i'r achos, mae hyn yn dal i ddigwydd. Erbyn hyn, mae'n drosedd i reithiwr chwilio'n fwriadol ar y rhyngrwyd am wybodaeth berthnasol. Roedd Theodora Dallas yn rheithiwr a gafodd ei charcharu am ymchwilio ar-lein i'r achos roedd hi'n ymwneud ag ef, ac yna dod â gwybodaeth o'r cyfryngau allanol i'r llys. Roedd hyn yn golygu bod proses y treial yn annheg ac yn anghyfiawn, gan y gallai pob rheithiwr fod wedi stereoteipio'r troseddwr a phenderfynu ei fod yn euog heb ystyried y dystiolaeth a gyflwynwyd yn y treial.

Mae rheithwyr yn bobl gyffredin a gallan nhw hefyd ddod â'u rhagfarnau eu hunain i'r achos. Roedd tuedd hiliol yn amlwg yn achos *Sander* v *United Kingdom*. Yn yr achos hwn, anfonodd rheithiwr nodyn at y barnwr yn dweud bod aelodau eraill wedi bod yn gwneud sylwadau a jôcs hiliol. Er hyn, caniataodd y barnwr i'r achos barhau. Penderfynwyd yn ddiweddarach y dylai'r barnwr fod wedi rhyddhau'r rheithgor gan fod perygl amlwg o duedd hiliol.

Does dim rhaid pasio prawf deallusrwydd i fod yn rheithiwr ac wrth ymdrin â meysydd cymhleth o'r gyfraith mae'n bosibl y bydd rhai pobl yn ei chael yn anodd deall yr achosion. Yn benodol, gall achosion twyll fod yn hir ac yn gymhleth.

Yn olaf, gall rheithwyr fod yn agored i 'gael eu noblo' neu i ymyrraeth. Mewn geiriau eraill, byddai'n bosibl 'prynu' (*bribe*) neu fygwth rheithwyr i gyflwyno rheithfarn a ddymunir. Er mwyn atal hyn, mae treialon gan farnwr yn unig bellach yn bosibl. Er bod cysyniad o'r fath yn mynd yn erbyn yr hawl ddemocrataidd hynafol o dreial gan gymheiriaid, cafodd achos *R* v *Twomey* ei benderfynu gan farnwr yn unig yn 2009. Roedd y tri threial gan reithgor blaenorol wedi methu oherwydd ymdrechion difrifol i ymyrryd â'r rheithgor. Cafwyd y diffynyddion yn euog gan y barnwr.

Datblygu ymhellach

Ymchwiliwch i achos *R* v *Randle and Pottle*, ac ystyriwch y rhesymau posibl pam gwrthododd y rheithgor ddyfarnu'r diffynyddion yn euog, er bod y dystiolaeth yn dangos yn glir eu bod yn euog.

Awgrym

Gall llawer o gryfderau system y rheithgor gael eu troi ar eu pen a'u hystyried yn wendidau.

Datblygu ymhellach

Ymchwiliwch i'r 'trefniadau arbennig' a wnaeth y llysoedd yn ystod pandemig COVID 19. Ydych chi'n meddwl bod y trefniadau arbennig wedi arwain at gyfiawnder?

I gael cymorth, ewch i:

https://justice.org.uk/our-work/justice-covid-19-response/.

Ynadon

Mae ynadon, sydd hefyd yn cael eu galw'n Ynadon Heddwch, yn lleygwyr rhwng 18 a 70 oed a benodir i'r swydd. Fodd bynnag, maen nhw'n wahanol i reithgorau gan eu bod yn gwneud cais i eistedd mewn llys ynadon a phenderfynu a yw achos wedi'i brofi gan yr erlyniad ac, os felly, maen nhw'n pasio'r ddedfryd briodol.

Nid yw ynadon yn cael eu talu, ond maen nhw'n derbyn hyfforddiant a chymorth parhaus. Mae clerc sydd wedi cymhwyso yn y gyfraith yn gweithio gyda nhw i sicrhau eu bod yn ymwybodol o'r gyfraith ac yn cydymffurfio â'r holl reolau.

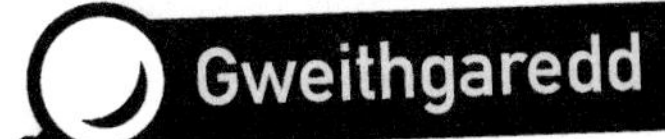

Dysgwch am hanes ynadon drwy ddarllen 'History of the Magistracy', www.magistrates-association.org.uk/About-Magistrates/History-of-the-magistracy.

Cryfderau

Mae ynadon yn wirfoddolwyr ac yn derbyn treuliau yn unig, sy'n golygu bod y diffyg cost yn fantais fawr i'r system cyfiawnder troseddol. Byddai'n costio miliynau o bunnoedd i dalu barnwyr proffesiynol i wneud y gwaith.

Gan fod ynadon yn lleygwyr, mae'r system unwaith eto'n galluogi pobl gyffredin i gymryd rhan yng ngweinyddiaeth cyfiawnder. Daw ynadon o bob cefndir ac felly maen nhw'n dod â thrawstoriad o'r cyhoedd i'r swydd. Maen nhw'n fwy cynrychiadol o'r cyhoedd na barnwyr proffesiynol. Mae hyn yn arbennig o wir yn achos menywod, gan fod tua hanner yr ynadon yn fenywod, o'i gymharu â thua 30% o'r farnwriaeth.

Mae ynadon yn gwasanaethu yn eu hardal leol ac felly mae ganddyn nhw wybodaeth leol y gellir ei chymhwyso at achosion. Golyga hyn fod materion a phryderon cymunedol yn cael sylw. Hefyd, gan fod ynadon fel arfer yn eistedd fesul tri, mae safbwynt mwy cytbwys yn fwy tebygol. Os na fydd y tri yn gallu cytuno, bydd barn y mwyafrif yn cael ei dderbyn.

Mae pob achos troseddol yn dechrau yn y llys ynadon a gwirfoddolwyr di-dâl sy'n ymdrin â thua 95% o achosion. Mae hyn yn nifer mawr iawn o achosion bob blwyddyn. O ystyried hyn, mae'n rhyfeddol cyn lleied o apeliadau sy'n codi o benderfyniadau'r ynadon.

Mae llys ynadon yn y rhan fwyaf o ddinasoedd.

Gwendidau

Un o'r prif wendidau yw anghysondeb y dedfrydau. Gall ynadon ddedfrydu mewn ffyrdd gwahanol mewn ardaloedd gwahanol o'r wlad am yr un troseddau. Yn ôl Jacqueline Martin, yn ei llyfr *English Legal System* (2016), yn 2010 rhoddodd ynadon Bryste ddedfrydau o garchar i 11.1% o ddiffynyddion, ond rhoddodd ynadon Dinefwr ddedfrydau o garchar i 0.1% yn unig o ddiffynyddion. Hefyd, rhoddodd ynadon Bryste 32.2% o ddedfrydau cymunedol o'u cymharu â 6.6% yn unig yn ardal Dinefwr.

Mae ynadon hefyd yn cael eu beirniadu am fod yn ganol oed a dosbarth canol, gan fod mwyafrif helaeth yr ynadon wedi ymddeol neu'n dod o gefndir proffesiynol neu reolaethol. Fodd bynnag, o ystyried ei bod yn swydd ddi-dâl a bod rhaid i weithwyr gael amser i ffwrdd o'r gwaith i gyflawni eu dyletswyddau, nid yw hwn yn wendid annisgwyl. Mae sawl ymgyrch wedi bod i gael trawstoriad ehangach o ynadon ac mae rhai pobl iau wedi cael eu recriwtio. Fodd bynnag, mae'r anghydraddoldeb oedran yn parhau.

Er gwaethaf cael eu hyfforddi i geisio osgoi'r sefyllfa hon, mae ynadon hefyd wedi'u cyhuddo o ddangos tuedd o blaid yr erlyniad a thueddfryd i gredu tystiolaeth yr heddlu. Gall ynadon weld yr un erlynwyr yn rheolaidd a gallai hyn effeithio ar eu barn. Os ydyn nhw'n eistedd yn rheolaidd, mae'n bosibl eu bod hefyd yn 'caledu' at yr achosion.

Datblygu ymhellach

Gwyliwch 'The Work of Magistrates in England and Wales' gan y Cyngor Dedfrydu: www.youtube.com/watch?v=fCybrBaKj8s. Bydd yn rhoi cipolwg i chi ar waith ynadon yng Nghymru a Lloegr.

DEILLIANT DYSGU 3
GALLU ADOLYGU ACHOSION TROSEDDOL

MPA3.1 ARCHWILIO GWYBODAETH I SICRHAU EI BOD YN DDILYS

MEINI PRAWF ASESU	BAND MARCIAU 1	BAND MARCIAU 2	BAND MARCIAU 3
MPA3.1 Dylech chi allu ... Archwilio gwybodaeth i sicrhau ei bod yn ddilys	Disgrifir ffynonellau gwybodaeth cyfyngedig (cânt eu rhestru yn y pen isaf) Ar y pen uchaf, trafodir rhai ffynonellau gwybodaeth mewn perthynas â dilysrwydd **(1–5)**	Caiff amrywiaeth o ffynonellau gwybodaeth eu harchwilio a'u hadolygu o ran eu dilysrwydd Ar y pen isaf, bydd amrywiaeth y ffynonellau gwybodaeth a/neu'r adolygiad yn gyfyngedig **(6–10)**	Archwiliad manwl o amrywiaeth berthnasol o ffynonellau gwybodaeth (gan gynnwys cyfeirio at y briff) Cynhelir adolygiad clir o'u haddasrwydd o ran eu dilysrwydd **(11–15)**

CYNNWYS	YMHELAETHU
Archwilio er mwyn nodi • tuedd • barn • amgylchiadau • cyfrededd • cywirdeb **Gwybodaeth** • tystiolaeth • trawsgrifiadau o'r treial • adroddiadau yn y cyfryngau • dyfarniadau • adroddiadau'r gyfraith	Dylech chi feithrin y gallu i adolygu gwybodaeth a llunio barn ar addasrwydd y cynnwys maen nhw'n ei ddarparu yn erbyn nifer o feini prawf Yn eich ymateb i'r asesiad dan reolaeth, dylech chi gyfeirio at friff yr aseiniad ac at enghreifftiau eraill rydych chi wedi'u hastudio

SYLWCH

Mae'r newidiadau i feini prawf asesu MPA3.1 ac MPA3.2 wedi cael eu haddasu rhywfaint i roi fwy o bwyslais ar gyfeirio at y briff. Mae'r golofn ymhelaethu ar gyfer MPA3.1 wedi'i newid fel sydd i'w weld mewn coch yn y tabl uchod.

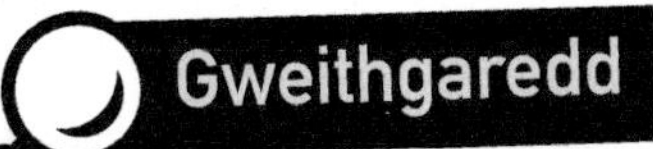

Gweithgaredd

Gwyliwch y ddau glip canlynol ar YouTube. Allwch chi gredu popeth rydych chi'n ei weld?

- 'Flying Penguins / World Penguin Day / BBC', www.youtube.com/watch?ank&v=9dfWzp7rYR4.
- 'BBC: Spaghetti-Harvest in Ticino', www.youtube.com/watch?v=tVo_wkxH9dU.

Term allweddol

Unochrog: Dangos tuedd annheg o blaid neu yn erbyn rhywun neu rhywbeth.

Awgrym

Yn yr adran hon, dylech chi archwilio amrywiaeth o ffynonellau gwybodaeth gwahanol a dangos eich bod yn gwerthfawrogi nad yw popeth yn gywir nac yn ddilys. Er enghraifft, gall eitem fod yn unochrog iawn, fel tuedd wleidyddol mewn adroddiad papur newydd. Efallai fod yr awdur yn mynegi ei farn yn unig gan fethu ystyried pob ochr i'r ddadl.

Weithiau gall y ffeithiau mewn ffynhonnell wybodaeth fod yn anghywir neu'n hen ffasiwn a gall dibynnu ar wybodaeth o'r fath fod yn beryglus, yn enwedig mewn achosion troseddol. Dylech chi bob amser ystyried pwy sydd wedi ysgrifennu'r ffynhonnell a pham y cafodd ei hysgrifennu. Gall hyn gael dylanwad ar ddilysrwydd y wybodaeth a ddarparwyd. Hefyd, dylech chi ystyried pryd cafodd y ffynhonnell ei chreu. Mae polisïau a safbwyntiau cymdeithas yn newid a gall ffynonellau gwybodaeth gael eu hysgrifennu i adlewyrchu'r cyfnod.

Awgrym

Wrth chwilio am ddilysrwydd, dylech chi ystyried y cwestiynau canlynol:

- Beth yw diben yr adnodd?
- A yw'n safbwynt unochrog?
- A oes iaith negyddol yn cael ei defnyddio?
- A yw'n ddiduedd ynglŷn â materion dadleuol?
- Beth yw ffynhonnell y wybodaeth?
- Beth yw diben y ddogfen?

Archwiliwch ffynonellau am duedd bob amser.

Tystiolaeth

Er bod tystiolaeth mewn achos troseddol fel arfer yn ddibynadwy, ar rai adegau dangoswyd nad yw'r tystiolaeth yn ddilys. Un enghraifft o hyn yw achos Sally Clark a thystiolaeth arbenigol Syr Roy Meadow.

ASTUDIAETH ACHOS

SALLY CLARK

Cafwyd Sally Clarke yn euog o lofruddio ei dau blentyn cyntaf yn 1999. Yn wreiddiol, cafodd marwolaeth ei phlentyn cyntaf, pan oedd ychydig o dan dri mis oed, ei thrin fel achos naturiol neu syndrom marwolaeth sydyn babanod (SIDS). Bu farw ei hail blentyn ychydig dros flwyddyn yn ddiweddarach pan oedd yn ddau fis oed. Fodd bynnag, y tro hwn cafodd y farwolaeth ei thrin yn un amheus. Yn wir, aeth patholegydd y Swyddfa Gartref ati i ailedrych ar y farwolaeth gyntaf gan honni ei bod yn amheus hefyd.

Gwnaeth Syr Roy Meadow gamgymeriadau 'hollol syfrdanol' o ran y dystiolaeth ystadegol. Honnodd yr athro prifysgol fod siawns o '1 mewn 73 miliwn' y byddai dau o blant yn marw o SIDS mewn cartref lle nad oedd dim ffactorau risg yn bresennol. Fodd bynnag, roedd y dystiolaeth ystadegol hon yn annibynadwy. Roedd y dystiolaeth feddygol yn gymhleth iawn a chafodd ei thrafod gan sawl arbenigwr, a oedd yn dod i gasgliadau gwrthgyferbyniol yn aml. Dywedodd fod hyn yn debyg i'r siawns y byddai ceffyl annhebygol o ennill ras yn ennill y Grand National bedair gwaith yn olynol: 1 mewn 73 miliwn. Doedd y dystiolaeth ystadegol ddim yn cydnabod y gallai'r risg fod yn fwy os oedd y cyflwr wedi'i etifeddu. Derbyniodd y rheithgor ei dystiolaeth gan ei fod yn arbenigwr meddygol. Rhyddhawyd Sally Clark ar ôl treulio tair blynedd yn y carchar yn dilyn gwrandawiad apêl a ddaeth i'r casgliad bod ei heuogfarn yn anniogel. Yn amlwg, nid oedd y dystiolaeth yn ddilys yn yr achos hwn.

Dywedodd Syr Roy Meadow yn ei lyfr (1997), 'mae un farwolaeth sydyn babanod yn drasiedi, mae dau yn amheus ac mae tri yn llofruddiaeth, nes y profir fel arall'. *Yn ddiweddarach dangoswyd nad oedd hyn yn ddilys.*

Rheithfarnau treialon

ASTUDIAETH ACHOS

BARRY GEORGE

Barry George

Cafwyd Barry George yn euog o lofruddio Jill Dando, a gafodd ei saethu yn ei phen y tu allan i'w chartref yn Llundain yn 1999. Roedd hi'n gyflwynydd newyddion enwog iawn ar y BBC a hefyd yn cyflwyno'r rhaglen deledu *Crimewatch*. Roedd pwysau mawr gan y cyhoedd i ddatrys y llofruddiaeth; fodd bynnag, gan nad oedd dim tystiolaeth fforensig, roedd yn anodd i'r heddlu ddrwgdybio unrhyw un.

Wrth edrych ar bobl leol, daeth yr heddlu ar draws Barry George, sef rhywun ag obsesiwn â gynnau. Darganfuwyd ei fod yn hoffi dilyn menywod a thynnu ffotograffau ohonyn nhw. Edrychodd yr heddlu o amgylch ei dŷ a dod o hyd i hen bapurau newydd ac roedd rhai ohonyn nhw'n cynnwys straeon am Jill Dando. Roedd ganddo hefyd 480 ffotograff o fenywod gwahanol. Ond doedd dim un yn ei gysylltu â Jill Dando. Drwy gydol ei oes roedd George wedi defnyddio sawl ffugenw, neu enwau gwahanol, fel Paul Gadd (enw go iawn Gary Glitter). Yn dilyn marwolaeth Freddy Mercury, defnyddiodd yr enw Barry Bulsara (sef cyfenw go iawn Mercury). Cymerodd yr heddlu un o'i siacedi a dod o hyd i weddillion saethu gwn yn y boced a oedd yn cyfateb i'r bwled yn lleoliad y drosedd. Roedd ffibr a gafodd ei ddarganfod yn lleoliad y drosedd yn cyfateb i ffibrau un o barau o drowsus George. Cafodd y rheithgor ef yn euog a threuliodd wyth mlynedd yn y carchar.

Fodd bynnag, cafodd dilysrwydd yr euogfarn ei gwestiynu. Yn amlwg, roedd George yn hoffi bod ar ei ben ei hun ac roedd ganddo bersonoliaeth od. Fodd bynnag, mae'n amlwg nad yw hyn yn dystiolaeth yn ei erbyn yn achos y drosedd hon ac nid yw'n gallu profi ei fod yn llofrudd. Ychydig iawn o weddillion saethu gwn oedd, sef llai na hanner milfed modfedd. Hefyd, ni chafwyd hyd i'r siaced lle roedd y gweddillion hyn tan flwyddyn ar ôl y saethu. Gellid dadlau, felly, fod tystiolaeth o'r fath yn annibynadwy ac yn amhendant. Dadleuodd tîm cyfreithiol George y gallai fod wedi ymddangos o ganlyniad i halogi'r siaced wrth ei gosod ar mannequin i gael tynnu ei llun fel tystiolaeth yr heddlu. Yn dilyn apêl lwyddiannus, cafodd euogfarn George ei dileu ac enillodd yr hawl i gael ail dreial, lle cafodd y rheithgor ef yn ddieuog. Mae hyn yn dangos nad oedd y treial gwreiddiol a rheithfarn y rheithgor yn ddilys.

Jeremy Bamber

Gweithgaredd

Ymchwiliwch i achos Jeremy Bamber, a gafwyd yn euog o lofruddio pum aelod o'i deulu yn 1985. Lluniwch dabl yn dangos y pwyntiau sy'n awgrymu nad yw'r rheithfarn yn ddilys. Mae rhagor o wybodaeth ar gael yn www.jeremy-bamber.co.uk/. Fodd bynnag, dylech chi bob amser gofio ystyried gwybodaeth o safbwynt dilysrwydd a rhagfarn.

Adroddiadau yn y cyfryngau

Mae'r cyfryngau yn chwarae rhan fawr yn y ffordd mae'r cyhoedd yn ystyried trosedd. Fodd bynnag, dylai adroddiadau'r cyfryngau gael eu harchwilio bob amser i weld pa ffynonellau a ddefnyddiwyd, safbwynt gwleidyddol yr erthygl, a ydyn nhw'n cynnwys stereoteipiau, ac a yw pawb yn cael eu dal i gyfrif neu a oes safonau dwbl.

Dylai adroddiadau newyddion fod yn wrthrychol (*objective*) a diduedd er mwyn bod yn ddilys. Fodd bynnag, ar adegau mae'n bosibl nad yw'r adroddiadau wedi bod yn ddiduedd ac maen nhw wedi cyflwyno sylwadau gwleidyddol goddrychol. Gallai'r diffyg gwrthrychedd hwn olygu nad yw'r adroddiadau'n gywir a'u bod yn annilys.

Gweithgaredd

Darllenwch 'BBC Accused of Political Bias – on the Right not the Left' (Burrell, 2014) ar wefan *The Independent* a rhowch grynodeb byr i ddangos bod adroddiadau'r cyfryngau yn gallu bod yn unochrog.

Dyfarniad ymchwiliad swyddogol

Ymchwiliad trychineb Hillsborough

Ar 15 Ebrill 1989, ar ddechrau gêm gynderfynol Cwpan yr FA rhwng Lerpwl a Nottingham Forest yn stadiwm Hillsborough, sef stadiwm Sheffield Wednesday, arweiniodd gwasgfa yn erbyn y terasau dur at farwolaeth 96 o gefnogwyr Lerpwl, ac anafwyd cannoedd yn fwy.

Awgrymodd y cyfryngau mai cefnogwyr meddw Lerpwl oedd ar fai. Roedd yr heddlu hefyd yn beio cefnogwyr am gyrraedd yn hwyr ac yn feddw. Er gwaethaf adroddiad dros dro gan yr Arglwydd Ustus Taylor, a oedd yn feirniadol o'r heddlu, penderfynodd y Cyfarwyddwr Erlyniadau Cyhoeddus nad oedd digon o dystiolaeth i ddwyn cyhuddiadau troseddol yn erbyn yr heddlu. Yn y cwestau i'r marwolaethau, cafwyd rheithfarnau o farwolaeth ddamweiniol yn achos y dioddefwyr, a dyfarnwyd eu bod i gyd wedi marw erbyn 3.15 p.m. Fodd bynnag, roedd hyn yn golygu nad oedd yn bosibl archwilio'n gywir ymateb yr heddlu a'r gwasanaethau ambiwlans ar ôl 3.15 p.m.

Term allweddol

Marwolaeth ddamweiniol: Rheithfarn mewn cwest sy'n cael ei rhoi pan ystyrir bod y farwolaeth yn ganlyniad damwain.

Ar ôl ymgyrch hir iawn, sefydlwyd Panel Annibynnol Hillsborough i archwilio'r papurau yn ymwneud â'r achos. Yn y pen draw, daeth y Panel i'r casgliad bod yr heddlu wedi gwneud ymgais i guddio'r ffeithiau, anwirio dogfennau a rhoi'r bai ar gefnogwyr dieuog. Yn drist iawn, daeth i'r casgliad y gallai bywydau 41 o'r cefnogwyr fod wedi cael eu hachub, ac mae'r adroddiad yn profi bod y cefnogwyr yn ddieuog o unrhyw ddrygioni neu fai am y drychineb.

Rhoddwyd gorchymyn i gynnal cwest newydd ac, ar ôl dwy flynedd o dystiolaeth, daeth i'r casgliad bod y 96 o gefnogwyr wedi'u lladd yn anghyfreithlon. Y tro hwn, dywedwyd nad oedd bai ar y cefnogwyr am eu hymddygiad. Yn hytrach, rhoddwyd y bai ar fethiannau'r heddlu, gwendidau yn nyluniad y stadiwm, ac ymateb araf y gwasanaethau ambiwlans. Yn amlwg, doedd y canfyddiadau cyntaf ddim yn gywir.

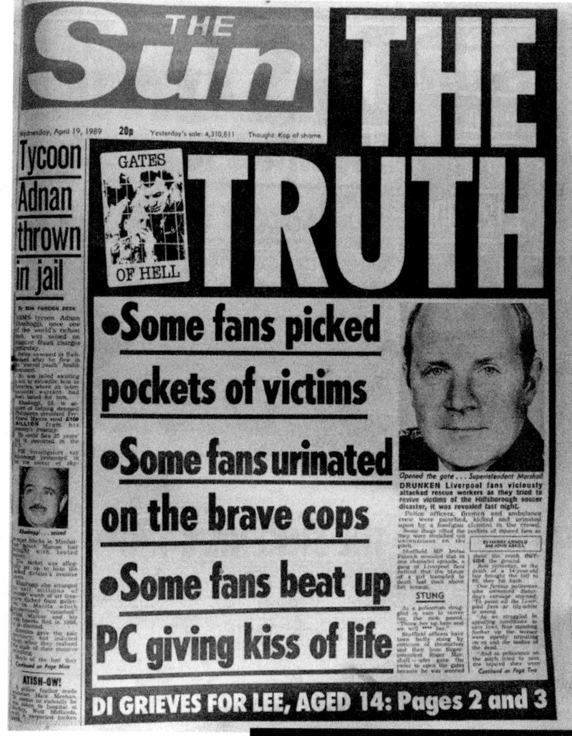

THE Sun

THE TRUTH

Tycoon Adnan thrown in jail

GATES OF HELL

•Some fans picked pockets of victims

•Some fans urinated on the brave cops

•Some fans beat up PC giving kiss of life

DI GRIEVES FOR LEE, AGED 14: Pages 2 and 3

Dyma sut adroddodd The Sun *am y drychineb.*

Gweithgaredd

Lluniwch linell amser o Ymchwiliad Hillsborough. Gwnewch yn siŵr eich bod yn cynnwys y cyhuddiadau troseddol a gafodd eu dwyn yn erbyn comander heddlu'r gêm, David Duckenfield, ym mis Mehefin 2017.

Adroddiadau'r gyfraith

Am fod cymaint o achosion yn cael eu clywed bob blwyddyn, rhaid cael rhyw ffordd i'r cyfreithwyr/barnwyr gael gwybod pa benderfyniadau rhaid iddyn nhw eu dilyn. I sicrhau hyn, cafodd system gynhwysfawr o adroddiadau'r gyfraith ei sefydlu. Mewn achosion sy'n cael eu penderfynu yn y llysoedd uchaf, bydd y dyfarniad yn cael ei gofnodi a'i gyhoeddi mewn adroddiadau, er enghraifft All England Law Reports sy'n cynnwys dyfarniadau o Gymru a Lloegr, a'r adroddiadau wythnosol sy'n cael eu cyhoeddi gan ICLR. Hefyd, mae cronfa ddata ar-lein o adroddiadau'r gyfraith ar gael yn www.lexisnexis.co.uk. Mae adroddiadau'r gyfraith i'w cael yn llyfrgelloedd y gyfraith mewn prifysgolion. Dylech chi ystyried a ydyn nhw'n ddilys.

MPA3.2 TYNNU CASGLIADAU AR SAIL Y WYBODAETH

MEINI PRAWF ASESU	BAND MARCIAU 1	BAND MARCIAU 2	BAND MARCIAU 3
MPA3.2 Dylech chi allu ... Tynnu casgliadau ar sail y wybodaeth	Yn tynnu casgliadau ar achosion troseddol Gall y casgliadau fod yn rhai goddrychol yn bennaf, gyda thystiolaeth gyfyngedig i'w hategu **(1–5)**	Yn tynnu rhai casgliadau gwrthrychol ar achosion troseddol, gan ddefnyddio rhywfaint o dystiolaeth a rhesymu i ategu'r casgliadau **(6–10)**	Yn tynnu casgliadau gwrthrychol ar achosion troseddol (gan gynnwys cyfeirio at y briff), gan ddefnyddio tystiolaeth a rhesymu/dadleuon clir i ategu'r casgliadau **(11–15)**

CYNNWYS	YMHELAETHU
Casgliadau • rheithfarnau cyfiawn • camweinyddiad cyfiawnder • rheithfarn ddiogel • dedfrydu cyfiawn	Dylech chi feithrin sgiliau i ddadansoddi gwybodaeth, er mwyn tynnu casgliadau yn seiliedig ar dystiolaeth resymegol Yn eich ymateb i'r asesiad dan reolaeth, dylech chi gyfeirio at friff yr aseiniad ac at enghreifftiau eraill rydych chi wedi'u hastudio

Awgrym

Gwnewch yn siŵr eich bod yn ystyried amrediad o wybodaeth. Camgymeriad cyffredin yw dibynnu ar y briff yn unig a thynnu casgliadau ar sail hwnnw yn unig. Fodd bynnag, dylech hefyd gynnwys rheithfarnau achosion eraill ac achosion o gamweinyddu cyfiawnder. I sicrhau eich bod yn cyrraedd y band marciau uchaf, dylech hefyd gynnwys casgliadau am ddedfrydu.

Rheithfarnau cyfiawn

Mae tua 130,000 o achosion troseddol yn cael eu cynnal gerbron Llysoedd y Goron bob blwyddyn, ac mae'r mwyafrif helaeth yn cael eu penderfynu'n briodol ac yn unol â'r rheolau cyfreithiol a'r dystiolaeth sydd ar gael ar y pryd. Weithiau, mae cyfiawnder yn gyflym ond ar adegau eraill gall gymryd blynyddoedd i ddiffynyddion ddod gerbron y llys. Yn achos Stephen Lawrence, cymerodd dros 18 mlynedd i gael euogfarn. Cafodd ei lofruddio ar 22 Ebrill 1993 a chafwyd dau ddiffynnydd yn euog o'i lofruddio ar 3 Ionawr 2012.

ASTUDIAETH ACHOS

STEPHEN LAWRENCE

Cymerodd dros 18 mlynedd i gael cyfiawnder i achos Stephen Lawrence.

Datgelodd llofruddiaeth y dyn ifanc hwn, a'r ymchwiliad heddlu dilynol, nifer o gasgliadau a oedd yn awgrymu bod yr heddlu yn hiliol ac yn anghymwys. Mae'r pwyntiau canlynol yn werth eu nodi:

- Ni wnaeth y pum swyddog heddlu roi cymorth cyntaf yn y fan a'r lle.
- Ni chafodd yr holl wybodaeth ei rhoi i'w deulu erioed.
- Dywedodd Adroddiad Macpherson (1999) fod hiliaeth sefydliadol yn yr heddlu.
- Roedd system gyfrifiadurol HOLMES yn annigonol, roedd diffyg staff wedi'u hyfforddi a allai ddefnyddio'r system ac arweiniodd hyn at golli gwybodaeth.
- Roedd adolygiad mewnol yr heddlu yn cefnogi'r ymchwiliad cyntaf ac roedd yn cael ei ystyried yn 'wyngalch'.
- Roedd y swyddog cyntaf yng ngofal yr achos yn gweithio dros dro; ni weithredodd ar frys ac weithiau nid oedd yn rhoi sylw i'r achos.
- Yn ystod cyfweliad 'dim sylw' ag un o'r rhai oedd yn cael ei ddrwgdybio, saith cwestiwn yn unig a ofynnwyd am y llofruddiaeth.
- Ni chafodd y tîm chwilio wybodaeth am arfau oedd o dan y lloriau yng nghartref un o'r rhai oedd yn cael ei ddrwgdybio.
- Cynhaliwyd adolygiad arall o'r ymchwiliad cyntaf a chanfuwyd 28 o fethiannau gan yr heddlu.
- Derbyniodd yr heddlu 22 awgrym cadarn posibl mai grŵp o bum dyn gwyn oedd y rhai oedd yn cael eu drwgdybio ond nid arweinodd hyn at erlyniad.
- Cafodd fideo yn dangos pedwar o'r pum dyn oedd yn cael eu drwgdybio yn ymddwyn yn hiliol a threisgar â chyllell ei chwarae i Ymchwiliad Cyhoeddus Stephen Lawrence yn 1998. Saethwyd y fideo gan gamera cuddwyliadwriaeth yr heddlu ac mae'n dangos y dynion ifanc yn chwifio amrywiaeth o gyllyll â llafnau hir. Mae un o'r dynion yn actio'r un symudiad trywanu 'bowlio dros ysgwydd' â'r un a ddefnyddiwyd i achosi un o glwyfau Stephen Lawrence.

O ganlyniad i ymgyrch y teulu dros gyfiawnder, a beirniadaeth Adroddiad Macpherson, pasiwyd Deddf Cysylltiadau Hiliol (Diwygio) 2000, a oedd yn gosod dyletswydd ar gyrff cyhoeddus, fel yr heddlu, i hyrwyddo cydraddoldeb. Yn ogystal, roedd yr achos hwn o gymorth i ddileu'r gyfraith ar erlyniad dwbl, yn Neddf Cyfiawnder Troseddol 2003, sy'n galluogi pobl a ddrwgdybir i gael eu cyhuddo o'r un drosedd ddwywaith.

Camweinyddu cyfiawnder

Ystyr camweinyddu cyfiawnder yw cael rhywun yn euog ac yna ei gosbi am drosedd na wnaeth ei chyflawni. Yn yr achosion mwyaf enwog, mae'r unigolyn yn aml wedi bwrw dedfryd hir yn y carchar.

Mae sawl achos o gamweinyddu cyfiawnder wedi bod yn ein system gyfreithiol; yn ffodus, mae'r canlynol yn enghreifftiau o achosion sydd wedi arwain at ddiddymu euogfarn anghywir. Allwch chi dynnu casgliadau ar sail yr enghreifftiau hyn?

Stefan Kiszko

Treuliodd Stefan Kiszko 16 blynedd yn y carchar ar ôl iddo gael ei arestio a'i gael yn euog o ymosod yn rhywiol ar ferch ifanc a'i llofruddio. Roedd wedi llofnodi cyfaddefiad, heb gyfreithiwr yn bresennol, gan gredu y byddai'n cael mynd adref at ei fam ar ôl gwneud hynny. Tynnwyd y cyfaddefiad yn ôl yn ddiweddarach a dywedodd fod yr heddlu wedi ei fwlio a'i orfodi i'w lofnodi. Ymgyrchodd ei fam i'w ryddhau ac yn y pen draw, mewn gwrandawiad apêl, clywodd tri o farnwyr y llys apêl dystiolaeth wyddonol a oedd yn profi nad oedd ei gorff yn gallu cynhyrchu semen. Cafodd ei euogfarn ei dileu yn 1992. Yn drist iawn, cafodd drawiad ar y galon a bu farw flwyddyn ar ôl iddo gael ei ryddhau o'r carchar.

Chwe mis ar ôl i Stefan Kiszko farw, bu farw ei fam hefyd.

Timothy Evans

Roedd Timothy Evans yn denant yn 10 Rillington Place, ynghyd â John Christie. Er i Christie ladd gwraig a phlentyn Evans, cafodd Evans ei grogi am y llofruddiaethau yn 1950. Fodd bynnag, daeth llofruddiaethau Christie i'r amlwg yn ddiweddarach a chyfaddefodd ei fod wedi lladd saith o bobl. Crogwyd ef yn 1953. Yr achos hwn oedd un o'r rhai a helpodd i newid y polisi ar y gosb eithaf.

Stephen Downing

Treuliodd Stephen Downing 27 mlynedd yn y carchar am lofruddiaeth nad oedd wedi'i chyflawni. Roedd yn gweithio mewn mynwent ac, yn 1973, daeth o hyd i Wendy Sewell a oedd wedi dioddef ymosodiad rhywiol a'i churo â choes caib. Bu farw Wendy ddau ddiwrnod yn ddiweddarach ac ar ôl iddo gael ei gyfweld gan yr heddlu, heb gyfreithiwr, cyfaddefodd Stephen mai ef oedd wedi ei lladd. Fodd bynnag, roedd ganddo oedran darllen o 11 oed yn unig ac yn ddiweddarach tynnodd y cyfaddefiad yn ôl. Mynnodd ei fod yn ddieuog drwy gydol ei amser yn y carchar. Arweiniwyd ymgyrch i'w ryddhau gan newyddiadurwr lleol ac, yn 2001, rhyddhawyd Downing tra oedd yn aros am achos apêl. Yn ddiweddarach yn 2002, cafodd ei glirio o'r llofruddiaeth a dywedodd y Llys Apêl fod ei euogfarn yn anniogel.

Sean Hodgson

Carcharwyd Sean Hodgson ar gam, yn 1979, am lofruddiaeth na wnaeth ei chyflawni a threuliodd 27 mlynedd yn y carchar. Er iddo gyffesu i'r llofruddiaeth, roedd yn hysbys bod ganddo broblemau iechyd meddwl a'i fod yn gelwyddgi patholegol. Fodd bynnag, cafodd ei euogfarn ei dileu yn 2009 ar ôl i ddatblygiadau ym maes profi DNA ddangos ei fod yn ddieuog. Bu farw dair blynedd ar ôl iddo gael ei ryddhau.

Awgrym !

Gwnewch yn siŵr eich bod chi'n ystyried rheithfarnau achosion eraill ar wahân i'r achos yn y briff. Fel arall, bydd eich marc wedi ei gyfyngu i fand marciau 1.

Awgrym !

Beth oedd eich casgliadau? Efallai fod achosion o gamweinyddu cyfiawnder yn dal i ddigwydd, ac ar adegau gall gymryd amser hir iawn i unioni pethau. Ceisiwch ddatblygu'r casgliadau hyn yn yr asesiad dan reolaeth.

Dedfrydu cyfiawn

Fel yn achos nifer yr euogfarnau mewn achosion troseddol, mae mwyafrif helaeth y dedfrydau sy'n cael eu rhoi yn briodol ac yn gyfiawn. Fodd bynnag, weithiau mae'r dedfrydau yn ymddangos yn annheg neu'n rhy drugarog. Mewn sefyllfa o'r fath, mae'n bosibl i unrhyw un ofyn i'r Twrnai Cyffredinol geisio apêl yn erbyn dedfryd fel hyn. Cyflwynwyd y cynllun gan Ddeddf Cyfiawnder Troseddol 1988 ar gyfer troseddau fel:

- llofruddiaeth
- treisio
- lladrata
- troseddau cyffuriau difrifol
- amrywiaeth o droseddau terfysgol (a gyflwynwyd ym mis Gorffennaf 2017).

Mae'r cynllun yn gweithredu os yw'r ddedfryd *'y tu hwnt i amrediad y dedfrydau y gall y barnwr, gan feddwl am yr holl ffactorau perthnasol, eu hystyried yn rhesymol yn briodol'*.

Yn 2016, cafodd 41 dedfryd o garchar eu cynyddu yng Nghymru a Lloegr o dan y cynllun Dedfrydau Rhy Drugarog. Mae hyn yn gynnydd o 17% ers y flwyddyn flaenorol.

Mae enghreifftiau o ddedfrydau rhy drugarog yn cynnwys:

- Yn 2017, cynyddwyd dedfryd Ian Paterson, y llawfeddyg a fu'n cynnal llawdriniaethau diangen ar y fron gan wneud i gleifion iach gredu eu bod yn dioddef o ganser, o 15 i 20 mlynedd.
- Cafodd dedfryd o garchar Rhys Hobbs ei gynyddu o wyth mlynedd i 12 a hanner o flynyddoedd, am ladd ei gyn-gariad yn 2016, mewn 'ffordd dreisgar ac estynedig'.
- Carcharwyd Stuart Hall, cyn-gyflwynydd y BBC, am 15 mis ar ôl ei gael yn euog o gyfres o ymosodiadau rhyw. Fodd bynnag, yn 2013 cafodd y ddedfryd hon ei dyblu bron i 30 mis pan gadarnhaodd y barnwr fod y ddedfryd wreiddiol yn rhy drugarog o ystyried yr effaith ar y dioddefwyr.

Awgrym !

Yn yr asesiad dan reolaeth, dylech chi ystyried a oes camweinyddiad cyfiawnder wedi digwydd. Dylech chi ystyried yr holl Feini Prawf Asesu, ac ystyried a yw'r gyfraith a'r gweithdrefnau priodol wedi cael eu gweithredu'n deg. Er enghraifft:

(i) A oes unrhyw dystiolaeth wedi'i halogi?

(ii) A yw'r holl bersonél sy'n rhan o'r ymchwiliad, gan gynnwys y rheithgor, wedi gweithredu yn onest ac yn unol â'r rheolau?

(iii) A gafwyd 'treial gan y cyfryngau'?

Datblygu ymhellach

A yw dedfrydau yn rhy drugarog? Beth am i chi fod yn farnwr a phenderfynu ar y dedfrydau eich hun. Edrychwch ar wefan 'You be the Judge' a chymharwch eich dedfryd â'r un a roddwyd mewn gwirionedd: http://ybtj.justice.gov.uk.

CRYNODEB O'R UNED

Drwy weithio drwy'r uned hon:

- Byddwch chi'n gallu asesu'r defnydd sy'n cael ei wneud o leygwyr wrth benderfynu ar ffawd y sawl a ddrwgdybir a gwerthuso proses y treial troseddol o leoliad y drosedd i'r llys.
- Byddwch wedi meithrin y sgiliau i adolygu achosion troseddol, gan werthuso'r dystiolaeth yn yr achosion i benderfynu a yw'r rheithfarn yn ddiogel ac yn gyfiawn.

UNED 4
TROSEDD A CHOSB

Yn yr uned hon byddwch yn meithrin sgiliau er mwyn gwerthuso effeithiolrwydd y broses rheolaeth gymdeithasol wrth roi polisïau ar waith. Mae pwyslais ar asiantaethau yn y system cyfiawnder troseddol fel yr heddlu, Gwasanaeth Erlyn y Goron, y gwasanaeth prawf a charchardai.

Byddwch chi'n canolbwyntio ar eu rôl, eu cyfyngiadau a'u heffeithiolrwydd. Bydd cyfle hefyd i ystyried carfanau pwyso ac elusennau a'r rôl maen nhw'n ei chwarae o ran sicrhau rheolaeth gymdeithasol. Byddwch chi'n darganfod sut mae ein deddfau'n cael eu llunio yn ogystal ag astudio'r dulliau a ddefnyddir gan gymdeithas i sicrhau rheolaeth gymdeithasol.

Asesiad: arholiad allanol 1 awr 30 munud

Cyswllt synoptig: Unedau 1, 2 a 3

DEILLIANT DYSGU 1
DEALL Y SYSTEM CYFIAWNDER TROSEDDOL YNG NGHYMRU A LLOEGR

MPA1.1 DISGRIFIO PROSESAU A DDEFNYDDIR AR GYFER DEDDFU

MEINI PRAWF ASESU	CYNNWYS	YMHELAETHU
MPA1.1 Dylech chi allu ... Disgrifio prosesau a ddefnyddir ar gyfer deddfu	**Prosesau** • prosesau'r llywodraeth • prosesau barnwrol	Dylech chi feddu ar wybodaeth am y broses ddeddfwriaethol a rôl barnwyr wrth lunio cyfraith trosedd

Cyswllt synoptig

Dylech chi gysylltu'r MPA hwn â'r gwaith o adolygu rheithfarnau mewn achosion troseddol yn Uned 3 ac ymgyrchoedd a newidiadau polisi a astudiwyd yn Uned 1. Yn Uned 1, gall ymgyrchoedd arwain at newidiadau yn y gyfraith wrth i'r senedd basio deddfau sy'n cyflwyno cyfreithiau newydd. Er enghraifft, pasiwyd Deddf Cyfiawnder Troseddol 2003 yn sgil yr ymgyrch a arweiniwyd gan Ann Ming i ddileu'r gyfraith ar erlyniad dwbl am droseddau difrifol.

Yn Uned 3, gwnaethoch chi ddysgu os bydd apêl yn cael ei wneud yn erbyn achos, yn enwedig ar bwynt cyfreithiol, mae'n bosibl i'r farnwriaeth lunio deddfau. Er enghraifft, yn achos *R* v *R,* roedd y dyfarniad barnwrol yn sicrhau bod treisio mewn priodas yn drosedd.

Mae dau Dŷ'r Senedd, Llundain, hefyd yn cael eu galw'n Balas Westminster neu'n San Steffan.

Prosesau'r llywodraeth

Mae'r rhan fwyaf o'r deddfau yng Nghymru a Lloegr yn cael eu llunio yn Senedd y DU drwy broses o ymgynghori, trafod a phleidleisio.

Pan fydd deddf newydd yn cael ei hystyried, bydd ymgynghoriad cyhoeddus ar ffurf Papur Gwyrdd. Ar sail hyn, bydd Papur Gwyn a chynigion ffurfiol ar gyfer diwygio yn cael ei lunio. Mae hyn yn golygu bod modd cyflwyno deddf ddrafft, o'r enw Bil, i'r Senedd.

Bydd yn dechrau ei daith yn un o'r ddau dŷ – gall fod y naill dŷ neu'r llall oni bai ei fod yn fil cyllid, sydd yn gorfod dechrau yn Nhŷ'r Cyffredin – a bydd yn dilyn nifer o gamau:

- **Darlleniad cyntaf:** bydd enw'r Bil a'i brif nodau yn cael eu darllen allan a bydd pleidlais ffurfiol yn digwydd.
- **Ail ddarlleniad:** bydd y prif ddadl yn cael ei chynnal ac yna bydd pleidlais arall.
- **Cyfnod pwyllgor:** bydd grŵp o gynrychiolwyr a ddewiswyd yn edrych yn ofalus ar y Bil i roi sylw i unrhyw broblemau ac yn awgrymu diwygiadau addas.
- **Cyfnod adrodd:** bydd y Pwyllgor yn adrodd yn ôl i'r Tŷ cyfan a fydd yn pleidleisio ar y diwygiadau arfaethedig.
- **Trydydd darlleniad:** y bleidlais olaf ar y Bil.
- Mae'r holl gamau uchod yn cael eu hailadrodd yn y tŷ arall.
- **Cydsyniad brenhinol:** bydd y Brenin neu'r Frenhines yn llofnodi'r Bil. Nid yw'n gallu ei wrthod gan fod hyn bellach yn gam symbolaidd yn unig fel Pennaeth y Wladwriaeth.
- Yna, daw'r Bil yn **Ddeddf Seneddol** a bydd y dyddiad dechrau yn cael ei roi.

Term allweddol

Senedd y DU: Mae'n cynnwys tair rhan. Yn gyntaf, Tŷ'r Cyffredin, y cynrychiolwyr etholedig, neu'r Aelodau Seneddol, a gafodd eu hethol gan y bobl mewn etholiad. Yn ail, Tŷ'r Arglwyddi, sydd yn dal i gynnwys rhai arglwyddi etifeddol (Arglwyddi) ac erbyn hyn sawl arglwydd a benodwyd am oes sydd ddim yn trosglwyddo eu teitl ar ôl marwolaeth. Er enghraifft, Syr Alan Sugar, y Farwnes Doreen Lawrence (mam Stephen Lawrence) a Syr John Prescott. Yn olaf, y Brenin neu'r Frenhines sy'n cymeradwyo'r Bil terfynol.

Uned 4 – Arholiad 2017

Amlinellwch y broses mae'r llywodraeth yn ei defnyddio i lunio deddfau fel Deddf Dwyn 1968. **[3 marc]**

Mae ymateb y cyhoedd i newid yn y gyfraith yn cael ei gasglu mewn Papur Gwyrdd cyn cyflwyno cynigion cadarn mewn Papur Gwyn. Yna bydd Bil yn cael ei gyflwyno i'r Senedd a bydd yn dilyn cyfres o gamau fel y darlleniad cyntaf a'r ail ddarlleniad yn Nhŷ'r Cyffredin a Thŷ'r Arglwyddi. Gall y Bil gael ei newid cyn i'r Senedd bleidleisio arno ac yna bydd yn cael Cydsyniad Brenhinol gan y Brenin neu'r Frenhines.

Asesiad

Gellir dyfarnu hyd at 3 marc ar gyfer yr ateb hwn.

Mae'r ateb hwn yn esbonio'n gywir y broses mae'r llywodraeth yn ei defnyddio i lunio deddfau, ac mae'n defnyddio termau technegol fel Papur Gwyn a Thŷ'r Cyffredin. Hefyd, nid yw'n cynnwys manylion diangen am yr holl gamau, gan mai 3 marc yn unig sydd ar gael, felly mae'r cwestiwn yn gofyn am amlinelliad byr o'r broses.

Prosesau barnwrol

Cynsail farnwrol

Deddfu barnwrol neu gynsail farnwrol yw cyfraith sy'n cael ei llunio gan farnwyr yn y llysoedd. Pan fydd achos yn dod ger eu bron, rhaid iddyn nhw roi dyfarniad a bydd hyn yn sail i'r gyfraith. Rhaid dilyn hyn mewn achosion tebyg yn y dyfodol. Gwelir hyn yn yr enghreifftiau canlynol.

Gall barnwr ddeddfu.

***Donoghue* v *Stevenson* (1932)**

Aeth dwy ffrind i gaffi ac yfodd un ohonyn nhw botel o gwrw sinsir a oedd yn cynnwys gweddillion malwen bydredig. Aeth y fenyw yn sâl a siwiodd y gwneuthurwr. Enillodd hi'r achos. Penderfynodd y llys fod gan y gwneuthurwr ddyletswydd gofal tuag at y fenyw. Mae hyn yn cael ei alw'n 'egwyddor y cymydog', a'r achos hwn oedd y sail i gyfraith esgeuluster heddiw.

***Daniels* v *White* (1938)**

Prynodd yr hawlydd botel o lemonêd. Ar ôl yfed y lemonêd, roedd yn teimlo bod rhywbeth yn llosgi yn ei wddf. Canfuwyd bod y lemonêd yn cynnwys metel cyrydol. Defnyddiwyd achos *Donoghue* v *Stevenson* wrth siwio am iawndal er bod y ffeithiau rhywfaint yn wahanol. Roedd yn ddigon tebyg at ddibenion cynsail.

Rhaid i farnwyr gymhwyso'r gyfraith yn gyson a defnyddio'r un egwyddorion mewn achosion tebyg. Rhaid i'r gyfraith fod yn gyffredin ym mhob achos ac felly cafodd ei alw'n gyfraith gwlad/cyfraith gyffredin; hynny yw, cyfraith sy'n cael ei llunio gan farnwyr. Gan fod sawl math o lys, mae hierarchaeth a rhaid i lysoedd is dderbyn penderfyniadau'r llysoedd uwch.

Mae sawl dewis ar gyfer peidio â dilyn penderfyniad blaenorol os ystyrir bod hyn yn briodol, fel gwahaniaethu neu benderfynu yn erbyn rhywbeth. Fodd bynnag, mae hyn yn cael ei ganiatáu gan y llysoedd uchaf yn unig fel y Goruchaf Lys. Os nad oes cynsail rhaid i'r barnwr ddod i benderfyniad a rhoi cynsail gwreiddiol.

Dehongli statudau

Un ffordd arall y gall barnwr ddeddfu yw drwy ddehongli statudau. Bydd barnwyr yn y llysoedd uchaf fel y Llys Apêl a'r Goruchaf Lys weithiau'n gorfod dehongli geiriau ac ymadroddion mewn statud. Mae ganddyn nhw wahanol reolau a chymhorthion i'w helpu i wneud hyn ac mae ganddyn nhw'r gallu i ddehongli fel y gwelan nhw'n dda. Unwaith eto, byddai hyn yn gallu cael ei ystyried fel deddfu gan y farnwriaeth. Er enghraifft, yn achos *Whiteley* v *Chappell* (1868), cafodd y diffynnydd ei gyhuddo o ffugio bod yn rhywun oedd â hawl i bleidleisio. Roedd y diffynnydd wedi esgus mai ef oedd rhywun ar restr yr etholwyr, ond roedd yr unigolyn hwnnw wedi marw. Cafodd y llys y diffynnydd yn ddieuog gan nad oes gan rywun marw 'hawl i bleidleisio'.

Sgiliau llythrennedd

Mae'r termau canlynol yn aml yn cael eu camsillafu. Gwnewch yn siŵr eich bod yn gwybod sut i sillafu'r geiriau a chywirwch y canlynol:

- sennedd
- deddfwraeth
- llywodraith
- brenines
- barnwrrol
- heierarchaeth
- cyn-sail.

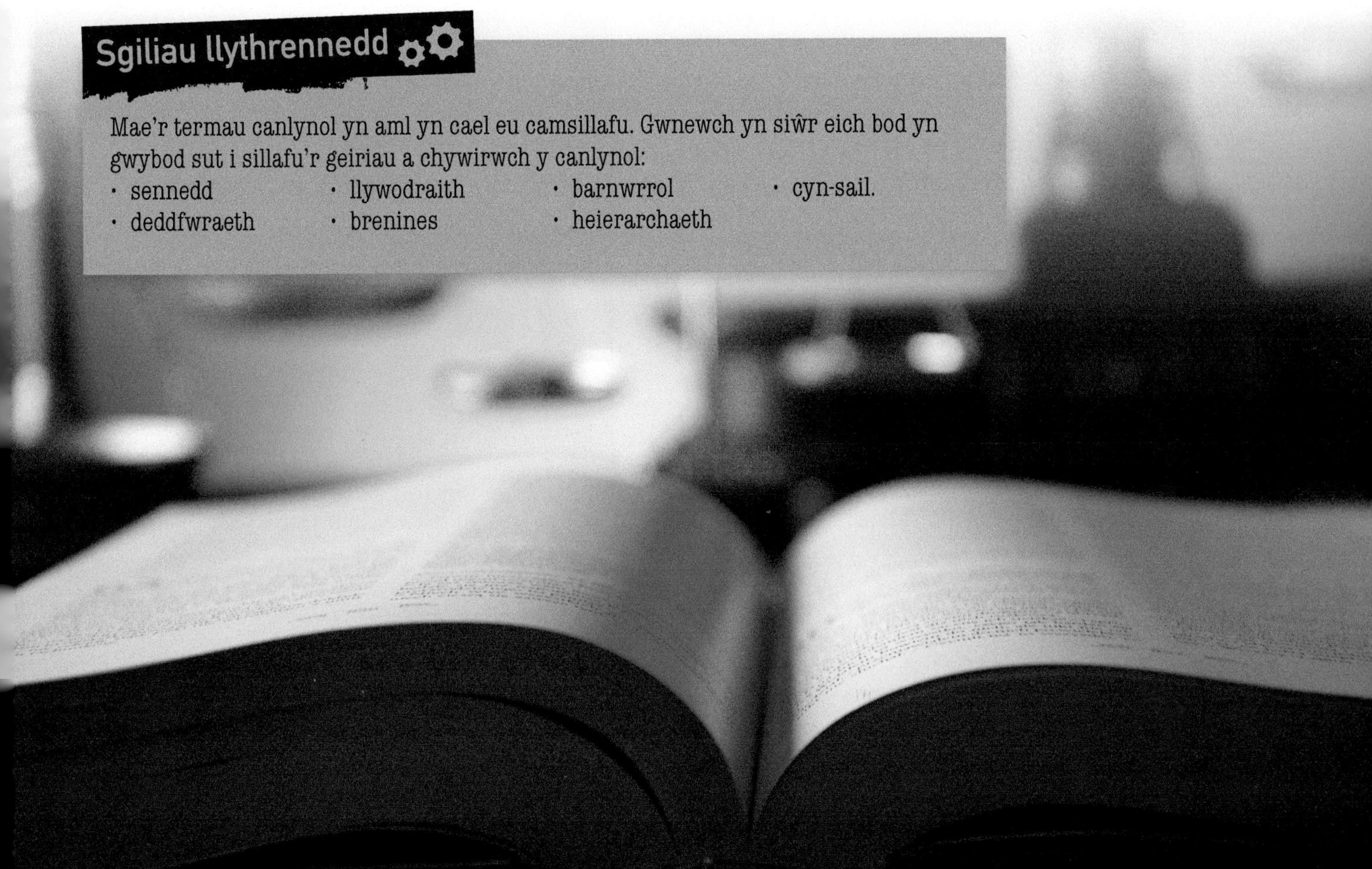

MPA1.2 DISGRIFIO TREFNIADAETH Y SYSTEM CYFIAWNDER TROSEDDOL YNG NGHYMRU A LLOEGR

MEINI PRAWF ASESU	CYNNWYS	YMHELAETHU
MPA1.2 Dylech chi allu ... Disgrifio trefniadaeth y system cyfiawnder troseddol yng Nghymru a Lloegr	**Y system cyfiawnder troseddol** • yr heddlu • creu cyfreithiau • y llysoedd • cosbau ffurfiol • cydberthnasoedd	Dylech chi feddu ar wybodaeth am y sefydliad a rôl yr asiantaethau sy'n ymwneud â chyfiawnder troseddol Dylech chi hefyd ystyried y berthynas rhwng asiantaethau gwahanol ac i ba raddau maen nhw'n cydweithio

Cyswllt synoptig

Dylech chi ddefnyddio'r hyn a ddysgwyd gennych yn Uned 3 o ran y broses a ddefnyddir i gael rheithfarnau mewn achosion troseddol a rolau personél gwahanol ac asiantaethau sy'n rhan o'r broses. Dechreuwch â'r arestiad gan yr heddlu ac ystyriwch y broses drwy'r ymchwiliad i'r achos llys ac ymlaen at yr euogfarn a'r gwaith o reoli troseddwr. Mae cysylltiad rhwng pob un o'r asiantaethau hyn a rôl i'w chwarae yn y system gyfiawnder. Meddyliwch lle maen nhw'n cysylltu ac yn gweithio gyda'i gilydd. Gallwch hefyd ddefnyddio'r hyn rydych chi wedi'i ddysgu am ymgyrchoedd a newidiadau polisi yn Uned 1. Er enghraifft, chwaraeodd yr heddlu rôl allweddol yn ymgyrch deddf Sarah, gan weithio gyda'r gwasanaethau prawf a'r gwasanaeth carchardai i reoli'r rhestr o droseddwyr rhyw yn erbyn plant.

Y berthynas rhwng yr asiantaethau yn y system cyfiawnder troseddol

Term allweddol

Carcharu: Dedfryd a roddir gan y llys yn argymell bod y troseddwr yn cael ei anfon i'r carchar.

MAES YN Y SYSTEM CYFIAWNDER TROSEDDOL	PERTHYNAS Â SEFYDLIADAU ERAILL
Yr heddlu	Yn gweithio gyda'r llysoedd i sicrhau bod diffynyddion, yn y ddalfa, yn dod ger eu bron. Yn aml yn rhoi tystiolaeth yn y llys. Yn gweithio gyda'r gwasanaeth prawf i reoli troseddwr. Yn gweithio'n agos â Gwasanaeth Erlyn y Goron i gyhuddo ac erlyn troseddwyr.
Y Weinyddiaeth Gyfiawnder	Yn goruchwylio gwaith: • Gwasanaeth Llysoedd a Thribiwnlysoedd EM • y gwasanaethau prawf • systemau carchardai.
Gwasanaeth Llysoedd a Thribiwnlysoedd EM	Yn cyfrannu, drwy'r farnwriaeth, at lunio deddfau drwy gynsail farnwrol a dehongli statudau. Yn cysylltu â'r heddlu/cwmnïau diogelwch annibynnol a'r carchardai i sicrhau bod carcharorion yn cael eu hanfon yn ddiogel i'r llys. Yn trefnu cysylltiadau fideo os na fydd carcharor yn dod i'r llys ar gyfer gwrandawiad. Y carcharorion yn cael eu cadw yng nghelloedd y llysoedd cyn eu gwrandawiad llys a chyn dychwelyd i'r carchar.
Gwasanaeth Erlyn y Goron	Yn cynghori'r heddlu ar gyhuddo'r sawl a ddrwgdybir. Yn ymddangos yn y llysoedd fel eiriolwyr mewn achos.
Gwasanaeth Carchardai EM	Gall cyfreithwyr ofyn am ymweld â charchardai i gynnal ymgynghoriadau cyfreithiol. Y barnwr sy'n pennu cyfnod y carcharu gan gynnwys ei hyd, ei fath ac a fydd yn gydredol neu'n gyd-olynol. Bydd y diffynyddion sydd ddim wedi cael mechnïaeth gan yr heddlu neu'r llysoedd yn cael eu cadw ar remánd yn y carchar. Yn gweithio gyda'r gwasanaethau prawf pan fydd carcharor yn mynd i gael ei ryddhau.
Y Gwasanaeth Prawf Cenedlaethol	Bydd yr heddlu'n arestio carcharor a gafodd ei alw yn ôl tra oedd ar gyfnod prawf ac yn sicrhau ei fod yn dychwelyd i'r carchar. Yn gwneud gwaith cysylltu a pharatoi gyda'r asiantaethau pan fydd carcharorion yn cael eu rhyddhau. Yn goruchwylio carcharor pan fydd yn cael ei ryddhau os bydd ar drwydded neu barôl. Yn cysylltu â'r heddlu os bydd unrhyw broblemau ac yn galw'r carcharor yn ôl i'r carchar os oes angen. Yn goruchwylio'r holl garcharorion sydd wedi bwrw dedfryd o hyd at ddwy flynedd, ac a ryddhawyd ar drwydded am 12 mis o leiaf.
Y Cyngor Dedfrydu	Yn gweithio gyda'r farnwriaeth a gweithwyr cyfreithiol proffesiynol eraill i lunio canllawiau ar ddedfrydu.

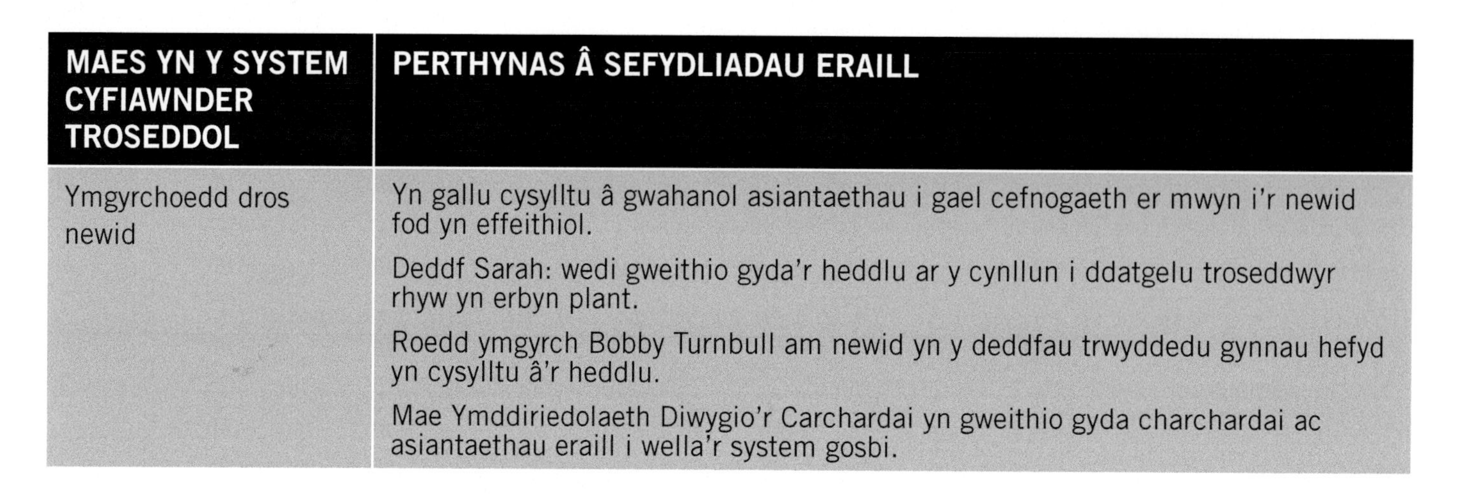

MAES YN Y SYSTEM CYFIAWNDER TROSEDDOL	PERTHYNAS Â SEFYDLIADAU ERAILL
Ymgyrchoedd dros newid	Yn gallu cysylltu â gwahanol asiantaethau i gael cefnogaeth er mwyn i'r newid fod yn effeithiol. Deddf Sarah: wedi gweithio gyda'r heddlu ar y cynllun i ddatgelu troseddwyr rhyw yn erbyn plant. Roedd ymgyrch Bobby Turnbull am newid yn y deddfau trwyddedu gynnau hefyd yn cysylltu â'r heddlu. Mae Ymddiriedolaeth Diwygio'r Carchardai yn gweithio gyda charchardai ac asiantaethau eraill i wella'r system gosbi.

Crynodeb o weithdrefn y system cyfiawnder troseddol

Llunio deddfau: Senedd y DU sy'n llunio cyfraith trosedd.

▼

Mae'r heddlu'n gorfodi'r gyfraith sy'n cael ei llunio drwy ymchwilio i achosion o dorri cyfraith trosedd. Bydd yr heddlu'n arestio'r sawl a ddrwgdybir ac yn defnyddio eu pwerau i'w gadw yn y ddalfa a'i gyfweld.

▼

Gwasanaeth Erlyn y Goron: bydd yn cynghori'r heddlu ar y cyhuddiad priodol.

▼

Bydd y sawl a ddrwgdybir yn dod gerbron y llys: mae pob achos yn dechrau yn y llys ynadon ac mae tua 5% yn mynd i Lys y Goron.

▼

Bydd y diffynnydd yn cael ei ryddhau ar fechnïaeth neu'n cael ei gadw ar remánd yn y ddalfa.

▼

Mae ple euog yn arwain at ddedfrydu ond mae ple dieuog yn arwain at dreial. Yn ystod y treial, bydd tystion yn rhoi tystiolaeth. Bydd mainc o ynadon neu reithgor yn penderfynu ar y rheithfarn.

▼

Os bydd yr unigolyn yn cael ei ddyfarnu'n euog, bydd yr ynadon, neu farnwr, yn rhoi cosb ffurfiol. Mae'r Cyngor Dedfrydu yn darparu canllawiau i helpu'r llysoedd. Os bydd dedfryd o garchar yn cael ei rhoi, bydd y diffynnydd yn cael ei anfon i'r carchar.

▼

Mae Gwasanaeth Carchardai Ei Mawrhydi yn goruchwylio lles carcharorion. Mae Arolygiaeth Carchardai Ei Mawrhydi yn gorff annibynnol sy'n adrodd ar amodau pobl yn y carchardai a'r ffordd maen nhw'n cael eu trin.

▼

Pan fydd yn cael ei ryddhau o'r carchar, mae carcharor fel arfer ar drwydded ac yn destun goruchwyliaeth gan y gwasanaeth prawf. Os bydd yn torri unrhyw reolau, gall gael ei anfon yn ôl i'r carchar.

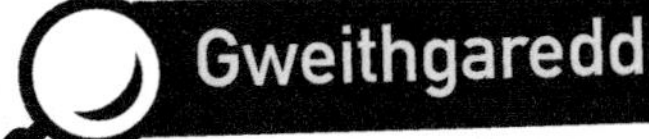

Gweithgaredd

Trefnwch ymweliad â'ch llys ynadon lleol. Ystyriwch gysylltu â changen leol Cymdeithas yr Ynadon a all gynnig taith a sgwrs yn ystod yr ymweliad, fel rhan o'i phroject 'Ynadon yn y Gymuned'.

Cwestiynau enghreifftiol

Dyma gwestiynau arholiad enghreifftiol yn y maes hwn:

Uned 4 – Arholiad 2017
Disgrifiwch y berthynas rhwng y gwasanaeth carchar a'r asiantaethau eraill sydd yn y system cyfiawnder troseddol. **[7 marc]**

SYLWCH: o 2020 ymlaen, bydd y newidiadau yn y bandiau marciau yn golygu bod y cwestiwn hwn werth naill ai 6 neu 9 marc.

Uned 4 – Arholiad 2018
Disgrifiwch y berthynas rhwng yr heddlu, Gwasanaeth Erlyn y Goron a'r llysoedd wrth i achos fynd drwy'r system cyfiawnder troseddol. **[6 marc]**

Uned 4 – Arholiad 2019
Dadansoddwch y berthynas rhwng y Gwasanaeth Prawf ac asiantaethau eraill yn y system cyfiawnder troseddol. **[8 marc]**

SYLWCH: o 2020 ymlaen, bydd y newidiadau yn y bandiau marciau yn golygu bod y cwestiwn hwn werth naill ai 6 neu 9 marc.

Uned 4 – Arholiad 2017

Disgrifiwch berthynas y gwasanaeth carchardai ag asiantaethau eraill yn y system cyfiawnder troseddol. **[7 marc]**

SYLWCH: o 2020 ymlaen, bydd y newidiadau yn y bandiau marciau yn golygu bod y cwestiwn hwn werth naill ai 6 neu 9 marc.

Mae gan y gwasanaeth carchardai berthynas â sawl asiantaeth arall yn y system cyfiawnder troseddol. Un o'r rhain yw'r heddlu, gan fod carchardai yn dal pobl sydd wedi'u cadw ar remánd yn y ddalfa ac y mae'r heddlu a'r llysoedd wedi gwrthod mechnïaeth iddyn nhw. Mae Gwasanaeth Erlyn y Goron yn cysylltu â'r carchardai i ofyn i garcharor ymddangos yn y llys neu drwy gyswllt fideo. Y farnwriaeth yw'r rhai sy'n anfon pobl i'r carchar ac maen nhw'n ystyried y carchar yn opsiwn wrth ddedfrydu. Mae gan y gwasanaethau prawf berthynas, oherwydd os bydd rhywun yn methu cadw at ei amodau, er enghraifft ddim yn bresennol ar gyfer apwyntiadau, gellir anfon yr unigolyn i'r carchar i fwrw gweddill ei ddedfryd. Mae'r llywodraeth yn llunio deddfwriaeth yn ymwneud â charchardai ac yn aml yn eu harolygu gan sicrhau bod hawliau ac ati yn cael eu cadw.

Asesiad

Os yw'r cwestiwn werth 6 marc (y band marciau newydd), byddai'r ateb hwn ym mand marciau 5–6 oherwydd mae canolbwyntio clir a manwl ar y cwestiwn, gyda chefnogaeth gywir ar y cyfan, a defnydd effeithiol o eirfa arbenigol. Mae'r ymgeisydd yn ymdrin â gofynion y cwestiwn yn llawn.

Y pwyntiau cadarnhaol yn yr ateb hwn yw bod cyfeiriad at sawl asiantaeth, ac ymgais i esbonio'r cysylltiad rhyngddyn nhw a'r gwasanaeth carchardai. Mae'r ateb yn canolbwyntio ar y gwasanaeth carchardai ac yn defnyddio rhywfaint o iaith dechnegol fel barnwrol, deddfwriaeth a chadw ar remánd yn y ddalfa.

Byddai modd gwella'r ateb drwy gynnwys rhagor o fanylion, er enghraifft, dweud bod yr holl garcharorion sydd wedi bwrw dedfryd o hyd at ddwy flynedd ac sy'n cael eu rhyddhau ar drwydded yn gorfod cael eu goruchwylio am 12 mis o leiaf gan y Gwasanaeth Prawf Cenedlaethol. Os bydd amodau'r cyfnod prawf yn cael eu torri, bydd yr heddlu'n arestio'r unigolyn ac yn ei ddychwelyd i'r llys lle bydd yn wynebu cael ei anfon yn ôl i'r carchar. Arolygiaeth Carchardai Ei Mawrhydi sy'n adrodd am amodau carcharorion a sut maen nhw'n cael eu trin.

Mae gan y gwasanaeth carchardai berthynas broffesiynol â sawl asiantaeth arall yn y system cyfiawnder troseddol.

Gweithgaredd

Ewch ar daith rithiol o amgylch Carchar Holloway, http://hollowayprisonconsultation.co.uk/site-visit-virtual-tour/.

Gweithgaredd

Gan weithio mewn parau, treuliwch dair munud yn llunio poster yn dangos perthnasoedd rhwng asiantaethau gwahanol yn y system cyfiawnder troseddol. Ar ôl hynny, pasiwch y poster i'r pâr nesaf er mwyn iddyn nhw ychwanegu mwy o fanylion. Cariwch ymlaen fel hyn nes i'r posteri gael eu cwblhau.

MPA1.3 DISGRIFIO MODELAU CYFIAWNDER TROSEDDOL

MEINI PRAWF ASESU	CYNNWYS	YMHELAETHU
MPA1.3 Dylech chi allu ... Disgrifio modelau cyfiawnder troseddol	**Modelau cyfiawnder troseddol** • trefn briodol • rheoli troseddau	Dylech chi allu disgrifio damcaniaethau'r ddau fodel cyfiawnder troseddol

Cyswllt synoptig

Byddwch yn defnyddio eich dealltwriaeth o ddamcaniaethau troseddegol yn Uned 2 a'r adolygiadau o reithfarnau troseddol yn Uned 3 i feithrin ymwybyddiaeth o'r ffordd y caiff y modelau hyn eu rhoi ar waith. Er enghraifft, dylech chi allu cymhwyso ymagweddau realaeth y dde a realaeth y chwith i esbonio trosedd i'r ddau fodel. Hefyd, gallwch ystyried pa achosion sy'n cael eu trin gan ddefnyddio'r egwyddorion ym mhob un o'r modelau. Ystyriwch achos Colin Stagg; byddai modd dadlau mai'r agwedd bwysicaf yn ymchwiliad yr heddlu oedd cael Stagg yn euog. Hyd yn oed pan gafodd yr achos yn ei erbyn ei wrthod, awgrymodd yr heddlu na fyddai'n edrych am neb arall. Byddai modd dadlau bod y sylw hwn a'r trap 'Lizzie' yn dystiolaeth o'r dull rheoli troseddau.

Lluniodd Herbert Packer (1968), athro'r Gyfraith ym Mhrifysgol Stanford, ddau fodel i gynrychioli'r ddwy system o werthoedd sy'n cystadlu yn erbyn ei gilydd o fewn cyfiawnder troseddol. Y modelau hyn yw:

- rheoli troseddau
- trefn briodol.

Mae'r ddau fodel yn ffyrdd o gymhwyso cyfiawnder, yn ôl eu dehongliad nhw, i ddelio â throsedd.

CYFIAWNDER TROSEDDOL

Y model trefn briodol

Y model hwn yw'r gwrthwyneb i'r model rheoli troseddu. Mae'n canolbwyntio ar y rhagdybiaeth bod y diffynnydd yn ddieuog a'r angen i sicrhau tegwch drwy amddiffyn ei hawliau cyfreithiol. Yn hytrach na chynyddu pwerau'r heddlu, mae'n mynnu y dylid cyfyngu ar yr heddlu er mwyn atal gorthrymu'r unigolyn yn swyddogol. Dylai'r system cyfiawnder troseddol ddiogelu hawliau unigolyn i ddarparu yn erbyn euogfarnu ar gam. Dylai cyfiawnder gynnwys ymchwiliad trylwyr, lle bydd y rhai dieuog yn cael eu hamddiffyn gan rwystrau deddfwriaethol mae'n rhaid eu goresgyn cyn y gellir euogfarnu. Mae hyn yn helpu i sicrhau rheithfarn gywir a chyfiawn. Mae'n gysylltiedig ag ymagwedd realaeth y chwith at droseddoldeb gyda phwyslais ar yr anghydraddoldebau sy'n cael eu creu gan gymdeithas gyfalafol. Byddai cymdeithas fwy cyfartal a gofalgar yn dileu trosedd yn y pen draw.

Enghreifftiau o feysydd y gyfraith sy'n cefnogi'r model trefn briodol

- Y gydnabyddiaeth o'r angen am ragofalon gweithdrefnol gan yr heddlu yn sgil cyflwyno Deddf yr Heddlu a Thystiolaeth Droseddol (PACE) 1984.
- Mae cyfweliadau bellach yn cael eu recordio ac mae gan y rhai a ddrwgdybir yr hawl i gael cynrychiolaeth gyfreithiol.
- Mae Deddf Hawliau Dynol 1998 yn golygu bod modd archwilio arferion cyfiawnder troseddol yn drylwyr o safbwynt hawliau dynol.

Enghreifftiau o achosion yr ymchwiliwyd iddyn nhw gan ddefnyddio'r model trefn briodol

- Siôn Jenkins
- Garry Weddell
- *Thompson* v *UK*
- *Venables* v *UK*.

Mae'r achosion uchod yn enghreifftiau lle derbyniodd y diffynnydd ei hawliau cyfreithiol statudol. Er enghraifft, yr hawl i apelio yn erbyn euogfarn gan arwain at ail dreial (Siôn Jenkins). Neu arfer rhagdybio mechnïaeth, hyd yn oed yn achos cyhuddiad o lofruddiaeth, cyn yr euogfarn (Garry Weddell). Hefyd, er mwyn sicrhau bod treial yn deg, y defnydd o hawliau dynol gan ddefnyddio'r Confensiwn Ewropeaidd ar Hawliau Dynol (Thompson a Venables, llofruddion James Bulger).

Mae'r model trefn briodol yn defnyddio egwyddorion sy'n groes i'r model rheoli troseddau ac yn hyrwyddo'r rhagdybiaeth bod rhywun yn ddieuog nes iddo cael ei brofi'n euog.

Y model rheoli troseddau

Mae'r model rheoli troseddau yn chwilio am ddull cyflym ac effeithlon o ymdrin ag achosion troseddol, yn debyg i linell gydosod neu gludfelt. Y nod yw cosbi troseddwyr a'u hatal rhag cyflawni rhagor o droseddau. O safbwynt amddiffyn hawliau, mae'r pwyslais ar amddiffyn hawliau'r dioddefwyr yn hytrach na hawliau'r diffynyddion. Byddai hefyd yn cynnwys yr honiad y dylai'r heddlu gael mwy o bwerau er mwyn sicrhau euogfarn. Gall gysylltu â'r ymagwedd goddef dim sydd yn rhan o realaeth y dde. Nid yw'n mynd i'r afael ag achosion troseddu na'r ffaith bod modd atal troseddu drwy ganfod troseddau ac euogfarnau.

Enghreifftiau o feysydd y gyfraith sy'n cefnogi'r model rheoli troseddau

- Caniatáu cyflwyno tystiolaeth 'cymeriad gwael' a gwybodaeth am euogfarnau blaenorol i'r llysoedd eu hystyried wrth drafod eu rheithfarn.
- Dileu'r rheol ar 'erlyniad dwbl' am lofruddiaeth a throseddau difrifol eraill.
- Ymestyn y cyfnod y gellir cadw rhywun yn y ddalfa ar gyfer troseddau terfysgaeth.

Enghreifftiau o achosion yr ymchwiliwyd iddyn nhw gan ddefnyddio'r model rheoli troseddau

Colin Stagg a Barry George

Gellid dadlau mai prif bwyslais y ddau achos hyn yw sicrhau euogfarn ar unrhyw gyfrif. Arweiniodd llofruddiaeth y dioddefwyr at ymateb cryf gan y cyhoedd a chafwyd galwadau i ddatrys yr achos cyn gynted â phosibl. Yn y ddau achos, roedd yr heddlu'n credu'n gryf bod y sawl oedd yn cael ei ddrwgdybio yn euog, a defnyddion nhw bob dull posibl, gan gynnwys dulliau gwyliadwriaeth gudd yr heddlu, i ddarparu tystiolaeth o euogrwydd.

Pwyslais cyfiawnder rheoli troseddau yw cael rheithfarn sydyn.

Cwestiynau enghreifftiol

Dyma gwestiynau arholiad enghreifftiol yn y maes hwn:

Uned 4 – Arholiad 2017

Disgrifiwch ddau fodel o gyfiawnder troseddol. **[4 marc]**

Uned 4 – Arholiad 2018

Disgrifiwch sut gallai un model o gyfiawnder troseddol fod yn berthnasol i achos Colin. **[6 marc]**

Uned 4 – Arholiad 2019

Disgrifiwch y model rheoli troseddau o gyfiawnder troseddol roedd cyfreithiwr Sarah yn cyfeirio ato. **[4 marc]**

Uned 4 – Arholiad 2017

Disgrifiwch ddau fodel o gyfiawnder troseddol. **[4 marc]**

Mae'r model rheoli troseddau yn hyrwyddo cyfiawnder yn y system a gellir ei ddisgrifio fel cludfelt gan ei fod eisiau i achosion gael eu trin yn gyflym a chael troseddwyr yn euog ar y cyfle cyntaf. Mae'n hyrwyddo hawliau dioddefwyr ac yn cymryd ymagwedd goddef dim realaeth y dde.

Gall y model trefn briodol hefyd gael ei ddisgrifio fel cwrs rhwystrau. Mae'n blaenoriaethu hawliau'r diffynnydd i sicrhau bod pobl ddieuog yn cael eu barnu'n ddieuog ac mai pobl euog yn unig sy'n cael eu barnu'n euog. Fel rhan o'r broses hon, rhaid mynd drwy'r felin cyn cyrraedd rheithfarn. Mae'r unigolyn yn ddieuog nes iddo gael ei brofi'n euog. Mae ganddo gysylltiad ag ymagwedd cefnogwyr realaeth y chwith i gyfiawnder.

Cyngor

Dylech chi bob amser geisio cynnwys enghreifftiau er mwyn helpu i ddisgrifio dau fodel cyfiawnder. Gallai hyn gynnwys manylion maes cyfreithiol neu achos troseddol.

Asesiad

Band marciau 3–4

Mae'r ateb hwn yn esbonio pob model yn gywir, gan ddangos y gwahaniaethau rhwng y ddau. Mae hefyd yn defnyddio rhywfaint o derminoleg arbenigol fel realaeth y dde a realaeth y chwith. Byddai modd gwella'r ateb drwy roi enghreifftiau o ddau faes y gyfraith ac achosion perthnasol.

Datblygu ymhellach

Allwch chi greu dau senario gwahanol, pob un yn canolbwyntio ar un o'r modelau? Ystyriwch sut gallai'r heddlu a system y llysoedd ymddwyn ym mhob senario.

DEILLIANT DYSGU 2
DEALL RÔL COSBI MEWN SYSTEM CYFIAWNDER TROSEDDOL

MPA2.1 ESBONIO MATHAU O REOLAETH GYMDEITHASOL

MEINI PRAWF ASESU	CYNNWYS	YMHELAETHU
MPA2.1 Dylech chi allu ... Esbonio mathau o reolaeth gymdeithasol	**Mathau o reolaeth gymdeithasol** Mathau mewnol • ideoleg resymegol • traddodiad • mewnoli rheolau a moesoldeb cymdeithasol Mathau allanol • gorfodaeth • ofn cael eich cosbi Damcaniaeth rheolaeth • rhesymau dros gydymffurfio â'r gyfraith	Dylech chi feddu ar ddealltwriaeth o'r gwahanol fathau o reolaeth gymdeithasol gan gyfeirio at ddamcaniaeth

Cyswllt synoptig

Bydd angen i chi gysylltu eich dealltwriaeth â gwybodaeth ddamcaniaethol a gasglwyd yn Uned 2. Dylech chi hefyd allu cymhwyso eich dealltwriaeth at y sefyllfaoedd a astudiwyd yn Unedau 1, 2 a 3.

Termau allweddol

Mathau: Ffurfiau, syniadau, damcaniaethau, ffyrdd, dulliau.

Cymdeithasol: Cymdeithas, y cyhoedd, cymuned, cyffredinol, cyffredin, wedi'i rannu, grŵp.

Rheolaeth: Rheoleiddio, llywodraethu, rheoli, trefnu.

Mae'r term rheolaeth gymdeithasol yn cyfeirio at unrhyw strategaethau i atal ymddygiad gwyrdroëdig gan bobl. Rydyn ni'n annog pawb mewn cymdeithas i gydymffurfio â'r gyfraith ac mae unrhyw ffordd o weithredu sy'n helpu i gyflawni hyn yn fath o reolaeth gymdeithasol. Mae'n ddull o weithredu sy'n ceisio perswadio neu orfodi aelodau o'r gymdeithas i gydymffurfio â'r rheolau.

Mathau mewnol o reolaeth gymdeithasol

Mae eich cydwybod yn fath o reolaeth fewnol.

Gofynnwch i chi eich hun pam nad ydych chi'n dwyn pethau?

Mae'n debyg y byddwch yn ateb drwy ddweud pethau fel 'gan ei fod yn anghywir', neu 'rwyf wedi cael fy magu i beidio â gwneud'. Eich cydwybod sy'n dweud wrthoch chi ei fod yn anghywir. Rydyn ni'n cydymffurfio â rheolau gan fod ein synnwyr o hunanbarch yn mynnu hynny. Proses fewnol yw'r broses rheolaeth gymdeithasol hon.

Mae mathau mewnol o reolaeth gymdeithasol yn rheoli ein hymddygiad ein hunain yn unol â'r math derbyniol.

Ideoleg rhesymegol

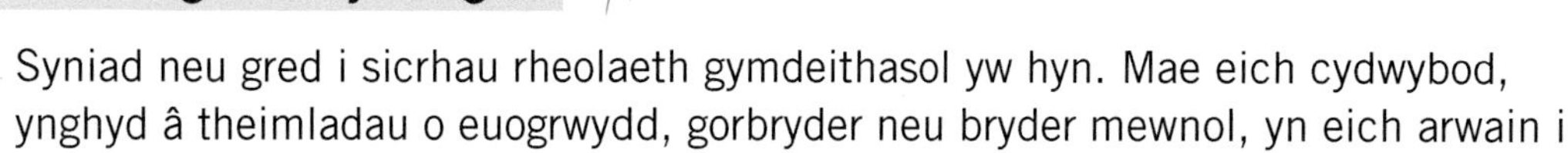

Syniad neu gred i sicrhau rheolaeth gymdeithasol yw hyn. Mae eich cydwybod, ynghyd â theimladau o euogrwydd, gorbryder neu bryder mewnol, yn eich arwain i ddod o hyd i ateb neu i ddilyn deddfau a rheolau.

Traddodiad

Efallai mai eich traddodiadau, eich arferion neu eich normau personol sy'n sicrhau eich bod yn cydymffurfio â'r rheolau. Weithiau bydd crefydd neu ddiwylliant neu'n syml eich magwraeth yn sicrhau nad ydych chi'n torri rheolau penodol, er enghraifft yn peidio â bwyta cig coch ar ddydd Gwener y Groglith.

Gweithgaredd

Trafodwch mewn parau y traddodiadau yn eich teuluoedd. Sut maen nhw'n wahanol i'w gilydd?

Mewnoli rheolau a moesoldeb cymdeithasol

Ystyr mewnoli rheolau a moesoldeb cymdeithasol yw gweithio allan beth yw'r peth iawn i'w wneud ac felly gwybod beth sy'n gywir neu'n anghywir ar sail gwerthoedd cymdeithasol. Er enghraifft, peidio â bwyta'r bisgedi i gyd a gadael rhai ar ôl i eraill; peidio â gwthio i flaen y ciw ond aros eich tro; peidio â thwyllo mewn arholiad.

Nid yw twyllo mewn arholiad yn beth iawn i'w wneud.

Mathau allanol o reolaeth gymdeithasol

Mae pwysau allanol yn perswadio neu'n gorfodi aelodau o'r gymdeithas i gydymffurfio â'r rheolau. Er enghraifft, gall eich athrawon eich cadw i mewn neu roi mwy o waith i chi os na fyddwch yn gwneud eich gwaith cartref. Maen nhw'n ceisio gwneud yn siŵr na fyddwch chi'n gwneud yr un peth eto.

Ydych chi erioed wedi cael eich gwahardd rhag mynd allan gan eich rhieni neu a ydyn nhw wedi cymryd eich ffôn symudol oddi arnoch chi ar ôl i chi dorri eu rheolau? Byddai hyn yn enghraifft o reolaeth allanol er mwyn gwneud i chi ddilyn y rheolau.

Gall presenoldeb yr heddlu yn unig fod yn ddigon i sicrhau bod pobl yn cydymffurfio.

Mae'r math mwyaf amlwg a gweledol o reolaeth gymdeithasol yn cael ei arfer gan bobl a sefydliadau sydd wedi'u grymuso'n benodol i orfodi pobl i gydymffurfio â deddfau'r gymdeithas. Swyddogion yr heddlu, barnwyr a charchardai yw asiantiaid mwyaf amlwg rheolaeth gymdeithasol allanol. Gall presenoldeb yr heddlu yn unig fod yn ddigon i sicrhau bod y mwyafrif helaeth o bobl yn ymddwyn yn briodol. Fodd bynnag, mae'r rhai sy'n troseddu yn cael eu harestio gan yr heddlu. O dan Ddeddf yr Heddlu a Thystiolaeth Droseddol 1984 (PACE), mae gan yr heddlu bwerau i gadw a holi pobl. Os byddwch chi'n wynebu cyhuddiadau, yna bydd sefydliadau eraill fel y llysoedd ac yn y pen draw y carchardai yn ceisio sicrhau rheolaeth. Byddan nhw'n defnyddio gorfodaeth ac ofn cosb fel dulliau o sicrhau bod pobl yn cadw at y gyfraith.

Gorfodaeth

Gall gorfodaeth fod yn gorfforol neu'n ddi-drais. Gall gorfodaeth gorfforol olygu anaf corfforol, carcharu neu mewn rhai gwledydd y gosb eithaf. Mae gorfodaeth ddi-drais yn golygu mynd ar streic, boicotio a gwrthod cydweithredu. Mae carchardai yn amlwg yn defnyddio gorfodaeth a'r bygythiad o golli rhyddid. Mae hyn i'w weld mewn dedfryd ohiriedig lle mae bygythiad parhaus y gallai mynd i'r ddalfa fod yn bosibl am dorri'r gyfraith yn y dyfodol.

Term allweddol

Gorfodaeth: Defnyddio grym i gyflawni'r nod a ddymunir.

Defnyddir gorfodaeth gan asiantaethau allanol i geisio sicrhau rheolaeth gymdeithasol.

Ofn cosb

Mae'r defnydd o gosb fel bygythiad i atal pobl rhag troseddu yn cael ei alw'n ataliaeth (*deterrence*). Mae gan ataliaeth ddwy brif ragdybiaeth:

- ataliaeth unigol
- ataliaeth gyffredinol.

Gall ofn mynd i'r carchar fod yn ataliaeth.

Ataliaeth unigol

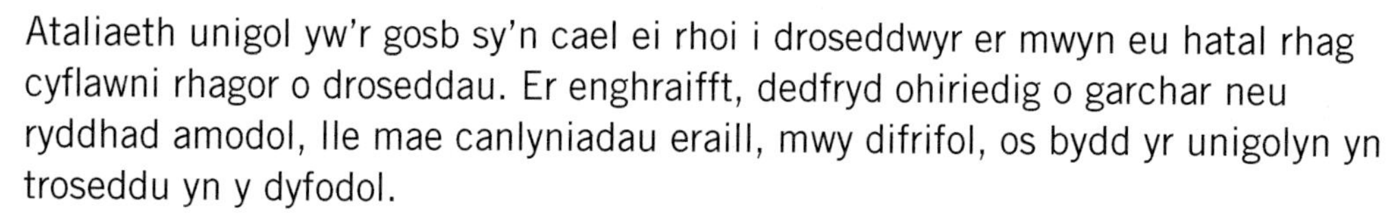

Ataliaeth unigol yw'r gosb sy'n cael ei rhoi i droseddwyr er mwyn eu hatal rhag cyflawni rhagor o droseddau. Er enghraifft, dedfryd ohiriedig o garchar neu ryddhad amodol, lle mae canlyniadau eraill, mwy difrifol, os bydd yr unigolyn yn troseddu yn y dyfodol.

Ataliaeth gyffredinol

Ataliaeth gyffredinol yw ofn cosb sy'n atal eraill rhag cyflawni troseddau tebyg. Er enghraifft, mae dedfryd hir o garchar neu gosb ariannol fawr yn galluogi eraill i weld y canlyniad posibl gan eu hatal rhag cyflawni'r un weithred. Mae'r polisïau sy'n hyrwyddo hyn yn cael eu galw'n 'delio â throseddu mewn ffordd gadarn'. Mae'r polisïau hyn yn cynnwys:

- **'cyfnodau byr gorfodol':** dedfryd am oes am lofruddiaeth, saith mlynedd am drydedd drosedd gyffuriau, tair blynedd am drydedd fwrgleriaeth.
- **'tri rhybudd yn unig':** byddai trydedd euogfarn am drosedd dreisgar yn debygol o arwain at ddedfryd am oes (fel yn UDA).

Damcaniaeth rheolaeth

Mae damcaniaethau rheoli yn ceisio esbonio pam nad yw pobl yn troseddu. Maen nhw'n cefnogi'r farn bod angen meithrin pobl i ddatblygu ymlyniadau neu rwymau sy'n allweddol o ran cynhyrchu rheolaeth fewnol, fel cydwybod. Yn ôl y safbwynt hwn, canlyniad diffyg ymlyniad ac ymrwymiad i eraill yw troseddu.

Damcaniaethu

WALTER C. RECKLESS

Datblygodd Reckless un fersiwn o ddamcaniaeth rheolaeth, sef cyfyngiant (*containment*). Dadleuodd ein bod yn gallu gwrthsefyll cyflawni troseddau oherwydd cyfyngiant mewnol ac allanol.

- Daw cyfyngiant mewnol o'n magwraeth ac yn benodol o ddylanwad ein teulu.
- Mae cyfyngiant allanol yn cyfeirio at ddylanwad grwpiau cymdeithasol gan gynnwys cyfreithiau'r gymdeithas rydyn ni'n byw ynddi.
- Mae cyfuniad o gyfyngiant seicolegol mewnol a chyfyngiant cymdeithasol allanol yn atal pobl rhag gwyro oddi wrth normau cymdeithasol a rhag troseddu.

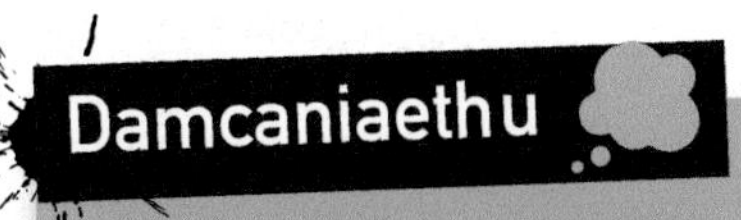

TRAVIS HIRSCHI

Roedd Hirschi'n credu bod rhaid i bobl ffurfio rhwymau cymdeithasol i atal ymddygiad troseddol. Dywedodd fod pedwar rhwymyn, sef ymlyniad, ymrwymiad, cysylltiad a chred, a bod rhaid i'r rhain ymffurfio'n gywir er mwyn atal rhywun rhag bod â thuedd i droseddu.

Roedd ymchwil Hirschi yn honni bod ymlyniadau cadarnhaol at rieni, ysgol a grŵp cyfoedion yn bwysig i hyrwyddo ymddygiad o blaid cymdeithas. Hefyd, roedd angen ymrwymiad i gyflawni nodau cadarnhaol yn y dyfodol fel cael swydd dda a thŷ braf, ac ati. Ochr yn ochr â hyn, mae angen cymryd rhan mewn rhyw fath o weithgaredd cymdeithasol fel chwarae mewn tîm chwaraeon neu fod yn aelod o grŵp cymunedol er mwyn atal gweithgaredd troseddol. Yn olaf, i sicrhau bod pobl yn cydymffurfio â rheolau cymdeithas, mae angen credu yng ngwerthoedd y gymdeithas, fel gonestrwydd, a bod cyflawni trosedd yn anghywir.

Uned 4 – Arholiad 2017

Gan roi enghreifftiau, esboniwch beth yw ystyr rheolaeth gymdeithasol fewnol. **[4 marc]**

Mathau mewnol o reolaeth gymdeithasol yw'r pethau sy'n ein cymell i beidio â chyflawni troseddau. Dydy'r rhain ddim yn rheolau ysgrifenedig; yn hytrach maen nhw'n bethau rydyn ni'n credu ynddyn nhw oherwydd y ffordd rydyn ni wedi cael ein magu. Er enghraifft, mae cysylltiadau teuluol yn helpu pobl i beidio â chyflawni troseddau gan eu bod yn ymlyniadau. Hefyd, os oes gennych lawer o ddiddordebau, gallwch ganolbwyntio ar y rhain yn hytrach na throseddu. Er enghraifft, efallai eich bod yn aelod o grŵp cymunedol. Mae cred yn enghraifft arall.

Asesiad

Band marciau 3–4

Mae'r ateb hwn yn dangos y syniad o reolaeth fewnol drwy ei chysylltu â dylanwad y teulu. Mae'n cyffwrdd â'r ddamcaniaeth rheolaeth drwy ddefnyddio terminoleg fel ymlyniadau, diddordebau a chredoau. Fodd bynnag, er mwyn ennill marciau llawn, mae angen datblygu'r enghreifftiau. Er enghraifft, gall ein rhieni ddweud wrthon ni fod dwyn yn anghywir a'n cosbi os byddwn yn gwneud hynny. Neu gred ymwybodol ei bod yn anghywir dwyn ac y dylen ni lynu wrth reolau cymdeithas.

MPA2.2 TRAFOD NODAU COSBI

MEINI PRAWF ASESU	CYNNWYS	YMHELAETHU

MPA2.2 Dylech chi allu ...
 	
Trafod nodau cosbi
	Nodau cosbi
	• ad-dalu
	• adsefydlu
	• ataliaeth
	  • atal aildroseddu
	  • atal eraill rhag cyflawni troseddau tebyg
	• amddiffyn y cyhoedd
	• gwneud iawn
		Dylech chi allu esbonio pob un o'r nodau cosbi

Cyswllt synoptig

Dylech chi allu ystyried y nodau hyn yng nghyd-destun y damcaniaethau troseddegol a ddysgwyd yn Uned 2. Byddwn ni'n ystyried y cysylltiad hwn o dan bob un o'r nodau.

Nodau dedfrydu

Mae nodau dedfrydu wedi'u cynnwys yn adran 42 Deddf Cyfiawnder Troseddol 2003, sy'n diffinio dibenion dedfrydu fel hyn:

a. cosbi troseddwyr

b. lleihau troseddu (yn cynnwys ei leihau drwy ataliaeth)

c. diwygio ac adsefydlu troseddwyr

ch. amddiffyn y cyhoedd

d. troseddwyr i wneud iawn i'r bobl yr effeithiodd eu troseddau arnyn nhw.

Ad-dalu

Ad-dalu yw un o brif nodau cosbi:

- Mae'n seiliedig ar y syniad bod y troseddwr yn haeddu cael ei gosbi.
- Mae modd ystyried y gosb yn ffordd o ddangos ffieidd-dod y cyhoedd tuag at y drosedd.
- Mae'n cynnwys elfen o ddial, lle mae'r gymdeithas a'r dioddefwr yn talu'r pwyth yn ôl am y peth drwg a gafodd ei wneud. Er enghraifft, gellir ystyried bod y gosb eithaf yn cyflawni'r ymadrodd beiblaidd 'llygad am lygad, dant am ddant, bywyd am fywyd'.
- Mae'n darparu rhyw fesur adferol o gyfiawnder i rywun sydd wedi cyflawni llofruddiaeth.
- Nid yw'n ceisio newid ymddygiad yn y dyfodol; yn hytrach mae'n rhoi cosb sy'n gymesur â'r drosedd.
- Mae'n cynnig cosb briodol i sicrhau cyfiawnder i'r diffynnydd ac i'r dioddefwr.
- Gellir ei fynegi fel y diffynnydd yn cael ei 'haeddiant', sy'n diffinio cyfiawnder yn nhermau tegwch a chymesuredd.
- Mae'n cael ei gefnogi gan y Cyngor Dedfrydu, sy'n darparu canllawiau i'r llysoedd ar y gwahanol fathau o gosbau priodol sydd ar gael.

Yn ôl Deddf Crwneriaid a Chyfiawnder 2009, rhaid i lys ddilyn canllawiau oni bai ei bod yn mynd yn groes i fudd cyfiawnder i wneud hynny.

Term allweddol

Ad-dalu: Y nod yw cosbi troseddwr i'r lefel haeddiannol.

Gweithgaredd

Ymchwiliwch i achosion a ddaeth gerbron eich llys lleol. Ystyriwch nod y dedfrydau a roddwyd.

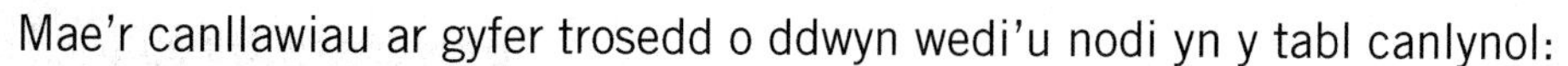

Mae'r canllawiau ar gyfer trosedd o ddwyn wedi'u nodi yn y tabl canlynol:

NIWED	BEIUSRWYDD A	BEIUSRWYDD B	BEIUSRWYDD C
Categori 1 Nwyddau gwerth uchel iawn wedi'u dwyn (dros £100,000) neu werth uchel a niwed ychwanegol sylweddol i'r dioddefwr neu i eraill	Pwynt cychwynnol: tair blynedd chwe mis yn y ddalfa Amrediad y categori: rhwng dwy flynedd chwe mis a chwe blynedd yn y ddalfa	Pwynt cychwynnol: dwy flynedd yn y ddalfa Amrediad y categori: rhwng blwyddyn a thair blynedd chwe mis yn y ddalfa	Pwynt cychwynnol: blwyddyn yn y ddalfa Amrediad y categori: rhwng 26 wythnos a dwy flynedd yn y ddalfa
Categori 2 Nwyddau gwerth uchel iawn wedi'u dwyn (rhwng £10,000 a £100,000) ond dim niwed ychwanegol sylweddol, neu nwyddau gwerth canolig a niwed ychwanegol sylweddol i'r dioddefwr neu i bobl eraill	Pwynt cychwynnol: dwy flynedd yn y ddalfa Amrediad y categori: rhwng blwyddyn a thair blynedd chwe mis yn y ddalfa	Pwynt cychwynnol: blwyddyn yn y ddalfa Amrediad y categori: rhwng 26 wythnos a dwy flynedd yn y ddalfa	Pwynt cychwynnol: gorchymyn cymunedol lefel uchel Amrediad y categori: gorchymyn cymunedol lefel isel hyd at 36 wythnos yn y ddalfa
Categori 3 Nwyddau gwerth canolig wedi'u dwyn (£500 i £10,000) a dim niwed ychwanegol sylweddol neu nwyddau gwerth isel a niwed ychwanegol sylweddol i'r dioddefwr neu i eraill	Pwynt cychwynnol: blwyddyn yn y ddalfa Amrediad y categori: rhwng 26 wythnos a dwy flynedd yn y ddalfa	Pwynt cychwynnol: gorchymyn cymunedol lefel uchel Amrediad y categori: gorchymyn cymunedol lefel isel hyd at 36 wythnos yn y ddalfa	Pwynt cychwynnol: dirwy Band C Amrediad y categori: dirwy Band B hyd at orchymyn cymunedol lefel isel
Categori 4 Nwyddau gwerth isel wedi'u dwyn (hyd at £500) a rhywfaint neu ddim niwed ychwanegol sylweddol i'r dioddefwr neu i eraill	Pwynt cychwynnol: gorchymyn cymunedol lefel uchel Amrediad y categori: gorchymyn cymunedol lefel canolig hyd at 36 wythnos yn y ddalfa	Pwynt cychwynnol: gorchymyn cymunedol lefel isel Amrediad y categori: dirwy Band C hyd at orchymyn cymunedol lefel canolig	Pwynt cychwynnol: dirwy Band B Amrediad y categori: rhyddhau hyd at ddirwy Band C

Mae ad-dalu yn ddamcaniaeth gosbi sy'n edrych yn ôl. Mae'n edrych i'r gorffennol i benderfynu beth i'w wneud yn y presennol. Ymhlith cosbau lle mae ad-dalu yn elfen amlwg y mae'r ddedfryd am oes orfodol am lofruddio a chosbau mwy am droseddau â chymhelliad casineb.

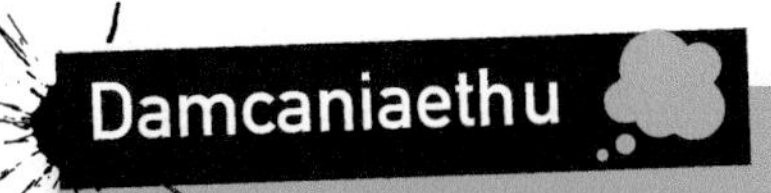

Damcaniaethu

Byddai ymagwedd realaeth y dde yn ystyried ad-dalu yn ddull addas o gosbi. Mae hyn oherwydd ei fod yn sicrhau bod y diffynnydd yn cael ei gosbi hyd at lefel briodol heb ystyried y rhesymeg y tu ôl i'r drosedd nac atal troseddu yn y dyfodol.

Termau allweddol

Adsefydlu: Ceisio newid meddylfryd y troseddwr er mwyn atal aildroseddu yn y dyfodol.

Diwygio: Diwygio neu adsefydlu.

Dedfryd gymunedol: Cosb gan lys sy'n cyfuno cosb â gweithgareddau a gyflawnir yn y gymuned.

Gorchymyn prawf: Cosb gan lys lle rydych chi'n bwrw eich dedfryd yn y gymuned. Pan fyddwch chi ar gyfnod prawf, efallai bydd rhaid i chi wneud gwaith di-dâl, cwblhau cwrs addysg neu hyfforddiant, cael triniaeth am gaethiwed, er enghraifft i gyffuriau neu alcohol, a chael cyfarfodydd rheolaidd gyda 'rheolwr troseddwyr'.

Adsefydlu

Nod adsefydlu yw diwygio troseddwyr a'u hailgyflwyno i'r gymdeithas. Yn wahanol i ad-dalu, mae'n nod sy'n edrych tua'r dyfodol yn y gobaith y bydd ymddygiad y troseddwyr yn newid ac na fyddan nhw'n aildroseddu. Gair arall am hyn yw diwygio, ac mae'r nod hwn yn rhagdybio bod ymddygiad troseddol yn ganlyniad ewyllys rhydd a dewis rhesymegol. Mewn geiriau eraill, mae'n cael ei achosi gan ffactorau y gall y diffynnydd wneud rhywbeth yn eu cylch.

Mae nod adsefydlu i'w weld mewn dedfrydau cymunedol. Gallai gorchmynion prawf, er enghraifft, gynnwys gwaith di-dâl neu gwblhau cwrs addysg neu hyfforddiant, a thriniaeth ar gyfer caethiwed i alcohol neu gyffuriau. Gall hyn helpu i adsefydlu troseddwr. Mae camddefnyddio cyffuriau yn gallu arwain at lawer o droseddau a chyflwynwyd rhai mathau o gosbau sy'n helpu i adsefydlu'r troseddwyr. Er enghraifft, y Gorchymyn Trin a Phrofi am Gyffuriau, sy'n goruchwylio gwaith yn ymwneud â defnyddio cyffuriau.

Damcaniaethu

Byddai damcaniaethau unigolyddol o droseddoldeb yn cefnogi adsefydlu fel nod cosbi. Er enghraifft, mae triniaethau addasu ymddygiad, fel cyrsiau rheoli dicter, yn canolbwyntio ar dechnegau i ddileu ymddygiadau annerbyniol ac yn hyrwyddo rhai dymunol.

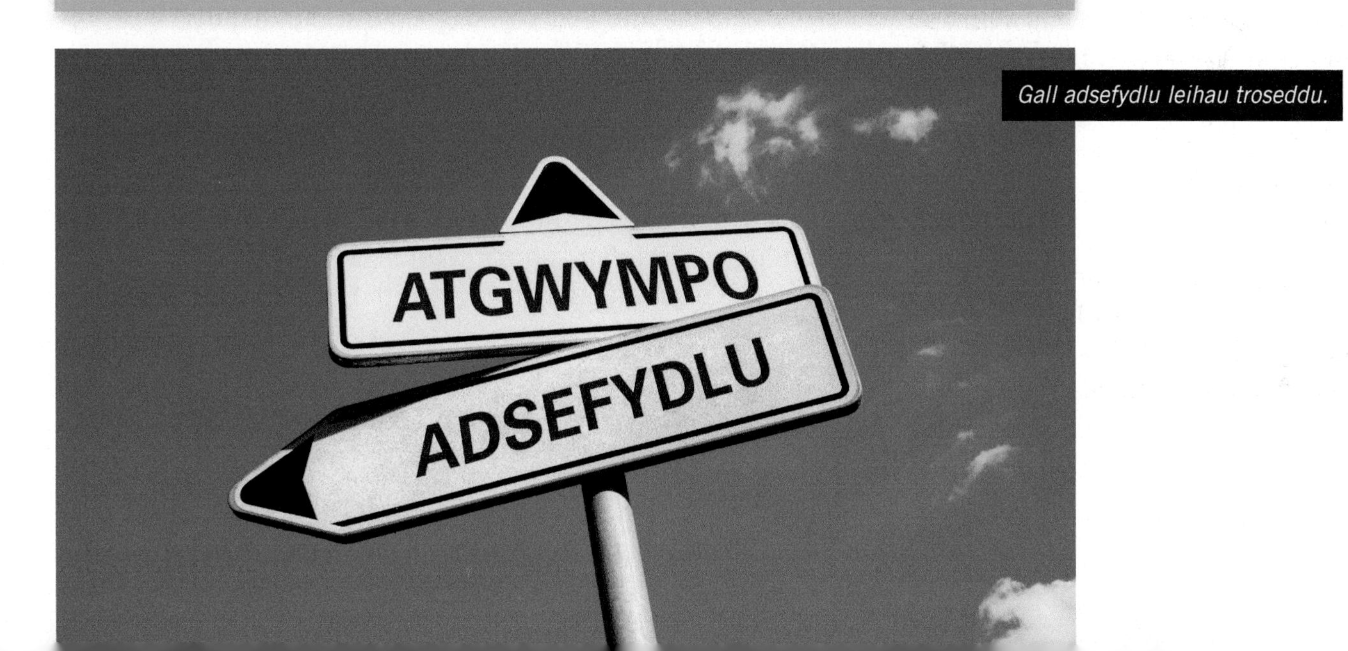

Gall adsefydlu leihau troseddu.

Ataliaeth

Gall ataliaeth fod ar sail unigol mewn perthynas â'r troseddwr, neu yn gyffredinol mewn perthynas â chymdeithas gyfan.

Ataliaeth unigol

Nod ataliaeth unigol yw sicrhau nad yw'r troseddwr yn aildroseddu. Mae dedfryd ohiriedig yn enghraifft amlwg o ataliaeth unigol, oherwydd ni fydd y troseddwr yn treulio cyfnod yn y carchar oni bai ei fod yn aildroseddu. Os na fydd yn aildroseddu, ni fydd y troseddwr yn mynd i'r carchar. Felly, mae disgwyliad y bydd effaith colli eich rhyddid yn eich atal rhag troseddu yn y dyfodol.

Fodd bynnag, mae'r gyfradd atgwympo yn awgrymu nad yw'r posibilrwydd o gyfnod yn y carchar yn atal nifer o garcharorion rhag cyflawni troseddau. Yn ôl Bromley Briefings Prison Factfile, Hydref 2017:

nid yw cyfnod mewn carchar yn effeithiol o ran lleihau aildroseddu gan fod 46 y cant o oedolion yn cael eu dyfarnu'n euog unwaith eto o fewn blwyddyn i gael eu rhyddhau. Yn achos y rhai sydd yn y carchar yn bwrw dedfrydau sy'n llai na 12 mis, mae'r ganran hon yn codi i 59%. **(Ymddiriedolaeth Diwygio'r Carchardai, 2017b, tudalen 14)**

Damcaniaethu

Gall yr ystadegyn uchod awgrymu y gallai'r ddamcaniaeth dysgu cymdeithasol esbonio troseddoldeb. Mae carchardai'n aml yn cael eu hystyried yn brifysgolion troseddu felly efallai fod rhai troseddwyr yn dysgu sut i gyflawni mwy o droseddau gan eu cyd-garcharorion. Yr is-ddiwylliant amlwg, fel grŵp cyfoedion, yw un o'r prif ffyrdd mae dysgu drwy arsylwi yn digwydd.

Ataliaeth gyffredinol

Nod ataliaeth gyffredinol yw atal darpar-droseddwyr rhag troseddu. Fodd bynnag, mae effaith dedfryd ag elfen ataliol yn aml yn cael ei gwanhau gan y ffaith ei bod yn ymwneud â rhywun arall. Hefyd, nid yw pobl bob amser yn ymwybodol o'r gosb a roddwyd gan lys oni bai bod y gosb honno mor llym fel bod y cyfryngau yn cyhoeddi'r stori. Gwelwyd hyn yn y cosbau llym a roddwyd yn ystod achosion terfysgoedd Llundain yn 2011.

Er enghraifft, anfonwyd dau ddyn, 21 a 22 oed, i'r carchar am bedair blynedd yr un ar ôl cyfaddef iddyn nhw ddefnyddio Facebook i annog anhrefn. Fodd bynnag, doedd dim anhrefn wedi digwydd o ganlyniad i'w negeseuon. Hefyd, dedfrydwyd dyn 23 oed i chwe mis o garchar am ddwyn gwerth £3.50 o ddŵr.

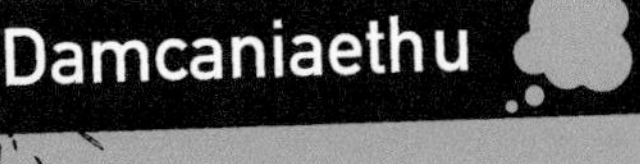

Damcaniaethu

Mae Marcswyr yn debygol o ystyried troseddoldeb a'r cosbau uchod yn rhywbeth anorfod o ystyried y gymdeithas gyfalafol rydyn ni'n byw ynddi. Mae'r dedfrydau sy'n cael eu rhoi yn ddull o reoli aelodau o'r dosbarth gweithiol sy'n cael eu plismona'n llym o'u cymharu ag aelodau o'r dosbarthiadau uwch.

Term allweddol

Ataliaeth: Ei nod yw perswadio troseddwr, neu unrhyw un yn y gymdeithas, i beidio â chyflawni trosedd drwy ofni cosb.

Amddiffyn y cyhoedd neu analluogi

Y syniad hwn yw y dylai cosb fod yn ddefnyddiol i'r gymdeithas yn gyffredinol drwy ein hamddiffyn rhag troseddwyr peryglus. Cyfeirir at hyn weithiau fel analluogi gan fod y troseddwr yn cael ei atal rhag arfer ei hawl i ryddid. Mae dedfryd hir o garchar yn enghraifft amlwg o analluogi. Fodd bynnag, bydd cosbau eraill yn cyfyngu ar droseddwr. Mae gorchmynion cyrffyw yn cyfyngu ar yr amseroedd y gall pobl adael eu cartref. Weithiau gall tagio electronig helpu i sicrhau hyn, gan amddifadu'r troseddwr o'i ryddid ac amddiffyn y gymdeithas ar yr un pryd. Mae rhai taleithiau yn UDA yn ysbaddu troseddwyr rhyw ac yn ardaloedd o Nigeria a Saudi Arabia sydd o dan reolaeth cyfraith Sharia, mae llaw dde troseddwyr wedi cael ei thorri ger yr arddwrn am ddwyn.

Term allweddol

Analluogi: Dedfryd gan y llys i atal rhagor o droseddu. Gallai hyn gynnwys cyfnod yn y carchar.

Mae tag electronig yn ddull o analluogi.

Damcaniaethu

Gall safbwynt realaeth y dde weld yr angen am osod dedfryd i amddiffyn y cyhoedd, gan fod cyfyngiant cymdeithasol ar ymddygiad yn wan. Mae angen rheolaeth gymdeithasol fwy llym i leihau troseddu a chosb, a fydd yn cyfyngu ar ryddid ac yn helpu i gyflawni hyn.

Gwneud iawn

Mae gwneud iawn yn aml yn golygu digolledu dioddefwr y drosedd, fel arfer drwy orchymyn i'r troseddwr dalu swm o arian i'r dioddefwr. Mae'r cysyniad hwn hefyd yn cynnwys gwneud iawn i'r gymdeithas yn gyffredinol, er enghraifft drwy wneud gwaith di-dâl yn y gymuned yn sgil gorchymyn cymunedol.

Hefyd, mae nifer cynyddol o gynlluniau yn dod â throseddwyr a dioddefwyr at ei gilydd, er mwyn i ddioddefwyr wneud iawn mewn ffordd uniongyrchol. Gall hyn gynnwys ysgrifennu llythyr ymddiheuriad, trwsio unrhyw ddifrod a achoswyd neu gyfarfod wyneb yn wyneb i drafod y materion. Gelwir hyn yn gyfiawnder adferol.

Ystyr gwneud iawn yw talu'n ôl.

Damcaniaethu

Gall ymagwedd realaeth y chwith ystyried cosbau o'r fath yn ffordd o gynnig mesurau ymarferol i leihau trosedd a chyflwyno newid tymor hir i gymdeithas fwy cyfartal a gofalgar.

Term allweddol

Gwneud iawn: Ei nod yw sicrhau bod y diffynnydd yn talu'n ôl i'r dioddefwr neu i'r gymdeithas am ei gamwedd.

Condemniad

Mae condemniad yn helpu i atgyfnerthu'r codau moesol a moesegol neu i gynnal ffiniau. Mae'n bosibl bod y rhain wedi newid dros amser er mwyn cyfateb i'r hyn sy'n dderbyniol mewn cymdeithas. Er enghraifft, roedd ysmygu sigaréts yn arfer bod yn dderbyniol ac roedd y proffesiwn meddygol yn ei annog hyd yn oed. Erbyn hyn, mae'n anghyfreithlon ysmygu yn y gweithle ac mewn car gyda phlentyn.

Term allweddol

Condemniad: Ei nod yw ceisio dangos i droseddwyr nad yw cymdeithas yn cymeradwyo eu hymddygiad a'i fod yn ymddygiad annerbyniol.

Damcaniaethu

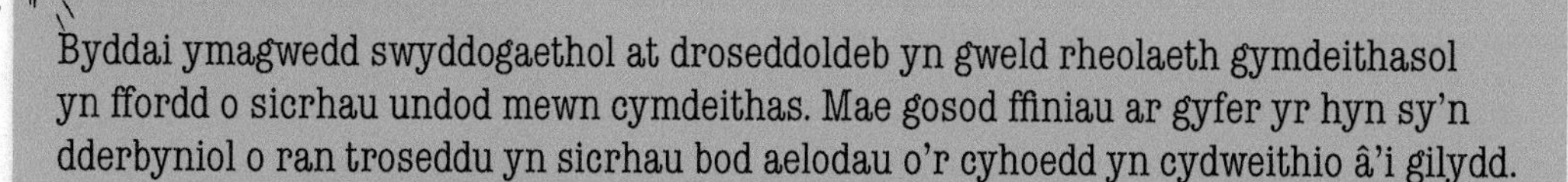

Byddai ymagwedd swyddogaethol at droseddoldeb yn gweld rheolaeth gymdeithasol yn ffordd o sicrhau undod mewn cymdeithas. Mae gosod ffiniau ar gyfer yr hyn sy'n dderbyniol o ran troseddu yn sicrhau bod aelodau o'r cyhoedd yn cydweithio â'i gilydd.

Hefyd, gellid dadlau bod labelu troseddwyr yn ddrwgweithredwyr yn arwain at ragor o droseddu, gan eu bod yn dechrau eu hystyried eu hunain yn droseddwyr. Gall hyn arwain at broffwydoliaeth hunangyflawnol, sy'n golygu eu bod yn dechrau mewnoli'r label ac yn dechrau gweithredu ac ymddwyn mewn ffordd sy'n adlewyrchu'r label.

Cyngor

Yn yr arholiad, efallai bydd cwestiwn yn gofyn i chi esbonio nod(au) cosb y cyfeiriwyd ati mewn cwestiwn senario. Dylech chi ystyried pob nod sy'n briodol. Gwnewch yn siŵr eich bod yn cyfeirio at:

- sefyllfa'r diffynnydd
- y math o drosedd
- pa mor ddifrifol yw hi o'i math.

Sgiliau llythrennedd

Cywirwch y camgymeriadau sillafu canlynol:

- condemiad
- addalu
- gneud iawn
- ataliaith
- adgwympo.

Gweithgaredd

Ymchwiliwch i achos herwgipio Shannon Matthews. Yn Moorside, y stad lle roedd hi'n byw, daeth y gymuned at ei gilydd i chwilio amdani a gorymdeithio i ddangos y ffiniau roedden nhw'n eu hystyried yn briodol yn yr achos.

Datblygu ymhellach

Allwch chi ysgrifennu eich senarios eich hun ynghyd â dedfryd briodol a roddwyd gan lys? Yna cyfnewidiwch â ffrind i weld a yw'n gallu esbonio pam cafodd y ddedfryd ei rhoi a'r nodau a allai fod yn berthnasol.

MPA2.3 ASESU SUT MAE MATHAU O GOSBAU YN CYFLAWNI NODAU COSBI

MEINI PRAWF ASESU	CYNNWYS	YMHELAETHU
MPA2.3 Dylech chi allu ... Asesu sut mae mathau o gosbau yn cyflawni nodau cosbi	**Mathau o gosbau** • carcharu • cymunedol • ariannol • rhyddhau	Dylech chi allu asesu sut mae gwahanol fathau o gosbau yn cyflawni nodau cosbi

Cyswllt synoptig

Dylech chi allu defnyddio'r hyn a ddysgwyd yn Unedau 1, 2 a 3 er mwyn dod i gasgliadau gwrthrychol yn seiliedig ar dystiolaeth. Mewn geiriau eraill, dod i benderfyniad a yw cosbau'n gweithio/cyflawni eu nodau ai peidio.

Crynodeb o'r cosbau sydd ar gael:

Carcharu	Dedfrydau am oes gorfodol ac o ddewis, dedfrydau cyfnod penodol a phenagored, dedfrydau gohiriedig
Dedfrydau cymunedol	Gorchymyn cyfunol, er enghraifft • gwaith di-dâl • cyrffyw • trin a phrofi am gyffuriau • goruchwyliaeth (cyfnod prawf)
Dirwyon	Yn dibynnu ar amgylchiadau ariannol y troseddwyr a difrifoldeb y troseddau
Rhyddhad	Amodol, os bydd y diffynnydd yn aildroseddu yn ystod cyfnod amser penodol (hyd at dair blynedd), gall y llysoedd osod dedfryd wahanol Diamod, lle na fydd unrhyw gosb gan fod y diffynnydd yn euog ond yn ddi-fai yn foesol

Mae'r holl ddata y cyfeiriwyd atyn nhw yn y maen prawf asesu hwn, oni nodir yn wahanol, yn dod o Bromley Briefings Prison Factfile (Ymddiriedolaeth Diwygio'r Carchardai, 2016).

Awgrym!

Darllenwch Bromley Briefings Prison Factfile a luniwyd gan Ymddiriedolaeth Diwygio'r Carchardai (2016). Mae'n cynnwys llawer o wybodaeth ac ystadegau am garchardai, y carcharorion a llwyddiant ein system gosbi. Bydd yn eich helpu i ddod i benderfyniadau am y system rheolaeth gymdeithasol.

A yw'r carchar yn cyflawni nodau cosbi?

Mae'r carchar yn fath o reolaeth gymdeithasol allanol.

Dedfryd am oes yw'r gosb fwyaf difrifol sydd ar gael i'n llysoedd. Mae dedfryd am oes orfodol yn berthnasol i euogfarn am lofruddiaeth. Fodd bynnag, rhoddir dedfryd am oes o ddewis yn achos troseddau difrifol eraill fel dynladdiad, lladrata a threisio.

Mae pobl sydd wedi cael dedfryd am oes orfodol yn treulio mwy o'u dedfryd yn y carchar. Ar gyfartaledd, maen nhw'n treulio cyfnod o 16 blynedd yn y ddalfa – o'i gymharu â chyfnod o 13 blynedd yn 2001. Pan fyddan nhw'n cael eu rhyddhau, bydd carcharorion 'oes' yn parhau i fwrw eu dedfryd am weddill eu hoes. Maen nhw'n cael eu monitro ac yn destun cyfyngiadau a gellir eu hanfon nhw yn ôl i'r ddalfa ar unrhyw adeg os byddan nhw'n torri amodau eu trwydded. Ar sail hyn, byddai modd dadlau bod ad-dalu'n digwydd a bod y troseddwr yn cael ei haeddiant.

Gweithgaredd

Ymchwiliwch i bobl a gafodd eu rhyddhau o ddedfryd am oes orfodol ond a laddodd rhywun arall a chael eu hanfon yn ôl i'r carchar. Yna dewch i benderfyniad am effeithiolrwydd carchardai.

Hefyd, mae nifer o garcharorion yn bwrw dedfryd benagored fel bod y cyhoedd yn cael eu hamddiffyn. Mae'r rhain yn ddedfrydau heb ddyddiad rhyddhau. Maen nhw ar gyfer troseddwyr peryglus a bydd y Bwrdd Parôl yn penderfynu pryd dylen nhw gael eu rhyddhau. Gallai hyn awgrymu bod carchardai yn cyflawni'r nod o warchod y cyhoedd. Nid yw'n bosibl rhoi dedfrydau penagored erbyn hyn gan iddyn nhw gael eu diddymu yn 2012. Fodd bynnag, mae llawer o bobl yn dal i fod yn y carchar heddiw ar ddedfryd o'r fath. Ym mis Ionawr 2018, cyhoeddwyd y byddai John Worboys, a gafwyd yn euog o dreisio, yn cael ei ryddhau ar ôl bod yn y carchar ar ddedfryd benagored. Arweiniodd hyn at fanllef o brotest gan y cyhoedd.

Mae'r rhan fwyaf o bobl sy'n cael eu hanfon i'r carchar yn cael dedfryd cyfnod penodol ac felly maen nhw'n gwybod faint o amser y byddan nhw'n ei dreulio yno. Bydd unrhyw un sy'n cael dedfryd dros ddau ddiwrnod ond yn llai na dwy flynedd yn cael ei ryddhau ar drwydded hanner ffordd drwy'r ddedfryd. Maen nhw ar drwydded nes daw'r ddedfryd i ben ynghyd â chyfnod goruchwylio ar ôl y ddedfryd o 12 mis o leiaf. Bydd carcharorion sydd wedi cael dedfryd o ddwy flynedd neu fwy yn treulio hanner y ddedfryd yn y carchar a'r gweddill yn y gymuned, yn amodol ar oruchwyliaeth a dan amodau. Gallai hyn awgrymu bod nod adsefydlu yn cael ei gyflawni neu o leiaf bod ymgais i adsefydlu carcharorion.

Mae'n bosibl mai'r newidiadau i'r oruchwyliaeth ar ôl y ddedfryd sy'n esbonio'r cynnydd yn nifer y bobl sy'n cael eu galw yn ôl i'r ddalfa. Mae'r nifer hwnnw wedi cynyddu i bron 1,000 o bobl ers i'r newidiadau gael eu cyflwyno ym mis Chwefror 2015. Roedd 6,554 o bobl yn y carchar ar ôl cael eu galw yn ôl ddiwedd mis Mawrth 2017. Byddai hyn yn awgrymu nad yw carchardai yn adsefydlu pobl.

Term allweddol

Bwrdd Parôl: Corff annibynnol sy'n cynnal asesiadau risg ar garcharorion i benderfynu a ellir eu rhyddhau'n ddiogel i'r gymuned.

Gweithgaredd

Ymchwiliwch i hanes rhyddhau John Worboys, a gafodd ddedfryd benagored ac y penderfynodd y Bwrdd Parôl ei ryddhau ar ôl 10 mlynedd yn y carchar. Fodd bynnag, cafodd y penderfyniad dadleuol hwn ei wrthdroi, ac mae ei ddedfryd o garchar yn parhau.

A yw dedfrydau cymunedol yn cyflawni eu nodau?

Yn ôl y Cyngor Dedfrydu, mae dedfryd gymunedol yn cyfuno cosb â gweithgareddau sy'n cael eu cyflawni yn y gymuned. Gall hyn gynnwys gofyniad i gyflawni hyd at 300 awr o waith di-dâl, a allai gynnwys tasgau fel glanhau graffiti neu glirio ardaloedd sydd wedi gordyfu. Gallai hefyd olygu bod y troseddwr yn cael triniaeth am alcohol neu gyffuriau er mwyn mynd i'r afael ag achosion troseddu. Yn gyffredinol, nid cosbi troseddwyr yn unig yw'r nod ond ceisio newid eu hymddygiad a'u hatal rhag troseddu yn y dyfodol.

Yn ôl Bromley Briefings Prison Factfile (Ymddiriedolaeth Diwygio'r Carchardai, 2016), mae'r defnydd o ddedfrydau cymunedol wedi haneru bron (46%) ers 2006 ac erbyn hyn maen nhw'n ffurfio 9% yn unig o'r holl ddedfrydau. Mae hyn er gwaethaf y ffaith eu bod yn fwy effeithiol o 8.3% o ran lleihau cyfraddau aildroseddu cyn pen blwyddyn na dedfrydau o garchar 12 mis neu lai am droseddau tebyg. Byddai hyn yn awgrymu y gall dedfrydau cymunedol gyflawni nod adsefydlu.

Fodd bynnag, yn ôl adroddiad gan y BBC yn 2013, roedd gan fwy na 3/4 y bobl a gafodd eu hanfon i'r carchar y flwyddyn flaenorol o leiaf un ddedfryd gymunedol flaenorol. Efallai fod hyn yn awgrymu bod gorchmynion cymunedol, er nad ydyn nhw'n hynod o effeithiol, o leiaf yn fwy effeithiol na charcharu o ran atal aildroseddu.

Gorchmynion cymunedol:

- Mae troseddwyr yn gwneud gwaith di-dâl yn y gymuned, gan gyflawni nod o wneud iawn.
- Gall unrhyw un enwebu project, mewn cymuned, i'r troseddwyr weithio arno.
- Mae'r syniadau sydd wedi'u rhoi ar waith yn cynnwys cynnal tiroedd, fel clirio sbwriel o ardaloedd cymunedol, adeiladu storfeydd ar gyfer biniau, gosod palmentydd ac ailadeiladu darnau o waliau cerrig.

Term allweddol

Y Cyngor Dedfrydu: Yn darparu canllawiau ar ddedfrydu mae'n rhaid i'r llysoedd eu dilyn oni bai ei bod er budd cyfiawnder i beidio â gwneud hynny.

Gweithgaredd

Ystyriwch eich ardal leol ac enwebwch broject y gall troseddwyr weithio arno.

Mae talu'n ôl i'r gymuned yn ceisio cyflawni'r nod o wneud iawn.

A yw cosbau ariannol yn gweithio?

Bwriad cosbau ariannol yw cymell gyrwyr i beidio â gyrru'n gyflymach na'r cyfyngiad cyflymder.

Mae dirwyon yn ffordd gyffredin o benderfynu achos mewn llys ynadon. Ar gyfer troseddau eithaf mân, fel troseddau gyrru, bydd y llys yn ystyried amgylchiadau'r drosedd a sefyllfa ariannol y troseddwr. Yn aml bydd y ddirwy yn cael ei thalu mewn rhandaliadau sy'n cael eu cymryd yn uniongyrchol o fudd-daliadau cymdeithasol.

Prif nod dirwy yw gweithredu fel ataliaeth a chosbi'r diffynyddion, mewn ymgais i'w hatal rhag aildroseddu. Mae'n bosibl anfon rhywun i'r carchar am fethu talu dirwy, ond rhaid i'r llys gredu eich bod yn gwneud hynny'n fwriadol.

Yn ôl papur newydd *The Daily Telegraph*, mae chwarter biliwn o bunnau mewn dirwyon llys wedi cael eu dileu gan nad yw'n bosibl dod o hyd i'r troseddwyr. Yn benodol, rhwng 2009 a 2013, cafodd cyfanswm o £237.1 miliwn o ddirwyon llys, costau, gorchmynion iawndal a thaliadau ychwanegol i ddioddefwyr, eu 'canslo'n weinyddol' (Whitehead, 2014). Cafodd y cosbau ariannol eu dileu i bob pwrpas oherwydd daethpwyd i'r casgliad nad oedd gobaith realistig eu casglu. Hefyd, yn ôl papur newydd *Daily Mirror*, mae 61% o ddirwyon yn cael eu dileu neu ddim yn cael eu casglu (Moss, 2015).

Ar sail y ffigurau uchod, mae'n ymddangos nad yw dirwyon yn ddull effeithiol o atal troseddau nac o ad-dalu o ystyried y symiau sydd heb eu talu. Nid yw'n ymddangos bod y bygythiad o fynd i'r carchar am fethu talu yn effeithio ar y troseddwr.

Mae cyfran fawr o ddirwyon nad ydyn nhw'n cael eu talu.

A yw rhyddhad yn gweithio?

Gall rhyddhad fod yn amodol neu'n ddiamod. Defnyddir rhyddhad amodol yn aml ar gyfer mân drosedd gyntaf mewn llys ynadon. Ni fydd unrhyw sancsiwn arall, ar yr amod nad yw'r troseddwr yn aildroseddu yn ystod cyfnod y gorchymyn. Fodd bynnag, os bydd yn aildroseddu yn ystod cyfnod y gorchymyn, unrhyw adeg hyd at dair blynedd, gall y llysoedd roi dedfryd wahanol am y drosedd wreiddiol ac ail ddedfryd am unrhyw aildroseddu. Yn debyg iawn i roi ail gyfle i rywun, ataliaeth yw'r nod.

Mae rhyddhad diamod yn brin ond, i bob pwrpas, ni fydd unrhyw gosb. Mae'n cael ei ddefnyddio mewn amgylchiadau lle mae'r diffynnydd yn euog ond yn ddi-fai yn foesol. Dyma'r gosb leiaf y gall troseddwr sy'n oedolyn ei derbyn. Mae'r llys yn credu bod yr holl brofiad yn ataliaeth ddigonol i'r troseddwr. I'r troseddwyr sydd wedi'u heffeithio gan y profiad o fod yn y llys, mae dedfryd o'r fath yn debygol o fod yn ddigonol. Fodd bynnag, i'r troseddwyr hynny sydd wedi caledu i'r system, maen nhw'n debygol o ddod yn ôl gerbron y llys. Mewn achosion fel hyn, ni fyddai cosb o'r fath yn cyflawni ei nodau.

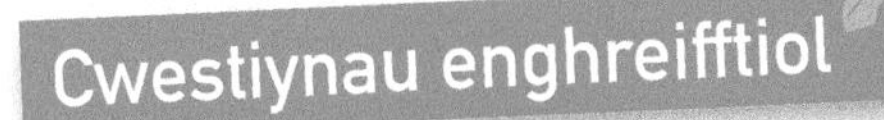

Cwestiynau enghreifftiol

Dyma gwestiynau arholiad enghreifftiol yn y maes hwn:

Uned 4 – Arholiad 2017

Aseswch sut mae dau fath o gosb yn cwrdd â'u nodau. **[5, 5 marc]**

SYLWCH: o 2020 ymlaen, bydd y newidiadau yn y bandiau marciau yn golygu bod y cwestiwn hwn werth 9 marc.

Esboniwch sut gallai barnwr lwyddo i amddiffyn y cyhoedd drwy roi dedfrydau. **[5 marc]**

SYLWCH: o 2020 ymlaen, bydd y newidiadau yn y bandiau marciau yn golygu bod y cwestiwn hwn werth naill ai 4 neu 6 marc.

Uned 4 – Arholiad 2019

Nodwch ddau o nodau gorchymyn prawf fel cosb llys. **[2 farc]**

Cyngor

Mae'r cwestiwn yn gofyn i chi gysylltu cosbau a nodau. Bydd angen i chi benderfynu a yw cosb yn gweithio, hynny yw, a yw'n cyflawni ei nodau ai peidio.

Uned 4 – Arholiad 2017

Aseswch sut mae dau fath o gosb yn cwrdd â'u nodau. **[5, 5 marc]**

(i) Un math o gosb yw carchar; mae hwn yn cyflawni'r nod o ad-dalu gan ei fod yn cosbi'r troseddwr drwy gymryd ei ryddid. Y nod yw ceisio ei gosbi drwy roi iddo ei 'haeddiant' fel bod y gosb yn adlewyrchu'r drosedd. Mae llofruddiaeth yn enghraifft o hyn. Os byddwch yn cymryd bywyd rhywun arall, yna bydd eich bywyd yn cael ei gymryd oddi wrthych chi. Yn y DU, mae hon yn ddedfryd am oes. Mewn rhai taleithiau yn UDA, y ddedfryd yw'r **gosb eithaf**. Mae hyn yn golygu y gallwn ystyried bod carchardai yn effeithiol o ran ad-dalu. Fodd bynnag, nid yw carchar yn cael ei weld yn rhywbeth sy'n cyflawni nod adsefydlu oherwydd y cyfraddau atgwympo uchel, er enghraifft mae 86% o bobl dan 18 oed yn troseddu eto cyn pen y flwyddyn gyntaf ar ôl cael eu rhyddhau o'r carchar. Felly, nid yw adsefydlu yn cael ei gyflawni. Fodd bynnag, gellir ystyried bod y carchar yn effeithiol o ran cyflawni nod ataliaeth. Bydd damcaniaeth dewis rhesymegol rheolaeth y dde yn golygu bod troseddwyr a darpar-droseddwyr yn debygol o feddwl yn fwy rhesymegol am eu gweithredoedd cyn cyflawni trosedd arall.

(ii) Math arall o gosb yw gorchymyn cymunedol, lle gellir rhoi amodau i'r troseddwr eu dilyn. Mae'r gosb yn cyflawni nod adsefydlu oherwydd un o'r gofynion yw mynychu sesiynau fel rheoli dicter neu weithdai cyffuriau ac alcohol. Mae hyn yn golygu bod troseddwyr sy'n derbyn y gosb hon yn fwy tebygol o gael eu hadsefydlu. Hefyd, mae'r gosb hon yn dda o ran gwneud iawn gan ei bod yn golygu glanhau'r strydoedd gan wneud cymdeithas yn lanach.

Term allweddol

Y gosb eithaf: Arfer sy'n cael ei gymeradwyo gan y llywodraeth, lle bydd rhywun yn cael ei roi i farwolaeth gan y wladwriaeth yn gosb am drosedd.

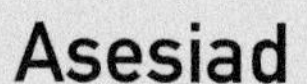

Asesiad

O dan y bandiau marciau newydd, lle byddai'r cwestiwn yn werth 9 marc, byddai hwn yn perthyn i fand marciau 7–9 oherwydd mae canolbwyntio rhesymol ar y cwestiwn gyda rhywfaint o gefnogaeth gywir a rhywfaint o ddefnydd o eirfa arbenigol. Efallai mai dim ond yn rhannol y mae'r ymgeisydd wedi ymdrin â gofynion y cwestiwn.

(i) Mae'r ateb hwn yn nodi'n gywir y gosb dan sylw ac yna'n ystyried tri amcan ac yn dod i benderfyniad ynghylch a gafodd y rhain eu cyflawni.
Mae'n defnyddio terminoleg arbenigol fel ad-dalu a haeddiant ac yn cynnwys ystadegau i ategu'r ateb.

(ii) Mae'r ateb hwn hefyd wedi'i strwythuro'n dda, ond nid yw wedi'i ysgrifennu cystal ag ateb (i). Byddai modd ei wella drwy nodi bod gorchmynion cymunedol yn cynnwys gwneud gwaith di-dâl yn y gymuned, er enghraifft clirio ardaloedd sydd wedi gordyfu. Hefyd, byddai modd cyfeirio at nod ataliaeth oherwydd gall y syniad o waith di-dâl neu gael eich gweld gan y cyhoedd ar gynllun 'talu'n ôl' atal troseddu.

Datblygu ymhellach

Ymchwiliwch i achosion sy'n cynnwys erlyniadau o dan ddeddfwriaeth Covid 19, lle mae rheolau'r cyfnod clo wedi cael eu torri. Aseswch pa nodau cosbi allai gael eu cyflawni drwy osod y dedfrydau penodol.

DEILLIANT DYSGU 3
DEALL MESURAU A DDEFNYDDIR YM MAES RHEOLAETH GYMDEITHASOL

MPA3.1 ESBONIO RÔL ASIANTAETHAU O RAN RHEOLAETH GYMDEITHASOL

MEINI PRAWF ASESU	CYNNWYS	YMHELAETHU

MPA3.1 Dylech chi allu ...
 	
Esbonio rôl asiantaethau o ran rheolaeth gymdeithasol
	Rôl
	• nodau ac amcanion
	• cyllid
	• athroniaeth
	• arferion gwaith
	  • mathau o droseddoldeb
	  • mathau o droseddwyr
	  • cwmpas (lleol, cenedlaethol)
	Asiantaethau
	• asiantaethau a noddir gan y llywodraeth
	  • yr heddlu
	  • Gwasanaeth Erlyn y Goron (CPS)
	  • y farnwriaeth
	  • carchardai
	  • y gwasanaeth prawf
	• elusennau
	• carfanau pwyso
		Dylech chi allu nodi asiantaethau sy'n ymwneud â rheolaeth gymdeithasol ac esbonio eu rôl wrth sicrhau rheolaeth gymdeithasol

Cyswllt synoptig

Gallwch gymhwyso eich dealltwriaeth o Uned 3 at y maen prawf hwn. Mae llawer o'r asiantaethau wedi'u harchwilio yn yr uned honno drwy wahanol gamau achos troseddol yn y system cyfiawnder.

Gwasanaeth yr heddlu – asiantaeth a noddir gan y llywodraeth

Penodwyd y swyddogion heddlu proffesiynol cyntaf, sef y 'Peelers' neu'r 'Bobbies', yn Llundain yn 1829 gan yr Ysgrifennydd Cartref ar y pryd, Robert Peel. Erbyn heddiw mae:

- 45 heddlu ardal yn y DU yn gweithredu o fewn cwmpas rhanbarthol
- 39 yn Lloegr
- pedwar yng Nghymru
- mae gan yr Alban a Gogledd Iwerddon eu gwasanaeth heddlu eu hunain.

Hefyd, mae rhai asiantaethau gorfodi'r gyfraith cenedlaethol, gan gynnwys yr Asiantaeth Troseddu Cenedlaethol a Heddlu Trafnidiaeth Prydain.

Nodau ac amcanion

Nod yr heddlu yw lleihau trosedd a chynnal cyfraith a threfn. Mae hyn yn cynnwys gwarchod bywyd ac eiddo, cynnal yr heddwch, ac atal a chanfod troseddau. Maen nhw'n gwneud hyn drwy weithio gyda chymunedau a thrwy'r pwerau statudol canlynol:

- arestio
- cadw
- chwilio
- cyfweld.

Mae eu pwerau wedi'u cynnwys i bob pwrpas yn Neddf yr Heddlu a Thystiolaeth Droseddol 1984 (*PACE: Police and Criminal Evidence Act*).

Datblygu ymhellach

Ymchwiliwch i hanes y gwasanaeth heddlu o gyfnod Ceidwaid Bow Street hyd heddiw.

Gweithgaredd

Cysylltwch â'ch gorsaf heddlu leol a gofynnwch a allwch chi drefnu ymweliad ar gyfer y dosbarth i weld sut mae'r orsaf yn gweithio ac yn benodol y ddalfa.

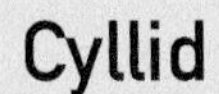

Cyllid

Yng Nghymru a Lloegr, prif ffynhonnell incwm yr heddlu yw grant gan y llywodraeth ganolog. Mae rhywfaint o'i incwm hefyd yn dod drwy'r dreth gyngor.

Athroniaeth

Y prif agweddau ar athroniaeth yr heddlu yw gweithredu gyda:

- gonestrwydd ac uniondeb – mae swyddogion yr heddlu'n onest, yn gweithredu gydag uniondeb ac nid ydynt yn cyfaddawdu nac yn camfanteisio ar eu safle yn y gymdeithas
- awdurdod, parch a chwrteisi – mae swyddogion yr heddlu'n gweithredu gyda hunanreolaeth a goddefgarwch, ac yn trin aelodau o'r cyhoedd a chydweithwyr gyda pharch a chwrteisi
- cydraddoldeb ac amrywiaeth – mae swyddogion yr heddlu'n deg ac yn ddi-duedd. Dydyn nhw ddim yn gwahaniaethu'n anghyfreithlon nac yn annheg.

Arferion gwaith

Mae gan bob heddlu dimau o swyddogion sy'n gyfrifol am ddyletswyddau cyffredinol y rownd ac sy'n ymateb i alwadau brys a galwadau eraill gan y cyhoedd. Mae bron pob swyddog heddlu yn dechrau ei yrfa yn y maes plismona hwn, a bydd rhai yn symud ymlaen i rolau mwy arbenigol. Er enghraifft, 'swyddogion cymunedol' ac Adrannau Ymchwiliadau Troseddol (CIDs) yn ymdrin â throseddau difrifol/cymhleth.

Hefyd mae gan yr heddlu 'ymgyrchoedd arbenigol', ac mae canghennau yn ymwneud ag amrywiaeth eang o swyddogaethau, gan gynnwys:

- gwrthderfysgaeth
- ymgyrchoedd cudd a chuddwybodaeth
- amddiffyniad diplomyddol
- arfau tanio
- cyffuriau
- amddiffyniad brenhinol
- adran arbennig
- heddlu sy'n trin cŵn
- heddlu'r afon
- heddlu ar geffylau.

Swyddogion Cymorth Cymunedol yr Heddlu (PCSOs)

Yn ychwanegol at hyn, mae Swyddogion Cymorth Cymunedol yr Heddlu (*PCSOs: Police Community Support Officers*) yn gweithio ar y rheng flaen gan gynnig presenoldeb gweledol ar y strydoedd sy'n rhoi cysur a gan fynd i'r afael ag ymddygiad gwrthgymdeithasol. Hefyd, mae Swyddogion Arbennig, sef llu o wirfoddolwyr wedi'u hyfforddi â'r holl bwerau plismona, yn neilltuo peth o'u hamser rhydd i gynorthwyo'r heddlu. Dydyn nhw ddim yn cael eu talu, ond gallan nhw hawlio treuliau rhesymol am unrhyw gostau a ddaw i'w rhan wrth wneud eu gwaith.

Mae Swyddogion Cymorth Cymunedol yr Heddlu yn rhoi eu hamser rhydd i gefnogi'r heddlu.

Comisiynwyr Heddlu a Throseddu

Ers 2012, mae Comisiynwyr Heddlu a Throseddu (*PCCs: Police and Crime Commissioners*) yn cael eu hethol ym mhob rhanbarth. Yn ôl gwefan Cymdeithas y Comisiynwyr Heddlu a Throseddu (2017) nhw yw 'llais y bobl ac maen nhw'n dal yr heddlu i gyfrif gyda'r nod o leihau troseddu a chyflenwi gwasanaeth heddlu effeithiol ac effeithlon yn eu hardaloedd'.

Datblygu ymhellach

Ewch ati i ddarganfod pwy yw'r Comisiynydd Heddlu a Throseddu yn eich ardal chi. Anfonwch wahoddiad at y Comisiynydd i ddod i siarad â chi am ei rôl.

Gwasanaeth Erlyn y Goron (CPS) – asiantaeth a noddir gan y llywodraeth

Nodau ac amcanion

Cyn pasio Deddf Erlyn Troseddau 1985, roedd yr heddlu nid yn unig yn ymchwilio i achosion troseddol, roedden nhw hefyd yn eu herlyn ar ran y wladwriaeth. Fodd bynnag, mewn ymgais i hyrwyddo annibyniaeth, daeth Gwasanaeth Erlyn y Goron yn brif awdurdod erlyn yng Nghymru a Lloegr yn 1986. Arhosodd rôl ymchwiliol yr heddlu yr un fath.

Mae Gwasanaeth Erlyn y Goron yn cyflawni'r swyddogaethau canlynol:

- Rhaid iddo benderfynu pa achosion i'w herlyn, gan eu hadolygu'n barhaus.
- Mae'n penderfynu ar y cyhuddiadau priodol mewn achosion mwy difrifol a chymhleth ac yn cynghori'r heddlu, yn enwedig yn ystod camau cyntaf ymchwiliadau.
- Mae'n paratoi achosion ac yn eu cyflwyno yn y llys gan ddefnyddio amrywiaeth o eiriolwyr mewnol, eiriolwyr hunangyflogedig neu asiantiaid.
- Mae'n darparu gwybodaeth, cymorth a chefnogaeth i ddioddefwyr a thystion yr erlyniad.

Gwerthoedd Gwasanaeth Erlyn y Goron yw:

- bod yn annibynnol a theg
- bod yn onest ac agored
- trin pawb â pharch
- ymddwyn yn broffesiynol ac ymdrechu at ragoriaeth.

Cyllid

Mae Gwasanaeth Erlyn y Goron yn gorff a noddir gan y llywodraeth ac mae'r rhan fwyaf o'i gyllideb yn cael ei gymeradwyo gan Senedd y DU: roedd y gyllideb dros £500,000,000 yn 2016–2017. Pan fydd llysoedd yn dyfarnu costau, bydd Gwasanaeth Erlyn y Goron yn adennill rhai o gostau ei erlyniadau gan y diffynyddion. Hefyd, mae Gwasanaeth Erlyn y Goron yn adennill asedau troseddol drwy ei weithgareddau atafaelu, ataliad a gorfodaeth.

Cyfarwyddwr Erlyniadau Cyhoeddus

Max Hill CF yw'r Cyfarwyddwr Erlyniadau Cyhoeddus. Cafodd ei benodi gan y Twrnai Cyffredinol, a dechreuodd yn ei swydd ar 1 Tachwedd 2018.

Ganwyd Max yn Swydd Hertford yn 1964. Mynychodd ysgolion cynradd y wladwriaeth, ac ar ôl i'r teulu symud i Northumberland, aeth i'r Ysgol Ramadeg Frenhinol yn Newcastle upon Tyne. Enillodd ysgoloriaeth i astudio'r Gyfraith yng Ngholeg St Peter, Rhydychen rhwng 1983 ac 1986. Enillodd gymhwyster bargyfreithiwr yn 1987, a'i benodi'n Gwnsler y Frenhines yn 2008.

Fel bargyfreithiwr, bu Max yn amddiffyn ac yn erlyn mewn achosion cymhleth, gan gynnwys lladdiadau, troseddau treisgar, terfysgaeth, twyll gwerth uchel a throseddau corfforaethol. Cafodd ei gyfarwyddo yn llawer o'r treialon llofruddiaeth diweddar mwyaf arwyddocaol ac uchel eu proffil, gan gynnwys yr ail set o dreialon yn ymwneud â lladd Damilola Taylor, a bomio Llundain yn 2005.

Rhwng Mawrth 2017 ac Hydref 2018, Max oedd yr Adolygwr Annibynnol mewn perthynas â Deddfwriaeth Terfysgaeth. Yn rhinwedd y swydd hon, rhoddodd ynghyd adroddiadau gan gynnwys adolygiad ymchwiliol o'r defnydd o ddeddfwriaeth terfysgaeth yn dilyn ymosodiadau Pont Westminster.

Roedd Max hefyd yn Arweinydd South Eastern Circuit rhwng 2014 a 2016, yn Gadeirydd Cymdeithas y Bar Troseddol rhwng 2011 a 2012, ac yn Gadeirydd Ymddiriedolaeth Kalisher rhwng 2014 a 2018. Hyd at ei benodiad fel Cyfarwyddwr Erlyniadau Cyhoeddus, roedd Max yn bennaeth ar Siambrau Red Lion.

Arferion gwaith

Mae Gwasanaeth Erlyn y Goron yn gweithio mewn 14 ardal ddaearyddol ar draws Cymru a Lloegr, ac mae CPS Direct ar gael 24 awr y dydd, 7 niwrnod yr wythnos, i roi cyngor i'r heddlu am gyhuddo. Pennaeth y Gwasanaeth yw'r Cyfarwyddwr Erlyniadau Cyhoeddus, sef Max Hill CF adeg ysgrifennu'r llyfr hwn.

Defnyddir cod ymarfer i helpu i benderfynu a ddylid erlyn ai peidio. Mae dwy ran i'r cod a rhaid bodloni'r ddwy cyn gallu erlyn achos:

(i) prawf tystiolaethol

(ii) prawf lles y cyhoedd.

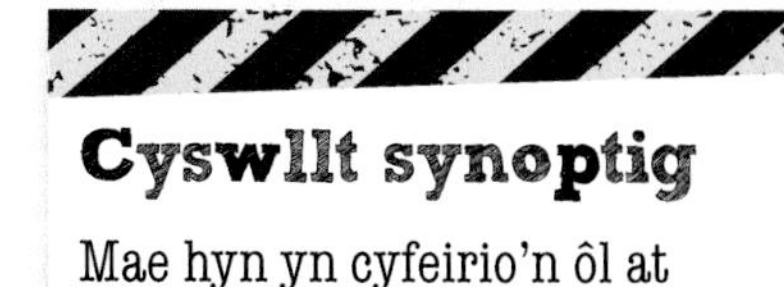

Cyswllt synoptig

Mae hyn yn cyfeirio'n ôl at Uned 3 MPA2.1.

Mae'r prawf tystiolaethol yn gofyn, 'A oes digon o dystiolaeth yn erbyn y diffynnydd?' Wrth benderfynu hyn, rhaid i Erlynwyr y Goron ystyried a ellir defnyddio tystiolaeth yn y llys ac a yw'n ddibynadwy ac yn gredadwy. Rhaid i Erlynwyr y Goron fod yn fodlon bod digon o dystiolaeth i gynnig 'gobaith realistig o euogfarn' yn erbyn y diffynnydd.

Mae prawf lles y cyhoedd yn gofyn 'A yw er lles y cyhoedd i Wasanaeth Erlyn y Goron ddwyn yr achos gerbron y llys?' Bydd erlyniad yn digwydd oni bai bod yr erlynydd yn siŵr bod ffactorau lles y cyhoedd yn erbyn erlyn yn gorbwyso'r rhai o blaid erlyn. Y cwestiynau mae Erlynwyr y Goron yn eu gofyn yw:

a) **Pa mor ddifrifol yw'r drosedd a gyflawnwyd?**

b) **Beth yw lefel beiusrwydd y sawl a ddrwgdybir?**

c) **Beth yw amgylchiadau'r dioddefwr a'r niwed a achoswyd i'r dioddefwr?**

ch) **A oedd yr unigolyn a ddrwgdybir o dan 18 oed adeg cyflawni'r drosedd?**

d) **Beth yw'r effaith ar y gymuned?**

dd) **A yw erlyn yn ymateb cymesur?**

e) **A oes angen diogelu ffynonellau gwybodaeth?**

Does dim un o'r cwestiynau hyn yn bwysicach na'r llall ac yn wir efallai na fydd rhai yn briodol. Bydd yr atebion yn rhoi'r wybodaeth sydd ei hangen ar yr erlynydd i ddod i benderfyniad.

Os nad oes digon o dystiolaeth i gyhuddo'r sawl a ddrwgdybir, yna gall Gwasanaeth Erlyn y Goron gymhwyso'r prawf trothwy. Mae hyn yn golygu bod modd dod i benderfyniad ynghylch cyhuddo ar unwaith er nad yw'r holl dystiolaeth ar gael. Mae hyn yn amlwg yn tramgwyddo rhyddid a bydd y penderfyniad yn seiliedig ar amheuaeth resymol yn hytrach na thystiolaeth. Fodd bynnag, dim ond pan fydd y sawl a ddrwgdybir yn cael ei ystyried yn risg mechnïaeth sylweddol, a phan nad yw'r holl dystiolaeth ar gael pan gaiff y sawl a ddrwgdybir ei ryddhau o'r ddalfa, y mae'n bosibl ei gymhwyso.

Y farnwriaeth – asiantaeth a noddir gan y llywodraeth

Mae'r farnwriaeth wedi'i rhannu fel a ganlyn:

- uwch farnwyr, sy'n gweithio yn yr Uchel Lys ac mewn llysoedd uwch
- barnwyr is, sy'n gweithio yn y llysoedd is.

Mae barnwyr yn annibynnol ar y llywodraeth.

Nodau ac amcanion

Rôl barnwr mewn achos troseddol yn Llys y Goron yw dod i benderfyniadau ar y gyfraith gan gynnwys ei dehongli a'i chymhwyso a rheoli'r treial yn gyffredinol. Mae hyn yn cynnwys sicrhau bod y treial yn cydymffurfio â hawliau dynol. Hefyd, rhaid i'r barnwr esbonio'r weithdrefn a materion cyfreithiol i'r rheithgor. Ar ddiwedd achos, bydd yn crynhoi'r dystiolaeth ar gyfer y rheithgor ac yna'n pasio dedfryd os yw'n briodol.

Mae barnwyr yn y llysoedd apêl, fel y Goruchaf Lys a'r Llys Apêl, yn dyfarnu ar achosion apêl. Maen nhw hefyd yn dehongli'r gyfraith, os yw'n aneglur, ac yn gosod cynsail, rheolau cyfreithiol, i'r llysoedd eraill eu dilyn.

Y Goruchaf Lys

Cyllid

Penderfynir ar gyflogau barnwyr yn dilyn argymhelliad y Corff Adolygu Cyflogau Uwch-swyddogion (SSRB). Mae'r SSRB yn darparu cyngor annibynnol i Brif Weinidog Prydain, yr Arglwydd Ganghellor a'r Ysgrifennydd Gwladol dros Amddiffyn ar dâl y farnwriaeth. Er bod cyflogau barnwyr yn sicr yn uwch na'r cyflog cyfartalog yng Nghymru a Lloegr, mae'n werth nodi y gall cyfreithiwr neu fargyfreithiwr llwyddiannus o gwmni blaenllaw neu Siambrau ennill mwy na barnwr uwch hyd yn oed.

Gweithgaredd

Dysgwch sut fywyd sydd gan farnwr drwy ddarllen 'Day in the Life Of...', yn www.judiciary.uk/about-the-judiciary/who-are-the-judiciary/a-day-in-the-life.

Datgelodd ymchwil a gynhaliwyd yn 2008 gan y Fonesig Hazel Glenn fod llawer o gyfreithwyr cymwysedig iawn yn peidio â gwneud cais i ymuno â'r Uchel Lys gan eu bod yn gallu ennill hyd at dair gwaith yn fwy yn eu swydd bresennol nag y gallen nhw fel barnwr.

Datblygu ymhellach

Ymchwiliwch i gyflogau'r farnwriaeth drwy chwilio ar wefan Gov.uk.

Athroniaeth

Rhaid i farnwr fod yn ffyddlon i'r Frenhines, oherwydd y Brenin neu'r Frenhines sy'n teyrnasu yw arweinydd y system gyfreithiol. Mae cyfiawnder yn cael ei weinyddu a chyfraith a threfn yn cael ei gynnal yn ei enw ef neu hi.

Yn ogystal, mae barnwr yn addo rhoi'r gyfraith ar waith yn gyfartal yn achos pob unigolyn. Gweler y llwon isod.

Arferion gwaith

Pan fydd barnwyr yn cael eu derbyn i'r swydd, maen nhw'n cymryd dau lw/cadarnhad. Y cyntaf yw'r llw teyrngarwch a'r ail yw'r llw barnwriaethol; cyfeirir at y ddau gyda'i gilydd fel y llw barnwriaethol.

Llw teyrngarwch

Yr wyf i, ________ , yn tyngu i Hollalluog Dduw y byddaf yn ffyddlon ac yn wir deyrngar i'w Mawrhydi y Frenhines Elisabeth yr Ail, ei hetifeddion a'i holynwyr, yn ôl y gyfraith.

Llw barnwriaethol

Yr wyf i, ________ , yn tyngu i Dduw Hollalluog y gwnaf yn dda a chywir wasanaethu ein Goruchaf Arglwyddes y Frenhines Elisabeth yr Ail yn y Swydd o ________ , ac y gwnaf iawn i bob math o bobl yn ôl deddfau ac arferion y Deyrnas hon, heb ofn na ffafr, hoffter na drwgdeimlad.

Datblygu ymhellach

Ymchwiliwch i rôl barnwyr yn namcaniaeth gwahaniad pwerau.

Un o'r egwyddorion sy'n cael ei pharchu fwyaf gan y farnwriaeth yw'r ffaith ei bod yn annibynnol. Gan mai barnwyr sy'n gyfrifol yn y pen draw am benderfyniadau yn ymwneud â rhyddid, hawliau a dyletswyddau pobl, mae'n hanfodol eu bod yn dod i benderfyniadau yn seiliedig ar y gyfraith, tystiolaeth a ffeithiau yn unig, heb unrhyw ddylanwad amhriodol. Felly, mae barnwriaeth annibynnol yn ofyniad hanfodol i weinyddu'r gyfraith mewn ffordd deg, gyson a niwtral. Maen nhw'n rhydd rhag rheolaeth wleidyddol ac nid yw'r llywodraeth yn gallu eu diddymu. Maen nhw'n cael eu hethol yn hytrach na'u penodi ond mae ganddyn nhw sicrwydd daliadaeth. Mae eu cyflog wedi'i warantu ac nid yw'r llywodraeth yn gallu ei newid.

Term allweddol

Sicrwydd daliadaeth: Cyflogaeth barhaol wedi'i gwarantu.

Mae barnwyr yn tyngu llw wrth gael eu penodi.

Gwasanaeth Carchardai EM – asiantaeth a noddir gan y llywodraeth

Nodau ac amcanion

Rhaid i garchar ddarparu rhyw fath o gosb, sy'n cynnwys amddifadu'r carcharor o ryddid a'r holl ganlyniadau a ddaw yn sgil hynny.

Yn ogystal, dylid ceisio adsefydlu'r unigolyn er mwyn sicrhau ei fod yn parchu'r gyfraith pan fydd yn dychwelyd i'r gymdeithas ar ôl cael ei ryddhau. Gallai hynny olygu ymdrin â materion a heriau yn eu bywyd ar y tu allan sydd wedi codi yn eu hymddygiad troseddol.

Datblygu ymhellach

Dysgwch fwy am fywyd yn y cachar yn www.gov.uk/life-in-prison.

Cyllid

Mae'r rhan fwyaf o garchardai yn cael eu hariannu gan y llywodraeth ac mae'r cyllid yn cael ei godi drwy drethi. Yn 2015 y gyllideb oedd £3.4 biliwn. Yn ôl astudiaeth swyddogol gan Brifysgol Lausanne ar ran Cyngor Ewrop (dyfynnir yn Barrett, 2015), mae trethdalwyr Cymru a Lloegr yn talu mwy i redeg carchardai na'r rhan fwyaf o wledydd mawr eraill gorllewin Ewrop. Yn ôl yr adroddiad, roedd y gwariant yn £87 y diwrnod yn 2012, £15 yn uwch na'r cyfartaledd Ewropeaidd o £72 y diwrnod i bob carcharor. Yn 2015, amcangyfrifwyd mai cost gyfartalog cadw carcharor oedd £36,000 y flwyddyn.

Athroniaeth

Mae'r gwasanaeth carchardai'n gwasanaethu'r cyhoedd drwy gadw unigolion sydd wedi'u dedfrydu i garchar gan y llysoedd yn y ddalfa. Eu dyletswydd yw gofalu am y carcharorion mewn ffordd ddyngarol, a'u helpu i barchu'r gyfraith a byw bywydau defnyddiol, pan fyddan nhw yn y carchar ac ar ôl eu rhyddhau.

Arferion gwaith

Mae'r rhan fwyaf o garchardai yn y sector cyhoeddus ac yn cael eu rhedeg gan Wasanaeth Carchardai EM (y llywodraeth). Mae 109 o'r 123 carchar yng Nghymru a Lloegr wedi'u trefnu ar y sail hon ac yn cael eu rhedeg gan y Gwasanaeth Cenedlaethol Rheoli Troseddwyr (NOMS). Fodd bynnag, mae 14 carchar preifat, er enghraifft CEM Birmingham, sydd wedi'u contractio i'r cwmni diogelwch preifat G4S.

Mae carchardai wedi'u rhannu yn wahanol gategorïau yn dibynnu ar lefel y diogelwch sydd ei angen i oruchwylio'r carcharorion:

- **Categori A:** risg diogelwch uchel/uchaf (e.e. CEM Frankland).
- **Categori B:** risg uchel i eraill (CEM Nottingham, CEM Pentonville, CEM Durham a CEM Wandsworth).
- **Categori C:** risg is ond heb allu ymddiried ynddyn nhw i fod mewn amodau agored (e.e. CEM Dartmoor).
- **Categori D:** risg isel iawn i eraill ac ar fin cael eu rhyddhau, yn cael eu galw'n garchardai agored (e.e. CEM Ford, CEM Kirkham).

Mae Carchar Dartmoor, ym Mharc Cenedlaethol Dartmoor, yn garchar categori risg is.

Mae'r breintiau sydd ar gael i garcharorion yn dibynnu ar ymddygiad, sef ar lefelau sylfaenol, safonol ac uwch. Mae pob carcharor yn dechrau ar y lefel safonol. Rhaid ymddwyn yn dda a phrofi'u hun i'r staff i fynd i fyny i'r lefel uwch. Os bydd carcharorion yn torri'r rheolau neu'n ymddwyn yn ddrwg, byddan nhw'n mynd i lawr i'r lefel sylfaenol. Mae pob lefel yn rhoi hawliau a gweithgareddau penodol i chi. Er enghraifft, ar y lefel sylfaenol, does dim hawl cael teledu yn eich ystafell/cell a rhaid bwyta yn eich ystafell. Ar lefel uwch, gallwch chi dreulio mwy o amser yn y gampfa neu y tu allan i'ch ystafell, a chael mwy o ymweliadau.

Mae carchardai wedi'u rhannu yn gategorïau yn ôl y perygl diogelwch.

Y Gwasanaeth Prawf Cenedlaethol – asiantaeth a noddir gan y llywodraeth

Nodau ac amcanion

Mae'r Gwasanaeth Prawf Cenedlaethol (NPS) yn wasanaeth cyfiawnder troseddol statudol sy'n goruchwylio troseddwyr risg uchel a ryddhawyd i'r gymuned. Mae'n gweithio gyda rhyw 30,000 o droseddwyr bob blwyddyn. Wrth gefnogi eu hadferiad nhw, mae'n amdddiffyn y cyhoedd ar yr un pryd. Mae'n gweithio mewn partneriaeth â 21 cwmni adsefydlu cymunedol, y llysoedd, yr heddlu, a gyda phartneriaid yn y sector preifat a gwirfoddol, i reoli troseddwyr yn ddiogel ac yn effeithiol.

Ystyr bod ar brawf yw bod rhywun yn bwrw ei ddedfryd y tu allan i'r carchar. Gall troseddwr gael ei roi ar gyfnod prawf oherwydd ei fod wedi cael dedfryd gymunedol neu wedi cael ei ryddhau o'r carchar ar drwydded neu ar barôl. Rhaid i unrhyw un sy'n cael ei ryddhau o'r carchar ar ôl dau ddiwrnod a llai na dwy flynedd gael ei oruchwylio gan y gwasanaeth prawf am o leiaf 12 mis.

Pan fydd troseddwyr ar gyfnod prawf, efallai bydd rhaid iddyn nhw:

- gyflawni gwaith di-dâl
- cwblhau cwrs addysg neu hyfforddiant
- cael triniaeth am gaethiwed, fel cyffuriau neu alcohol
- cael cyfarfodydd rheolaidd gyda 'rheolwr troseddwyr'.

Term allweddol

Cwmnïau adsefydlu cymunedol: Cyflenwyr y sector preifat sy'n darparu gwasanaethau prawf i droseddwyr yng Nghymru a Lloegr.

Athroniaeth

Amcanion yr NPS yw:

- credu yng ngallu pobl sydd wedi troseddu i newid er gwell, a dod yn aelodau cyfrifol o'r gymdeithas
- ymrwymo i hyrwyddo cyfiawnder cymdeithasol, cynhwysiant cymdeithasol, cydraddoldeb ac amrywiaeth
- cydnabod y dylid rhoi ystyriaeth lawn i hawliau ac anghenion dioddefwyr wrth gynllunio sut y bydd dedfryd defnyddiwr y gwasanaeth yn cael ei rheoli
- ymrwymo i weithredu gydag uniondeb proffesiynol.

Gweithgaredd

Dysgwch sut fywyd sydd gan swyddog prawf drwy ddarllen 'A Day in the Life of a Probation Officer', www.crimeandjustice.org.uk/resources/day-life-probation-officer.

Cyllid

Yn ôl yr NPS, ei flaenoriaeth yw amddiffyn y cyhoedd drwy adsefydlu troseddwyr risg uchel yn effeithiol, rhoi sylw i achosion troseddu a galluogi troseddwyr i newid eu bywyd. Mae'r NPS yn cael ei wasanaethu gan 35 ymddiriedolaeth prawf a'i ariannu gan y Gwasanaeth Cenedlaethol Rheoli Troseddwyr (NOMS), unwaith eto drwy'r arian a godir gan dreth incwm. Mae'r cwmnïau adsefydlu cymunedol yn fusnesau ac yn eu hariannu eu hunain.

Arferion gwaith

Mae'r NPS hefyd yn paratoi adroddiadau cyn-dedfrydu ar gyfer y llysoedd, er mwyn rhoi cymorth i ddewis y ddedfryd fwyaf addas. Mae hefyd yn rheoli eiddo sydd wedi'i gymeradwyo ar gyfer troseddwyr sydd â gofyniad preswylio fel rhan o'u dedfryd. Rhan arall o'i rôl yw asesu troseddwyr yn y carchar i'w paratoi ar gyfer eu rhyddhau ar drwydded i'r gymuned, lle byddan nhw'n cael eu goruchwylio. Yn olaf, rhaid i'r gwasanaeth gyfathrebu â dioddefwyr troseddau rhywiol a threisgar difrifol a rhoi sylw i'w llesiant, pan fydd y troseddwr wedi cael dedfryd o 12 mis neu fwy o garchar, neu wedi'i gadw fel claf iechyd meddwl.

Gweithgaredd

Ymchwiliwch i amrywiol rolau mewn carchardai ac yn y gwasanaeth prawf drwy ymweld â https://prisonandprobationjobs.gov.uk.

Elusennau a charfanau pwyso

Mae elusennau a charfanau pwyso yn chwarae rhan bwysig yn y system cyfiawnder troseddol. Dydyn nhw ddim yn derbyn nawdd gan y llywodraeth ac felly maen nhw'n gallu gweithredu mewn ffordd annibynnol a heriol o fewn y system cyfiawnder. Mae elusennau a charfanau pwyso'n bodoli er mwyn cefnogi ac amddiffyn buddiannau'r rhai sy'n elwa arnyn nhw. Sefydliadau sydd ddim yn gwneud elw yw'r rhain ac yn aml maen nhw'n cael rhai manteision treth gan y llywodraeth.

Ymddiriedolaeth Diwygio'r Carchardai

Elusen yw Ymddiriedolaeth Diwygio'r Carchardai (*PRT: Prison Reform Trust*) a sefydlwyd yn 1981. Mae'n gweithio i greu system gosbi gyfiawn, ddynol ac effeithiol. Yn ôl ei gwefan, ei nod yw:

gwella'r drefn a'r amodau mewn carchardai, amddiffyn a hyrwyddo hawliau dynol carcharorion, rhoi sylw i anghenion teuluoedd carcharorion a hyrwyddo dewisiadau eraill i gadw pobl yn y ddalfa.

Prif amcanion Ymddiriedolaeth Diwygio'r Carchardai yw:

1. Lleihau achosion diangen o garcharu pobl a hyrwyddo atebion cymunedol i droseddu.
2. Gwella triniaeth ac amodau carcharorion a'u teuluoedd.
3. Hyrwyddo cydraddoldeb a hawliau dynol yn y system gyfiawnder.

Mae'r elusen yn gwneud gwaith ymchwil i sawl agwedd ar fywyd yn y carchar ac ar nodweddion carcharorion yn y carchardai a'u cefndir cyn iddyn nhw gael eu hanfon i'r ddalfa. Mae'n rhoi cyngor a gwybodaeth nid yn unig i'r carcharorion a'u teuluoedd ond hefyd i asiantaethau eraill yn y system cyfiawnder troseddol fel myfyrwyr, proffesiwn y gyfraith a'r cyhoedd. Mae'n trefnu darlithoedd a chynadleddau i helpu i hyrwyddo ei gwaith.

Mae trefnu ymgyrchoedd i wella'r system gosbi yn rhan fawr o'i gwaith. Er enghraifft, yr ymgyrch 'Out of Trouble', sy'n ceisio lleihau nifer y plant a phobl ifanc yn y carchar. Neu'r ymgyrch 'Out for Good – Lessons for the Future', project i ddod o hyd i waith i garcharorion ar ôl eu rhyddhau.

Dydy'r Ymddiriedolaeth ddim yn derbyn arian gan y llywodraeth ac mae'n gwbl ddibynnol ar gyfraniadau gwirfoddol i gyflawni ei gwaith.

Cynghrair Howard er Diwygio'r Deddfau Cosbi

Cynghrair Howard er Diwygio'r Deddfau Cosbi (*Howard League for Penal Reform*) yw'r elusen hynaf yn y DU ym maes diwygio deddfau cosbi; cafodd ei sefydlu yn 1866. Cafodd ei henwi ar ôl John Howard, un o ddiwygwyr cyntaf y carchardai. Ei nod yw sicrhau llai o droseddu, cymunedau mwy diogel a llai o bobl yn y carchar, ac mae'n ceisio gweddnewid carchardai ar gyfer y rhai sydd dan glo. Mae'n gweithio gyda'r senedd, y cyfryngau, asiantaethau niferus yn y system cyfiawnder troseddol a'r cyhoedd i gyflawni'r amcanion hyn.

Mae Cynghrair Howard er Diwygio'r Deddfau Cosbi yn hollol annibynnol ar y llywodraeth ac yn cael ei ariannu gan gyfraniadau gwirfoddol a thanysgrifiadau aelodau.

Mae wedi cynnal sawl ymgyrch lwyddiannus, fel yr ymgyrch 'Books for Prisoners', a enillodd wobr elusennol yn 2015, ac ymgyrch i leihau troseddoli ymhlith plant drwy weithio'n agos gyda heddluoedd yng Nghymru a Lloegr. Arweiniodd hyn at ostyngiad o 58% yn nifer y plant a arestiwyd rhwng 2010 a 2015.

Awgrym

Mae nifer o elusennau a charfanau pwyso y gallwch ymchwilio iddyn nhw i ategu eich dysgu yn y maen prawf asesu hwn. Gallai mudiadau eraill gynnwys:

- National Association for the Care and Resettlement of Offenders (NACRO)
- Ymddiriedolaeth y Tywysog.

Howard League for Penal Reform

MPA3.2 DISGRIFIO CYFRANIAD ASIANTAETHAU AT SICRHAU RHEOLAETH GYMDEITHASOL

MEINI PRAWF ASESU	CYNNWYS	YMHELAETHU

MPA3.2 Dylech chi allu ...
 	
Disgrifio cyfraniad asiantaethau at sicrhau rheolaeth gymdeithasol
	Cyfraniad
	• tactegau a mesurau a ddefnyddir gan asiantaethau
	  • amgylcheddol
	    • dylunio
	    • lonydd â gatiau
	  • ymddygiadol
	    • gorchymyn ymddygiad gwrthgymdeithasol (ASBO)
	    • rhaglen atgyfnerthu â thalebau
	  • sefydliadol
	  • gweithdrefnau disgyblu
	    • gwneud rheolau
	    • cyflwyno fesul cam
	• bylchau yn narpariaeth y wladwriaeth
		Dylech chi allu deall yr amrywiaeth o dechnegau a ddefnyddir gan yr asiantaethau a gallu ystyried eu cyfraniad

Cyswllt synoptig

Dylech chi allu cymhwyso eich gwybodaeth a'ch dealltwriaeth o'r canlynol at rôl yr asiantaethau gwahanol:

- polisi ac ymgyrchoedd o Uned 1
- gellir gweld damcaniaethau troseddegol o Uned 2 yn rhai o'r cysyniadau i atal troseddu
- y prosesau a ddefnyddir i ddod â'r sawl a ddrwgdybir o flaen ei well yn Uned 3.

CYFRANIAD

Tactegau a mesurau a ddefnyddir gan asiantaethau

Dylunio amgylcheddol

Mae dylunio amgylcheddol yn ymwneud â sut mae cymdogaeth yn edrych a sut mae'n cael ei ddylunio er mwyn cael effaith ar droseddoldeb. Yr enw ar y ddamcaniaeth hon, a gafodd ei chynnig gan y troseddolegydd C. Ray Jeffery, yw Atal Troseddu drwy Ddylunio Amgylcheddol (*CPTED: Crime Prevention Through Environmental Design*). Mae'n seiliedig ar y syniad syml bod troseddu yn deillio'n rhannol o'r cyfleoedd sydd ar gael yn yr amgylchedd ffisegol. O dderbyn bod hyn yn wir, dylai fod yn bosibl newid yr amgylchedd ffisegol er mwyn gwneud troseddu yn llai tebygol.

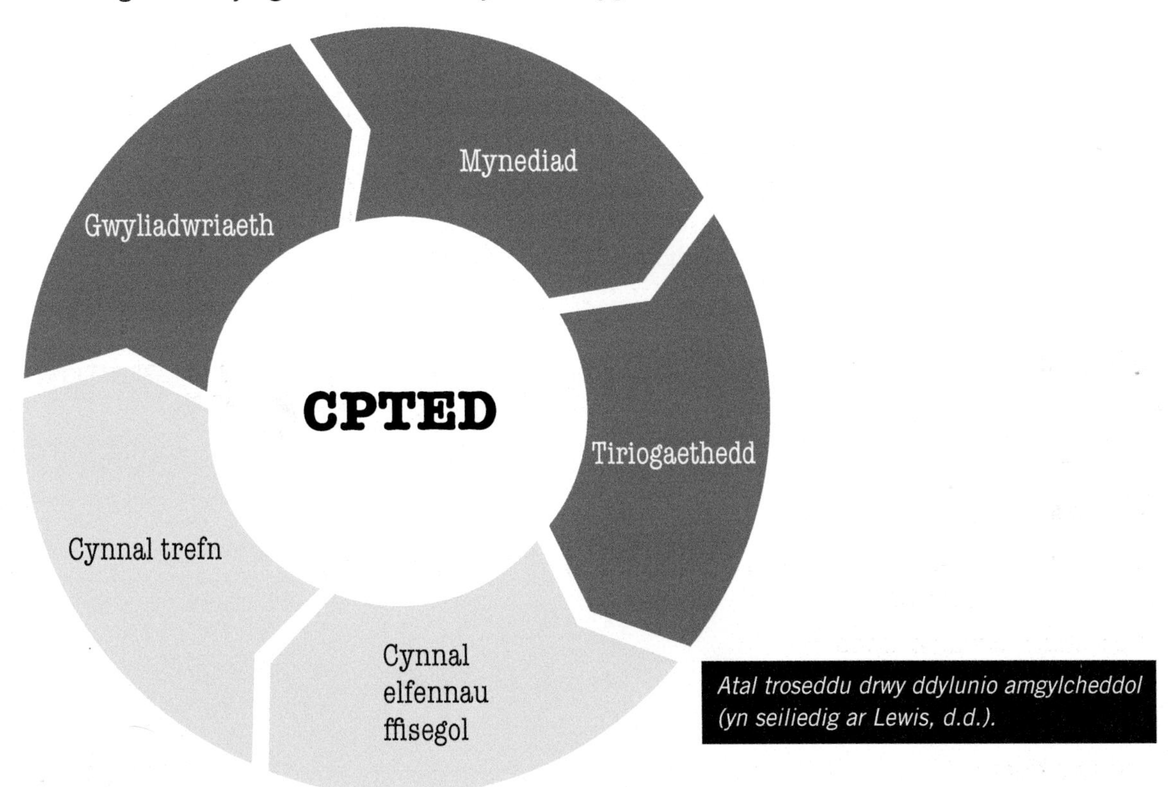

Atal troseddu drwy ddylunio amgylcheddol (yn seiliedig ar Lewis, d.d.).

Gellir lleihau troseddu drwy'r dulliau canlynol:

- creu mannau agored yn cynnwys goleuadau cryf, yn enwedig ger drysau, i sicrhau gwelededd
- cael gwared ar leoedd i guddio er mwyn i bobl weld heibio i leoedd fel corneli a dallbwyntiau
- sicrhau bod gwrychoedd yn isel, sy'n golygu bod modd gweld yn glir.

Mae twll grisiau caeëdig yn arwain at welededd isel ac yn golygu ei bod yn hawdd i bobl ddod i mewn a dianc. Bu farw Damilola Taylor mewn twll grisiau concrit ar stad o dai a gondemniwyd. Roedd y llofruddiaeth ofer hon yn ganlyniad chwalfa yng ngwerthoedd y gymdeithas a byddai ymagwedd realaeth y dde yn argymell cymryd safbwynt cadarn i ddelio â throseddau o'r fath.

Mae llawer o nodweddion cadarnhaol yn perthyn i CPTED, er enghraifft mae'n annog ymdeimlad o berchnogaeth, gyda waliau allanol ysgolion yn cael eu gorchuddio â gwaith celf a gerddi'n cael eu trin gan breswylwyr. Gallai hyn ymwneud â'r safbwynt swyddogaethol at droseddu lle mae ffiniau'n cael eu cynnal mewn ffordd gadarnhaol. Sylwodd Brown ac Altman (1981) fod addasiadau ffisegol yn awgrymu gofal a sylwgarwch gan breswylwyr ac yn helpu i hyrwyddo lleoliadau preswyl mwy diogel.

Mae ymchwil yn dangos bod y gyfradd troseddu yn uwch mewn dinasoedd lle mae blociau o fflatiau uchel nag ydyw mewn dinasoedd ag adeiladau isel (Efrog Newydd – Brownsville a Van Dyke, 2001, dyfynnir yn Cozens et al. 2001). Yn Ohio, mae partneriaeth CPTED gyda rheolwyr yr awdurdod tai, preswylwyr a swyddogion heddlu wedi arwain at ostyngiad o 12–13% mewn troseddu.

Fodd bynnag, mae egwyddorion CPTED yn awgrymu bod troseddwyr yn gweithredu mewn mannau cudd. Eto i gyd, nid yw hyn bob amser yn wir, er enghraifft mae graffiti yn aml i'w weld mewn lleoliadau amlwg iawn. Hefyd, efallai fod troseddu yn symud i ardal arall yn hytrach na chael ei atal.

Dyluniwch eich tref eich hun gan ddefnyddio egwyddorion CPTED.

Dyluniad carchardai

Gall dyluniad carchardai hefyd gael effaith ar droseddu. Y dyluniad traddodiadol ar gyfer carchardai yw'r siâp panoptigon (gweld popeth). Cysyniad y dyluniad hwn yw bod gwyliwr yn gallu gweld yr holl garcharorion heb i'r carcharorion wybod a oes rhywun yn eu gwylio. Mae tŵr yng nghanol yr adeilad, ac o'r fan hon mae'n bosibl gweld pob cell lle mae carcharor yn cael ei gadw. Mewn geiriau eraill, mae bod yn y golwg yn drap. Mae'n bosibl gweld y carcharorion ond dydyn nhw ddim yn gallu cyfathrebu â'r swyddogion carchar na'r carcharorion eraill. Mae'r 'dyrfa' wedi'i dileu. Mae'r dyluniad yn sicrhau ymdeimlad o weledEdd parhaol sy'n sicrhau pŵer.

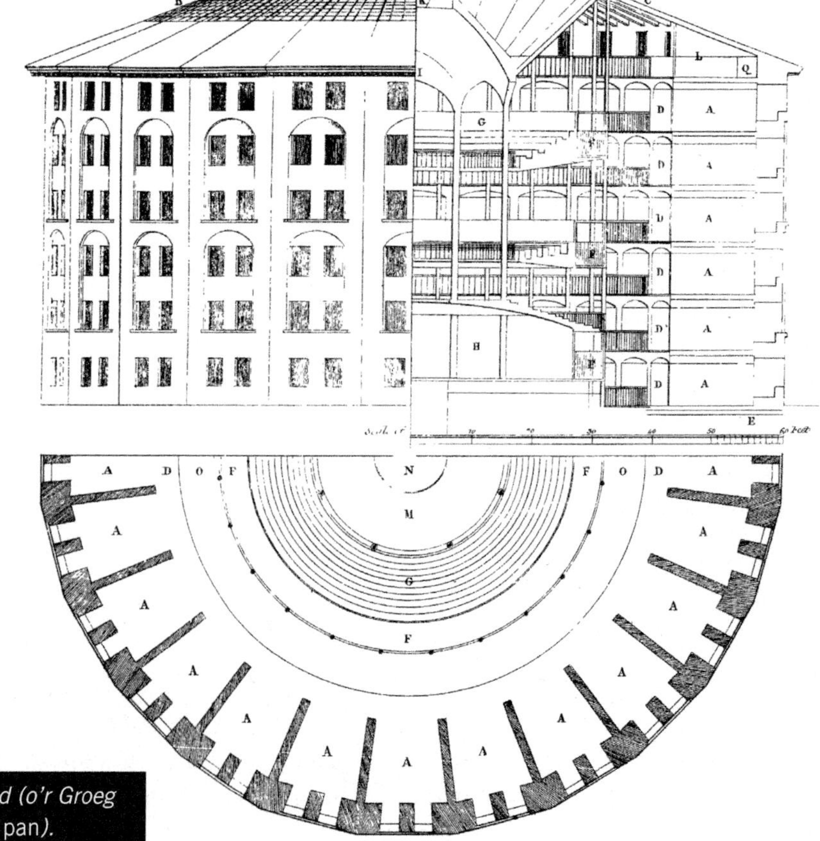

Ystyr 'panoptigon' yw gweld (o'r Groeg opticon*) popeth (o'r Groeg* pan*).*

Mae dyluniadau carchardai eraill ar gael hefyd fel yr uwch-garchardai 'supermax' Americanaidd. Dyma'r carchardai mwyaf diogel ('super maximum'). Yr amcan yw darparu tai unigol, tymor hir i garcharorion sy'n cynrychioli'r risg diogelwch uchaf, gan gynnwys y rhai sy'n cael eu hystyried yn fygythiad i ddiogelwch cenedlaethol a rhyngwladol. Er enghraifft, mae carchar Florence, Colorado, yn dal rhai o derfysgwyr a llofruddion mwyaf adnabyddus America mewn unedau ar eu pen eu hunain. Mae tua 360 o garcharorion yn cael eu cadw yno o dan yr amodau diogelwch mwyaf cadarn. Mae carchar 'supermax' yn costio dwy neu dair gwaith yn fwy i'w adeiladu a'i redeg na charchar diogelwch uchel traddodiadol.

Carchar mwyaf newydd y DU yw CEM Berwyn yn Wrecsam, Gogledd Cymru, a dyma garchar mwyaf y wlad hefyd – mae'n dal 2,106 o garcharorion. Fodd bynnag, mae'r ystafelloedd wedi'u rhannu yn unedau llai er mwyn ei gwneud yn haws i reoli'r carcharorion.

Mae'r llywodraeth wedi addo adeiladu mwy o garchardai, gan ymrwymo £4 biliwn i adeiladu cyfanswm o 18,000 o leoedd mewn carchar. Mae hyn yn cynnwys y 10,000 o leoedd sydd eisoes wedi'u cyhoeddi yn ogystal ag adeiladu CEM Five Wells a CEM Glen Parva. Bydd y lleoedd sy'n weddill yn cael eu creu drwy: adeiladu pedwar carchar newydd; rhoi estyniad ar bedwar carchar arall; ac adnewyddu'r carchardai sy'n bodoli'n barod.

CEM Berwyn, carchar mwyaf newydd y DU.

Bydd y carchar newydd cyntaf yn cael ei adeiladu wrth ymyl CEM Full Sutton, yn Nwyrain Swydd Efrog, ac mae gwaith yn mynd rhagddo ar hyn o bryd i nodi lleoliadau ar gyfer carchar arall yng Ngogledd Orllewin Lloegr, a dau yn y De Ddwyrain.

Bydd blociau tŷ newydd yn cael eu hadeiladu yn CEM Guys Marsh, CEM Rye Hill a CEM Stocken, a gweithdy newydd yn CEM High Down. Bydd disgwyl i'r gwaith adeiladu hwn greu 930 o leoedd newydd, a'r nod yw cwblhau'r gwaith erbyn 2023.

Damcaniaethu

Mae dyluniad Carchar Bastøy yn Norwy yn wahanol iawn i'r arfer, ac mae wedi'i ddisgrifio fel 'carchar dynol ecolegol'. Mae beirniaid yn awgrymu bod y dyluniad yn debyg i wersyll gwyliau, lle mae'r carcharorion yn byw mewn tai sydd wedi'u gosod mewn pentref hunangynhaliol, yn hytrach na chelloedd. Fodd bynnag, mae'r ymagwedd realaeth y chwith hon at droseddoldeb yn arwain at gyfradd aildroseddu isel iawn o 20% o'i chymharu â 60% yn y DU.

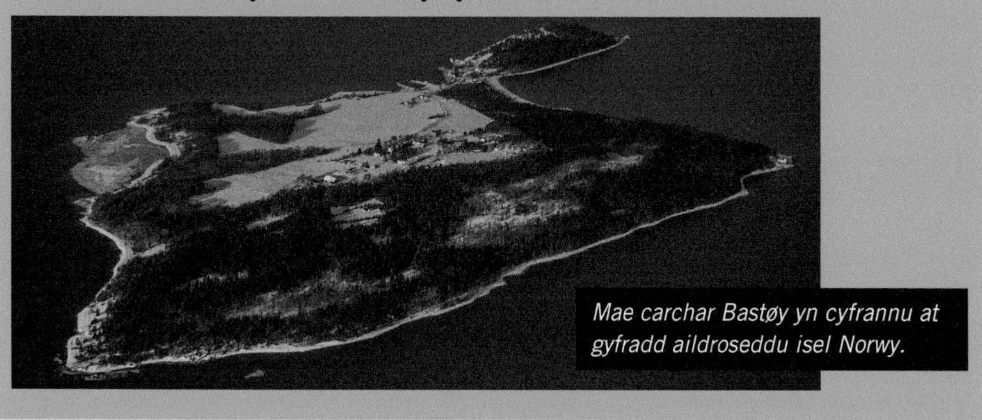
Mae carchar Bastøy yn cyfrannu at gyfradd aildroseddu isel Norwy.

Un dyluniad amgylcheddol arall a allai ddylanwadu ar droseddoldeb yw lonydd â gatiau. Gatiau yw'r rhain sy'n cael eu gosod ger y fynedfa i lonydd y tu ôl i dai er mwyn atal lladron neu droseddwyr eraill rhag eu defnyddio i gael mynediad anghyfreithlon o gefn y tai. Daeth rheoliadau'r llywodraeth i rym ar 1 Ebrill 2006 yn rhoi pwerau i awdurdodau lleol godi gatiau ar ffyrdd cyhoeddus i drechu troseddu ac ymddygiad gwrthgymdeithasol.

Mae cynllun lonydd â gatiau yn Preston, Swydd Gaerhirfryn, wedi bod yn boblogaidd iawn gyda'r preswylwyr, gan wneud iddyn nhw deimlo y gallan nhw hawlio eu strydoedd yn ôl. Mae gatiau hefyd wedi'u gosod ar lonydd yng Nghaerdydd mewn ymgais i drechu cyfraith ac anhrefn. Mae'r preswylwyr sydd o'u plaid wedi awgrymu bod y cynllun wedi lleihau troseddu ac atal sbwriel rhag cael ei adael yn y lonydd cefn. Fodd bynnag, mae eraill wedi awgrymu bod y gost o tua £4,000 i osod un gât ar bob pen i lôn yn rhy ddrud i'w gyfiawnhau.

Defnyddir lonydd â gatiau fel dull amgylcheddol o reoli troseddu.

Gweithgaredd

Copïwch a llenwch y tabl isod.

MATH O DDYLUNIAD AMGYLCHEDDOL	SUT MAE'N GWEITHIO	AGWEDDAU CADARNHAOL O RAN CYFRANNU AT REOLAETH GYMDEITHASOL	AGWEDDAU NEGYDDOL O RAN CYFRANNU AT REOLAETH GYMDEITHASOL
CPTED			
Dyluniad carchardai			
Lonydd â gatiau			

Tactegau ymddygiadol

Gallai ASBO gael ei ystyried yn destun brolio.

Tactegau yw'r rhain sy'n cael eu defnyddio gan asiantaethau i newid ymddygiad rhywun a'i wneud yn fwy parod i gydymffurfio â chymdeithas. Cafodd gorchmynion ymddygiad gwrthgymdeithasol (ASBOs) eu cyflwyno yn 1998 i newid ymddygiad gwrthgymdeithasol lefel isel a'i reoli, sef rhegi ac yfed gan amlaf. Fodd bynnag, roedd ASBOs hefyd yn ddadleuol ac awgrymodd llawer o feirniaid fod troseddwyr parhaus yn eu hystyried yn bethau dymunol ac yn destun brolio. Roedd pobl yn aml yn eu torri. Yn ôl grŵp hawliau sifil Liberty, cafodd 56% o ASBOs eu torri yn 2009. Does dim syndod felly i'r gorchmynion gael eu disodli yn y pen draw gan y gorchmynion ymddygiad troseddol (CBOs).

Mae'r gorchymyn ymddygiad troseddol ar gael o dan Ddeddf Ymddygiad Gwrthgymdeithasol, Troseddu a'r Heddlu 2014 (ABCPA), i'w ddefnyddio yn erbyn troseddwyr gwrthgymdeithasol sydd wedi ymddwyn mewn ffordd a achosodd aflonyddu, ofn a gofid mawr – yr un prawf â'r un a ddefnyddiwyd ar gyfer yr ASBOs. O dan y gorchymyn, byddai rhywun a gafwyd yn euog yn cael ei wahardd rhag cymryd rhan mewn rhai gweithgareddau neu fynd i rai lleoedd, a byddai'n rhaid iddo geisio newid ei ymddygiad, er enghraifft drwy fynychu rhaglen triniaeth cyffuriau. Y gofyniad cadarnhaol hwn yw'r prif wahaniaeth rhwng yr hen orchmynion a'r rhai newydd. Gallai oedolyn sy'n torri'r gorchymyn wynebu hyd at bum mlynedd yn y carchar.

Mae rhaglenni atgyfnerthu â thalebau yn ffordd arall o geisio rheoli ymddygiad. Maen nhw'n seiliedig ar y cysyniad seicolegol o addasu ymddygiad, sy'n golygu gwobrwyo ymddygiad cadarnhaol a chosbi ymddygiad negyddol. Mewn rhaglen atgyfnerthu â thalebau, bydd rheolwyr y sefydliad yn llunio rhestr o ymddygiadau maen nhw'n dymuno eu hyrwyddo. Mae hyn yn digwydd yn y carchar mewn ymgais i reoli ymddygiad. Gall enghreifftiau o'r ymddygiad a ddymunir gynnwys:

- dilyn yr holl reolau
- cadw'n lân
- cadw'r gell yn lân
- dim ymladd
- dim bygwth
- dim mwy o weithgaredd troseddol
- bod yn weithgar
- chwilio am swydd.

Yn gyfnewid am ymddygiad cadarnhaol o'r fath, bydd gwobrau yn cael eu rhoi, fel amser ychwanegol i ymwelwyr neu daliad ariannol.

Termau allweddol

Gorchymyn ymddygiad gwrthgymdeithasol (ASBO): Gorchymyn llys roedd awdurdodau lleol yn arfer gallu ei roi er mwyn cyfyngu ar ymddygiad rhywun a oedd yn debygol o achosi niwed neu drallod i'r cyhoedd.

Gorchymyn ymddygiad troseddol (CBO): Gorchymyn sy'n mynd i'r afael â'r unigolion gwrthgymdeithasol mwyaf difrifol a chyson sydd gerbron llys troseddol oherwydd eu hymddygiad. Gall ddelio ag amrywiaeth eang o ymddygiadau gwrthgymdeithasol ar ôl cael y troseddwr yn euog, gan gynnwys trais bygythiol yn erbyn eraill neu fod yn feddw ac yn ymosodol yn aml yn gyhoeddus.

Rhaglen atgyfnerthu â thalebau: Dull o addasu ymddygiad sy'n cynyddu ymddygiad dymunol ac yn lleihau ymddygiad annymunol drwy ddefnyddio talebau. Mae unigolion yn derbyn talebau ar ôl ymddwyn mewn ffordd ddymunol. Mae'r rhain yn cael eu casglu a'u cyfnewid am wrthrych neu fraint.

Gall rhaglen atgyfnerthu â thalebau gael ei hystyried yn fath effeithiol o reolaeth gymdeithasol, gan fod ymchwil yn dangos ei bod yn effeithiol yn y tymor hir yn hytrach nag yn y tymor byr (Hobbs a Holt, 1979). Fodd bynnag, efallai mai un o'i gyfyngiadau yw'r ffaith na fydd y rhaglen atgyfnerthu â thalebau yn cael ei gweithredu ym mywyd pob dydd y troseddwr pan ddaw allan o'r carchar. Yna, efallai na fyddai'r troseddwr eisiau ymddwyn yn gadarnhaol yn y gymdeithas gan ei fod yn gwybod na fydd yn cael ei wobrwyo am wneud hynny.

Damcaniaethu

Gellir ystyried bod yr ymagwedd atgyfnerthu â thalebau yn cysylltu â damcaniaethau unigolyddol o droseddoldeb. Mewn geiriau eraill, mae'n gysylltiedig â'r ffordd mae unigolyn yn dysgu ac yn ymateb i brofiadau bywyd a sut mae rheolaeth yn cael ei harfer.

Tactegau sefydliadol

Mae gan rai sefydliadau eu dulliau neu eu tactegau eu hunain o reoli ymddygiad annerbyniol. Fel y nodwyd ar y dudalen flaenorol, rhaid i'r carchar osod rheolau i gadw rheolaeth ac atal mwy o droseddu. Mae'r canlynol yn enghreifftiau o bethau na ddylid eu gwneud yn y carchar:

- Ymddwyn mewn ffordd a allai dramgwyddo, bygwth neu niweidio rhywun arall.
- Atal staff carchardai rhag gwneud eu gwaith.
- Difrodi'r carchar.
- Peidio ag ufuddhau i'r hyn bydd staff y carchar yn dweud wrthoch chi am ei wneud.

Rhaid dilyn rheolau yn y carchar.

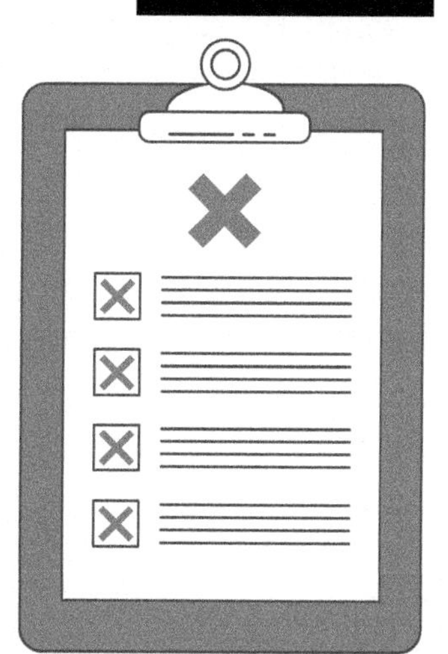

Mae'r canlynol yn enghreifftiau o gosbau os bydd rheolau'r carchar yn cael eu torri:

- Gallech gael rhybudd.
- Gallai eich breintiau (fel cael teledu yn eich cell) gael eu tynnu am hyd at 42 diwrnod.
- Gallai gwerth hyd at 84 diwrnod o arian rydych wedi'i ennill gael ei atal.
- Gallech chi gael eich cloi mewn cell ar eich pen eich hun i ffwrdd o'r carcharorion eraill am hyd at 35 diwrnod. Cyfyngu i'r gell yw'r enw ar hyn.

Yn ogystal â'r carchardai, mae gan sefydliadau eraill eu rheolau eu hunain i atal anhrefn. Gall ysgolion gadw plant i mewn am dorri rheolau fel gwisgo'r wisg ysgol anghywir. Mae Cymdeithas y Gyfraith a'r Cyngor Meddygol Cyffredinol (GMC) yn sefydliadau sy'n gosod rheolau ac yn cosbi eu haelodau. Gall Cymdeithas y Gyfraith ddisgyblu cyfreithwyr drwy eu dileu o Rôl y Cyfreithwyr ac felly eu hatal rhag gweithio. Gall y GMC hefyd gosbi meddygon drwy eu diarddel o'r proffesiwn meddygol.

Term allweddol

Cyfyngu i'r gell: Cael eich cyfyngu i'ch cell, heb gyfle i gymdeithasu â charcharorion eraill, yn gosb.

Mae gan yr heddlu weithdrefn ddisgyblu fesul cam i ddelio â throseddwyr cyn i'r achos llys ddigwydd. Mae hyn yn cynnwys cyfres o rybuddion. Maen nhw'n cynnig cyfle arall i'r troseddwr gyfaddef ei fod yn euog heb orfod wynebu achos llys. Yn yr un ffordd, mae'r Gwasanaeth Prawf Cenedlaethol yn caniatáu torri'r gorchymyn cymunedol ddwywaith am fân resymau fel rhybudd cyn cyfeirio'r mater yn ôl at lys.

Bylchau yn narpariaeth y wladwriaeth

Er bod asiantaethau yn y system cyfiawnder troseddol yn defnyddio tactegau neu fecanweithiau i atal troseddu, mae llawer o fylchau yn narpariaeth y wladwriaeth o hyd. Mae troseddau sydd ddim yn cael eu reportio yn aml yn cael eu galw'n ffigur tywyll trosedd. Dim ond os cân nhw wybod am droseddau y gall yr heddlu eu datrys. Os nad ydyn nhw'n gwybod am y drosedd, ni fydd yn bosibl cosbi'r troseddwr. Amcangyfrifir y gall troseddau heb eu reportio ffurfio canran uchel o droseddau, yn fwy hyd yn oed na chanran y troseddau a reportiwyd i'r heddlu.

Cyswllt synoptig

Mae hyn yn cysylltu ag Uned 1 a throseddau sydd ddim yn cael eu reportio.

- Mae cam-drin domestig yn aml yn faes sydd ddim yn cael ei reportio. Mae'n bosibl y gall ofn mwy o gamdriniaeth a thrais atal pobl rhag reportio'r drosedd. Ar y llaw arall, oherwydd rhyw deyrngarwch neu gariad dall, efallai nad yw'r dioddefwr eisiau i'r ymosodwr fynd i helynt gyda'r heddlu.
- Yn yr un modd, dydy popl ddim yn reportio troseddau coler wen oherwydd diffyg tystiolaeth bod trosedd wedi digwydd neu'r bwlch amser rhwng cyflawni'r drosedd a sylwi ei bod wedi'i chyflawni.

Yn aml, nid yw pobl yn reportio cam-drin domestig.

Gall toriadau i'r gyllideb gael effaith ar ymdrechion i fynd i'r afael ag achosion troseddol, yn enwedig o fewn gwasanaeth yr heddlu. Wrth i bobl honni nad oes digon o heddlu ar y rownd a bod gormod o achosion yn cael eu trin â rhybuddion, mae'n amlwg bod arian yn rhywbeth sy'n arwain at fwlch yn narpariaeth y wladwriaeth.

Yn aml, gall gorfod glynu wrth un set o gyfreithiau atal eraill rhag cael eu gweithredu gan greu bwlch yn y ddarpariaeth. Yn ôl papur newydd *The Sun* (Newton Dunn, 2015), mae un rhan o dair o'r rhai sydd wedi ennill achos yn erbyn y DU yn Llys Hawliau Dynol Ewrop yn derfysgwyr, yn garcharorion neu'n droseddwyr. Er enghraifft, mae nifer o derfysgwyr o dramor wedi defnyddio Deddf Hawliau Dynol 1998 i aros yn y DU ac osgoi cael eu hallgludo.

Mae troseddau heb eu reportio yn aml yn cael eu galw'n ffigur tywyll trosedd.

Cwestiynau enghreifftiol

Dyma gwestiynau arholiad enghreifftiol yn y maes hwn:

Uned 4 – Arholiad 2017
Disgrifiwch ddau o'r mesurau amgylcheddol mae asiantaethau yn eu defnyddio i sicrhau rheolaeth gymdeithasol. **[4 marc]**

Uned 4 – Arholiad 2019
Disgrifiwch un dacteg ymddygiadol sy'n cael ei defnyddio gan garchardai i sicrhau rheolaeth gymdeithasol. **[5 marc]**

SYLWCH: o 2020 ymlaen, bydd y newidiadau yn y bandiau marciau yn golygu bod y cwestiwn hwn werth naill ai 4 neu 6 marc.

Cyngor

Gwnewch yn siŵr eich bod yn gallu dangos y cysylltiadau rhwng tactegau neu fesurau a'r damcaniaethau troseddegol, fel maen nhw'n cael eu defnyddio gan asiantaethau.

Uned 4 – Arholiad 2017

Disgrifiwch ddau fesur amgylcheddol a ddefnyddir gan asiantaethau i sicrhau rheolaeth gymdeithasol. **[4 marc]**

Un mesur amgylcheddol yw'r defnydd o lonydd â gatiau. Mae gatiau yn cael eu gosod ar ddiwedd lôn i reoli mynediad. Mae'r gatiau hefyd yn lleihau troseddu drwy gyfyngu ar y bobl sy'n gallu dod i mewn. Byddai hyn yn helpu i atal troseddau fel taflu sbwriel yn anghyfreithlon ac achosion o ddwyn sy'n digwydd drwy ddefnyddio mynedfa yng nghefn y tai.

Ail fesur posibl fyddai dyluniad carchar. Yn draddodiadol, mae'r siâp 'panoptigon' (gweld popeth) wedi cael ei ddefnyddio. Mae'n cynnwys tŵr yn y canol ac mae'n bosibl gweld yr holl gelloedd oddi yno. Y trap yw bod yn y golwg. Yna bydd carcharorion yn cydymffurfio gan eu bod yn teimlo bod pobl yn eu gwylio.

Asesiad

Byddai hwn yn perthyn i fand marciau 3–4. Mae dwy enghraifft briodol o ddyluniad amgylcheddol yn cael eu disgrifio'n gywir. Ar gyfer cwestiwn 4 marc, mae'r lefel gywir o wybodaeth wedi'i chynnwys.

MPA3.3 ARCHWILIO'R CYFYNGIADAU SYDD AR ASIANTAETHAU O RAN SICRHAU RHEOLAETH GYMDEITHASOL

MEINI PRAWF ASESU	CYNNWYS	YMHELAETHU
MPA3.3 Dylech chi allu ... Archwilio'r cyfyngiadau sydd ar asiantaethau o ran sicrhau rheolaeth gymdeithasol	**Cyfyngiadau** • troseddwyr sy'n troseddu eto/ atgwympo • rhyddid sifil a rhwystrau cyfreithiol • mynediad at adnoddau a chymorth • cyllid • polisïau lleol a chenedlaethol • amgylchedd • troseddau a gyflawnir gan y rhai sy'n gweithredu am resymau moesol	Dylech chi ddeall y cyfyngiadau sydd ar asiantaethau rheolaeth gymdeithasol a gallu ystyried goblygiadau'r cyfyngiadau hyn

Cyswllt synoptig

Dylech chi allu cymhwyso eich dealltwriaeth o ddamcaniaethau troseddegol o Uned 2 wrth ystyried y cyfyngiadau. Byddwch chi hefyd yn defnyddio eich dealltwriaeth o bolisi ac ymgyrchoedd dros newid wrth ystyried y cyfyngiadau sydd ar asiantaethau.

Cyfyngiadau

Troseddwyr sy'n troseddu eto/atgwympo

Os na fydd troseddwyr yn llwyddo i adsefydlu ac yn parhau i droseddu, ni fydd rheolaeth gymdeithasol byth yn cael ei chyflawni. Atgwympo yw un o'r rhesymau pam mae poblogaeth y carchardai wedi cynyddu'n ddramatig dros yr 20 mlynedd diwethaf. Yn ôl Ymddiriedolaeth Diwygio'r Carchardai, rhwng 1993 a 2015 mae poblogaeth carchardai Cymru a Lloegr wedi dyblu bron, ac mae 41,000 ychwanegol o bobl yn y carchar, gan wneud cyfanswm y bobl sydd yn y ddalfa ddiwedd Mehefin 2016 yn 89,332.

Erbyn hyn, mae'n ofynnol i unrhyw un sy'n gadael y ddalfa ac sydd wedi bwrw dedfryd o ddau ddiwrnod neu fwy dreulio o leiaf 12 mis o dan oruchwyliaeth yn y gymuned. O ganlyniad, mae nifer y bobl sy'n cael eu galw yn ôl i'r ddalfa ar ôl eu rhyddhau wedi cynyddu'n sylweddol. Mae'r boblogaeth sy'n cael ei galw yn ôl bellach 19% yn uwch na phan gafodd y newidiadau eu cyflwyno ym mis Chwefror 2015, gyda bron 1,100 mwy o bobl.

Mae Bromley Briefings Prison Factfile, Gaeaf 2021 yn dangos bod aildroseddu yn cyfyngu ar allu carchardai i sicrhau rheolaeth gymdeithasol. Er enghraifft:

- Mae'r gyfradd ail-euogfarnu o fewn blwyddyn ar ôl gadael y carchar yn uchel iawn – 48%.
- Fodd bynnag, mae'r gyfradd ail-euogfarnu ar gyfer oedolion sydd wedi bwrw dedfryd o llai na 12 mis yn y carchar hyd yn oed yn uwch – 63%.
- Mae cyfradd ail-euogfarnu menywod a gafodd eu rhyddhau yn y flwyddyn ddiwethaf ar ôl bwrw dedfryd fer yn y carchar yn neidio i 73%.
- Cyfradd ail-euogfarnu plant wedi'u rhyddhau o'r carchar o fewn blwyddyn ac sy'n bwrw dedfryd fer yw 77%.
- Amcangyfrifwyd bod cyfanswm cost economaidd a chymdeithasol aildroseddu bob blwyddyn yn cyrraedd £18.1 biliwn.

Mae poblogaeth y carchardai wedi cynyddu'n sylweddol dros yr 20 mlynedd diwethaf.

Damcaniaethu

Gall y ddamcaniaeth dysgu cymdeithasol esbonio rhai o'r ystadegau hyn, oherwydd bod troseddwyr yn dysgu a chopïo oddi wrth ei gilydd yn y system garchardai. Gall carcharorion ddod yn droseddwyr 'gwell', gan ddysgu sgiliau oddi wrth ei gilydd sy'n eu hannog i barhau i droseddu ar ôl cael eu rhyddhau.

Rhyddid sifil a rhwystrau cyfreithiol

Rhyddid sifil yw hawliau a rhyddid sylfaenol sy'n cael eu rhoi i ddinasyddion gwlad drwy'r gyfraith. Mae'r rhain yn cynnwys:

- rhyddid barn
- rhyddid i symud
- rhyddid rhag arestiad mympwyol
- rhyddid i ymgynnull
- rhyddid i gymdeithasu
- rhyddid i addoliad crefyddol.

Gall rhyddid sifil gyfyngu ar reolaeth gymdeithasol, oherwydd bod gan bobl yr hawl i ryddid barn, rhyddid i symud, ac ati. Felly, gellir ei ystyried yn rhywbeth sy'n cyfyngu ar asiantaethau fel yr heddlu i gyflawni rheolaeth gymdeithasol. Er enghraifft, nid yw'n bosibl gorfodi dinasyddion tramor sydd wedi'u dedfrydu'n euog i adael y DU oherwydd rheoliadau'r UE. Nid yw'n bosibl eu hallgludo gan fod y carcharorion mewn perygl yn eu gwlad frodorol.

Gall rhyddid sifil gyfyngu ar reolaeth gymdeithasol.

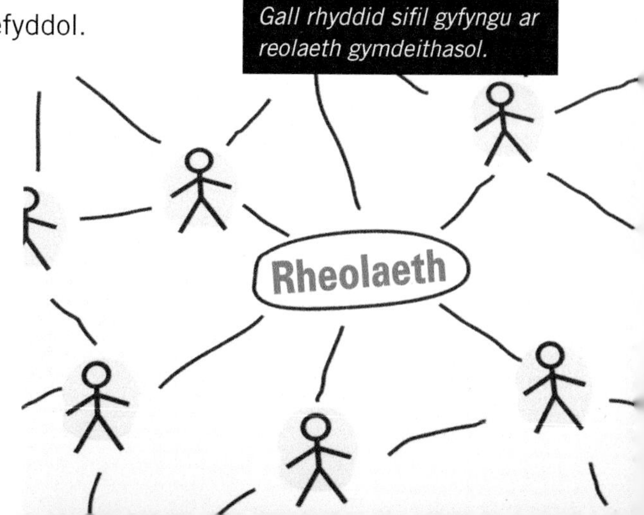

ASTUDIAETH ACHOS

ABU QATADA

Mae achos Abu Qatada yn dangos sut gall rhyddid sifil gyfyngu ar gyflawni rheolaeth gymdeithasol, oherwydd yn 2012 dyfarnodd Llys Hawliau Dynol Ewrop na allai'r pregethwr casineb gael ei allgludo i Wlad Iorddonen oherwydd y risg y byddai'n cael ei roi ar brawf ar dystiolaeth a gafwyd drwy arteithio. Dywedodd Theresa May, yr Ysgrifennydd Cartref ar y pryd, y byddai'r clerigwr Islamaidd radical wedi cael ei anfon yn ôl i Wlad Iorddonen yn gynt o lawer pe na bai Llys Hawliau Dynol Ewrop wedi 'symud y pyst gôl' drwy sefydlu rhesymau newydd, cyfreithiol digynsail i atal ei allgludo. Cafodd ei allgludo yn 2013 yn y pen draw.

Abu Qatada

Damcaniaethu

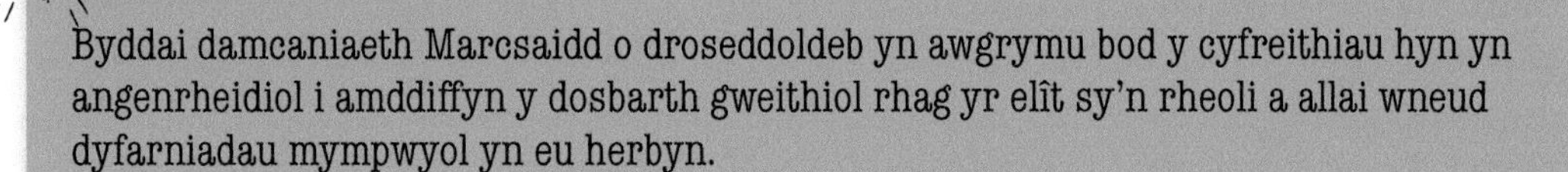

Byddai damcaniaeth Marcsaidd o droseddoldeb yn awgrymu bod y cyfreithiau hyn yn angenrheidiol i amddiffyn y dosbarth gweithiol rhag yr elît sy'n rheoli a allai wneud dyfarniadau mympwyol yn eu herbyn.

Mae rhai yn dadlau y gallai rhyddid sifil gyfyngu ar reolaeth gymdeithasol.

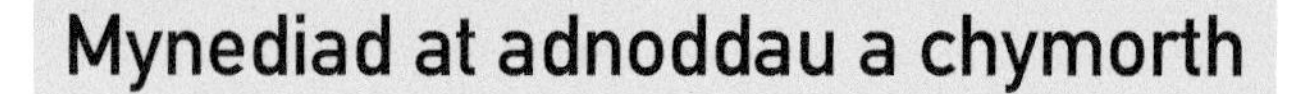

Mynediad at adnoddau a chymorth

Mae diffyg mynediad at adnoddau a chymorth yn cyfyngu ar allu carcharorion i adsefydlu a thrwy hynny sicrhau rheolaeth gymdeithasol. Pan fydd troseddwr yn cael ei ryddhau o'r carchar, bydd yn wynebu problemau o ran cyllid, llety a chyflogaeth neu gyfleoedd hyfforddiant. Daw'r ffeithiau canlynol o Bromley Briefings Prison Factfile, Gaeaf 2021 (Ymddiriedolaeth Diwygio'r Carchardai, 2021):

- Mae lefelau llythrennedd ymhlith carcharorion yn parhau i fod yn sylweddol is na'r boblogaeth yn gyffredinol. Aseswyd bod gan bron i ddau draean (62%) o bobl oedd yn cyrraedd y carchar sgiliau llythrennedd sy'n ddisgwyliedig mewn plant 11 oed – dros bedair gwaith yn uwch na'r boblogaeth gyffredinol o oedolion (15%).
- Gwnaeth 78,000 o oedolion yn y carchar gymryd rhan mewn gweithgareddau addysg ym mlwyddyn academaidd 2017–2018 – gostyngiad o 12% o'i gymharu â'r flwyddyn flaenorol.
- Gwelwyd gostyngiad o 13% yn nifer y bobl a ennillodd gymwysterau yn 2017–2018.
- Cafodd ychydig dros draean o garchardai (36%) sgôr gadarnhaol gan arolygwyr yn 2019–2020 am waith gweithgareddau pwrpasol – gostyngiad sylweddol o'r 50% o garchardai yn 2016–2017.

Mae'r llywodraeth wedi cyhoeddi cynlluniau i gyflwyno Llwybr Prentisiaeth i Garcharorion er mwyn cynnig cyfleoedd i garcharorion a fydd yn cyfrif tuag at gwblhau prentisiaeth ffurfiol ar ôl eu rhyddhau.

Gall rhai pobl dderbyn grant rhyddhad i'w helpu pan fyddan nhw'n cael eu rhyddhau; fodd bynnag, mae hwn wedi aros yr un peth ar £46 ers 1997. Mae miloedd o garcharorion yn anghymwys, gan gynnwys y rhai sy'n cael eu rhyddhau o fod ar remánd, rhai sydd heb dalu dirwyon a phobl sydd yn y carchar am lai na 15 diwrnod.

Nid yw carcharorion sydd wedi'u dedfrydu, ac y mae disgwyl iddyn nhw fod yn y carchar am fwy na 13 wythnos, yn gymwys i dderbyn budd-dal tai. Mae hyn yn golygu nad oes gan nifer o garcharorion fawr ddim gobaith o gadw eu tenantiaeth ar agor tan ddiwedd eu dedfryd ac maen nhw'n colli eu tai. Roedd un o bob deg (11%) a gafodd eu rhyddhau o'r ddalfa yn 2014–2015 heb lety sefydlog.

Gall y diffyg cymorth neu adnoddau sydd ar gael olygu bod carcharorion yn cael eu temtio i fynd yn ôl at droseddu. Yn ôl yr elusen cyfiawnder cymdeithasol NACRO (*National Association of the Care and Resettlement of Offenders*), o'r 38,000 o bobl a helpwyd ganddyn nhw yn 2016/2017, roedd ar 48% o'r rhai y cafwyd hyd i gartref ar eu cyfer angen cymorth cynradd neu eilaidd i reoli'r risg o droseddu.

Cyllid

Yn anorfod, mae cyllid y sector cyhoeddus yn gyfyngedig a bydd toriadau i gyllidebau yn cael effaith ar effeithiolrwydd asiantaethau o ran darparu rheolaeth gymdeithasol. Mae gwasanaeth yr heddlu wedi wynebu toriadau i'w gyllideb dros y blynyddoedd diwethaf ac nid yw'r arian yn debygol o gael ei gynyddu dros y blynyddoedd i ddod. Mae penawdau sy'n dangos hyn yn cynnwys:

- 'Police Budgets Slashed by £300m Despite Top Officers' Warnings' (Barrett, 2014).
- 'Police Forces all Face Major Budget Cuts' (BBC News, 2015).
- 'Watchdog Says Police Cuts Have Left Forces in "Perilous State"' (Grierson, 2017).

Yn ôl Papur Briffio Tŷ'r Cyffredin, Cyllid yr Heddlu Rhif 7279, 25 Chwefror 2016, mae'r grant canolog i heddluoedd wedi gostwng 25% mewn termau real rhwng 2010/11 a 2014/15. Bydd hyn yn amlwg yn cyfyngu ar nifer y swyddogion heddlu a fydd ar gael i ymchwilio i droseddau a'u canfod. Rhybuddiodd Arolygiaeth Cwnstabliaeth Ei Mawrhydi (*HMIC: Her Majesty's Inspectorate of Constabulary*) fod prinder ditectifs ac ymchwilwyr yn gyfystyr ag 'argyfwng cenedlaethol'.

Mae Gwasanaeth Carchardai EM hefyd yn dioddef oherwydd toriadau cyllidebol. Yn ôl gwefan Prisonphone (2017) rhwng 2011/12 a 2014/15, cafodd cyllideb y Gwasanaeth Cenedlaethol Rheoli Troseddwyr (NOMS) ei chwtogi o chwarter, a oedd yn cyfateb i £900 miliwn. Yn amlwg cafodd hyn effaith sylweddol ar boblogaeth y carchardai, gan gynnwys achosion o hunanladdiad, hunan-niweidio ac ymosodiadau ar staff. Mae Cymdeithas y Swyddogion Carchar wedi rhybuddio bod carcharorion â phroblemau iechyd meddwl mewn perygl ychwanegol heb ragor o adnoddau.

Ym mis Awst 2016, anfonwyd swyddogion terfysg yr heddlu i CEM The Mount ddwywaith mewn 24 awr. Yn ôl papur newydd *The Daily Telegraph* (Farmer, 2017), meddiannodd carcharorion yn cario arfau Adain Nash. Dywedwyd bod prinder staff a'r arfer o gloi carcharorion yn eu celloedd am gyfnodau estynedig yn golygu bod y carchar 'fel trychineb ar fin digwydd'. Yn amlwg, mae diffyg cyllid yn effeithio ar y gallu i gadw rheolaeth gymdeithasol yn y carchardai.

Datblygu ymhellach

Darllenwch 'The Prison Service Has Been Cut to the Bone and we Struggle to Keep Control', ar wefan *The Guardian* (Dienw, 2016), sef adroddiad gan swyddog carchar dienw. Bydd hwn yn rhoi cipolwg i chi ar rai o'r materion a achoswyd gan doriadau i gyllidebau.

Mae toriadau yng ngwariant y sector cyhoeddus yn cyfyngu ar reolaeth gymdeithasol gan asiantaethau'r llywodraeth.

Nid yw'r asiantaeth sy'n erlyn ar ran y goron, Gwasanaeth Erlyn y Goron, heb ei broblemau ariannol. Yn ôl *The Law Society Gazette* (Baksi, 2014), 'mae toriadau staff yng Ngwasanaeth Erlyn y Goron wedi arwain at ddirywiad amlwg yn ei berfformiad, nid yw achosion yn symud ymlaen nac yn cael eu paratoi'n ddigonol'. Yn amlwg, gallai hyn arwain at achosion o gamweinyddu cyfiawnder ac felly mae'n lleihau effeithiolrwydd rheolaeth gymdeithasol.

Mae cyfyngiadau ar effeithiolrwydd elusennau a charfanau pwyso sy'n canolbwyntio ar reolaeth gymdeithasol hefyd, gan eu bod yn cael llawer iawn o'u cyllid drwy gyfraniadau gwirfoddol. Os nad ydyn nhw'n derbyn cyfraniadau gan y cyhoedd, does dim modd iddyn nhw weithredu. Hefyd, mae unrhyw grantiau gan y llywodraeth y gall y sefydliadau hyn eu hawlio yn cael eu lleihau. Mae elusennau wedi colli dros £3.8 biliwn mewn grantiau gan y llywodraeth dros y degawd diwethaf.

Datblygu ymhellach

Yn ystod y cyfnodau clo adeg pandemig Covid 19, roedd yr heddlu yn canolbwyntio ar bolisïau a oedd yn gorfodi rheolau'r cyfnod clo. Ymchwiliwch i sut roedd yr heddlu'n gorfodi'r rheolau yn eich ardal chi.

Polisïau lleol a chenedlaethol

Mae heddluoedd lleol yn blaenoriaethu rhai troseddau yn hytrach nag eraill. Yn anorfod, mae hyn yn golygu nad ydyn nhw'n ymchwilio i rai troseddau. Er enghraifft, mae honiadau wedi'u gwneud yn erbyn yr heddlu yn awgrymu eu bod yn canolbwyntio ar 'droseddau dibwys', yn hytrach nag ar droseddau difrifol, er mwyn cyrraedd targedau'r llywodraeth.

Rhwng 2010 a 2015, roedd y llywodraeth yn hyrwyddo polisi i fynd i'r afael â throseddau yn ymwneud â chyllyll, gynnau a gangiau. Er mwyn gwella cyfraddau erlyn, cyflwynwyd troseddau newydd, fel gwaharddebau yn erbyn gangiau i atal pobl rhag ymwneud â thrais yn gysylltiedig â gangiau a rhag annog neu gynorthwyo trais o'r fath. Dynodwyd £1.2 miliwn i ariannu gweithwyr cymorth yn y maes hwn. Er ei bod yn gwbl briodol gosod polisïau o'r fath, gall arwain at sefyllfa lle mae'r heddlu yn canolbwyntio ar droseddau penodol ac nid ar eraill.

Er mai'r llywodraeth sy'n pennu polisïau cenedlaethol, mae gan yr heddlu bolisïau lleol hefyd. Lansiodd Maer Llundain, Sadiq Khan, gynlluniau plismona ym mis Mawrth 2017 a oedd yn amlinellu cyfres o bolisïau â'r nod o fynd i'r afael â throseddau casineb a rhoi hwb i garfan gwrthderfysgaeth arfog yr Heddlu Metropolitan.

Mae Gwasanaeth Erlyn y Goron hefyd yn canolbwyntio ar bolisïau penodol dros amser. Ym mis Awst 2017, awgrymodd Alison Saunders, pennaeth y Gwasanaeth ar y pryd, y byddai ymgyrch yn erbyn troseddau casineb ar y cyfryngau cymdeithasol. Mae'r polisi yn ymwneud â holl elfennau gwahanol troseddau casineb:

- hiliol a chrefyddol
- anabledd
- homoffobig, deuffobig a thrawsffobig.

Mae ffigurau swyddogol yn dangos cynnydd o 20% ym mhob math o droseddau casineb a reportiwyd i'r heddlu yn ystod chwarter cyntaf 2017. Fodd bynnag, mae lle i gredu bod troseddau casineb yn droseddau a danreportiwyd yn sylweddol.

Alison Saunders, cyn-Gyfarwyddwr Erlyniadau Cyhoeddus.

Amgylchedd

Pan fydd carcharorion yn cael eu rhyddhau o'r ddalfa, mae amgylchedd eu cartref yn cael effaith fawr ar eu gallu i aros allan o'r carchar. Yn amlach na pheidio, bydd troseddwyr yn dychwelyd i'r un cylch cymdeithasol lle mae cymryd cyffuriau neu aildroseddu yn digwydd. Does dim cyflogaeth ar gael na rhywbeth a fydd yn eu harwain i ffwrdd oddi wrth droseddu. Yn ôl Ymddiriedolaeth Diwygio'r Carchardai (2016), mae pobl yn llai tebygol o aildroseddu os bydd eu teulu'n ymweld â nhw pan fyddan nhw yn y carchar. Eto i gyd, ni chafodd 68% o garcharorion ymweliadau o'r fath. Hefyd, mae troseddwyr yn llai tebygol o aildroseddu os ydyn nhw'n byw gyda'u teulu agos ar ôl cael eu rhyddhau; fodd bynnag, 61% yn unig sy'n gwneud hyn.

Mae gweithgareddau â phwrpas, gan gynnwys addysg, gwaith a gweithgareddau eraill i'w helpu i adsefydlu yn ystod y cyfnod yn y carchar, hefyd yn lleihau'r risg o aildroseddu. Fodd bynnag, derbyniodd llai na hanner (44%) y carchardai sylwadau cadarnhaol gan yr arolygwyr yn 2015–2016 am eu gwaith ym maes gweithgareddau â phwrpas (Ymddiriedolaeth Diwygio'r Carchardai, 2016).

Yn olaf, mae dod o hyd i waith ar ôl dod allan o'r carchar yn cael effaith ar greu amgylchedd effeithiol i droseddwyr. Fodd bynnag, un o bob pedwar (27%) o bobl yn unig oedd â swydd i ddychwelyd iddi ar ôl cael eu rhyddhau o'r carchar a 12% yn unig o'r cyflogwyr a gafodd eu holi a ddywedodd eu bod wedi cyflogi rhywun â chofnod droseddol yn ystod y tair blynedd diwethaf (Ymddiriedolaeth Diwygio'r Carchardai, 2016).

Damcaniaethu

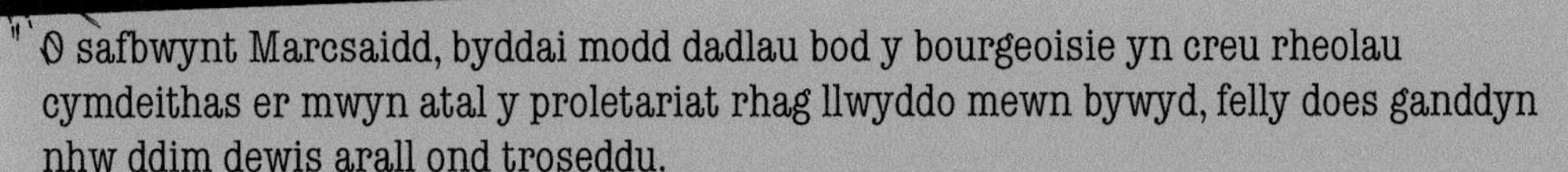
O safbwynt Marcsaidd, byddai modd dadlau bod y bourgeoisie yn creu rheolau cymdeithas er mwyn atal y proletariat rhag llwyddo mewn bywyd, felly does ganddyn nhw ddim dewis arall ond troseddu.

Troseddau a gyflawnir gan y rhai sy'n gweithredu am resymau moesol

Rheswm moesol yw egwyddor gadarn iawn sy'n cymell unigolyn i weithredu. Mewn geiriau eraill, gall troseddwyr gyflawni trosedd gan eu bod yn credu eu bod yn gwneud y peth iawn o safbwynt moesol.

Gellid dadlau bod hunanladdiad cynorthwyedig yn drosedd sy'n cael ei chyflawni â chymhelliad tosturiol. Yn y DU, mae helpu rhywun i farw yn drosedd. Fodd bynnag, gall aelod o'r teulu gael ei orfodi i droi at hyn os yw'n credu mai dyna wir ddymuniad y dioddefwr.

Sgiliau llythrennedd

Allwch chi esbonio beth yw ystyr y geiriau hyn?

- atgwympo
- rhesymau moesol
- helpu ac annog hunanladdiad
- rhyddid sifil.

ASTUDIAETH ACHOS

KAY GILDERDALE

Mae achos fel un Kay Gilderdale, a roddodd gyffuriau i'w merch i'w helpu i farw, yn dangos y gall cydymdeimlad, a'r teimlad ei bod yn iawn yn foesol i gyflawni'r drosedd, arwain at weithred mor eithafol â hon.

Cyfaddefodd Kay ei bod yn euog o'r cyhuddiad o helpu ac annog ei merch i'w lladd ei hun.

Mae protestwyr sy'n gwrthwynebu bywddyraniad (*vivisection*) hefyd yn credu bod eu gweithredoedd yn gyfiawn. Mewn ymgais i brotestio yn erbyn arbrofion ar anifeiliaid byw, gall eu gweithredoedd arwain at droseddau. Er enghraifft, mae Luke Steele, pennaeth y Glymblaid sy'n Gwrthwynebu Bywddyraniad, wedi cael ei garcharu ddwywaith am ymosodiadau ar labordai ynghyd ag aflonyddu ar weithwyr labordai a'u bygwth.

Damcaniaethu

O safbwynt swyddogaethol, gall rhai troseddau fod yn gadarnhaol a chyflawni swyddogaeth mewn cymdeithas. Gall achos Kay Gilderdale gynnal ffiniau drwy ddangos beth sy'n dderbyniol mewn cymdeithas. Dyma lle byddai'r rhan fwyaf o bobl synhwyrol, sy'n ufuddhau i'r gyfraith yn ailddatgan eu gwerthoedd da ac yn creu undod cymdeithasol.

Gweithgaredd

Ystyriwch beth yw'r cyfyngiad mwyaf o ran sicrhau rheolaeth gymdeithasol ac esboniwch pam rydych chi o'r farn honno.

MPA3.4 GWERTHUSO EFFEITHIOLRWYDD ASIANTAETHAU O RAN SICRHAU RHEOLAETH GYMDEITHASOL

MEINI PRAWF ASESU	CYNNWYS	YMHELAETHU

MPA3.4 Dylech chi allu ...
 	
Gwerthuso effeithiolrwydd asiantaethau o ran sicrhau rheolaeth gymdeithasol
	Asiantaethau
	• Asiantaethau a noddir gan y llywodraeth
	  • yr heddlu
	  • Gwasanaeth Erlyn y Goron (CPS)
	  • y farnwriaeth
	  • carchardai
	  • y gwasanaeth prawf
	• elusennau
	• carfanau pwyso
		Dylech chi allu tynnu'r hyn rydych wedi'i ddysgu ynghyd er mwyn gwerthuso llwyddiant neu fethiant asiantaethau o ran sicrhau rheolaeth gymdeithasol

Cyswllt synoptig

Dylech chi gymhwyso'r wybodaeth a ddatblygwyd gennych yn Uned 3 i werthuso gwybodaeth o ran tuedd, barn, amgylchiadau, cyfrededd a chywirdeb.

Mae'r mathau o dystiolaeth, fel sydd wedi'i nodi yn Uned 3, yn cynnwys:

- tystiolaeth
- trawsgrifiadau o'r treial
- adroddiadau yn y cyfryngau
- dyfarniadau
- adroddiadau'r gyfraith.

Awgrym

Cofiwch adolygu'r ystadegau i sicrhau cywirdeb ac eglurder. Peidiwch â nodi ystadegau yn unig, ond yn hytrach ystyriwch a ydyn nhw'n gywir neu a oes rhywbeth y tu ôl iddyn nhw sy'n gofyn am ystyriaeth ac esboniad.

Asiantaethau a noddir gan y llywodraeth

Yr heddlu

Ar adegau gall yr heddlu fod yn effeithiol iawn. Mae enghreifftiau o'u gwaith yn cynnwys:

- Gwaith yn y gymuned i atal troseddu, cadw aelodau o'r cyhoedd yn ddiogel a cheisio mynd i'r afael ag ymddygiad gwrthgymdeithasol.
- Rhoi rhybuddion, os oes angen, yn rhoi gorchymyn i bobl roi'r gorau i ymddygiad annerbyniol a chyfeirio materion at lys os oes angen.
- Mae llawer o unedau arbenigol wedi'u hyfforddi i ddelio â materion fel terfysgaeth neu ddigwyddiadau yn ymwneud ag arfau.

Trwy weithio yn y gymuned, mae'r heddlu'n helpu i ennill ymddiriedaeth a chefnogaeth pobl.

Fodd bynnag, agweddau negyddol ar rôl yr heddlu o ran cyflawni rheolaeth gymdeithasol sy'n cael sylw'r cyfryngau. Fel y gwelwyd yn y MPA blaenorol, dywedwyd bod yr heddlu yn sefydliadol hiliol yn Adroddiad Macpherson (1999) yn dilyn llofruddiaeth Stephen Lawrence. Yn fwy diweddar, mae'r heddlu wedi cael ei feirniadu am beidio â bod yn effeithiol o ran cyflawni rheolaeth gymdeithasol.

ASTUDIAETH ACHOS

LLOFRUDDIAETH FFERM Y CŴN BACH

Ym mis Ebrill 2017, mewn achos a gafodd ei alw'n ddiweddarach yn llofruddiaeth fferm y cŵn bach, cafodd heddlu Surrey ei feirniadu'n hallt am ddychwelyd gwn saethu a thystysgrif arfau tanio'r lladdwr iddo fisoedd yn unig cyn y llofruddiaeth ddwbl. Saith mis cyn hynny, roedd yr heddlu wedi cymryd gynnau saethu a thystysgrif John Lowe ar ôl i'w lysferch ddweud wrth yr heddlu ei fod wedi bygwth ei saethu hi.

John Lowe

ASTUDIAETH ACHOS

ANHREFN YN CROMER

Ym mis Medi 2017, mewn cyfarfod i drafod anhrefn ac ymddygiad gwrthgymdeithasol yn Cromer, cyfaddefodd yr heddlu wrth drigolion y dref glan-môr eu bod 'wedi gwneud camgymeriad'. Yn ystod penwythnos o anhrefn gan grŵp o bobl, cofnododd yr heddlu 37 trosedd, gan gynnwys treisio, dwyn ac ymosod. Fodd bynnag, ar y pryd roeson nhw ddim cymorth i'r trigolion gan eu bod yn ystyried yr anhrefn yn 'gynnwrf lefel isel'. Yn ddiweddarach, dywedodd yr heddlu eu bod wedi 'camfarnu' yr anhrefn.

Cromer

Yn amlwg, mae'r enghreifftiau hyn yn dangos plismona aneffeithiol ac analluu i sicrhau rheolaeth gymdeithasol. Fodd bynnag, mae'n bwysig ystyried y ffordd mae'r cyfryngau'n portreadu trosedd a'r dyhead am benawdau dros ben llestri, a astudiwyd yn Uned 1, wrth roi barn am effeithiolrwydd yr heddlu.

Gellir defnyddio ystadegau i ystyried effeithiolrwydd yr heddlu o'r ddwy ochr i'r ddadl. Yn ôl y Swyddfa Ystadegau Gwladol (ONS, 2017), yn ystod y flwyddyn a ddaeth i ben ym mis Mawrth 2017, daeth yr heddluoedd â bron hanner yr holl droseddau i ben (48%) ar ôl methu arestio unrhyw un. Roedd hyn yn cynnwys tua dwy rhan o dair (68%) o achosion yn ymwneud â difrod troseddol a chynnau tân yn fwriadol. Mae cyfran y troseddau sydd wedi arwain at gyhuddiad neu wŷs (*summons*) wedi gostwng o 14% i 11% yn ystod y flwyddyn ddiwethaf. Mae ystadegau isel o'r fath yn awgrymu diffyg effeithiolrwydd. Y Swyddfa Ystadegau Gwladol yw cynhyrchydd ystadegau annibynnol mwyaf y DU. Mae'r agwedd annibynnol yn awgrymu bod y wybodaeth yn ddibynadwy. Fodd bynnag, mae'n bwysig ystyried pa mor ddibynadwy yw ystadegau o'r fath. Yn 2016 gwnaeth Andrew Tyrie, cadeirydd Pwyllgor Dethol y Trysorlys ar y pryd, feirniadu'r Swyddfa Ystadegau Gwladol am fod y tu ôl i wledydd eraill a pheryglu penderfyniadau polisi â data o ansawdd gwael.

Yn ôl ystadegau'r Swyddfa Gartref, mae'r heddlu'n credu bod trosedd ar gynnydd, oherwydd ym mis Gorffennaf 2017 roedd wedi cynyddu 10%, y cynnydd blynyddol mwyaf ers degawd. Roedd hyn yn cynnwys cynnydd o 20% mewn troseddau gynnau a chyllyll, a chynnydd o 26% mewn cyfraddau lladdiad. Ar yr wyneb, gallai'r ystadegau hyn awgrymu bod yr heddlu'n dod yn llai effeithiol wrth fynd i'r afael â throsedd. Fodd bynnag, mae'n bwysig ystyried eglurder data fel hyn, a all gael eu heffeithio'n rhannol gan welliannau ym mhrosesau cofnodi troseddau'r heddlu. Yn ôl y Swyddfa Ystadegau Gwladol, mae hyn yn ffactor sydd wedi cyfrannu at y cynnydd yn y troseddau a gofnodwyd gan yr heddlu. Hefyd, mae'r ffigur lladdiadau y cyfeiriwyd ato uchod yn cynnwys y 96 achos o ddynladdiad yn nhrychineb Hillsborough yn 1989. Mae hyn yn adlewyrchu rheithfarnau'r cwest a roddwyd ym mis Ebrill 2016. Heb y rhain, mae'n ddiddorol nodi y byddai'r cynnydd yn gostwng i 9%.

Mae'r cynnydd o 10% yn y troseddau a gofnodwyd gan yr heddlu yn cyferbynnu â gostyngiad o 7% yn arolwg trosedd swyddogol Cymru a Lloegr. Unwaith eto, gellir cwestiynu cywirdeb ystadegau troseddu. Gallai ymddangos bod y ddwy set o ymchwil yn cofnodi'r un wybodaeth ac felly na all y ddau fod yn gywir. Fodd bynnag, mae'n bwysig cofio bod y ffynonellau yn wahanol o ran y boblogaeth a'r troseddau maen nhw'n eu cynnwys. Yn benodol, mae o leiaf hanner y cynnydd yn y troseddau a gofnodwyd gan yr heddlu yn ymwneud â throseddau sydd ddim wedi'u cynnwys yn yr arolwg, gan gynnwys dwyn o siopau, troseddau'r drefn gyhoeddus a bod ym meddiant arfau. Felly, mae'n anorfod y bydd yr ystadegau'n wahanol i'w gilydd.

Codwyd mater diffyg cywirdeb ystadegau'r heddlu unwaith eto yn 2017 pan ddywedodd Arolygiaeth Cwnstabliaeth a Gwasanaethau Tân ac Achub EM (HMICFRS, 2017) fod pump o bob chwech o droseddau a reportiwyd yn cael eu cofnodi ond bod 38,800 ddim yn cael eu cofnodi bob blwyddyn. Hefyd, yn heddlu Swydd Gaerlŷr, mae un o bob pedair trosedd ddim yn cael ei reportio ar hyn o bryd. Roedd troseddau heb eu cofnodi'n cynnwys troseddau rhywiol, cam-drin domestig a threisio. Dangosodd hefyd fod cofnodi troseddau treisgar yn fater sy'n destun pryder arbennig. Cyfradd gofnodi'r rhain yw 77.9%, hynny yw, 77.9% yn unig o'r troseddau treisgar a reportiwyd i'r heddlu yng Ngorllewin Canolbarth Lloegr sy'n cael eu cofnodi ganddyn nhw.

Cyswllt synoptig

Mae hyn yn cyfeirio'n ôl at Uned 1 MPA1.6 a chofnodi ystadegau troseddu.

Roedd y Swyddfa Ystadegau Gwladol yn y penawdau ym mis Medi 2017 am broblemau TG a achosodd oedi cyn cyhoeddi data gwerthiant adwerthu. Gallai hyn effeithio ar ddibynadwyedd yr asiantaeth yn gyffredinol.

Cyswllt synoptig

Mae hyn yn cyfeirio'n ôl at Uned 1 MPA1.6 a chofnodi ystadegau troseddu.

Gweithgaredd

Ymchwiliwch i benawdau'r cyfryngau yn ymwneud â'r gyfradd troseddu. Beth maen nhw'n ei ddweud? Ydyn nhw'n awgrymu bod troseddu ar gynnydd neu'n gostwng?

Gwasanaeth Erlyn y Goron

Mae'r Gwasanaeth hwn yn dod ag elfen annibynnol i'r broses o gyhuddo ac erlyn pobl am droseddau. Mae'n gweithredu ar wahân i'r heddlu ond yn gweithio gyda nhw i sicrhau rheolaeth gymdeithasol. Mae'r prawf cod llawn yn ddull unffurf a theg ac yn golygu bod modd gweithredu model trefn briodol o gyfiawnder.

Fodd bynnag, ar rai achlysuron, mae Gwasanaeth Erlyn y Goron wedi methu sicrhau rheolaeth gymdeithasol. Mae wedi wynebu problemau ariannol a beirniadaeth ei fod yn ganolog, yn fiwrocrataidd, yn aneffeithiol ac yn rhy agos at yr heddlu. Lluniodd Syr Iain Glidewell adroddiad yn 1998 yn datgan bod diffyg effeithiolrwydd ac effeithlonrwydd yn y sefydliad a chyfeiriodd yn benodol at y ffaith bod gormod o achosion o ddiffynyddion yn cael eu dyfarnu'n ddieuog ar orchymyn barnwr.

Fel y dangoswyd yn y MPA blaenorol, ar adegau gwelwyd diffyg brwdfrydedd i gymryd camau ffurfiol yn erbyn troseddwyr hysbys, fel Abu Hamza. Mae achos Damilola Taylor yn enghraifft o sut gall cymhwyso'r profion yn amhriodol arwain at erlyniad aflwyddiannus. Hefyd, cafwyd beirniadaeth o'r methiant i ddwyn erlyniad llwyddiannus yn ymwneud ag anffurfio organau cenhedlu benywod a'r ddadl ynghylch erlyniad yr Arglwydd Janner.

Llwyddodd yr Arglwydd Janner i osgoi cael ei erlyn am dri achos difrifol o gam-drin bechgyn yn rhywiol oherwydd methiannau gan Wasanaeth Erlyn y Goron.

Gweithgaredd

Ymchwiliwch i achos yr Arglwydd Janner. Yn ogystal â chynnwys manylion yr achos, esboniwch sut mae'n effeithio ar effeithiolrwydd Gwasanaeth Erlyn y Goron.

Y farnwriaeth

Un agwedd ar y system cyfiawnder troseddol a all awgrymu diffyg effeithiolrwydd ar ran y farnwriaeth yw'r nifer cynyddol o apeliadau sy'n honni bod dedfrydau yn rhy drugarog. Dywedodd Swyddfa'r Twrnai Cyffredinol fod 141 o gyfnodau o garchar wedi'u hymestyn yng Nghymru a Lloegr yn 2016 o dan y cynllun Dedfrydau Rhy Drugarog. Mae hyn yn gynnydd o 17% ers y flwyddyn flaenorol. Mae'n werth nodi bod 41 o'r rhain yn droseddau rhyw, 16 yn ymwneud â lladrata ac 19 yn achosion niwed corfforol difrifol.

Ni fydd rheolaeth gymdeithasol byth yn cael ei sicrhau drwy roi dedfrydau rhy drugarog.

Mae'r cyfryngau wedi bod yn barod iawn i adrodd am achosion lle mae'r farnwriaeth wedi bod yn aneffeithiol o ran sicrhau rheolaeth gymdeithasol. Mae barnwyr yn aml yn cael eu portreadu fel pobl sydd heb gysylltiad â chymdeithas. Mae'r canlynol yn enghreifftiau o gwestiynau a ofynnwyd gan farnwyr ar wahanol adegau:

- '*Pwy yw Gazza? Onid oes operetta o'r enw La Gazza Ladra?*' (Mr Ustus Harman)
- '*Beth yw hwnna?*' gan gyfeirio at Teletubby. (Y Barnwr Francis Appleby)

Hefyd mae'n ymddangos bod barnwyr wedi gwneud sylwadau amhriodol ar sawl achlysur gan arwain at ddedfrydau oedd yn cael eu hystyried yn anaddas o dan yr amgylchiadau. Mae'r canlynol yn benawdau o'r papurau newydd:

- Judge Who Spared Aspiring Oxford Student From Jail After She Stabbed her Partner is Cleared Following Investigation into Three Complaints (Harley, 2017)
- Judge Lets Former Drug Dealer off Unpaid Work Because of Transport Issues (Discombe, 2017)
- Judge Lets off Sex Abuser then Blames Victim (Rantzen, 2013)
- 'Manchester United Can Afford It', Says Judge as he Lets off Thieving Burger Kiosk Workers (Scheerhout, 2017)
- Judge Lets off Thief and Commends his 'Enterprise' (Court News UK, 2017)
- Model Caught Stealing from Harrods Spared Jail After Judge Praised her 'TALENTS' (Pilditch, 2017)

Carchardai

Yn gyffredinol, byddai modd dadlau nad yw carchardai yn effeithiol o ran sicrhau rheolaeth gymdeithasol. Mae gan Ymddiriedolaeth Diwygio'r Carchardai (2016, 2017b, 2020) lawer o ystadegau a fyddai'n ategu'r awgrym hwn o ran atal rhagor o droseddu.

PRISON REFORM TRUST

Er enghraifft:

- Mae gofyn i unrhyw un sydd wedi bwrw dedfryd o ddau ddiwrnod neu ragor gael ei oruchwylio yn y gymuned am o leiaf 12 mis. O ganlyniad, mae nifer y bobl sy'n cael eu galw yn ôl i'r ddalfa wedi cynyddu, yn enwedig ymysg menywod. Cafodd 8,931 o bobl a oedd wedi cael dedfryd o 12 mis neu lai yn y carchar, eu galw yn ôl i'r carchar yn y flwyddyn hyd at mis Mehefin 2020.
- Mae gan Cymru, Lloegr a'r Alban y gyfradd carcharu uchaf yng Ngorllewin Ewrop.
- Mae nifer y bobl yn y carchar wedi cynyddu 70% yn y 30 mlynedd diwethaf, ond mae wedi sefydlogi dros y 6 mlynedd diwethaf.
- Yn yr arolwg, dywedodd llai nag un ymhob 10 mai rhoi mwy o bobl yn y carchar oedd y ffordd fwyaf effeithiol o ddelio â throsedd. Cafodd ymyrraeth gynnar, fel gwell rhianta, disgyblaeth mewn ysgolion a gwell adsefydlu, i gyd eu nodi yn ffyrdd fwy effeithiol.

Yn ogystal â'r ystadegau uchod, mae tystiolaeth i awgrymu nad yw rheolaeth gymdeithasol yn cael ei chynnal yn y carchardai. Gwelwyd cynnydd sylweddol yn yr achosion o helbulon mewn carchardai ac o alw'r Grŵp Ymateb Cenedlaethol, cangen terfysgoedd y carchardai. Ym mis Rhagfyr 2016, roedd terfysg yn CEM Birmingham a barodd am 15 awr, ac yn ystod yr adeg hwn cafodd y staff eu chwistrellu â phibellau tân a rhoddwyd lluniau o'r carcharorion yn gwisgo dillad terfysg ar y cyfryngau cymdeithasol. Cafodd allweddi i'r drysau a'r gatiau eu dwyn oddi ar swyddog carchar ac agorwyd 500 o gelloedd gan garcharorion eraill.

Awgrym!

Gwnewch yn siŵr eich bod chi'n gallu cynnwys elfennau cadarnhaol a negyddol pob asiantaeth pan fyddwch chi'n eu gwerthuso nhw. Mae'n bosibl y bydd y cwestiwn arholiad yn gofyn am ddau, neu dim ond un ohonyn nhw.

Mae'r defnydd o gyffuriau a'r ffaith eu bod mor hawdd eu cael mewn carchardai unwaith eto'n awgrymu methiant o ran sicrhau rheolaeth gymdeithasol. Yn yr adroddiad 'Drugs in Prison' (2015), mae'r Ganolfan Cyfiawnder Cymdeithasol (*CSJ: The Centre for Social Justice*) yn dweud:

Mae problem gyffuriau ddifrifol yng ngharchardai Cymru a Lloegr – ac mae hi'n broblem ers degawdau.

Yn ôl yr adroddiad, mae'r defnydd o gyffuriau'n effeithio ar reolaeth gymdeithasol gan ei fod yn tanseilio diogelwch y carchar drwy arwain at hel dyledion a thrais. Mae'n golygu bod carcharorion yn llai tebygol o ymwneud mewn ffordd adeiladol â'u hadferiad ac mae'n cyfrannu'n sylweddol at gyfraddau aildroseddu uchel. Er enghraifft, mae mwy na dau o bob pump o garcharorion yng Nghymru a Lloegr wedi troseddu i gael arian i brynu cyffuriau. Yn mis Rhagfyr 2017, gwelwyd bod problem gyffuriau ddifrifol iawn yng ngharchar Holme House, Teesside. Dywedodd Arolygiaeth Carchardai Ei Mawrhydi fod angen cymorth ar chwarter yr 1,200 o garcharorion gwrywaidd yn Holme House.

Mae trais yn y carchar yn effeithio ar effeithlonrwydd rheolaeth gymdeithasol. Mae hyn yn cyfeirio at ymosodiadau ar swyddogion carchar a charcharorion. Mae ymosodiadau o'r fath ar gynnydd ac yn ôl Mark Fairhurst, o Gymdeithas y Swyddogion Carchar (Johnson, 2017), mae'r ymosodiadau yn digwydd ar gyfradd o 19 y dydd. O ganlyniad i hyn, mae'n awgrymu y dylai swyddogion carchar gario Tasers bob amser a festiau gwrthdrywanu er mwyn mynd i'r afael â'r trais cynyddol mewn carchardai.

Mae'r cynnydd mewn ymosodiadau wedi dod i'r amlwg yn ddiweddar yn dilyn nifer o ddigwyddiadau sydd wedi cael llawer o sylw.

Datblygu ymhellach

Darllenwch yr adroddiad o'r enw *Drugs in Prison* (2015) ar wefan y Ganolfan Cyfiawnder Cymdeithasol (CSJ). Bydd hwn yn rhoi manylion i chi am y problemau sy'n gysylltiedig â defnyddio cyffuriau yn y carchar.

ASTUDIAETH ACHOS

DIGWYDDIADAU MEWN CARCHARDAI

Cafodd carcharor yn CEM Pentonville yng ngogledd Llundain ei drywanu i farwolaeth ym mis Hydref 2016. Wythnosau yn ddiweddarach, llwyddodd dau garcharor i ddianc o'r un carchar. Yn fuan wedyn, collodd swyddogion reolaeth yn CEM Bedford pan achoswyd terfysg gan gannoedd o garcharorion. Fel y dywedwyd eisoes, roedd terfysg yn CEM Birmingham hefyd ym mis Rhagfyr 2016.

Mae ystadegau gan y Weinyddiaeth Gyfiawnder (Wright a Palumbo, 2016), yn dangos cynnydd anferth yn nifer yr ymosodiadau mewn carchardai dros y pum mlynedd diwethaf. Yn y flwyddyn a ddaeth i ben ym mis Mehefin 2016, roedd 23,775 o ymosodiadau mewn carchardai, sef cynnydd o 62% ers 2010, ac roedd swyddogion a throseddwyr bellach yn gweld cyfartaledd o 65 ymosodiad yn y carchardai bob dydd. Roedd yr ystadegau'n cynnwys y nifer mwyaf erioed o ymosodiadau ar staff carchardai, dyblodd eu nifer o tua 3,000 i 6,000 rhwng 2010 a 2016.

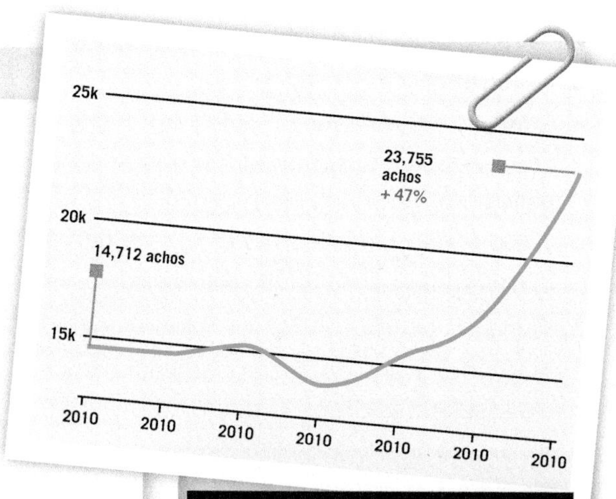

Mae ffigurau'r Weinyddiaeth Gyfiawnder yn dangos cynnydd yn nifer yr ymosodiadau yn y carchar ar swyddogion carchar a charcharorion.

Ffynhonnell: Wright a Palumbo (2016)

Y Gwasanaeth Prawf

Mae'r Gwasanaeth Prawf Cenedlaethol wedi'i breifateiddio'n rhannol. Golyga hyn ei fod bellach yn gweithio mewn partneriaeth â sefydliadau neu gwmnïau eraill, o'r enw Cwmnïau Adsefydlu Cymunedol. Dywedodd cyfarwyddwr y gwasanaeth ar y pryd, Sarah Payne, y byddai preifateiddio yn galluogi'r Gwasanaeth Prawf Cenedlaethol i feithrin cydweithio, gan weithio i geisio dod at wraidd aildroseddu. Dywedodd hi:

Rwy'n credu y dylai'r bobl sydd â'r arbenigedd cywir gymryd rhan yn hyn. Mae aildroseddu yn broblem gymdeithasol gymhleth; bydd troseddwyr yn gwneud camgymeriadau, yn gwneud pethau'n anghywir, ond rhaid i ni beidio â rhoi'r gorau iddi. Mae'n fater cymhleth ac mae angen i lawer o bobl roi'r sylw haeddiannol iddo. **(Rutter, 2013)**

Mae safbwynt o'r fath yn amlwg yn dangos tuedd o ystyried safle Payne yn y sefydliad. Fodd bynnag, mae llawer wedi awgrymu bod hyn yn gwneud y gwasanaeth yn llai effeithiol. Mae'r Swyddfa Archwilio Cenedlaethol wedi rhybuddio nad oes gan y llywodraeth unrhyw ffordd o wybod pa mor dda mae'r cwmnïau sy'n gyfrifol am redeg gwasanaeth prawf y wlad yn perfformio (gweler Fenton, 2016). Mae ofnau nad yw cwmnïau yn cael eu goruchwylio a'u craffu'n ddigonol.

Yn ôl adroddiad ar y cyd, ym mis Mehefin 2017 (Arolygiaeth Prawf Ei Mawrhydi ac Arolygiaeth Carchardai Ei Mawrhydi, 2017), gan brif arolygwyr y gwasanaeth prawf a charchardai, mae staff yn canolbwyntio ar waith papur a thargedau ar draul carcharorion. Mae'r Fonesig Glenys Stacey, prif arolygydd y gwasanaeth prawf ar y pryd, a Peter Clarke, prif arolygydd y carchardai ar y pryd, wedi dweud nad yw'r gwaith gan y 21 o gwmnïau adsefydlu cymunedol yn cael fawr ddim effaith ar leihau cyfraddau troseddu carcharorion. Mae'r adroddiad yn cynnwys sawl beirniadaeth sy'n effeithio ar effeithiolrwydd y gwasanaeth prawf, gan gynnwys:

- Bod gormod o garcharorion wedi'u rhyddhau heb wybod lle byddan nhw'n cysgu'r noson honno.
- Mewn gormod o achosion, nid yw perygl carcharorion i'r cyhoedd wedi'i asesu'n ddigonol cyn eu rhyddhau.
- Er gwaethaf yr holl sôn am y defnydd o fentoriaid, un carcharor yn unig o sampl o 98 oedd wedi cael mentor.

Darganfu adroddiad arolygiad gan Arolygiaeth Prawf Ei Mawrhydi ym mis Awst 2016 yn ardal Durham fod y gwaith roedd y Gwasanaeth Prawf Cenedlaethol wedi'i wneud yn gyffredinol 'yn dda, a bod yr arweinyddiaeth yn gryf'. Fodd bynnag, un o'r problemau a nodwyd oedd nad oedd adroddiadau cyn y ddedfryd, a ddefnyddiwyd gan y llysoedd i'w helpu i benderfynu ar ddedfrydau, yn ddigon da. Mewn sawl achos, roedden nhw wedi arwain at 'gynigion heb bwyslais pendant a dedfrydau amhriodol'. Yn ogystal, roedd ansawdd:

rhywfaint o waith y gwasanaeth prawf wedi dirywio ers ein harolygiad diwethaf. Roedd asesiadau a chynlluniau, er nad oedden nhw wedi'u helpu gan ddiffyg gwybodaeth gofynnol gan y llys, yn aml ddim yn ddigon da. Roedd gwaith adsefydlu a ddylai fod wedi dechrau chwe mis ar ôl i'r ddedfryd ddechrau yn aml ddim yn cael ei wneud. O ganlyniad, roedd sicrhau lleihau aildroseddu a deilliannau amddiffyn y cyhoedd yn llai tebygol o ddigwydd.

Term allweddol

Preifateiddio: Trosglwyddo busnes neu wasanaeth o berchnogaeth gyhoeddus i berchnogaeth a rheolaeth breifat.

Mae Arolygiaeth Prawf Ei Mawrhydi yn adrodd i'r llywodraeth ar effeithiolrwydd gwaith gyda phobl sydd wedi troseddu, gyda'r nod o leihau aildroseddu ac amddiffyn y cyhoedd.

Datblygu ymhellach

Ymchwiliwch i adroddiad yr arolygiad diweddaraf gan Arolygiaeth Prawf Ei Mawrhydi yn eich ardal drwy chwilio am 'Quality and impact inspection. The effectiveness of probation in …' ac yna ychwanegu ardal. Gallwch wneud nodiadau byr i'ch helpu i ystyried effeithiolrwydd y Gwasanaeth Prawf Cenedlaethol.

Elusennau a charfanau pwyso

Ymddiriedolaeth Diwygio'r Carchardai

Mae Ymddiriedolaeth Diwygio'r Carchardai wedi arwain sawl ymgyrch i weithio tuag at system gosbi sy'n gyfiawn, yn effeithiol, ac yn dilyn egwyddorion digreulondeb. Iechyd meddwl yw un o'r meysydd mae'r elusen wedi ymgyrchu dros ei newid.

Gan weithio gyda Sefydliad y Merched (WI), aethon nhw ati i lansio'r ymgyrch 'Gofal nid Carchar' i sicrhau bod pobl â salwch meddwl yn cael triniaeth a ddim yn cael eu rhoi yn y system garchardai. Cafwyd rhywfaint o lwyddiant yn 2011 pan gyhoeddodd yr Ysgrifennydd Iechyd a'r Ysgrifennydd Cyfiawnder eu bod wedi ymrwymo i ddatblygu gwasanaethau mewn gorsafoedd heddlu a llysoedd ar gyfer pobl a ddrwgdybir a diffynyddion agored i niwed. Datblygwyd hyn yn 2014 a dangosodd adroddiadau seneddol fuddsoddiad o £50 miliwn tuag at ddatblygu cynlluniau o'r fath. Mae amrywiaeth o grwpiau a sefydliadau hefyd wedi dod ynghyd i ymuno â'r ymgyrch a chefnogi'r llywodraeth i gadw'r addewid 'gofal nid carchar'. Mae'r sefydliadau hyn yn cynnwys:

- Conffederasiwn Rhwydwaith Iechyd Meddwl y GIG
- Cyngor y Bar
- Ffederasiwn yr Heddlu
- Y Coleg Nyrsio Brenhinol.

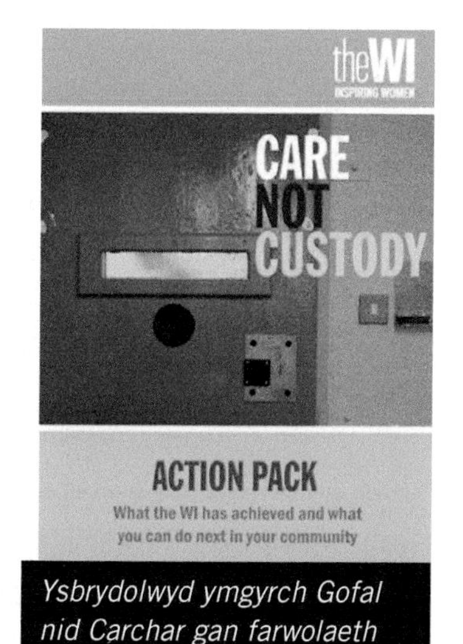

theWI
INSPIRING WOMEN
CARE
NOT
CUSTODY
ACTION PACK
What the WI has achieved and what
you can do next in your community

Ysbrydolwyd ymgyrch Gofal nid Carchar gan farwolaeth mab aelod o Sefydliad y Merched yn Norfolk.

Mae'r ymgyrch yn amlwg wedi cael rhywfaint o lwyddiant ac wedi denu cefnogaeth nifer mawr o grwpiau proffil uchel. Fodd bynnag, y cyfan maen nhw'n gallu ei wneud yw rhoi pwysau ar y llywodraeth i gytuno i'w gofynion. Dydyn nhw ddim yn gallu gorfodi'r llywodraeth i weithredu.

Ymddiriedolaeth y Tywysog

Byddai'n bosibl dweud bod Ymddiriedolaeth y Tywysog, sy'n helpu pobl ifanc, gan gynnwys y rhai sydd wedi bod mewn helynt gyda'r gyfraith, yn elusen effeithiol o safbwynt rheolaeth gymdeithasol. Cafodd ei sefydlu yn 1976 ac, ar adeg ysgrifennu'r llyfr hwn, mae wedi helpu 825,000 o bobl ifanc ar draws y DU. Mae'n helpu pobl ddi-waith rhwng 13 a 30 oed neu rai sy'n cael trafferth yn yr ysgol i weddnewid eu bywyd. Bydd mwy na thri o bob pedwar yn cael canlyniad cadarnhaol, gan symud ymlaen i swyddi, addysg a hyfforddiant. Mae ganddi nifer o fentrau, gan gynnwys un sy'n ceisio helpu cyn-droseddwyr i bontio'n llwyddiannus yn ôl i'r gymuned.

Cynghrair Howard er Diwygio'r Deddfau Cosbi

Cynghrair Howard er Diwygio'r Deddfau Cosbi yw'r elusen hynaf yn y DU ym maes diwygio deddfau cosbi, a chafodd ei sefydlu yn 1866. Ei nod yw lleihau troseddu, sicrhau cymunedau mwy diogel a gweld llai o bobl yn y carchar. Mae wedi cynnal sawl ymgyrch lwyddiannus, fel yr ymgyrch 'Llyfrau i Garcharorion', a enillodd wobr elusennol yn 2015, ac ymgyrch i atal gwneud troseddwyr o blant drwy weithio'n agos gyda heddluoedd yng Nghymru a Lloegr. Arweiniodd hyn at ostyngiad o 58% yn nifer y plant a arestiwyd rhwng 2010 a 2015. Dylai straeon am lwyddiannau unigol hefyd gael sylw.

Gweithgaredd

Ysgrifennwch 'adroddiad papur newydd' ar elusen neu garfan bwyso lwyddiannus sydd wedi cael effaith ar reolaeth gymdeithasol, er enghraifft ymgyrch Cymorth i Fenywod i ddiwygio cyfreithiau cam-drin domestig neu'r ymgyrch 'Not with my Name' i leihau twyll hunaniaeth.

ActionFraud
National Fraud & Cyber Crime Reporting Centre
0300 123 2040

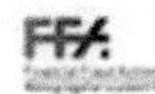

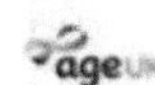

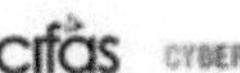

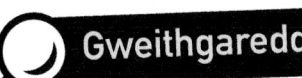

CRYNODEB O'R UNED

Drwy weithio drwy'r uned hon:

- Byddwch wedi dysgu am y system cyfiawnder troseddol yng Nghymru a Lloegr a sut mae'n gweithredu er mwyn sicrhau rheolaeth gymdeithasol.
- Byddwch wedi meithrin dealltwriaeth o'r sefydliadau sy'n rhan o'n system rheolaeth gymdeithasol a'u heffeithiolrwydd wrth gyflawni eu hamcanion.
- Byddwch chi'n gallu gwerthuso effeithiolrwydd y broses rheolaeth gymdeithasol wrth roi polisïau ar waith mewn cyd-destunau gwahanol.

CYSYLLTAU DEFNYDDIOL

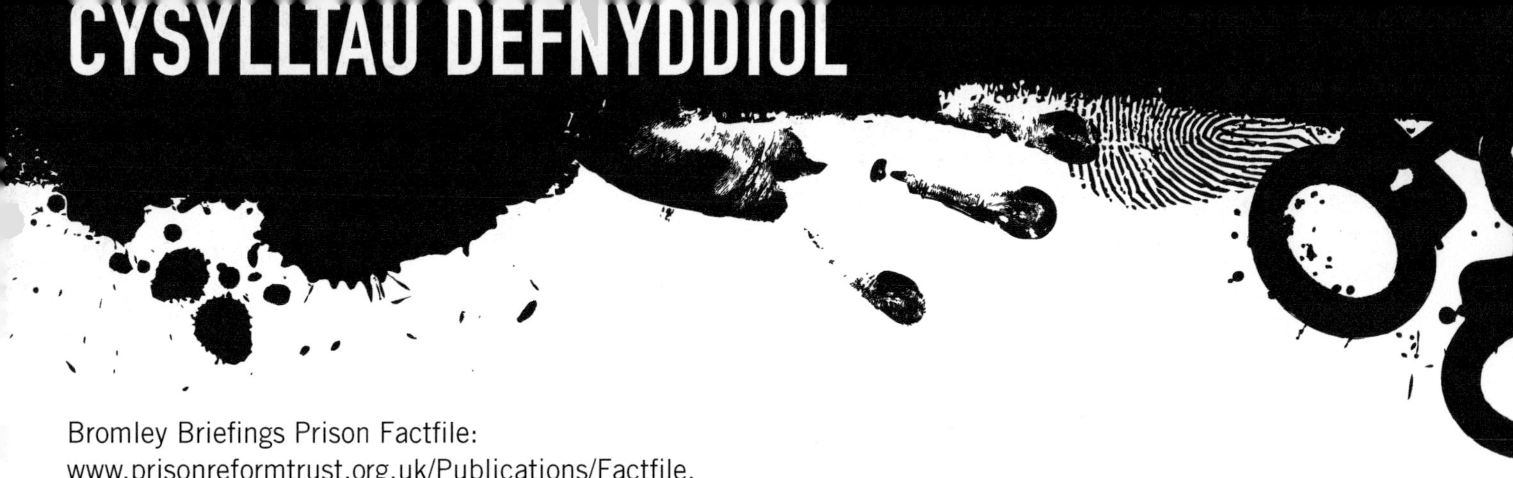

Bromley Briefings Prison Factfile:
www.prisonreformtrust.org.uk/Publications/Factfile.

Crime Statistics for England and Wales/Ystadegau Troseddu Cymru a Lloegr:
www.gov.uk/government/collections/crime-statistics.

CrimeStoppers: https://crimestoppers-uk.org/.

Crime Survey for England and Wales/Arolwg Troseddu Cymru a Lloegr:
www.crimesurvey.co.uk/.

Crown Prosecution Service/Gwasanaeth Erlyn y Goron: www.cps.gov.uk/ a www.
cps.gov.uk/cy/ynglyn-gwasanaeth-erlyn-y-goron.

Home Office/Y Swyddfa Gartref: www.gov.uk/government/organisations/home-office.

Howard League for Penal Reform: http://howardleague.org/.

Jeremy Bamber Campaign/Ymgyrch Jeremy Bamber: www.jeremy-bamber.co.uk/.

ManKind Initiative/Menter ManKind: http://new.mankind.org.uk/.

Police.UK: www.police.uk/.

Restoratvie Justice Council/Y Cyngor Cyfiawnder Adferol: https://restorativejustice.
org.uk/.

Stop Hate UK: www.stophateuk.org/.

The Guardian – 'Beyond the Blade':
www.theguardian.com/membership/series/beyond-the-blade.

The Witness Charter (Ministry of Justice)/Siarter Tystion (y Weinyddiaeth
Gyfiawnder): www.gov.uk/government/uploads/system/uploads/attachment_data/
file/264627/witness-charter-nov13.pdf.

Tips from Former Smokers (Centers for Disease Control and Prevention):
www.cdc.gov/tobacco/campaign/tips/.

Women's Aid/Cymorth i Fenywod: www.womensaid.org.uk/?gclid=CMrGw_
P6sMsCFXMzOwodr-ULJg a www.welshwomensaid.org.uk/cy/.

You be the Judge: www.ybtj.justice.gov.uk/.

CWESTIYNAU CYFFREDIN

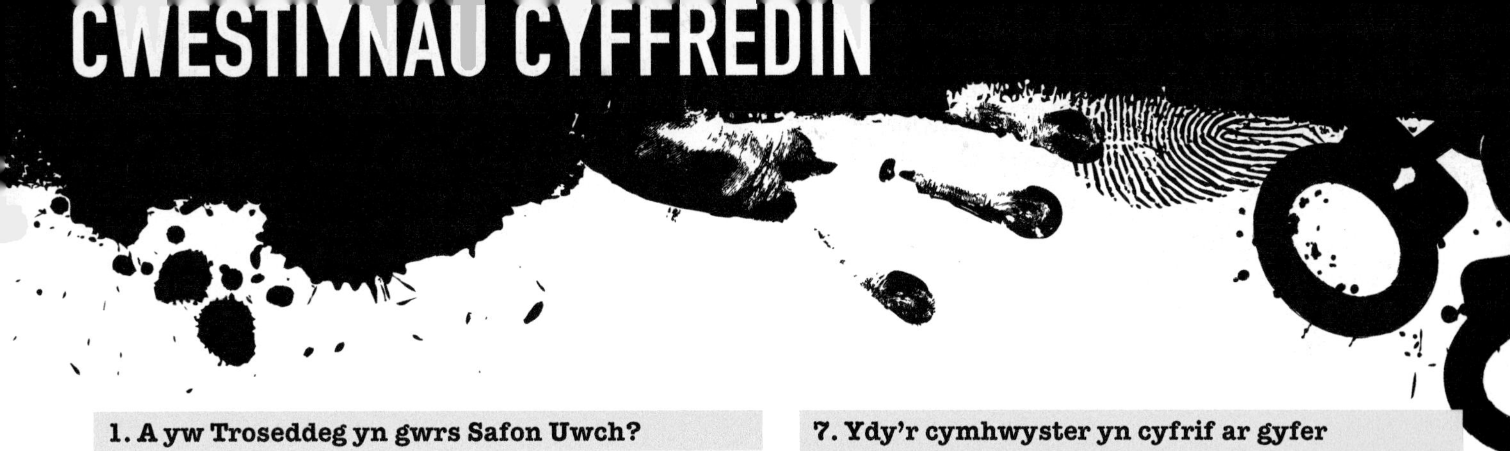

1. A yw Troseddeg yn gwrs Safon Uwch?

Dydy'r cymhwyster hwn ddim yn gymhwyster Safon Uwch, nac yn BTEC, ond yn hytrach yn gwrs Lefel 3. Mae'n cael ei ddosbarthu fel yr un lefel cymhwyster â Safon Uwch. Mae hefyd yn cael ei alw'n gymhwyster cyffredinol cymhwysol.

2. Pa destunau byddaf yn eu hastudio?

Byddwch yn dysgu am fathau gwahanol o drosedd, a'r rhesymau pam nad yw pobl yn eu reportio, gan gynnwys damcaniaethau ynglŷn â pham mae pobl yn troseddu, a sut mae troseddau yn amrywio yn ôl amser, lle a hyd yn oed diwylliant. Byddwch hefyd yn dysgu am sawl agwedd ar y system cyfiawnder troseddol, gan gynnwys y broses o fynd ag achos drwy'r llys, a rôl asiantaethau fel yr heddlu a'r gwasanaeth carchardai.

3. Ydw i'n cael dewis pa unedau i'w hastudio?

Na, does dim unedau dewisol. Rhaid astudio Unedau 1 a 2 ar gyfer y Dystysgrif, ac Unedau 3 a 4 yn ychwanegol ar gyfer y Diploma.

4. Beth yw teitlau'r unedau?

Uned 1 – Newid Ymwybyddiaeth o Drosedd

Uned 2 – Damcaniaethau Troseddegol

Uned 3 – O Leoliad y Drosedd i'r Llys

Uned 4 – Trosedd a Chosb

5. Ydw i'n cael sefyll yr asesiadau'n electronig?

Cewch sefyll yr asesiadau dan reolaeth gan ddefnyddio cyfrifiadur neu bapur. Yn ogystal, gallwch sefyll yr arholiadau allanol naill ai'n electronig neu yn y ffordd draddodiadol seiliedig ar bapur.

6. Pa sgiliau byddaf yn eu datblygu wrth astudio'r cymhwyster?

Yn ogystal â meithrin gwybodaeth a dealltwriaeth, byddwch hefyd yn dysgu sut i ddisgrifio ac esbonio. Byddwch hefyd yn datblygu sgiliau uwch, sef y gallu i werthuso, dadansoddi, trafod, asesu ac archwilio.

7. Ydy'r cymhwyster yn cyfrif ar gyfer pwyntiau UCAS?

Ydy, mae'r cymhwyster werth yr un nifer o bwyntiau UCAS â graddau sy'n cael eu dyfarnu ar gyfer cymhwyster Safon Uwch. Mae'r Dystysgrif, sy'n cael ei dyfarnu ar gyfer 2 uned, werth 50% o'r pwyntiau sy'n cael eu dyfarnu ar gyfer y Diploma. Mae hyn i'w weld yn y tabl a ganlyn.

Gradd	Tystysgrif	Diploma
A*		56
A	24	48
B	20	40
C	16	32
D	12	24
E	8	16

8. Ydw i'n cael gweld y briffiau ar gyfer Uned 1 ac Uned 3?

Na, ddim cyn dechrau'r asesiad dan reolaeth.

9. Beth yw hyd yr asesiadau dan reolaeth?

Bydd asesiadau Unedau 1 a 3 yn para cyfanswm o 8 awr. Dewis eich athro fydd sut i rannu'r amser hwn. Fodd bynnag, ar gyfer Uned 1, bydd yr asesiad yn cael ei rannu yn sesiynau 3 awr a 5 awr, oherwydd cyfyngiadau o ran mynediad at y rhyngrwyd.

10. Beth yw hyd yr arholiadau allanol?

Bydd arholiadau Unedau 2 a 4 yn para 1 awr 30 munud.

11. Ydy Unedau 3 a 4 yn fwy anodd nag Unedau 1 a 2?

Na, mae pob uned werth yr un ganran tuag at eich gradd derfynol. Mae gan bob uned bwysoliad o 25% tuag at gymhwyster y Diploma, ac mae Unedau 1 a 2 werth 50% yr un tuag at y Dystysgrif.

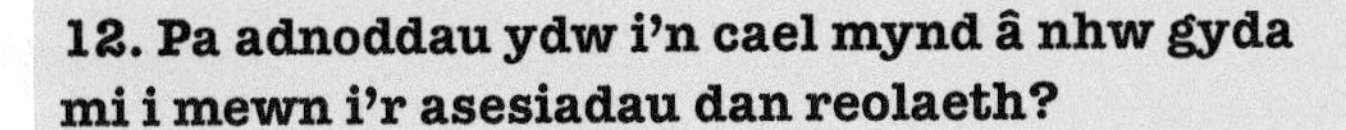

12. Pa adnoddau ydw i'n cael mynd â nhw gyda mi i mewn i'r asesiadau dan reolaeth?

Cewch chi fynd â nodiadau dosbarth, gan gynnwys rhai mae eich athro wedi eu rhoi i chi a rhai rydych chi wedi eu paratoi eich hun, i mewn i'r asesiadau dan reolaeth. Gallai hyn gynnwys gwaith ymchwil rydych chi wedi ei gyflawni. Sylwch eich bod yn cael eich annog i nodi unrhyw ymchwil neu wybodaeth o werslyfr yn eich geiriau eich hun. Bydd hyn yn golygu eich bod yn cynhyrchu gwaith gwreiddiol yn yr asesiadau dan reolaeth.

13. Pa adnoddau sydd ddim yn cael eu caniatáu yn yr asesiadau dan reolaeth?

Gwerslyfrau neu waith wedi'i gopïo yn uniongyrchol ohonyn nhw. Diben hyn yw osgoi llên-ladrad, a allai arwain at golli marciau. Dydy atebion wedi'u paratoi ymlaen llaw, na deunyddiau wedi'u dylunio ymlaen llaw, ddim yn cael eu caniatáu chwaith. Mae'n bwysig bod popeth yn cael ei greu yn ystod amser yr asesiad dan reolaeth.

14. A oes unrhyw gwestiynau dewisol yn yr arholiad allanol?

Nac oes, mae pob cwestiwn yn orfodol.

15. Oes rhaid i mi astudio popeth sydd yn y fanyleb?

Rhaid i chi astudio popeth sydd wedi'i restru yn adran 'cynnwys' y fanyleb, oherwydd gall ffurfio sylfaen cwestiwn arholiad. Fodd bynnag, canllaw ar gyfer y math o wybodaeth allai gael ei defnyddio i ateb cwestiwn yw cynnwys yr adran 'ymhelaethu'. Os yw eich athro chi yn defnyddio enghreifftiau, damcaniaethau neu syniadau eraill, mae hynny'n gwbl dderbyniol.

16. Oes unrhyw waith paratoi galla i ei wneud cyn astudio'r cwrs?

Ewch i unrhyw ddigwyddiadau agored neu sesiynau blasu sy'n cael eu cynnig mewn ysgolion neu golegau lleol, oherwydd bydd hyn yn rhoi blas o'r cwrs i chi. Ceisiwch wylio neu wrando ar y newyddion hefyd, ac ymgyfarwyddo â'r materion cyfoes diweddaraf sy'n effeithio ar y system cyfiawnder troseddol. Os ydych chi'n mwynhau gwylio rhaglenni trosedd neu ymchwil troseddol ar y teledu, gallai hynny fod yn ddefnyddiol hefyd. Ond cofiwch bod Troseddeg yn ymwneud â llawer mwy na llofruddion cyfresol.

17. Pa bynciau eraill sy'n addas i'w hastudio ar y cyd â Throseddeg?

Mae llawer o bynciau eraill yn cyd-fynd â Throseddeg, fel Cymdeithaseg, y Gyfraith a Seicoleg. Gall Lefel 3 Troseddeg gael ei astudio ochr yn ochr ag unrhyw gyrsiau Safon Uwch, BTEC a Lefel 3 eraill.

18. Ydy pob prifysgol yn derbyn y cymhwyster hwn?

Mae llawer o brifysgolion yn derbyn y cymhwyster hwn, ac mae werth yr un nifer o bwyntiau UCAS â graddau Safon Uwch. Fodd bynnag, byddai'n syniad da i chi gysylltu â'ch prifysgol dewisol i gael cyngor unigol gan y brifysgol honno.

19. Beth gallaf ei wneud ar ôl y cymhwyster?

Mae llawer o fyfyrwyr yn defnyddio'r cymhwyster i'w helpu i gael lle mewn prifysgol. Fel arall, gallech chi ystyried gyrfa gyda'r Gwasanaeth Heddlu, y Gwasanaeth Carchardai, neu waith fel swyddog prawf, gweithiwr cymdeithasol neu weithiwr ieuenctid. Gallech chi hefyd ystyried prentisiaeth, fel prentisiaeth cwnstabl yr heddlu neu brentisiaeth swyddog carchar.

20. Beth yw manteision astudio'r cymhwyster hwn?

Mae llawer o fanteision ynghlwm wrth astudio'r cwrs hwn, gan gynnwys y canlynol:

- Os nad ydych chi'n gallu cwblhau'r cymhwyster 2 flynedd, dim ond blwyddyn sydd ei hangen i ennill y Dystysgrif.
- Mae'r Dystysgrif werth 50% o'r pwyntiau UCAS llawn.
- Mae Troseddeg yn bwnc diddorol – byddwch chi'n ystyried trosedd o safbwynt sut, pam, pryd, beth a phwy.
- Mae'n gwrs amlddisgyblaethol sy'n cynnwys agweddau ar gymdeithaseg, seicoleg a'r gyfraith.
- Mae amrywiaeth o asesiadau'n cael eu defnyddio, gydag asesiad dan reolaeth ac arholiad allanol i'w sefyll bob blwyddyn ar y cwrs.
- Byddwch yn meithrin dealltwriaeth o sut mae'r gymdeithas yn gweithredu o fewn y system cyfiawnder troseddol.

CYFEIRIADAU

Adler, P.B., Hille Ris Lambers, J. a Levine, J.M. (2007) 'A Niche for Neutrality', *Ecology Letters*, 10, tudalennau 95–104.

Ainsworth, P. (2001) *Offender Profiling and Crime Analysis*, Willan.

Allyon, T. a Milan, M. (1979) *Correctional Rehabilitation and Management: A Psychological Approach*, John Wiley & Sons.

Amnesty International (2017) Death Penalty, www.amnesty.org/en/what-we-do/death-penalty/.

Andrews, D.A., Zinger, I., Hoge, R.D., Bonta, J., Gendrea, P. a Cullen, F.T. (1990) 'Does Correctional Treatment Work? A Clinically Relevant and Informed Meta-Analysis', *Criminology*, 28, 369–404.

Dienw (2016, 6 Awst) 'The Prison Service Has Been Cut to the Bone and we Struggle to Keep Control', *The Guardian*, www.theguardian.com/public-leaders-network/2016/aug/06/crisis-managing-violence-prison-service-cut-to-the-bone.

Association of Police and Crime Commissioners (2017) Role of the PCC, www.apccs.police.uk/role-of-the-pcc/.

Baksi, C. (2014, 10 Gorffennaf) 'Health Check Shows Impact of Cuts at CPS', *The Law Society Gazette*, www.lawgazette.co.uk/practice/health-check-shows-impact-of-cuts-at-cps/5042113.article.

Barrett, D. (2014, 17 Rhagfyr) 'Police Budgets Slashed by £300m Despite Top Officers' Warnings', *The Telegraph*, www.telegraph.co.uk/news/uknews/law-and-order/11299163/Police-budgets-slashed-by-300m-despite-top-officers-warnings.html.

Barrett, D. (2015, 11 Chwefror) 'England and Wales Near Top of Prison Spending League', *The Telegraph*, www.telegraph.co.uk/news/uknews/crime/11405588/England-and-Wales-near-top-of-prison-spending-league-table.html.

BBC NEWS (2013, 23 Rhagfyr) '"Sarah's Law" Sees 700 Paedophiles Identified', www.bbc.co.uk/news/uk-25489541.

BBC News (2015, 7 Mawrth) 'Police Forces all Face Major Budget Cuts', www.bbc.co.uk/news/uk-31771456.

Blackburn, R. (1993) *The Psychology of Criminal Conduct: Theory, Research and Practice*, John Wiley & Sons.

Bowlby, J. (1944) 'Forty-four Juvenile Thieves: Their Characters and Home Lives', *International Journal of Psycho-Analysis*, XXV, tudalennau 19–25.

Brown, B.B. ac Altman, I. (1981) 'Territoriality and Residential Crime: A Conceptual Framework', yn P.L. Brantingham a P.J. Brantingham (goln.), *Environmental Criminology*, Sage.

Burrell, I. (2014, 14 Chwefror) 'BBC Accused of Political Bias – on the Right, not the Left', *The Independent*, www.independent.co.uk/news/uk/politics/bbc-accused-political-bias-right-not-left-9129639.html.

Butcher, M. a Taylor, S. (2007, 3 Ebrill) 'Jurors Biased in Sentencing Decisions by the Attractiveness of Defendant', *Psychology & Crime News*, https://crimepsychblog.com/?p=1437.

Campbell Collaboration (2013) Restorative Justice Conferencing (RJC) Using Face-to-Face Meetings of Offenders and Victims: Effects of Offender Recidivism and Victim Satisfaction, www.campbellcollaboration.org/library/restorative-justice-conferencing-recidivism-victim-satisfaction.html.

Centre for Social Justice (2015) Drugs in Prison, www.centreforsocialjustice.org.uk/library/drugs-in-prison.

Children's Society (2020) The Good Childhood Report, www.childrenssociety.org.uk/good-childhood?gclid=CjOKCQiA-OeBBhDiARIsADyBcE5HxPhglyZf4UTIBGsJH9TkGMWSOJ3JcbwRVW8O4QbqR8emVr4-TP4aAnm1EALw_wcB.

Cohen, S. (1973) *Folk Devils and Moral Panics: The Creation of the Mods and Rockers*, HarperCollins.

College of Policing (2013) The Effects of CCTV on Crime, http://library.college.police.uk/docs/what-works/What-works-briefing-effects-of-CCTV-2013.pdf.

Court News UK (2017, 8 Mehefin) 'Judge Lets off Thief and Commends his "Enterprise"', http://courtnewsuk.co.uk/judge-lets-off-thief-commends-enterprise/.

Cozens, P., Hillier, D. a Prescott (2001) 'Defensible Space: Burglars and Police Evaluate Urban Residential Design', *Security Journal*, 14(4), tudalennau 43–63.

Christiansen, K.O. (1977) 'A Review of Studies of Criminality amongst Twins', yn S. Mednick a K. Christiansen (goln), *Biosocial Bases of Criminal Behaviour*, Gardener Press.

Cumberbatch G. (1997) 'Is Television Harmful?', yn R. Cochrane a D. Carroll (goln) *Psychology and Social Issues*, Falmer.

Death Penalty Information Center (2017) Federal Court Finds Intentional Misconduct by Alabama Prosecutor, but Lets Death Penalty Stand, https://deathpenaltyinfo.org/.

DeLisi, M. (2012) 'Revisiting Lombroso', yn F.T. Cullen a P. Wilcox (goln), *Oxford Book of Criminological Theory*, Oxford University Press.

Devlin Committee Report (1976) *Report of the Committee on Evidence of Identification in Criminal Cases*, (Cmnd 338), 134/135, 42.

DeYoung, C.J. (2010) 'Personality Neuroscience and the Biology of Traits', *Social and Personality Psychology Compass*, 4(12), tudalennau 1165–1180.

Discsombe, D. (2017, 4 Mai) '"Thank You Very Much" – Judge Lets Former Drug Dealer off Unpaid Work because of Transport Issues', *Gloucestershire Live*, www.gloucestershirelive.co.uk/news/gloucester-news/thank-you-very-much-judge-45395.

Edwards, J.S.A., Hartwell, H.J. a Schafheitle, J. (2001) *Prison Foodservice in England*, Foodservice and Applied Nutrition Research Group, Bournemouth University.

Farmer, B. (2017, 1 Awst) 'Prison Riot Squad Officers Sent into HMP The Mount for Second Time in 24 Hours as "Inmates Seize Wing Again"', *The Telegraph*, www.telegraph.co.uk/news/2017/08/01/prison-riot-squad-officers-sent-hmp-mount-second-time-24-hours/.

Farrington, D.P., Loeber, R., Stouthamer-Loeber, M., Van Kammen, W.B. a Schmidt, L. (1996) 'Self-reported Delinquency and Combined Delinquency Seriousness Scale Based on Boys, Mothers, and Teachers: Concurrent and Predictive Validity for African-Americans and Caucasians', *Criminology*, 34, tudalennau 493–517.

Fenton, S. (2016, 2 Mai) 'Watchdog Criticises Government's Privatisation of Probation Services', *Independent*, www.independent.co.uk/news/uk/politics/national-audit-office-watchdog-savages-governments-disastrous-privatisation-of-probation-services-a7010496.html.

Flood-Page, C., Campbell, S., Harrington, V. et al. (2000) Youth Crime: Findings from the 1998/99 Youth Lifestyles Survey, Home Office Research Study 209, Home Office Research, Development and Statistics Directorate.

Fo, W.S. ac O'Donnell, C.R. (1975) 'The Buddy System: Effects of Community Intervention on Delinquent Offenses', *Behavior Therapy*, 6, tudalennau 522–524.

Gesch, C.B., Hammond, S.M., Hampson, S.E., Eves, A. a Crowder, M.J. (2002) 'Influence of Supplementary Vitamins, Minerals and Essential Fatty Acids on the Antisocial Behaviour of Young Adult Prisoners. Randomised, Placebo-Controlled Trial', *British Journal of Psychiatry*, 181, 22–28.

Glenn, H., Dame (2008) 'The Attractiveness of Senior Judicial Appointment to Highly Qualified Practitioners', Report to the Judicial Executive Board, www.ucl.ac.uk/laws/judicial-institute/files/The_Attractiveness_of_Senior_Judicial_Appointment_Research_Report.pdf.

Glidewell, Syr Iain (1998) The Review of the Crown Prosecution Service Summary of The Main Report with the Conclusions and Recommendations Chairman: Rt Hon. Sir Iain Glidewell Presented to Parliament by The Attorney General by Command of Her Majesty (Cmd 3972), Stationery Office.

Glueck, S. a Glueck, E. (1956) *Physique and Delinquency*, Harper.

Goring, C. (1913) *The English Convict: A Statistical Study*, HMSO.

Grierson, J. (2017, 2 Mawrth) 'Watchdog Says Police Cuts Have Left Forces in "Perilous State"', *The Guardian*, www.theguardian.com/uk-news/2017/mar/02/inspectorate-police-engaging-dangerous-practices-austerity-cuts-diane-abbott.

Hale, C., Hawyard, K., Wahidin, A. a Wincup, E. (2013) *Criminology*, Oxford University Press.

Harley, N. (2017, 29 Medi) 'Judge Who Spared Aspiring Oxford Student From Jail After She Stabbed her Partner is Cleared Following Investigation into Three Complaints', *The Telegraph*, www.telegraph.co.uk/news/2017/09/29/judge-spared-oxford-student-jail-bright-stabbed-partner-investigation.

Hinsliff, G. (2003, 22 Medi) 'Diet of Fish "Can Prevent" Teen Violence', *The Guardian*, www.theguardian.com/politics/2003/sep/14/science.health.

HM Inspectorate of Constabulary and Fire and Rescue Services (2017) West Midlands Police: Crime Data Integrity Inspection 2017, www.justiceinspectorates.gov.uk/hmicfrs/publications/west-midlands-police-crime-data-integrity-2017/.

HM Inspectorate of Probation (2016) Probation Work in Durham – Much Good Work but Some Improvements Needed, www.justiceinspectorates.gov.uk/hmiprobation/media/press-releases/2016/08/durhamqi/.

HM Inspectorate of Probation and HM Inspectorate of Prisons (2017, Mehefin) An Inspection of Through the Gate Resettlement Services for Prisoners Serving 12 Months or More, www.justiceinspectorates.gov.uk/cjji/wp-content/uploads/sites/2/2017/06/Through-the-Gate-phase-2-report.pdf.

HM Prison Service (d.d.) About Us, www.gov.uk/government/organisations/hm-prison-service/about.

Hobbs, T.R. a Holt, M.M. (1976) 'The Effects of Token Reinforcement on the Behavior of Delinquents in Cottage Settings', *Journal of Applied Behavior Analysis*, 9, tudalennau 189–198.

Hobbs, M.M. a Holt, T.R. (1979) 'Problems of Behavioural Interventions with Delinquents in an Institutional Setting', yn A.J. Finch a P.C. Kendall (goln), *Clinical Treatment and Research in Child Psychopathology*, SP Medical and Scientific Books.

Howitt, D. (2008) *Introduction to Forensic and Criminal Psychology*, Pearson Education.

Hutchings, B. a Mednick, S.A. (1975) 'Registered Criminality in the Adoptive and Biological Parents of Registered Male Criminal Adoptee', yn R. Fieve, D. Rosenthal a H. Brill (goln), *Genetic Research in Psychiatry*, The Johns Hopkins Press.

Jacob, P.A., Brunton, M., Melville, M., Brittain, R.P. a McClemont, W.F. (1965) 'Aggressive Behaviour, Mental Sub-normality and the *XYY* Male', *Nature*, 208, tudalennau 1351–1352.

Johnson, B. (2006, 22 Mehefin) 'Colin Stagg Shows Why Trial by Judge, Not by Media, is Right', *The Telegraph*, www.telegraph.co.uk/comment/columnists/borisjohnson/3625868/Colin-Stagg-shows-why-trial-by-judge-not-by-media-is-right.html.

Johnson, B. (2017, 10 Gorffennaf) 'Prison Officers "Need Tasers and Stab Vests" to Cope with Rising Violence in Jails', *Sky News*, http://news.sky.com/story/prison-officers-need-tasers-and-stab-vests-to-cope-with-rising-violence-10943089.

Kelling, G.L. a Wilson, J.Q. (1982) 'The Police and Neighborhood Safety: Broken Windows', *Atlantic Monthly*, 249(3): 29–38.

Lange, J. (1929) *Crime as Destiny: A Study of Criminal Twins*, Unwin.

LawTeacher (2017) Labelling Theory its Strengths and Weaknesses, www.lawteacher.net/free-law-essays/criminal-law/labelling-theory-its-strengths-and-weaknesses.php.

Leeson, N. (1997) *Rogue Trader*, Warner Books.

Lewis, A. (d.d.) Understanding CPTED Principles + School Safety, www.dpsdesign.org/blog/understanding-cpted-principles-school-safety.

Lombroso, C. (2006) *Criminal Man*, M. Gibson ac N. Hahn Rafter (goln), Duke University Press.

Macpherson, W., Syr (1999) The Stephen Lawrence Inquiry, www.gov.uk/government/publications/the-stephen-lawrence-inquiry.

Martin, J. (2016) *English Legal System*, 8fed argraffiad, Hodder Education.

McLeod, S.A. (2014) Bobo Doll Experiment, www.simplypsychology.org/bobo-doll.html.

McIsaac, K.E., Moser, A., Moineddin, R., Keown, L.A., Wilton, G., Stewart, L.A., Colantonio, A., Nathens, A.B. a Matheson, F.I. (2016) 'Association between Traumatic Brain Injury and Incarceration: A Population-based Cohort Study', *CMAJ Open*, 4(4), tudalennau E746–E753.

Meadow, R., Syr (1997) *ABC of Child Abuse*, BMJ Books.

Mednick, S.A., Huttunen, M.O. a Machón, R.A. (1994) 'Prenatal Influenza Infections and Adult Schizophrenia', *Schizophrenia Bulletin,* 20(2), tudalennau 263–267.

Moss, V. (2015, 24 Ionawr) 'Criminals Dodge £549 million in Unpaid Court Fines as Taxpayers are Hit in the Pocket', *Mirror*, www.mirror.co.uk/news/uk-news/criminals-dodge-549million-unpaid-court-5037017.

Newburn, T. (2007) *Criminology*, Routledge.

Newton Dunn, T. (2015, 17 Awst) 'European Court of Killers' Rights', *The Sun*, www.thesun.co.uk/archives/politics/204465/european-court-of-killers-rights/.

Novaco, R.W. (1975) *Anger Control: The Development and Evaluation of an Experimental Treatment*, Heath.

Office for National Statistics/Swyddfa Ystadegau Gwladol (ONS) (2017) Crime in England and Wales: Year Ending March 2017, www.ons.gov.uk/peoplepopulationandcommunity/crimeandjustice/bulletins/crimeinenglandandwales/yearendingmar2017.

Office for National Statistics/Swyddfa Ystadegau Gwladol (ONS) (2020) Crime in England and Wales: Year Ending September 2019, www.ons.gov.uk/peoplepopulationandcommunity/crimeandjustice/bulletins/crimeinenglandandwales/yearendingseptember2019#:~:text=The%20Crime%20Survey%20for%20England%20and%20Wales%20(CSEW)%20provides%20the,compared%20with%20the%20previous%20year.

Osborn, S.G. a J West, D.J. (1979) 'Conviction Records of Fathers and Sons Compared', *British Journal of Criminology*, 19(4), tudalennau 120–133.

Packer, H.L. (1968) *The Limits of Criminal Sanction*, Stanford University Press.

Pilditch, D. (2017, 4 Awst) 'Model Caught Stealing from Harrods Spared Jail After Judge Praised her "TALENTS"', *Daily Express*, www.express.co.uk/news/uk/836761/Model-stealing-Harrods-Natalia-Sikorska-Westminster-court.

Prison Fellowship (2017) Does Restorative Justice Work?, www.prisonfellowship.org.uk/what-we-do/sycamore-tree/does-restorative-justice-work/.

Prison Reform Trust (2014) Incentives and Earned Privileges, www.prisonreformtrust.org.uk/Portals/0/Documents/IEP%20Briefing%20Prison%20Reform%20Trust.pdf.

Prison Reform Trust (2016) Bromley Briefings Prison Factfile, Hydref 2016, www.prisonreformtrust.org.uk/Portals/0/Documents/Bromley%20Briefings/Autumn%202016%20Factfile.pdf.

Prison Reform Trust (2017a) Prison: The Facts, www.prisonreformtrust.org.uk/Portals/0/Documents/Bromley%20Briefings/Summer%202017%20factfile.pdf.

Prison Reform Trust (2017b) Bromley Briefings Prison Factfile, Hydref 17, www.prisonreformtrust.org.uk/Portals/0/Documents/Bromley%20Briefings/Autumn%202017%20factfile.pdf.

Prison Reform Trust (2021) Bromley Briefings Prison Factfile, Gaeaf 2021, www.prisonreformtrust.org.uk/Portals/0/Documents/Bromley%20Briefings/Winter%202021%20Factfile%20final.pdf.

Prisonphone (2017) Prison Budget Cuts – The Actual Statistics, www.prisonphone.co.uk/prison-budget-cuts-the-actual-statistics/.

Putwain, D. a Sammons, A. (2002) *Psychology and Crime*, Routledge.

Raine, A., Buchsbaum, M.S, Stanley, J., Lottenberg, S., Abel, L. a Stoddard, J. (1994) 'Selective Reductions in Prefrontal Glucose Metabolism in Murderers', *Biological Psychiatry*, 36(6), tudalennau 365–373.

Rantzen, E. (2013, 9 Chwefror) 'Judge Lets off Sex Abuser then Blames Victim', *Mirror*, www.mirror.co.uk/news/world-news/judge-lets-off-sex-abuser-then-blames-1599608.

Restorative Justice Council (2016) Evidence Supporting the Use of Restorative Justice, https://restorativejustice.org.uk/resources/evidence-supporting-use-restorative-justice.

Rutter, T. (2013, 29 Tachwedd) 'Meet the Woman on a Mission to Cut Reoffending in Wales', *The Guardian*, www.theguardian.com/public-leaders-network/2013/nov/29/probation-services-devolved-nation.

Sample, I. (2010, 14 Medi) 'Psychological Profiling "Worse than Useless"', *The Guardian*, www.theguardian.com/science/2010/sep/14/psychological-profile-behavioural-psychology.

Scerbo, A. a Raine, A. (1993) 'Neurotransmitters and Antisocial Behavior: A Meta-Analysis', yn A. Raine (gol.), *The Psychopathology of Crime: Criminal Behavior as a Clinical Disorder*, Academic Press.

Scheerhout, J. (2017, 12 Ebrill) '"Manchester United Can Afford It", Says Judge as he Lets off Thieving Burger Kiosk Workers', *Manchester Evening News*, www.manchestereveningnews.co.uk/news/greater-manchester-news/manchester-united-can-afford-it-12886475.

Schoenthaler, S.J. (1982) 'The Effect of Sugar on the Treatment and Control of Anti-social Behavior: A Double-blind Study of an Incarcerated Juvenile Population', *International Journal of Biosocial Research*, 3, tudalennau 1–9.

Sheldon, W.H. (gyda Hartl, E.M. a McDermott, E.) (1949) *Varieties of Delinquent Youth: An Introduction to Constitutional Psychology*, Harper and Brothers.

Sheldon, W.H. (1954) *Atlas of Men: A Guide for Somatotyping the Adult Male of All Ages*, Harper.

Sutherland, E.H., Cressey, D.R. a Luckenbill, D.F. (1992) *Principles of Criminology*, General Hall.

Theilgaard, A. (1984) 'A Psychological Study of the Personalities of XYY- and XXY-Men', *Acta Psychiatrica Scand*, 69 (suppl. 315), tudalennau 1–133.

Travis, A. a Rogers, S. (2011, 18 Awst) 'Revealed: The Full Picture of Sentences Handed Down to Rioters', *The Guardian*, www.theguardian.com/uk/2011/aug/18/full-picture-of-riot-sentences.

Victim Support (2006) Victims Code, www.victimsupport.org.uk/help-and-support/your-rights/victims%E2%80%99-code.

Virkkunen, M., Nuutila, A., Goodwin, F.K. a Linnoila, M. (1987) 'Cerebrospinal Fluid Monoamine Metabolite Levels in Male Arsonists', *Archives of General Psychiatry*, 44, tudalennau 241–247.

Whitehead, T. (2014, 26 Ebrill) 'Quarter of Billion in Court Fines Written Off', *The Telegraph*, www.telegraph.co.uk/news/uknews/law-and-order/10788130/Quarter-of-billion-in-court-fines-written-off.html.

Wilson, D. (2014) *Pain and Retribution: A Short History of British Prisons, 1066 to the Present*, Reaktion Books.

CBAC (2015) CBAC Lefel 3 Tystysgrif a Diploma Cymhwysol mewn Troseddeg, www.cbac.co.uk/qualifications/criminology/criminology-level-3-from-2015/Criminology%202015%20Spec%20-%20W.pdf.pdf?language_id=2.

Wolfenden, Lord (1957) The Report of the Departmental Committee on Homosexual Offences and Prostitution (Cmnd 247), The National Archives.

Wright, P. a Palumbo, D. (2016, 15 Tachwedd) 'UK Prisons Crisis: Five Graphs Showing Why Officers are Striking as Chaos Erupts Behind Bars', *International Business Times*, www.ibtimes.co.uk/uk-prisons-crisis-five-graphs-showing-why-officers-are-striking-chaos-erupts-behind-bars-1591687.

GEIRFA

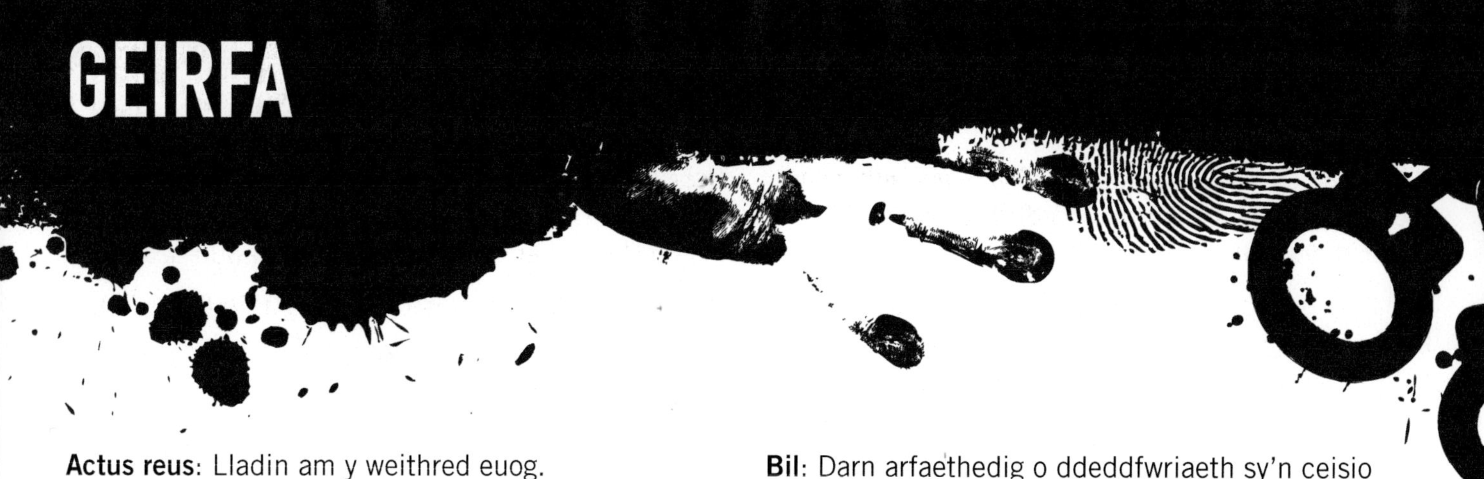

Actus reus: Lladin am y weithred euog.

Ad-dalu *retribution*: Y nod yw cosbi troseddwr i'r lefel haeddiannol.

Adsefydlu *rehabilitation*: Ceisio newid meddylfryd y troseddwr er mwyn atal aildroseddu yn y dyfodol.

Allblygedd *extraversion*: Ymddiddori ac ymbleseru mewn pethau y tu allan i'r hunan.

Amlwg *patent*: Yn glir i'r llygad noeth.

Amnest: Rhoi pardwn swyddogol neu gadarnhad swyddogol na fydd achos troseddol yn cael ei ddwyn.

Analluogi *incapacitation*: Dedfryd gan y llys i atal rhagor o droseddu. Gallai hyn gynnwys cyfnod yn y carchar.

Anomi: Colli egwyddorion neu normau sy'n cael eu rhannu.

Arolygon dioddefwyr: Yn cael eu cynnal gyda'r bwriad o gyfweld â sampl cynrychiadol o boblogaeth benodol a gofyn cyfres o gwestiynau am eu profiad o fod yn ddioddefwyr. Dechreuodd yr arolygon hyn yn UDA; roedd yr arolwg cyntaf o'i fath yn y DU yn 1972. Datblygodd yn Arolwg Troseddu Prydain yn ddiweddarach ac ers 2012 mae'n cael ei alw'n Arolwg Troseddu Cymru a Lloegr.

Atafiaethol *atavistic*: Yn ymwneud â rhywbeth hynafol neu hynafaidd.

Ataliaeth *deterrence*: Ei nod yw perswadio troseddwr, neu unrhyw un yn y gymdeithas, i beidio â chyflawni trosedd drwy ofni cosb.

Atgwympo *recidivism*: Tuedd troseddwr a gyhuddwyd i aildroseddu.

Awtomatiaeth: Amddiffyniad yn y gyfraith lle nad oes gan y diffynnydd reolaeth ar ei weithredoedd.

Baich prawf *burden of proof*: Y ddyletswydd i brofi'r cyhuddiad.

Bil: Darn arfaethedig o ddeddfwriaeth sy'n ceisio mynd drwy'r camau deddfu seneddol.

Bwrdd Parôl: Corff annibynnol sy'n cynnal asesiadau risg ar garcharorion i benderfynu a ellir eu rhyddhau'n ddiogel i'r gymuned.

Camweinyddu cyfiawnder *miscarriage of justice*: Euogfarnu a chosbi person am drosedd nad oedd ef/hi wedi'i chyflawni.

Carcharu: Dedfryd a roddir gan y llys yn argymell bod y troseddwr yn cael ei anfon i'r carchar.

Codi bwganod *scaremongering*: Lledaenu straeon sy'n codi ofn ar y cyhoedd.

Cofrestr Troseddwyr Rhyw: Yn cynnwys manylion unrhyw un a gafodd ei gyhuddo, ei rybuddio neu ei ryddhau o'r carchar am droseddau rhyw yn erbyn plant neu oedolion ers mis Medi 1997. Mae'n cael ei chadw gan yr heddlu ac mae enwau tua 9,000 o bobl arni.

Condemniad *denunciation*: Ei nod yw ceisio dangos i droseddwyr nad yw cymdeithas yn cymeradwyo eu hymddygiad a'i fod yn ymddygiad annerbyniol.

Confensiwn Ewropeaidd ar Hawliau Dynol (CEHD) *European Convention on Human Rights (ECHR)*: Cytuniad neu gytundeb i amddiffyn hawliau dynol a rhyddid sylfaenol yn Ewrop.

Cosb eithaf *capital punishment*: Arfer sy'n cael ei gymeradwyo gan y llywodraeth, lle bydd rhywun yn cael ei roi i farwolaeth gan y wladwriaeth yn gosb am drosedd.

Cudd *latent*: Ddim yn amlwg i'r llygad noeth.

Cwmnïau adsefydlu cymunedol *community rehabilitation companies*: Cyflenwyr y sector preifat sy'n darparu gwasanaethau prawf i droseddwyr yng Nghymru a Lloegr.

Cydgordiad *concordance*: Yn gytûn neu mewn harmoni.

Cydsyniad *consent*: Amddiffyniad yn y gyfraith sy'n profi bod yr unigolyn priodol wedi rhoi caniatâd i'r drosedd ddigwydd.

Cyfalafiaeth *capitalism*: Y system gymdeithasol lle mae'r dull o gynhyrchu a dosbarthu nwyddau (masnach a diwydiant y wlad) yn cael ei reoli gan leiafrif bach o bobl er elw (y dosbarth cyfalafol). Rhaid i'r rhan fwyaf o bobl werthu eu gallu i weithio yn gyfnewid am gyflog (y dosbarth gweithiol/proletariat).

Cyflawnwyr *perpetrators*: Pobl sy'n cyflawni gweithredoedd troseddol (troseddwyr).

Cyfraith gyfansoddiadol *constitutional law*: Yr egwyddorion sylfaenol sy'n sail i'r ffordd mae'r wladwriaeth yn cael ei llywodraethu.

Cyfreithloni *legalise*: Gwneud gweithred yn gyfreithlon o fewn y gyfraith.

Cyfyngu i'r gell *cellular confinement*: Cael eich cyfyngu i'ch cell, heb gymdeithasu â charcharorion eraill, yn gosb.

Cyllid *funding*: Arian sy'n cael ei roi at ddiben penodol.

Cymdeithasol: Cymdeithas, y cyhoedd, cymuned, cyffredinol, cyffredin, wedi'i rannu, grŵp.

Cynllun peilot: Yn cael ei ddefnyddio i brofi syniad cyn penderfynu a ddylai gael ei gyflwyno ar raddfa fawr.

Cysylltiadau gwahaniaethol *differential associations*: Rhyngweithiadau ag eraill.

Dad-droseddoli *decriminalisation*: Stopio rhywbeth rhag bod yn anghyfreithlon.

Dedfryd gymunedol *community sentence*: Cosb gan lys sy'n cyfuno cosb â gweithgareddau a gyflawnir yn y gymuned.

Dedfryd o garchar *custodial sentence*: Cosbi drwy anfon rhywun i'r carchar.

Deddfau cosbi *punitive laws*: Deddfau â'r bwriad o gosbi.

Defodol *ritualistic*: Gwneud rhywbeth yn yr un ffordd.

Deintydd fforensig: Rhywun sy'n gallu cyflwyno gwybodaeth ddeintyddol mewn achosion cyfreithiol.

Deiseb *petition*: Cais ysgrifenedig ffurfiol o blaid achos penodol, fel arfer wedi'i lofnodi gan nifer o bobl, sy'n cael ei gyflwyno i rai mewn awdurdod.

Deusygotig: Gefeilliaid heb fod yn unfath (brawdol).

Diawliaid y werin *folk devils*: Pobl sy'n cael dylanwad drwg ar gymdeithas.

Dienyddio *execute*: Lladd rhywun fel cosb gyfreithiol.

Dignity in Dying: Grŵp ymgyrchu sy'n credu y dylid cyfreithloni cymorth i farw ar gyfer oedolion yn y DU sydd ag afiechyd marwol ac sy'n gymwys yn feddyliol.

Digwyddiad: Achlysur, yn enwedig un o bwys, sy'n cael ei gynnal i hyrwyddo achos ymgyrch.

Diogelu *safeguarding*: Amddiffyn rhag niwed neu ddifrod drwy gyfrwng mesur priodol.

Diwygio *reformation*: Diwygio neu adsefydlu.

DNA neu asid deocsiriboniwcleig: Y cemegyn sy'n cario gwybodaeth genynnol ac sydd i'w gael mewn cromosomau sydd yng nghnewyllyn y rhan fwyaf o gelloedd. Weithiau mae'n cael ei alw'n god genynnol gan ei fod yn pennu ein holl nodweddion.

Dod i gasgliad bod rhywun yn euog *inference of guilt*: Mae'n bosibl penderfynu, ar sail y dystiolaeth a roddir, fod y person yn euog.

Dynladdiad: Lladd anghyfreithlon, heb falais na bwriad, ac mewn amgylchiadau lle nad yw'n llofruddiaeth.

Dysgu drwy arsylwi: Pan fydd ymddygiad sylwebydd yn newid ar ôl gwylio ymddygiad sy'n cael ei fodelu.

Ddim yn llawn gyfrifol *diminished responsibility*: Amddiffyniad rhannol am lofruddiaeth sy'n arwain at euogfarn o ddynladdiad yn hytrach na llofruddiaeth.

Ecwiti'r rheithgor: Gall rheithgor ddwyn rheithfarn sy'n gywir yn foesol yn hytrach nag un sy'n cydymffurfio â'r gyfraith ac achosion blaenorol.

Effaith Barnum: Pan fydd unigolyn yn dweud bod disgrifiadau eraill ohono yn debyg iawn iddo ef ei hun. Fodd bynnag, mae'r disgrifiadau yn amwys ac yn gyffredinol iawn mewn gwirionedd, a byddai'n bosibl eu cymhwyso at amrywiaeth eang o bobl.

Egwyddor cyfnewid Locard: Roedd Dr Edmond Locard yn wyddonydd fforensig o Ffrainc, yr oedd pobl yn aml yn cyfeirio ato yn anffurfiol fel 'Sherlock Holmes Ffrainc'. Roedd yn arloesi ym maes technegau gwyddoniaeth fforensig, gan gynnwys yr egwyddor cyfnewid, sef bod rhywbeth yn cael ei ychwanegu at amgylchedd, a'i dynnu oddi yno, bob tro y bydd rhywun yn mynd i mewn i'r amgylchedd hwnnw.

Enciliol *retreatist*: Gwrthod y nodau a ragnodir gan gymdeithas a'r dulliau confensiynol o'u cyflawni.

Entomoleg: Astudio pryfed yn wyddonol.

Erchyllter *atrocity*: Gweithred erchyll a threisgar fel arfer.

Ffigur tywyll trosedd: Cyfanswm y troseddau sydd ddim yn cael eu reportio neu sy'n anhysbys.

Gorchymyn cyfunol *combination order*: Dedfryd gan y llys sy'n cyfuno gorchymyn prawf (*probation order*) a gorchymyn gwasanaeth cymunedol.

Gorchymyn prawf *probation order*: Cosb gan lys lle rydych chi'n bwrw eich dedfryd yn y gymuned. Pan fyddwch chi ar gyfnod prawf, efallai bydd rhaid i chi wneud gwaith di-dâl, cwblhau cwrs addysg neu hyfforddiant, cael triniaeth am gaethiwed, er enghraifft i gyffuriau neu alcohol, a chael cyfarfodydd rheolaidd gyda 'rheolwr troseddwyr'.

Gorchymyn ymddygiad gwrthgymdeithasol *Anti Social Behaviour Order (ASBO)*: Gorchymyn llys roedd awdurdodau lleol yn arfer gallu ei roi er mwyn cyfyngu ar ymddygiad rhywun a oedd yn debygol o achosi niwed neu drallod i'r cyhoedd.

Gorchymyn ymddygiad troseddol *Criminal Behaviour Order (CBO)*: Gorchymyn sy'n mynd i'r afael â'r unigolion gwrthgymdeithasol mwyaf difrifol a chyson sydd gerbron llys troseddol oherwydd eu hymddygiad. Gall ddelio ag amrywiaeth eang o ymddygiadau gwrthgymdeithasol ar ôl cael y troseddwr yn euog, gan gynnwys trais bygythiol yn erbyn eraill neu fod yn feddw ac yn ymosodol yn aml yn gyhoeddus.

Gorfodaeth *coercion*: Defnyddio grym i gyflawni'r nod a ddymunir.

Gorfodol *mandatory*: Yn ofynnol gan y gyfraith.

Grŵp rheolydd *control group*: Grŵp mewn arbrawf neu astudiaeth sydd ddim yn derbyn triniaeth gan yr ymchwilwyr ac yna sy'n cael ei ddefnyddio yn feincnod i fesur beth ddigwyddodd i'r rhai a dderbyniodd driniaeth.

Gwasanaeth Erlyn y Goron *Crown Prosecution Service (CPS)*: Y prif awdurdod erlyn yng Nghymru a Lloegr, sy'n gweithredu'n annibynnol mewn achosion troseddol y mae'r heddlu'n ymchwilio iddyn nhw.

Gwerth tystiolaethol *probative value*: Pa mor ddefnyddiol yw tystiolaeth i brofi rhywbeth pwysig mewn treial.

Gwe-rwydo *phishing*: Sgam neu ymgais i berswadio rhywun i rannu gwybodaeth bersonol, fel rhifau cyfrifon banc, cyfrineiriau a manylion cerdyn credyd.

Gwneud iawn *reparation*: Ei nod yw sicrhau bod y diffynnydd yn talu'n ôl i'r dioddefwr neu i'r gymdeithas am gamwedd.

Gwyliadwriaeth *surveillance*: Gwylio rhywun neu rywbeth yn ofalus.

Gwyliadwriaeth gudd *covert surveillance*: Monitro'n gudd neu mewn ffordd nad yw'n amlwg.

Gwyrdroëdig *deviant*: Unrhyw ymddygiad sy'n torri normau cymdeithasol/diwylliannol neu safonau arferol. Ni fydd cymdeithas fel arfer yn cymeradwyo ymddygiad gwyrdroëdig.

Hanes blaenorol *antecedents*: Teulu a chefndir cymdeithasol y diffynnydd.

Hel puteiniaid o gerbyd *kerb crawling*: Gyrru'n araf ar hyd ffordd, yn agos at balmant neu lwybr, er mwyn gofyn i butain am ryw.

Hil-laddiad *genocide*: Unrhyw weithred sy'n cael ei chyflawni â'r bwriad o ddinistrio, yn llwyr neu'n rhannol, grŵp cenedlaethol, ethnig neu grefyddol.

Hunanamddiffyniad *self-defence*: Amddiffyniad yn y gyfraith sy'n caniatáu defnyddio grym rhesymol i osgoi euogfarn.

Hwyluswr *facilitator*: Rhywun sy'n helpu i wneud tasg yn haws neu sy'n helpu rhywun i ddod o hyd i ateb.

Islamoffobia: Atgasedd neu ragfarn yn erbyn Islam neu Fwslimiaid.

Llithio *soliciting*: Cynnig rhyw am arian, fel arfer mewn man cyhoeddus.

Marcsaeth: Damcaniaethau gwleidyddol ac economaidd Karl Marx, sy'n nodi bod cyfalafiaeth yn anghyfartal ac yn annemocrataidd, gan ei bod yn seiliedig ar gamfanteisio ar y dosbarth gweithiol gan y dosbarth cyfalafol/y bourgeoisie.

Marwolaeth ddamweiniol: Rheithfarn mewn cwest sy'n cael ei rhoi pan ystyrir bod y farwolaeth yn ganlyniad damwain.

Mathau *forms*: Ffurfiau, syniadau, damcaniaethau, ffyrdd, dulliau.

Mens rea: Lladin am y meddwl euog.

Mewnblygedd *introversion*: Cyfeirio eich diddordebau yn fewnol neu at bethau o fewn yr hunan.

Monosygotig: Gefeilliaid unfath (*identical twins*).

Noblo *nobbled*: 'Prynu' neu fygwth.

Niwrotiaeth: Cael teimladau o orbryder, pryder, dicter neu ofn.

Paedoffilydd: Rhywun sy'n cael ei ddenu'n rhywiol at blant.

Panig moesol: Defnyddir y term i ddisgrifio canlyniad portread y cyfryngau o rywbeth sydd wedi digwydd lle mae'r cyhoedd yn ymateb mewn panig. Mae'r adroddiadau fel arfer yn gorliwio'r digwyddiad ac felly mae'r cyhoedd yn gorymateb.

Papur poblogaidd *tabloid*: Math o bapur newydd sydd â thudalennau bach, llawer o luniau a straeon byr.

Papur safonol *broadsheet*: Math o bapur newydd sy'n cynnwys erthyglau hir, iaith ffurfiol a llai o luniau na phapur poblogaidd.

Partneriaeth sifil: Cytundeb sy'n cael ei gydnabod yn gyfreithiol ar gyfer cyplau o'r un rhyw.

Penderfyniaeth fiolegol *biological determinism*: Mae personoliaeth neu ymddygiad unigolyn yn cael ei achosi gan y genynnau a etifeddodd, yn hytrach na ffactorau cymdeithasol neu ddiwylliannol, h.y. gan natur yn hytrach na gan ei fagwraeth.

Preifateiddio: Trosglwyddo busnes neu wasanaeth o berchnogaeth gyhoeddus i berchnogaeth a rheolaeth breifat.

Prifholiad *examination-in-chief*: Holi tyst gan y parti sydd wedi galw'r tyst hwnnw i roi tystiolaeth, i gefnogi'r achos sy'n cael ei wneud.

Proffilio daearyddol: Ystyried patrymau a gafodd eu datgelu yn lleoliad ac amseriad troseddau i ddod i benderfyniadau ynglŷn â lle mae'r troseddwr yn byw (damcaniaeth y cylch).

Proffilio teipolegol: Ystyried nodweddion y troseddwr drwy ddadansoddi lleoliad y drosedd a'r troseddau.

Puteindy *brothel*: Rhywle lle bydd dynion yn mynd i dalu i gael rhyw gyda phutain.

Refferendwm: Pleidlais gyffredinol gan yr etholwyr ar un cwestiwn gwleidyddol sy'n cael ei gyfeirio atyn nhw i gael penderfyniad uniongyrchol.

Rhaglen atgyfnerthu â thalebau *token economy*: Dull o addasu ymddygiad sy'n cynyddu ymddygiad dymunol ac yn lleihau ymddygiad annymunol drwy ddefnyddio talebau. Mae unigolion yn derbyn talebau ar ôl ymddwyn mewn ffordd ddymunol. Mae'r rhain yn cael eu casglu a'u cyfnewid am wrthrych neu fraint.

Rheolaeth: Rheoleiddio, llywodraethu, rheoli, trefnu.

Rheolau tystiolaeth *rules of evidence*: Rheolau cyfreithiol sy'n esbonio pryd bydd tystiolaeth mewn achos llys yn dderbyniol a phryd na fydd yn cael ei chaniatáu neu'n cael ei hystyried yn annerbyniol.

Rhyddfarn *acquittal*: Rheithfarn llys pan fydd rhywun yn cael ei ddyfarnu'n ddieuog o drosedd y cafodd ei gyhuddo o'i chyflawni.

Rhyddid sifil *civil liberties*: Hawliau a rhyddid sylfaenol sy'n cael eu rhoi i ddinasyddion gwlad drwy'r gyfraith.

Sefydliad Troseddwyr Ifanc *Young Offenders Institution*: Math o garchar i bobl ifanc rhwng 18 a 20 oed.

Sefydlogrwydd *stability*: Yn annhebygol o symud na newid.

Seiberfwlio: Math o fwlio sy'n defnyddio dyfeisiau electronig, er enghraifft ffonau symudol, tabledi neu gyfrifiaduron. Mae'n dod yn fwyfwy cyffredin, yn enwedig ymhlith plant yn eu harddegau.

Seicoleg ymchwiliol *investigative psychology*: Techneg proffilio â'i wreiddiau ym maes theori ac ymchwil seicolegol. Mae'n helpu i adnabod pobl a ddrwgdybir ac i gysylltu troseddau â'r dystiolaeth.

Seicotiaeth: Patrwm personoliaeth sy'n cael ei nodweddu gan ymosodedd a gelyniaeth at bobl eraill.

Sgan PET: Defnyddir sganiau tomograffeg allyrru positronau (PET) i gynhyrchu delweddau tri dimensiwn o'r tu mewn i'r corff.

Sgitsoffrenia paranoid: Salwch seicosis sy'n amrywio o ran dwyster, sy'n gwneud i'r dioddefwr golli cysylltiad â realiti.

Sicrwydd daliadaeth *security of tenure*: Cyflogaeth barhaol wedi'i gwarantu.

Simitator: Gwefan sy'n eich galluogi i greu cyfrif Facebook neu Twitter ffug.

Somatoteip: Siâp y corff.

Statud: Deddf Seneddol neu ddeddfwriaeth.

Stereoteipio: Darlun meddyliol neu argraff orsyml a sefydlog sydd gan bobl yn gyffredinol am nodweddion math arbennig o berson.

Stigma: Arwydd o warth sy'n gysylltiedig â rhywbeth drwg.

Swyddog y ddalfa *custody officer*: Y swyddog heddlu, rhingyll o leiaf, sy'n gyfrifol am ofal a lles rhywun a arestiwyd.

Tariff oes *whole-life tariff*: Gorchymyn sy'n datgan y bydd rhaid i'r diffynnydd, ar ôl cael ei ddyfarnu'n euog o lofruddiaeth, dreulio'r holl ddedfryd yn y carchar ac na fydd ganddo hawl i barôl.

Tramgwyddwr ifanc *juvenile delinquent*: Rhywun o dan 18 oed sydd wedi torri'r gyfraith.

Troliwr y rhyngrwyd *internet troll*: Rhywun sy'n ypsetio pobl ar y rhyngrwyd drwy ddechrau ffrae neu anfon negeseuon ymfflamychol.

Trosedd dditiadwy *indictable offence*: Trosedd ddifrifol mae'n rhaid delio â hi yn Llys y Goron.

Troseddau hanesyddol: Troseddau a gafodd eu cyflawni flynyddoedd lawer yn ôl ond sy'n cael eu herlyn nawr, yn aml oherwydd oedi wrth eu reportio i'r heddlu.

Troseddol: Gweithredoedd a fydd yn cael eu hystyried yn droseddau o dan gyfraith Cymru a Lloegr ac sy'n cael eu cosbi gan y wladwriaeth.

Troseddwyr dan glo *incarcerated criminals*: Pobl sydd wedi'u cael yn euog o drosedd ac sydd wedi derbyn cyfnod yn y carchar yn gosb.

Trugarog *lenient*: Yn disgrifio cosb nad yw mor llym â'r disgwyl.

Tyst agored i niwed *vulnerable witness*: Unrhyw un o dan 17 oed, neu ddioddefwr ymosodiad rhyw, neu rywun y mae ei dystiolaeth neu ei allu i roi tystiolaeth yn debygol o fod yn llai oherwydd anhwylder meddwl, nam deallusrwydd sylweddol neu nam corfforol.

Unochrog: Dangos tuedd annheg o blaid neu yn erbyn rhywun neu rhywbeth.

Ustusiaid y Goruchaf Lys: Barnwyr sydd hefyd yn cael eu galw'n 12 Arglwydd Apêl (Sefydlog), sy'n gwrando ar achosion yn y Goruchaf Lys.

Vigilante: Person sy'n ceisio atal trosedd rhag cael ei chyflawni neu sy'n dal troseddwr ac yn ei gosbi mewn ffordd answyddogol, fel arfer gan ei fod yn credu nad yw'r heddlu yn gallu gwneud hynny.

Y Cyngor Dedfrydu *Sentencing Council*: Yn darparu canllawiau ar ddedfrydu mae'n rhaid i'r llysoedd eu dilyn oni bai ei bod er budd cyfiawnder i beidio â gwneud hynny.

Y Senedd: Mae Senedd y DU yn cynnwys tair rhan. Yn gyntaf, Tŷ'r Cyffredin, y cynrychiolwyr etholedig, neu'r Aelodau Seneddol, a gafodd eu hethol gan y bobl mewn etholiad. Yn ail, Tŷ'r Arglwyddi, sydd yn dal i gynnwys rhai arglwyddi etifeddol (Arglwyddi) ac erbyn hyn sawl arglwydd a benodwyd am oes sydd ddim yn trosglwyddo eu teitl ar ôl marwolaeth. Er enghraifft, Syr Alan Sugar, y Farwnes Doreen Lawrence (mam Stephen Lawrence) a Syr John Prescott. Yn olaf, y Brenin neu'r Frenhines sy'n cymeradwyo'r Bil terfynol.

Ymgyrchoedd dros newid: Yn ymwneud â set o weithgareddau wedi'u cynllunio y bydd pobl yn eu gwneud dros gyfnod o amser er mwyn cyflawni rhywbeth fel newid cymdeithasol neu gyfreithiol.

Ymhelaethu gwyredd *deviancy amplification*: Proses sy'n aml yn cael ei pherfformio gan y cyfryngau, lle bydd graddfa a difrifoldeb ymddygiad gwyrdroëdig yn cael eu gorliwio, gan greu mwy o ymwybyddiaeth o wyredd a diddordeb ynddo.

MYNEGAI

A

B

C

D

Dd

E

F

N

O

P

Q

R

Rh

S